ISBN 978-0-282-19921-0
PIBN 10582580

1 MONTH OF
FREE
READING

at
www.ForgottenBooks.com

By purchasing this book you are eligible for one month membership to ForgottenBooks.com, giving you unlimited access to our entire collection of over 700,000 titles via our web site and mobile apps.

To claim your free month visit:
www.forgottenbooks.com/free582580

English
Français
Deutsche
Italiano
Español
Português

www.forgottenbooks.com

Mythology Photography **Fiction**
Fishing Christianity **Art** Cooking
Essays Buddhism Freemasonry
Medicine **Biology** Music **Ancient
Egypt** Evolution Carpentry Physics
Dance Geology **Mathematics** Fitness
Shakespeare **Folklore** Yoga Marketing
Confidence Immortality Biographies
Poetry **Psychology** Witchcraft
Electronics Chemistry History **Law**
Accounting **Philosophy** Anthropology
Alchemy Drama Quantum Mechanics
Atheism Sexual Health **Ancient History**
Entrepreneurship Languages Sport
Paleontology Needlework Islam
Metaphysics Investment Archaeology
Parenting Statistics Criminology
Motivational

Einhards Künstler- und Gelehrtenleben

Ein Kulturbild aus der Zeit Karls
des Großen und Ludwigs des Frommen

von

Max Buchner
a. o. Universitätsprofessor in München

Kurt Schroeder / Bonn und Leipzig / 1922

Michael Doeberl

in herzlicher Verehrung und treuer
Dankbarkeit

Vorwort

Als ich vor zwei Jahren meine Studien über „Einhard als Künstler"[1]) veröffentlichte, gedachte ich nicht noch
ein weiteres Buch dem Biographen Karls des Großen zu
widmen; und auch heute tue ich dies nicht ohne ein gewisses
Zagen und glaube den verehrlichen Lesern dieser Einhard-
Biographie wenigstens in einigen Sätzen Rechenschaft
über ihre Entstehung zu schulden.

Schon nach der Veröffentlichung der genannten, für
fachwissenschaftliche Kreise bestimmten Studien drängte es
mich die Einzelergebnisse dieser Forschungen in den Ge-
samtrahmen des Lebens Einhards einzuspannen, da dessen
Lebensgang nun doch wohl nach mancher Seite hin in
einem n e u e n L i c h t e erscheinen konnte; und gleichzeitig
sollten die Früchte fachwissenschaftlicher Forschung in dieser
Form auch w e i t e r e n K r e i s e n d e r G e b i l d e -
t e n zugänglich gemacht werden. Ich glaubte diese Aufgabe zunächst in einem Zeitschriftenaufsatz lösen zu können.
Aber je mehr ich mich mit Einhards Lebenslauf befaßte,
je besser ich auch den M e n s c h e n E i n h a r d namentlich auf Grund seiner Briefe, jener einzigartigen Quelle für
die Zeichnung seines Charakterbildes, zu verstehen suchte,
und je wärmer damit auch mein Verhältnis zu dem Ge-
genstande der geplanten Veröffentlichung wurde, desto lebhafter regte sich in mir der Wunsch auch d e n z e i t -

[1]) Straßburg 1919.

lichen Hintergrund, von dem sich dieses Gelehr=
ten= und Künstlerleben abhebt, zu zeichnen und ein gewisses
Bild zu geben von der Kultur der Karlinger=
zeit, von ihrem Erziehungs= und Bildungswesen, ihren
wissenschaftlichen Bestrebungen, ihrer Geschichtsschrei=
bung und Dichtung, von ihrer bildenden Kunst, insbeson=
dere ihrer Plastik und ihrer Kleinkunst, von ihrem kirch=
lichen und klösterlichen Leben, ihrer Heiligen= und Re=
liquienverehrung, von dem Wachsen und der Entwicklung
einzelner Orte und noch von manch anderem. Erst auf solche
Weise schien mir die nötige Vorbedingung zum Verständ=
nis eines Künstler= und Gelehrtenlebens, das weit mehr als
ein Jahrtausend hinter uns liegt, gewonnen zu werden.
— So wurde aus dem in Aussicht genommenen Zeitschrif=
tenaufsatz das Büchlein, das ich hiermit der Öffentlichkeit
übergebe.

Es ist selbstverständlich, daß ich bei der Schilderung
des angedeuteten kulturellen Hintergrundes mich an die
Ergebnisse der neueren Forschung anschloß und daß sie somit
inhaltlich dem Fachgelehrten nichts neues geben kann.
Gleichwohl hoffe ich, daß dies Buch, obgleich ich bei seiner
Abfassung in erster Linie an weitere Kreise der Gebilde=
ten dachte und ihnen ein möglichst anschauliches, lebens=
volles Bild vom Leben und Wirken Einhards und seiner
Zeit geben wollte, doch auch für die fachwissen=
schaftliche Forschung nicht ganz wertlos ist: ich
suchte in der Regel in Form von kurzen Anmerkungen auf
manches hinzuweisen, was sich mir im Laufe der Studien
und Forschungen, die ich seit fast einem Jahrzehnt der Kar=
lingerzeit und besonders den mittelalterlichen Fälschungen
widmete, ergeben hat, ohne daß es mir bei den derzeitigen
Druckschwierigkeiten möglich wäre diese umfangreichen

Unterſuchungen in abſehbarer Zeit in ihrem vollen Um=
fange zu veröffentlichen.

Eine weſentliche Erleichterung bei der Benützung die=
ſes Buches dürfte die Beigabe einer Inhaltsüberſicht ſowie
beſonders eines eingehenden Regiſters darſtellen; ich
glaubte von der Anlage eines ſolchen ſchon deshalb nicht
Abſtand nehmen zu dürfen, weil ſein Inhalt vielleicht am
beſten zeigt, ob und wieweit dieſes Büchlein auch auf Gel=
tung als Kulturbild der Karlingerzeit Anſpruch erheben
kann.

Allen, die das Zuſtandekommen dieſes Buches irgend=
wie gefördert haben, ſei hiermit mein verbindlichſter und
herzlichſter D a n k ausgeſprochen. Beſonders danke ich
wärmſtens meinem lieben Freunde und Kollegen
Prof. Dr. M a t t h i a s M e i e r dafür, daß er die
Druckbogen mit mir zu leſen gütigſt unternahm, nicht min=
der herzlich Herrn Kollegen Dr. S e b a ſ t i a n H a u s =
m a n n für dieſelbe Gefälligkeit.

Ich darf dies Buch einem Manne darbringen, deſſen
Name in unſerer deutſchen Geſchichtsforſchung, ſpeziell in
der Geſchichtſchreibung meines bayeriſchen Heimatlandes,
einen guten Klang hat, dem ich ſelber ſteten Dank ſchulde
ſeit der Zeit, da er in den Hallen zunächſt des Münchener
Ludwigsgymnaſiums und dann unſerer Münchener Uni=
verſität mir Führer und Lehrer geweſen und an deſſen
Seite zu wirken mir ſeit einem Jahrzehnt vergönnt iſt:
M i c h a e l D o e b e r l. In treuer Anhänglichkeit ſeien
ihm dieſe Blätter gewidmet.

M ü n ch e n, den 24. April 1921.

M a x B u ch n e r.

DC

Inhaltsübersicht.

„Airardus". — Mönche dieses Namens in der „cella
sanct. Dyonisii, ubi confessor Christi Hilarus
quiescit humatus" und die irrige Beziehung dieser
„cella" auf St. Denis statt auf St. Hilaire in Poitiers
in den Monumenta Germaniae. — Die Erztüren von
einem Mönche Airardus von St. Hilaire? — Oder
von Einhard? — Würdigung dieses Kunstwerkes und
sein Untergang vermutlich in der französischen Revolution. — Überlieferung der Porträts durch Mabillon.
— Das hier überkommene Bild vielleicht das Selbstbildnis Einhards und dessen Interesse am Aussehen
der menschlichen Gestalt. — Mutmaßliche Bedeutung
Einhards für die Geschichte des Künstlerbildnisses.

Der Klosterschüler von Fulda.

Am 19. April des Jahres 788 schrieb ein damals etwa achtzehnjähriger Jüngling am Schlusse einer für das Kloster Fulda ausgefertigten Urkunde, die er soeben sein säuberlich, wie es so seine Art war, fertiggestellt hatte, die Worte: „Ego Einhart rogatus scripsi." — „Ich, Einhard, habe es auf Ersuchen geschrieben." Dieser urkundliche Vermerk ist der früheste Lichtstrahl, der auf die Lebensgeschichte eines Mannes fällt, der wenige Jahrzehnte später zu den ersten Größen in dem karlingischen Gelehrtenkreise gehörte und als der hellste Stern am Kunsthimmel der damaligen Zeit erglänzen sollte: auf die Lebensgeschichte Einhards.[1]

Im östlichen Teil des Frankenreiches, nicht gar weit von Fulda entfernt, in den sonnigen Geländen des „Moingewi" (Maingau), dort also, wo zwischen den dichten Laubwäldern des Spessarts und des Odenwaldes der Main in stiller Behaglichkeit seine Bahn dahinzieht, hat Einhard das Licht der Welt erblickt; das sagt uns sein

---

[1] Nicht Eginhard sondern Einhardt (Einhart) schreiben die Zeitgenossen den Namen, der allerdings aus Eginhard entstanden und wohl auch als Ejinhard gesprochen worden ist. Die zweite Silbe des Namens wurde im Inlaut in der Regel mit „d" (Einhardus), im Auslaut mit „t" geschrieben; hiernach ist dem Gebrauch der heutigen Orthographie gemäß der Name als „Einhard", — nicht „Einhart" — zu schreiben, wie man ja auch Bernhard, Richard u. s. f. schreibt; s. A. Teulet, Oeuvres complètes d'Éginhard I (Paris 1840) S. I N. 1; F. Kurze, Einhard (Berlin 1899) S. 5 A. 1.

jüngerer Zeitgenoſſe, der gelehrte und poetiſche Abt des
Kloſters Reichenau, Walahfrid Strabo, der zu der belieb=
teſten Schrift Einhards, zu deſſen Vita Karoli Magni, ein
Vorwort über das Leben des Autors verfaßt hat. Das
Jahr und den Tag der Geburt Einhards nennt
uns kein Taufregiſter, und auch der Ort, wo ſein Vater=
haus geſtanden hat, iſt uns nirgends überliefert. Ein be=
ſonders glücklicher Umſtand iſt es ſchon, daß der Hiſtoriker
wenigſtens von den Eltern Einhards etwas zu ſagen
vermag: die Grabſchrift, welche Einhard von einem andern
ſeiner Zeitgenoſſen, dem berühmten Abt von Fulda und
Erzbiſchof von Mainz, Hrabanus Maurus erhielt, bezeugt
uns, daß er ſeinen Namen nach ſeinem Vater bekommen,
daß alſo auch ſein Vater Einhard geheißen habe. Da nun
in einer jener Urkunden, welche der junge Einhard für das
Kloſter Fulda ſchrieb, ein Ehepaar namens Einhard und
Engelfride auftritt und kraft dieſer Urkunde ſeinen Güter=
beſitz zu „Urithorpfe“ — es iſt das heutige Euerdorf an
der fränkiſchen Saale — dem Kloſter Fulda teſtamentariſch
vermacht, ſo hat man gewiß mit Recht in dieſem Ehepaar
die Eltern Einhards erblickt.[1] Offenbar war Einhards
Familie reich mit Glücksgütern geſegnet; ein Verzeichnis
der aus dem Saale= und Weringau an Fulda gekommenen
Schenkungen führt auch die ehedem jenem Einhard und
ſeiner Gattin gehörigen Beſitzungen zu Euerdorf und all
den Grundbeſitz, die Äcker und Wieſen und Wälder, die
Häuſer und die Hörigen, welche dazu gehörten, auf; Grund=
beſitz aber bedeutete in den Tagen der Naturalwirtſchaft,
wie ſie im früheren Mittelalter herrſchte, Reichtum und
Macht; man muß daher in Einhards Eltern zweifellos
wohlhabende, angeſehene und einflußreiche Leute, deren

---

1) S. Ph. Jaffè, Bibliotheca rerum Germanicarum IV (Berolini
1867) 488.

Befitz im Maingau und im nahen Saalegau sich ausdehnte,
erblicken.[1])

Ob wohl der kleine Einhard seine Kinderjahre auf
dem väterlichen Hofe zu Euerdorf oder auf einem andern
der elterlichen Güter verlebt und hier die ersten Eindrücke
von Gottes schöner, weiter Welt erhalten hat? — Wir
wissen es nicht; aber das wissen wir, daß Einhard schon
bald ins **Kloster Fulda** verbracht ward, um hier die
**ersten Anfangsgründe zu seiner umfas-
senden Bildung** zu erhalten. Wohl verschmähten es
vornehme Laienkreise meist ihre Söhne, soweit sie gesund
und kräftig von Natur aus waren und somit dereinst für
den Waffendienst brauchbar zu sein schienen, in Klosterschulen zu schicken[2]); aber anders war es, wenn es sich um
schwächliche Kinder handelte; solches aber war zweifellos
beim kleinen Einhard der Fall; wir werden ja noch hören,
daß derselbe zeit seines Lebens wegen der unansehnlichen
Gestalt, die ihm eigen war, so manchem seiner Zeitgenossen
zur Zielscheibe seines Spottes diente; es kann daher auch gar
nicht wundernehmen, wenn Einhards Eltern es fürs Beste
hielten ihr Bübchen, das ihnen so recht als Sorgenkind

---

[1]) Ich lasse es dahingestellt, ob an jener Stelle in Walahfrid
Strabos Prolog zur Vita Karoli, an der von Einhards Herkunft gesprochen wird, dieselbe als „minus . . . insigne" oder als „munus
. . . insigne" charakterisiert wird. Da die handschriftliche Überlieferung für die letztere Lesart jedenfalls günstiger ist und diese
wenigstens als möglich erscheint, so dürfte sie m. E. vorzuziehen
sein; anders K. Hampe, Zur Lebensgeschichte Einharts, im Neuen
Archiv XXI (1896) S. 603 A. 4; Kurze a. a. O. 5 A. 4; für „munus"
entscheidet sich auch M. Manitius, Geschichte der lateinischen Literatur des Mittelalters [Handbuch der klassischen Altertumswissen-
schaft, herausgegeben von J. von Müller IX. Bd. II. Abt.] I. Teil
(München 1911) 640 A. 4.

[2]) F. A. Specht, Geschichte des Unterrichtswesens in Deutschland von den ältesten Zeiten bis zur Mitte des dreizehnten Jahrhunderts (Stuttgart 1885) 231.

gegolten haben mag, in die Klosterschule zu schicken, damit
es einmal im Leben "wenigstens" auf dem Gebiete des
geistigen Schaffens etwas Ordentliches leisten könnte,
wenn es ihm schon einmal versagt sein sollte gleich den
Söhnen anderer angesehener Familien mit den Waffen in
der Faust seinem Herrscher zu dienen. — Und wenn dann
später Einhards Eltern dem Kloster Fulda die besagte
Schenkung machten, so darf diese als das wohlverdiente
Entgelt betrachtet werden für die ersten Lehrjahre, welche
ihrem Söhnlein in Fulda zuteil geworden waren und welche
ja doch schließlich die Grundlage abgegeben haben zu seiner
glänzenden Laufbahn als Künstler und Gelehrter; wenn es
auch in jener Zeit ein "Schulgeld" noch nicht gab, wenn
man vielmehr von dem Grundsatze ausging, daß für den
Unterricht keine Entlohnung bezahlt werden dürfte, während
die Verpflegung der Zöglinge allerdings vergütet werden
sollte,[1] so war es doch gewissermaßen eine Ehrensache, daß
reiche Leute wie die Eltern Einhards der Anstalt, an
welcher ihre Söhne erzogen worden waren und reichlich
ein Jahrzehnt verweilt hatten, eine Gegenleistung in Gestalt
einer größeren Schenkung machten und — soweit sich geistige
Güter überhaupt durch materielle Werte bezahlen lassen —
auf diese Art all das Gute vergalten, das ihrem Kinde in
jenen Lehrjahren erwiesen worden war.

So also war der kleine Einhard als Klosterschüler
nach Fulda gekommen. — Kloster Fulda! Welch
reiche Geschichte rankt sich für uns heute an diesem Namen
empor! In Einhards Tagen aber war Fulda noch eine
ganz junge Gründung; nur wenige Jahrzehnte erst waren

---

[1] Ein großer Schulmann dieser Zeit, Alkuin, schrieb das
zierliche Distychon:
„Si potare velis, nummos praestare debebis,
  Discere si cupias, gratis, quod quaeris, habebis."
Mon. Germ. Poëtae Lat. I 343.

damals verfloſſen, ſeit der Hl. Sturmius hier, wo die Gieſel
in die Fulda mündet und wo die Gebiete der Franken, der
Thüringer und Heſſen aneinander ſtießen, nach der Weiſung
ſeines Biſchofs, des Hl. Bonifatius, das Chriſtenzeichen
aufgepflanzt und ein Kloſter gegründet hatte. . Nichts als
„Himmel und Erde und gewaltige Baumrieſen" hatte man,
wie eine Quelle dieſer Zeit ſagt,[1]) damals in dieſer
Gegend geſehen. Jetzt aber war es lebendig geworden in
den Buchenwäldern ringsum. Mehr und mehr ſchwanden
nun dieſe dichten Waldungen dahin unter der Axt der
wackeren Mönche; in immer weiterem Umkreis um das
neue Kulturzentrum herum wandelten ſich jetzt die ausge=
dehnten Wälder in fruchtbares Ackerland. Der Mönch
wurde zum Träger einer ſegensreichen Bodenkultur. Und
wie machten ſich die Jünger des Hl. Benediktus erſt um
die geiſtige Kultur verdient! Wo immer die erſte Saat
des Chriſtentums ausgeſtreut worden war und nun der
Giebel eines Klöſterleins ſich zum Himmel emporreckte, da
durfte man ſicher auch eine Pflanzſtätte chriſtlicher Bildung
zu finden erwarten. Hier waren die Zellen, aus denen
heraus ſich das ganze reich gegliederte Unterrichtsweſen des
Mittelalters entwickelte. Auch Kloſter Fulda war von den
erſten Zeiten ſeines Beſtehens an zugleich eine Erziehungs=
anſtalt; war dieſe auch anfänglich nur für jene Knaben be=
ſtimmt, welche ſchon in früher Kindheit dem geiſtlichen
Stande geweiht worden waren (pueri oblati), ſo wurden
doch ſchon bald auch andere Zöglinge in die Fuldaer
Kloſterſchule aufgenommen. Und nicht gar lange ſollte es
mehr dauern, bis die Fuldaer Kloſterſchule unter ihrem
Abte Hrabanus Maurus (822—842), dem etwas jüngeren
Zeitgenoſſen Einhards, hochberühmt und von größtem

---

[1]) Eigil in ſeiner Lebensbeſchreibung des Abtes Sturm, bei
J. Bühler, Kloſterleben im deutſchen Mittelalter nach zeitgenöſſiſchen
Aufzeichnungen (Leipzig 1921) 77.

Einfluß auf die Entwicklung der geiſtigen Kultur im Fran=
kenreiche wurde; denn aus ihr ſind damals Männer her=
vorgegangen, welche zu den Leuchten des wiſſenſchaftlichen
und literariſchen Lebens im neunten Jahrhundert zählen: ſo
Servatus Lupus († 862), der feinſinnige, den antiken
Autoren ergebene Abt von Ferrières, Walahfrid Strabo
(† 849), der ſchon genannte Reichenauer Abt, Hartmut
(† 895), der gelehrte und kunſtliebende Leiter des Kloſters
St. Gallen, Godeſcalc († zwiſchen 866—869), der grü=
belnde Mönch, der durch ſeine Prädeſtinationslehre mit
ſeiner Kirche zerfallen ſollte, und nicht zuletzt die ſympa=
thiſche Geſtalt jenes Sängers Otfrid von Weißenburg,
der uns in ſeinem Evangelienbuche („Kriſt“) ein prächtiges
chriſtlich=deutſches Kunſtwerk voll von Gemüt und Herzlich=
keit geſchaffen hat. — So iſt alſo die Fuldaer Kloſterſchule,
in der auch Einhard ſeine Knabenjahre verbracht hat, zu
einem Ausgangspunkte für unſere ganze geiſtige Kultur ge=
worden, und es mag ſich verlohnen unſere Aufmerkſamkeit
einer ſolchen mittelalterlichen Kloſterſchule
zuzuwenden und den Geiſt, der in ihr wehte, den Bildungs=
gang, den ſie ihre Zöglinge führte, und das Alltagsleben
drinnen zu beleuchten.

Bei dem religiöſen Zug, der durch das Mittelalter
geht, iſt es ſelbſtverſtändlich, daß allem andern Unterrichte
die religiöſe Unterweiſung der Jugend voran=
gehen ſollte; die Herzensbildung des jungen Menſchen ſchien
das erſte und wichtigſte Problem zu ſein, neben dem man
aber auch die Sorge für die Ertüchtigung des Körpers
nicht überſah. — Mit den hauptſächlichſten und wichtigſten
Lehrſtücken des chriſtlichen Glaubens, mit dem Glaubens=
bekenntnis und dem „Pater noster“ mußte vor allem jedes
Kind vertraut ſein.¹) Auch das Auswendiglernen des latei=

---

¹) Zum folgenden ſ. Specht a. a. O. 59 ff.

nischen Psalters gehörte zu den Anfangsgründen des Unterrichtes; an Hand des Psalterbuches, das in starker, fester Bücherschrift geschrieben war, nahm man auch die ersten Leseübungen vor; gleichzeitig sollten die gelesenen Psalmen dem Gedächtnis eingeprägt werden. Bis die Kunst des Lesens und die Psalmen erlernt waren, dauerte es immerhin einige Jahre. Freilich hatte das Lernen der Psalmen anfangs bloß die Bedeutung einer gedankenlosen Gedächtnisübung, da ja der Sinn des in lateinischer Sprache gelesenen und zu lernenden Stoffes den Knaben, die erst allmählich das Latein verstehen lernten, zunächst noch vollständig dunkel war. — Besondere Sorgfalt verlegte man auf die Vorbildung des Kindes für den Beichtunterricht; des öfteren legten die Knaben vor dem Abt oder dem Prior des Klosters ihre Beichte ab. — Als Elementargegenstand betrachtete man auch die Pflege des Kirchengesangs, auf daß so die kleinen Zöglinge möglichst bald bei den täglichen Gottesdiensten auch mitsingen konnten; allerdings war die Erlernung des Kirchengesanges eine schwierige Sache: die Singzeichen, die man in jenen Zeiten in Verwendung hatte, waren für manches Büblein gar nicht so leicht zu behalten; und wenn ihnen dann die Bedeutung all der Figürchen, der Strichlein und Häklein und Pünktlein erklärt wurde, deren man sich bediente, um wenigstens einigermaßen das Steigen und Fallen der Melodei zu versinnbildlichen, da mochte es ihm manchmal wie ein Mühlrad im Kopfe herumgehen. Aber selbst wenn das alles saß, so hatte es doch noch mit dem Singen seine gute Ruh! Die richtige Unterscheidung der Intervalle, die schwierige Kunst des Treffens, die deutliche Aussprache der Silben, der gute Vortrag des Textes, das Modulieren der Psalmen, das Einhalten der Tempi, die Schulung der „rauhen germanischen Kehlen" — wer all das doch hätte zustande bringen können! — Wegen der Berechnung der kirchlichen

Feſte mußte der junge Kloſterſchüler ſich ſchon frühzeitig auch mit den Anfangsgründen des Rechnens einiger= maßen vertraut machen; wenigſtens zu zählen und die ein= zelnen Zahlen mit den Fingern darzuſtellen ſollte der Knabe ſchon bald zuwege bringen. Daneben aber galt es auch bereits für die ganz kleinen Jungen, die „parvuli", in die Geheimniſſe der lateiniſchen Sprache einzu= dringen: da waren die einzelnen Redeteile zu unter= ſcheiden und Übungen im Deklinieren und im Konjugieren vorzunehmen, es galt Vokabeln zu memorieren und die erſten Verſuche zu wagen ſtatt der gewohnten deutſchen Mutterſprache ſich des Lateiniſchen im Umgang mit Leh= rern und Mitſchülern zu bedienen. —

Mit all dem aber war gewiſſermaßen erſt der Boden geſchaffen, auf dem dann der Bau des Wiſſens aufgeführt werden konnte, das der Kloſterſchüler ſich erwerben ſollte; es war der Grundſtein gelegt zum Erwerb der höheren Bildung, wie ſie in den ſieben „freien Künſten" beſtand. Bis man auch ſie bewältigte, vergingen neuerdings etwa acht Jahre.

Dieſe „septem artes" oder „artes liberales" ge= nannten Diſziplinen bildeten wie ſchon in den öffentlichen Schulen des alten römiſchen Reiches ſo auch im mittel= alterlichen Schulbetriebe den hauptſächlichſten Unterrichts= ſtoff. Sie gliederten ſich in ein „Trivium", das in die drei ſprachlichen Fächer: Grammatik, Rhetorik und Dialektik zerfiel, und in ein Quadrivium, welches die ſog. mathema= tiſchen Diſziplinen: Arithmetik, Geometrie, Aſtronomie und Muſik umfaßte. An erſter Stelle unter den ſieben Schwe= ſterkünſten ſtand die Grammatik, die als Grundlage auch für die andern ſechs Fächer galt und welche man ſich perſonifiziert als die Königin unter den Sieben vorſtellte, geſchmückt mit einer Krone, in der Rechten ein Meſſer, mit dem den Sprachfehlern zu Leibe gerückt werden ſollte, in

der Linken aber die Geißel als Symbol der strengen Zucht
in der Schule. Gar lange mußte der junge Klosterschüler
dem Dienst dieser Königin fronen. Denn das Ziel, zu
dem sie ihn führen sollte, eine fehlerfreie sprachliche Dar=
stellung, war für den kleinen Germanen recht schwer zu er=
reichen. Oft genug riß wohl dem Lehrer des Grammatik=
unterrichtes der Geduldsfaden. Nicht selten setzte es dann
reichlich Hiebe. — Donatus und Priscian, die beiden alten
römischen Grammatiker, galten jahrhundertelang als die
beliebtesten Führer auf diesem Wege; wohl in keiner
Klosterbibliothek fehlten ihre Grammatiken als Schulbücher;
und auch Einhard wird zweifellos, als er in die Kloster=
schule von Fulda gekommen war, von seinem „magister
scholarum" nach der „ars minor" des im 4. Jahrhundert
lebenden Älius Donatus den ersten lateinischen Unterricht
erhalten haben, während er dann, als er auf der Leiter der
Schulbildung bereits höher geklommen war, aus Priscian
(6. Jahrhundert) die grammatikalischen Regeln entnehmen
konnte. Freilich wird Einhard ebensowenig wie seine
Mitschüler selbst ein Exemplar des Donat oder des Pris=
cian besessen haben; nur die Lehrer hatten ein solches in
Händen; denn wenn auch die Exemplare dieser Lehrbücher
verhältnismäßig zahlreich in den mittelalterlichen Büche=
reien zu finden waren — bis auf unsere Tage sind uns
gegen 1000 Exemplare des Priscian erhalten! —, so waren
doch die Bücher noch allzu kostbar, als daß man sich den
Luxus hätte leisten können jedem einzelnen Schüler sein be=
sonderes Exemplar in die Hand zu geben. Die Schüler spra=
chen vielmehr die Regeln und Übungen, die ihnen ihr Schul=
meister vorsagte, so lange nach, bis dieselben im Gedächtnis
saßen; oder sie schrieben auf dem mit Wachs überzogenen
Täfelchen, das sie vor sich hatten und auf das sie mit un=
gewohnter Hand mittels ihres Griffels die Schriftzüge ein=
gruben, den Vortrag des Lehrers nach, um ihn dann mit

lauter Stimme zu wiederholen. — An das Studium der
Grammatik schloß sich die Lehre der Metrik, die Lehre von
den verschiedenen Versmaßen, sowie die Orthographie an.

War so das Grammatik-Studium vollendet und hatte
man dann auch diesen oder jenen alten Dichter, vor allem
Virgil, gelesen, wobei natürlich die Glossare, die in keiner
Klosterbibliothek sehlen durften, sehr vonnöten waren,
hatte man ferner die Technik der Verskunst erlernt, und hatte
nach Möglichkeit der kleine Klosterschüler ein paar lateinische Verse schlecht und recht zusammengeschmiedet, so kamen die R h e t o r i k und die D i a l e k t i k an die Reihe.
In der letzteren Disziplin sah man die Wissenschaft, durch
welche man Untersuchungen anstellen, Begriffe bestimmen
und Erörterungen pflegen konnte, um auf solche Art Wahres
vom Falschen zu unterscheiden. Während bei der Dialektik die Argumentation in bündiger Weise zu führen war,
kam es bei der Rhetorik auf eine wortreiche Darstellung an;
im Gegensatz zum Altertum schätzte man in den mittelalterlichen Klosterschulen — und darin zeigt sich ein Zug gesunden, auf die innere Wahrhaftigkeit gerichteten Sinnes —
den Schwulst der Rhetorik nicht sehr hoch ein; von dekla-
matorischen Übungen und hochtrabenden Worten wollte
man in der Klosterschule unserer Zeit meist nichts wissen.

Auch die vier Gegenstände des Q u a d r i v i u m s:
Arithmetik, Geometrie, Astronomie und Musik wurden —
mit Ausnahme der letzteren — in der Klosterschule wenigstens im Vergleich zur Pflege der Grammatik meist etwas
stiefmütterlich behandelt. Sie schienen eben gar zu große
Anforderungen an die Auffassungsfähigkeit der Schüler und
damit auch an die Geduld der Lehrer zu stellen — leicht erklärlich, wenn ein Schulmann des achten Jahrhunderts
einmal meinte, daß ihm schon der Gedanke an das Quadrivium förmlich den Hals zuschnüre und daß gegenüber
den Schwierigkeiten, die es biete, der Unterricht des Tri-

viums das reinste Kinderspiel sei! Ganz vernachläſſigt
konnten dieſe Fächer allerdings doch nicht werden, ſchon
weil man die Kenntnis wenigſtens der allgemeinſten Be=
griffe der Arithmetik und der Aſtronomie für die
Berechnung des Kirchenjahres, für den ſog. Komputus, not=
wendig brauchte. Schon die Anfangsgründe der Arithmetik,
welche im Zählen und in der Darſtellung der einzelnen
Zahlen mittels der Finger beſtanden, ſetzten eine längere
Übung voraus. Man darf ja nicht vergeſſen, daß man nur
ſelten ſchriftlich rechnete und ſchriftlich rechnen konnte: noch
ſollten bekanntlich Jahrhunderte vergehen, bis das arabiſche
Ziffernſyſtem, das uns nun das Rechnen ſo leicht macht,
in Deutſchland in Gebrauch kam; die lateiniſchen Buch=
ſtaben aber waren als Zahlzeichen gar umſtändlich zu ver=
wenden.

Ganz beſonders ſchlecht kam unter den mathematiſchen
Fächern die Geometrie bei der Behandlung in der
Kloſterſchule weg: unter ihrem Namen lehrte man nicht ſo
ſehr die Erdmeßkunſt als vielmehr die Erdkunde und Erd=
beſchreibung. Auch ein naturwiſſenſchaftlicher Unterricht
wurde in manchen Kloſterſchulen und gerade auch in unſerm
Fulda in die Lehren des Quadriviums einbezogen. Wir
beſitzen noch heute Aufzeichnungen, die ſich einer der da=
maligen Kloſterſchüler von Fulda, der ſchon genannte
Walahfrid Strabo, über die Teile des menſchlichen Kör=
pers gemacht hat, ſo, wie er dieſe Lehren von ſeinem
Meiſter, dem gleichfalls bereits erwähnten Hrabanus Mau=
rus, vorgetragen erhalten hatte.

Soviel genüge hinſichtlich der Lehrfächer, die eine
Kloſterſchule der Karlingerzeit vermittelte! Verfolgen wir
nun noch die Zöglinge einer ſolchen Kloſterſchule während
ihres Tageslaufes und hören wir, wie das Alltags=
leben des jungen Einhard während ſeiner Schulzeit in
Fulda ſich ungefähr abſpielte.

Die Tageseinteilung der Schüler war in der Kloster=
schule der Karlingerzeit nachhaltig beeinflußt von dem Ge=
bote des **kanonischen Stundengebetes**,[1]) das
bekanntlich in festbestimmten Zeiten sowohl während des
Tages als zur Nachtzeit verrichtet werden mußte. Sobald
in der Nacht etwa zwischen 2 und 3 Uhr die Glocke das
Zeichen zur **Vigil** (Nokturn) gegeben hatte, wurden auch
die Knaben geweckt, deren Lagerstätten im gemeinsamen
Schlafsaale (Dormitorium) standen; wer allzu lange säumte
sich zu erheben, bekam da wohl leicht einen Rutenstreich zu
spüren. — War dann die Vigil sowie der nächste, gleich=
falls noch in die Nachtzeit fallende Teil des Stundengebetes,
die **Matutin**, verrichtet, so durften die Zöglinge der
Klosterschule wieder auf ihr Lager zurückkehren und hier
noch etwas ruhen. Darauf folgte als erstes der bei Tage
gesungenen Stundengebete die **Prim**. Nach derselben
begann der Unterricht. Da gingen nun die Schüler in die
Lehrzimmer, die für die einzelnen Abteilungen bestimmt
waren; nicht zu viele Knaben sollten gemeinsam unterrichtet
werden; die einzelnen Klassen sollten nur etwa zehn Schüler
umfassen; auch nach den Lehrgegenständen mußten diese
geschieden werden; so lag natürlich auch eine Einteilung
sämtlicher Klosterschüler je nach dem Stande ihrer Kennt=
nisse in höhere und niedere Klassen sehr frühe schon nahe.

Vor Beginn der auf die Prim folgenden, um neun
Uhr verrichteten **Terz** verließen die Knaben das Schul=
zimmer, um nochmals ihren Schlafsaal aufzusuchen und
hier sich für den weiteren Tag zu waschen, zu kämmen und
ordentlich anzukleiden. Diese äußeren Dinge wurden ja
in der mittelalterlichen Bildung keineswegs vernachlässigt;
vielmehr wurde auf eine anständige Kleidung ebenso wie
auf ein gesittetes Benehmen, auf eine schickliche Bewegung

---

[1]) Vgl. Bühler, Klosterleben im deutschen Mittelalter 8 ff.

beim Gehen, auf den Gesichtsausdruck, auf die Sprechweise und all diese Äußerlichkeiten starkes Gewicht verlegt. Schon in frühester Jugend wurden die Kinder in den Regeln des Anstandes und der guten Sitte geschult, oft genug sogar in einer übertriebenen, unnatürlichen Weise; jede Gebärde sollte gewissermaßen genau geregelt sein, wodurch ja der stereotype Zug zu erklären ist, der den damaligen Gebildeten innewohnte und der uns noch in vielen Bildnissen aus jener Zeit entgegentritt. —

Doch begleiten wir unsere Fuldaer Klosterschüler weiter in ihrem Tageslaufe! — Wenn auch die Terz gesungen war und man die auf sie folgende hl. Messe angehört hatte, so kamen die Knaben in einer Art von Schülerversammlung zusammen; hier wurden die Rügen vorgebracht, welche seitens des Schulmeisters oder seitens der noch mehr gefürchteten „Cirkatoren" — es waren dies meist ältere Mönche, welche in allen Klosterräumen jederzeit über Mönche und Knaben die Aufsicht führen und die Verfehlungen, die sie beobachteten, aufschreiben und dann vortragen sollten — für nötig erachtet wurden. Auch die Züchtigungen der Knaben, die nicht allzu selten vorgekommen zu sein scheinen, wurden in dieser Versammlung vollzogen.

Nach diesem Schülerkapitel verrichtete man — es war inzwischen die Mittagszeit herangekommen — die Sext. An sie schloß sich im Sommer, sofern nicht Fasten geboten war, das „prandium", das „Frühstück", an, während im Winter dieses Frühstück erst auf die Non folgte. Die Hauptmahlzeit (coena) wurde erst nach der Vesper eingenommen. Gleich den Mönchen aßen auch die Klosterschüler in der Regel im Refektorium. Während die Erwachsenen an Festtagen und an den kurzen Tagen des Winters nur eine Mahlzeit erhielten, bekamen die Knaben beim Imbiß nach der Terz oder Sext nicht bloß Brot, sondern auch Zukost.

Nach dem Mittagseſſen legten ſich alle Kloſterbe=
wohner zur Ruhe, wobei es den Schülern verboten war
im Bette zu leſen und zu lernen. An dieſe Mittagsruhe
ſchloß ſich dann die N o n an, welche im Sommer um
vier Uhr, im Winter um zwei Uhr verrichtet wurde. Nach
derſelben war bis zur Veſper, die bei Sonnenuntergang
geſungen wurde, wieder Unterricht. Erſt an die Veſper
ſchloß ſich dann die Hauptmahlzeit an. Nachdem dann
noch das K o m p l e t o r i u m gehalten worden war, legte
man ſich zur Nachtruhe.

So ungefähr verlief der Alltag eines Fuldaer Kloſter=
ſchülers um 800; er mochte manchem gar grau und trüb
erſcheinen. Doch darf man hierbei nicht vergeſſen, daß
dieſer einförmige Tageslauf ſo manchesmal unterbrochen
wurde von außergewöhnlichen Tagen, von F e ſ t = und
V a k a n z t a g e n, ſo daß man wohl behaupten darf, man
ſei an den mittelalterlichen Kloſterſchulen dem Bedürfnis
der Knaben nach Spiel und Unterhaltung und Abwechſlung
nicht verſtändnislos gegenübergeſtanden; namentlich in der
äußeren Kloſterſchule ging es — im Gegenſatze zur inneren Kloſterſchule, in der ja ausſchließlich die zu Mönchen
beſtimmten „pueri oblati“ erzogen wurden — oft recht luſtig
zu. Ein mittelalterlicher Schriftſteller hat uns die Freuden
eines Vakanztages in lebhafter Weiſe geſchildert: da war
es eine Luſt, wenn man einmal von Grammatik und Rhe=
torik und Dialektik nichts mehr hörte und wenn man den
alten Donat und den berüchtigten Priscian in einer Ecke
der Kloſterbibliothek wohl geborgen wußte; Spiele werden
aufgeführt und die älteren Schüler zeigen ihre Kraft und
ihre Gewandtheit auf allen möglichen Gebieten: man wirft
Steine und veranſtaltet Wettläufe und Ringkämpfe. Es
wäre ja ganz verfehlt, wollte man in dem Bilde, das man
ſich von der klöſterlichen Erziehung dieſer Zeit macht, nicht
auch der Sorge für k ö r p e r l i c h e Ertüchtigung

einen breiten Raum geben; manche unserer Jugendspiele von heute wie Ballschlagen, Plumpsack und Kreiseln gehen bis in die Karlingerzeit zurück. Es war daher auch Einhard, als er in die Schule von Fulda eingetreten war, keineswegs der lebensstarken Atmosphäre seiner Zeit entrückt; die würzige Luft des „buchonischen Waldes", der sich nächst Fulda weithin ausdehnte, strich auch über die Fuldaer Klostermauern hinweg. Daß freilich gerade unser kleiner Einhard immer mit vollem Eifer an jenen Spielen und Leibesübungen teilgenommen habe, will ich keinesfalls zu behaupten wagen; auf Grund dessen wenigstens, was wir von Einhards Charakterbild aus seinem späteren Leben wissen, möchten wir uns den Knaben lieber zaghaft und ängstlich in eine Ecke zurückgezogen denken, wenns einmal in der Fuldaer Klosterschule recht wild zuging und die jungen Franken, aus denen die dortigen Zöglinge sicher zum guten Teil bestanden, einen Kampf ausfochten mit den Sprößlingen der Hessen oder der Thüringer, die hier gleichfalls nicht gefehlt haben werden: Solche tolle Spiele waren Einhards Sache nicht; an Körperkraft konnte er's, den die meisten seiner gleichaltrigen Gefährten um Kopfeslänge überragten, diesen ja doch nicht gleich tun. Wenn es sich aber um eine Musterleistung in der Schule handelte, da war der kleine Einhard vermutlich immer allen voran. Keinen Fuldaer Zögling mochte man länger und stiller über die alten Pergamente gebeugt, keinen unverdrossener die Römerworte sich einzuprägen bemüht sehen als ihn; so manchesmal wird er im Klostergarten zwischen den Beeten der Nutzpflanzen, die man hier pflegte, allein oder mit einem gleichgesinnten Kameraden dahingewandelt sein, ein Zahlen-Rebus überlegend, das in der Klosterschule gestellt worden war; ganz besonders aber dürfte es seinen Anlagen entsprochen haben im klösterlichen Skriptorium die alten Blätter, die man hier als kostbaren Schatz

hütete, und welche die Werke lateinischer Dichter und
Denker überlieferten, sorgfältig abzuschreiben — unermüd=
lich Buchstaben an Buchstaben reihend. Wie wird es ihn
dann gefreut haben, wenn solch lange schwarze Zeichen=
reihen gleichmäßig vollendet dastanden und nur noch darauf
zu warten schienen, daß ihre Anfänge besonders schön ge=
macht würden, wenn er nun daran gehen konnte auch dieses
Geschäft zu erledigen und die Initialen mit Blau und Rot
und Gold zu schmücken, wie man es ihm jüngst vorgezeigt
haben mochte — bald auch, wie es ihm seine eigene Phan=
tasie eingab! — Auch die Fertigkeit Briefe und Urkunden,
überhaupt Schriftstücke geschäftlichen und rechtlichen In=
haltes abzufassen, hat er sicher in der Klosterschule zu Fulda
erlangt; schriftliche Übungen im Geschäftsstil rechnete man ja
zum Studium der Rhetorik. Mehrere Urkunden des Klosters
Fulda, die von dem jungen Einhard geschrieben worden sind,
besitzen wir in einer Abschrift bis zum heutigen Tage. —

So kann's uns also nicht wundernehmen, wenn
Einhard bald als der erklärte „Muster=
schüler" von Fulda gegolten haben wird und wenn der
damalige Abt des Klosters, Baugulf mit Namen (779 bis
802), ihm den Pfad zu höheren Zielen ebnen zu sollen
glaubte. Damit entsprach Baugulf nur den Absichten
seines Königs, Karls d. Gr., selber; denn um 787 herum
war von diesem ein Rundschreiben an seine Kirchenfürsten,
an die Bischöfe und Äbte des Frankenreiches, ergangen,
welches sich eingehend mit der Ausgestaltung des Unter=
richtswesens befaßte und den Adressaten die Auswahl von
Männern nahelegte, „die den Willen und die Fähigkeit
etwas zu lernen haben und die auch ein innerer Antrieb
andere zu belehren beseelt"; gerade das an Abt Baugulf
gerichtete Exemplar dieses königlichen Rundschreibens ist
uns in einer späteren Abschrift überliefert.[1] So konnte

---

[1] S. nun Bühler, Klosterleben 90 ff. — Vgl. auch im Nachtrag.

also Baugulf gewiß sein keine Fehlbitte zu tun, wenn er seinem Einhard die Möglichkeit zur weiteren geistigen Ausbildung zu verschaffen trachtete, sobald sich ihm nur erst eine Gelegenheit hierzu bot.

Und es bot sich wirklich bald eine schickliche Gelegenheit, vom wackeren Baugulf selber klug herbeigeführt. Wie das Fuldaer Ábteverzeichnis uns erzählt, lud nämlich Baugulf seinen Herrscher zu einem Besuch seines Klosters ein. Als K a r l im Jahre 794 von Frankfurt aus gegen die Sachsen zu Felde zog, scheint er — der Weg führte ihn jedenfalls ohnehin über Fulda — dieser Einladung Folge geleistet und in F u l d a sich aufgehalten zu haben. Damals kam aber auch ein bedeutender Gelehrter aus Karls unmittelbarer Umgebung nach Fulda: es war der Angelsachse Alkuin, der schon seit mehr als einem Jahrzehnt als eine Größe in der Gelehrtenwelt jener Zeit, vor allem als gefeierter Lehrer, am Hofe des Frankenkönigs lebte. Das Grab seines heiligen Landsmannes Bonifatius, des Apostels der Deutschen, hat Alkuin 794 in Fulda besucht. Da wird denn Abt B a u g u l f dem hochweisen Alkuin und vermutlich auch dem Könige selber nicht ohne Stolz die Leistungen vorgezeigt haben, welche die schlichte Klosterschule von Fulda aufzuweisen hatte; vor allem wird er hierbei auf die vielverheißenden F o r t s c h r i t t e s e i n e s Lieblingsschülers E i n h a r d aufmerksam gemacht und sich die Bemerkung erlaubt haben, wie dieser Einhard Großes für die Zukunft verspreche, wenn anders man ihm nur die Möglichkeit gäbe, seine trefflichen Anlagen weiter auszubilden . . . .

So ungefähr wurde damals unserm Einhard der Weg bereitet zur höchsten Bildungsstätte, welche für die geistige Auslese des weiten Frankenreiches bestimmt war: d e r W e g z u r H o f = u n d H o c h s c h u l e K a r l s d. Gr.

II.

Auf der Hof= und Hochschule zu Aachen.

Ein entscheidungsvolles Jahr in Einhards Lebens=
gang bildete jenes Jahr 794; denn von da an gehörte er
der karlingischen Hofgesellschaft an, in deren Mitte er mehr
als ein Menschenalter hindurch verbleiben sollte — zunächst
als Schüler und Lernender (junior), bald als Meister und
Lehrer (magister) — und der er auch noch nach seinem
Ausscheiden aus seinem Amte bis zu seinem Tode verbun=
den bleiben sollte. All die Wandlungen, welche der Hof
Karls d. Gr. und seines Sohnes Ludwig des Frommen
erfuhr, hat Einhard miterlebt. Als er in diesen Kreis ein=
trat, war das fränkische H o f l e b e n noch von einem
bescheidenen, patriarchalischen Geiste durchdrungen, soviel
wahre Größe es auch in sich barg. Als er eine Generation
später von ihm schied, war der fränkische Hof längst zum
Schauplatz kaiserlichen Prunkes geworden — in vielem ein
Abbild von Byzanz mit all seinem Glanz, aber auch mit
genug seiner Schattenseiten!

Wie mag es doch dem jungen Einhard, der bisher aus
den Mauern seines Klosters und aus den Wäldern seiner
Heimat kaum weit hinausgekommen sein dürfte, zumute ge=
wesen sein, als ihm K ö n i g K a r l zum erstenmal gegen=
übertrat, jener Karl, dessen literarisches Porträt Einhard
selber dann ein paar Jahrzehnte später mit so meisterhaften
Strichen festhalten sollte! Schon längst war der Ruhm
Karls in all die Gaue seines weiten Reiches gedrungen
und den Klosterschülern zu Fulda mochte so manchmal das

Herz höher geschlagen haben, wenn ihnen ihr „magister scholarum" davon erzählt hatte, wie ihr König Karl das Reich der Langobarden zerstört und deren Herrscher gefangen genommen, wie er immer wieder gegen die trotzigen Sachsen gestritten und über sie das blutige Strafgericht zu Verden gehalten hatte, wie er fern im heißen Süden über die Pyrenäen bis an den Ebro und nach Saragossa vorgedrungen war und sich mit Mauren und Basken herumgeschlagen hatte! Und nun sah Einhard diesen gewaltigen König Karl leibhaftig vor sich, schaute voll scheuer Ehrfurcht zu ihm, dem Riesen, empor, der da vor ihm stand, angetan mit der fränkischen Tracht, dem Linnenhemd, den Linnenhosen und dem mit Seide verbrämten Wams, die Beine mit Binden umwickelt, das Schwert mit dem Knauf aus Edelmetall an seiner Seite! Schon begann das Haar des großen Königs zu ergrauen; aber das jugendliche Augenpaar, das dem Fuldaer Klosterschüler groß und lebhaft entgegenblitzte, der feste Gang und die männliche, aufrechte Haltung des Herrschers, ganz besonders aber der für ihn so charakteristische kurze, breite Nacken, wie diese Einzelzüge Einhard in seiner Biographie Karls trefflich geschildert hat, deuteten auf den starken, kraftvollen Geist hin, der diesem Körper innewohnte.

Und all die andern berühmten Männer, denen nun Einhard am fränkischen Königshofe Tag für Tag begegnen sollte! Da war vor allem Alkuin, der Sprosse einer vornehmen Familie Northumberlands, der als das Haupt des Gelehrtenkreises Karls geehrt wurde; auf der berühmten Schule zu York war er herangebildet worden, auf italienischem Boden, zu Parma, hatte ihn Karl kennen gelernt und für seinen Hof gewonnen. Neben der Theologie waren auch mehrere andere Wissenszweige das Feld, auf dem sich dieser umfassende Geist auswirkte; insbesondere der klassischen Literatur stand er nahe; man-

2*

ches lateinische Gedicht floß von seinen Lippen. — Auf dem
Sondergebiete der Grammatik war ein anderer an Karls
Hof zur Zeit des Eintrittes Einhards in diesen Kreis
Meister: Petrus von Pisa, damals schon ein greiser Lehrer,
der ehedem an der alten Schule zu Pavia gewirkt hatte;
seine Persönlichkeit dürfte von besonderem Einfluß auf die
geistige Entwicklung und auf die Fortbildung Einhards geworden sein.

Ein anderes angesehenes Mitglied der damaligen
Hofgesellschaft war der Westgote Theodulf, der spätere
Bischof von Orleans, ein Feuerkopf, der als Dichter kaum
einen weniger glänzenden Namen hat denn als Theologe.
— Und auch jener Eklogendichter mag hier noch erwähnt
werden, der sich unter dem Pseudonym Naso verbirgt und
ein irischer Auswanderer war, vermutlich kein anderer als
Modoin, der später Bischof von Autun werden sollte.

Schon die Erwähnung dieser vier Persönlichkeiten:
des Angelsachsen Alkuin, des Italieners Petrus von Pisa,
des Spaniers (Westgoten) Theodulf und des Iren „Naso“
genügt, um uns eine Vorstellung von der Internationalität
des Gelehrtenkreises zu geben, der sich um Karls Person
zusammengefunden hatte. Die H o f s c h u l e (schola
palatina) war der Mittelpunkt dieses Kreises; sie war zwar
keine neue Einrichtung Karls d. Gr.; das Bestehen einer
derartigen Anstalt war allein schon durch staatliche Bedürfnisse erfordert: hier wurden seit alters die Kräfte
herangebildet, welche sich in ihrem künftigen Berufe den
Geschäften in der königlichen Kanzlei und im übrigen
Staatsdienste widmen sollten; praktischen Bedürfnissen
hatte also die Hofschule bisher gedient. Seit jedoch Gelehrte wie Alkuin ihr angehörten und ihre beste Kraft diesem Institute schenkten, ward dieses in der Tat zur H o c h -
s c h u l e d e s F r a n k e n r e i c h e s. Jetzt war man nicht
mehr damit zufrieden, daß die Hochschule bloß jene Kennt-

niſſe vermittelte, welche die zukünftigen Kapläne und Sekre-
täre des fränkiſchen Herrſchers brauchten; vielmehr ſollten
jetzt alle Wiſſenszweige, welche man von den alten Römern überkommen hatte, auf der Hofſchule gepflegt werden, gleichviel ob ſie praktiſchen Nutzen gewährten oder
nicht. Schon wenige Jahrzehnte ſpäter hat ja auch ein Gelehrter jener Zeit, Servatus Lupus, den damals allerdings
noch ſehr vereinzelt daſtehenden Gedanken ausgeſprochen,
es ſei die Weisheit um ihrer ſelber willen zu erſtreben.[1]

Der erſte und älteſte Schüler der fränkiſchen Hofſchule aber war der Frankenkönig ſelber. Die gleichen
Meiſter, welche ihn die Regeln der Grammatik und Rhetorik, der Dialektik und der Aſtronomie lehrten, und welche
ſeine zahlreichen Kinder in dieſen Dingen unterwieſen,
machten nun auch den jugendlichen Einhard in den Ge-
heimniſſen dieſer Wiſſenſchaften heimiſch. Schon dies zeigt,
wie großzügig und frei von allen Schranken kleinlicher Etikette der Geiſt der Wiſſenſchaft war, die am fränkiſchen
Hofe ihre Heimſtätte haben ſollte. Als „primus inter
pares" wollte ſich Karl unter ſeinen „Akademikern" —
Alkuin ſelber verwendet dies Wort — fühlen und geben.
Wenn für den großen König nach Erledigung ſeiner
Staatsgeſchäfte die Feierſtunde geſchlagen hat und wenn
er in der Runde ſeiner „Akademiker" ſitzt, ſtellt ſich
ein ungezwungener, heiterer Verkehr aller Teilnehmer an
dieſem Kreiſe ganz von ſelber ein; Witz und ſprühende
Laune ſind hier zu Hauſe. Voll regen Intereſſes ſtudiert
man aſtronomiſche Probleme; dann wieder legt man ſich
die beliebten Rätſel vor, gefällt ſich in geiſtvollen Wort-
ſpielen, erörtert wiſſenſchaftliche Dinge. Vor allem be-
treibt man hier die Lektüre und Erklärung der alten Klaſ-
ſiker: Virgil wird immer mehr zum Lieblingsdichter des
Mittelalters; neben ihm gilt jetzt der chriſtliche Dichter

---

[1] Manitius, Geſch. d. lat. Literatur 252.

Prudentius den karlingischen Poeten als viel gesuchtes
Vorbild. Aber auch Ovid liest man fleißig. Wie Virgil
als Dichter und Grammatiker, so besitzt Cicero als „König
der Beredsamkeit" das größte Ansehen, seine Werke sind
die trefflichsten Muster für den Prosastil. Auch Horaz und
Lucan, Martial und Properz sind dem karlingischen Ge=
lehrtenkreis nicht fremd geblieben. Von christlichen Poeten
aber erfreut sich neben dem schon genannten Prudentius
der merowingische Hofdichter Venantius Fortunatus († 609)
eines geistigen Fortlebens auch in der Karlingerzeit.

So werden am Hofe Karls d. Gr. vergangene Zeiten
und die Großen in ihnen neu lebendig. Dem entspricht
es auch, daß die Mitglieder jener schöngeistigen Runde
am Hofe Karls sich mit einer Art von Pseudonymen, die
dem Schatz berühmter Namen der Vorzeit entnommen sind,
versehen. Karl selber heißt nach dem König und Sänger
des Alten Testamentes in diesem Kreise stets „David".
Der römische Grammatiker Verrius Flaccus hat seinen
Namen unserem Alkuin borgen müssen. Der Hofdichter
Karls, Angilbert, bezeichnet sich nach dem Vater der grie=
chischen Dichtkunst als den „Homer" der Karlingerzeit.
Hofbeamte wie der Kämmerer Maginfrid und der Sene=
schalk Audulf oder Kirchenfürsten wie Erzbischof Rikulf von
Mainz führen idyllische Hirtennamen, wie sie in Virgils
Eklogen vorkommen, Namen wie Thyrsis, Menalcas und
Damoetus. Selbst der Schenke des alten Perserkönigs
Artaxerxes wird wieder lebendig und muß seinen Namen
Nehemias abgeben als Pseudonym des Mundschenken
Eberhard, des „bachusgewaltigen". Besonders beliebt sind
auch die der Bibel entnommenen „Pseudonyme": ein
„Aaron" und ein „Samuel" begegnen uns und ein „Bese=
leel" fehlt nicht; diesen letzteren Namen trägt niemand
anders als Einhard; für ihn war er aber auch, wie wir in
einem späteren Abschnitt sehen werden,[1]) so ganz angepaßt.

---

[1]) Abschnitt VI.

Doch nicht bloß die große Vergangenheit ist es, deren Gedächtnis in Karls Gelehrtenkreis liebevoll gepflegt ward; auch für die eigene Zeit und ihre Kultur war jene Hochschule am fränkischen Königshofe und die Gelehrten-Akademie, die sie zugleich darstellte, von größter Bedeutung. Der zeitgenössischen Dichtung galt das Interesse König Karls und seiner schöngeistigen Umgebung in hohem Grade. Auch so manche ernste Frage, die von weittragendem Einfluß sein sollte für die ganze Reichsregierung, Fragen der äußeren Politik, Fragen der inneren Einrichtung des Reiches, wirtschaftliche und ständische und kirchliche Angelegenheiten, insbesondere aber Probleme der geistigen Kultur werden jene Gelehrtenrunde um Karl oft genug beschäftigt haben, und es ist mit Sicherheit anzunehmen, daß hier zuerst die Gedanken angeregt und erörtert wurden, welche dann schließlich in Karls berühmten gesetzgeberischen Erlassen, in seinen Kapitularien, Gestalt und Form gewonnen haben.

Daß bei all dem auch E i n h a r d redlich mitwirkte, darf um so mehr als gewiß gelten, als der schon genannte Abt Walahfrid Strabo von Reichenau ausdrücklich von ihm berichtet, daß er an Karls Hof geistig und sittlich so sehr wuchs und dementsprechend wiederum so großen Ruhm erwarb, „daß es unter allen Dienern der königlichen Majestät fast keinen gab, den der zur Zeit mächtigste und weiseste König mehr in sein Vertrauen gezogen" hätte wie Einhard. Zur „persona gratissima" ist dieser am Hofe Karls geworden!

Mit welchem Fleiß und mit welch großen Talenten hatte sich Einhard aber auch die geistigen Anregungen und die Förderung zunutze gemacht, die er an Karls Hof in reichstem Maße erhielt! Da war es vor allem das Studium der kirchlichen Schriftsteller sowie der alten Klassiker, in das er sich mehr und mehr vertiefte. Eine Reihe von

antiken Schriftstellern las Einhard entweder selber oder
lernte sie doch wenigstens vermitels anderer Schriften teil=
weise kennen. Besonders war er mit Virgil vertraut. Die
in Einhards literarische Erzeugnisse aufgenommenen Phra=
sen aus Werken der Alten lassen erkennen, wie er, mit den
Jahren fortschreitend, auch mit immer mehr alten Klassikern
bekannt wird, wie er Curtius Rufus und Vellejus, später
Justin, Cäsar und Tacitus, bald auch Sueton und Livius,
schließlich Cornelius Nepos und Cicero kennen und schätzen
lernt. Von Dichtern aber wird Einhard neben Virgil und
Ovid besonders die christlichen Dichter Prudentius und
Venantius Fortunatus geliebt haben.

So wuchs Einhards geistige Ausbildung
und mit ihr zugleich auch sein Ansehen. Nicht bloß
beim fränkischen Herrscher selbst, sondern auch bei seinen
Hofgenossen erfreute er sich bald hoher Achtung und herz=
licher Beliebtheit. Seine vortrefflichen geistigen Fähig=
keiten, noch mehr die seelischen Vorzüge, die er sein eigen
nannte, trugen dazu wohl das meiste bei. Eine ganze Reihe
von Stimmen aus zeitgenössischen Quellen künden uns ein=
mütig diese Vorzüge Einhards. Von mehr als einem
Gewährsmann wird die Vielseitigkeit seiner Begabung
und seines Könnens gerühmt. Einer seiner Zeitgenossen
sucht sein geistiges Charakterbild mit der Bemerkung zu
zeichnen, er sei klug an Geist, redlich im Handeln und ge=
wandt im Worte. Wieder ein anderer rühmt neben Ein=
hards glänzendem Verstande auch seine Herzensgüte. Schon
bald spricht man vom „großen Einhard" — geradeso wie
man vom „großen Karl" redet.

Aber neben jenen Vorzügen an Geist und Charakter
trug doch vielleicht noch ein Umstand nicht unwesentlich
dazu bei, Einhard bei fast allen Hofleuten beliebt, seine
Persönlichkeit am ganzen Hofe, ja noch weit über die Hof=
kreise hinaus bei all denen, die mit ihm zu tun hatten,

„populär" zu machen, wenn dieser Ausdruck am Platze ist:
und das war gerade seine u n s c h e i n b a r e K ö r p e r -
g e s t a l t, die so recht zu dem bescheidenen, demutsvollen
Wesen des großen Mannes paßte, und in deren Lebhaftig-
keit doch wieder der rege, vielbeschäftigte Geist Einhards
zum Ausdruck kam. Allerdings mußte Einhard, namentlich in den Jahren, da er noch nicht einen weithin gefeierten
Namen sich erworben hatte, manche Späße ob seiner Körpergestalt über sich ergehen lassen. Glücklicherweise für uns!
Denn sonst würden uns die Quellen kaum etwas über sein
Äußeres berichtet haben. Selten nur wissen wir von Persönlichkeiten des früheren Mittelalters, wenn anders sie
nicht auf einem Fürstenthron saßen, etwas von ihrem Aussehen. Bei Einhard hingegen sind wir dank seiner auffälligen kleinen Gestalt über sein Äußeres durch eine Reihe
von Quellenangaben gut unterrichtet: als „homuncio", als
„Männchen" charakterisiert ihn der eine und sagt zu allem
Überfluß noch ausdrücklich, daß er unansehnlich von Statur
gewesen sei. Die spitzige Zunge Theodulfs stellt Einhard
zusammen mit zwei anderen Hofleuten, die sich gegenseitig
wegen ihrer „Größe" nichts vorwerfen konnten, mit einem
gewissen Osulf und mit dem Kanzler Erkambald; diese drei,
so meint Theodulf, könnten recht gut Füße abgeben für
e i n e n Tisch; nur hinsichtlich des Leibesumfanges seien
die drei Kleinen voneinander verschieden. Osulf sei feister
als Erkambald, dieser auch dünner denn Einhard. — Ele-
gant und geistvoll hat auch der große Alkuin über die unan-
sehnliche Körpergestalt seines Schülers zu scherzen gewußt:
er hat acht Verse, die als Inschrift einer Tafel an Einhards
Hause gedacht waren, gedichtet: allerdings braucht die
Türe dieses Hauses in Anbetracht seines kleinen Bewohners
nicht groß zu sein; dennoch dürfe man den Hausherrn
keineswegs geringachten; nicht auf die Körpergröße komme
es an — man gedenke nur der kleinen Biene, die so treff-

lichen Honig bereite, oder auch der Pupille im menschlichen
Auge, die trotz ihrer geringen Größe doch der ganzen Be=
wegung des menschlichen Körpers ihre Gebote gebe! Ge=
rade so regiere auch „Nardulus" dieses ganze Haus; ihm
möge der Wanderer, der vorbeigehe, seine Reverenz
machen!

„Nardulus" — mit dieser Verkleinerungsform von
„Nardus" ist natürlich Einhard, dessen Namen „Einhartus"
man zu „Nardus" verkürzt hatte, gemeint; „Nardus" aber
war nichts anderes als die lateinische Bezeichnung einer
duftenden Pflanze, der Narde. So war Einhards Name
scherzweise zur „kleinen Narde" geworden, und Alkuin hat
seinem Schüler ein gar artiges Kompliment gemacht, in=
dem er in jene Inschrift auch den Vers aufgenommen wis=
sen wollte:

„Nam redolet nardus spicato gramine multum —"
„Denn süß duftet die Narde mit ährentragendem Stengel."

Eine vertraute Freundschaft zwischen Alkuin, dem ge=
reiften und hochangesehenen Gelehrten, und unserem noch
jugendlichen ehemaligen Klosterschüler von Fulda spricht
aus diesen scherzhaften Zeilen. Sie hatte ihren tiefsten
Grund in Einhards geistigen Fortschritten, die ihm ja auch
das besondere Wohlwollen und die außergewöhnliche
Gunst des Königs selber eingetragen hatten. Der ehe=
malige Fuldaer Klosterschüler und nunmehrige junge Hoch=
schüler zu Aachen war eben schon auf dem Wege zum er=
klärten Liebling des großen Karl und seiner Gelehrtenrunde
zu werden; weiter und weiter reichten die Funktionen, die
man in seine Hand legte; ein späterer Schriftsteller des
Mittelalters hat nicht ohne jeglichen Grund in Einhard
den „domesticus palatii regalis.", den Vorstand des könig=
lichen Hofhaltes in Aachen sehen wollen.

III

Der Bibliothekar und Annalist König Karls.

Nachdem Petrus von Pisa gestorben war und Alkuin im Jahre 796 den Hof Karls verlassen hatte — er entfaltete hinfort seine Wirksamkeit in der Abtei St. Martin in Tours, konnte also nur noch von der Ferne aus auf die Leitung der Hofschule von Einfluß sein —, scheint Einhard mehr und mehr an die Spitze des gelehrten Unterrichtes am Hofe und der geistigen Bestrebungen daselbst getreten zu sein. Wiederholt wird dieser Tätigkeit Einhards in Schreiben Alkuins, seines alten Lehrers, gedacht: bald soll er nach dessen Wunsch an seiner Stelle Unterricht in der Lektüre Virgils erteilen, bald eine von Alkuin an den Hof gesandte lateinische Phrasensammlung, die von dem damals schon verstorbenen Petrus von Pisa herrührte und aus Prosasätzen und Dichterstellen zusammengesetzt war, ergänzen, bald wieder ist's ein auf kunstvoll zusammengestellten, genau abgezählten Buchstaben beruhendes kalligraphisches Zahlenspiel, das Einhard sinngemäß erklären soll.

Wir sehen schon: mit allem, was Unterricht und Bildung, schöngeistiges Leben und Gelehrsamkeit am Hofe betraf, scheint Einhard zu tun gehabt zu haben. Da war es denn auch ganz natürlich, daß er besonders auch dem Bücherwesen am Hofe nicht fernestehen konnte, ja daß er vermutlich das Amt eines „Bibliothekarius" der Hofbücherei, wie es nach ihm Gerward innehatte,

bekleidet hat.¹) Wer unter Karls Hofleuten hätte sich aber
auch besser als Einhard darin ausgekannt, wenn es in die=
sem oder jenem alten Pergamentbande, in den Werken der
kirchlichen Schriftsteller der Vorzeit oder bei Dichtern und
Geschichtsschreibern der Antike eine Stelle nachzuschlagen
galt! Und das war oft genug der Fall. Es ist recht be=
zeichnend, wenn uns ein Zeitgenosse Einhards das „Nar=
delchen" schildert, wie es, der Ameise gleich, mit emsiger
Geschäftigkeit hin= und hertrippelt, bald Bücher unter dem
Arme, bald auch — wir werden auf diese Seite von Ein=
hards Wirksamkeit in einem späteren Abschnitt noch ein=
gehen — Kunstwerke in Händen tragend.

Wenn uns bis zum heutigen Tage eine Menge von
klassischen Dichtern und Schriftstellern erhalten sind, so
danken wir dies bei nicht wenigen den fleißigen und ge=
lehrten Schreibern und Philologen der Karlingerzeit; denn
nur gering sind die Reste d e r Klassiker, die uns in v o r =
karlingischen Handschriften noch vorliegen, im Verhältnis
zu den antiken Schriften, welche uns dank der Tätigkeit
der wackeren S c h r e i b e r des 8. und 9. Jahrhunderts über=
kommen sind. Und diese Tätigkeit war mühevoll genug:
schon allein das richtige Entziffern der Schriften, die man
kopieren sollte, machte zuweilen arge Schwierigkeiten; an=
gesichts der Worttrennung, die man nunmehr eingeführt
hatte, lag für die Abschreiber auch die Notwendigkeit vor,
die ihnen unterbreiteten Texte richtig zu verstehen. Der
Korrektor einer Abschrift hatte ein weites Feld für seine
Tätigkeit, zumal wenn er noch eine zweite handschriftliche
Vorlage heranziehen und deren Abweichungen gegenüber
der andern Vorlage vermerken sollte. „Es gehörte schon
eine große Summe von Wissen dazu, ehe eine solche karo=

---

¹) Vgl. M. Buchner, Einhard als Künstler (Straßburg 1919)
6, 16 A. 3, 48.

lingifche Minuskelhandschrift, über deren Schönheit wir
heute nicht geringes Behagen empfinden, in die Bibliothek
als fertig eingestellt werden konnte."[)]

In engstem Zusammenhange mit dieser Kopistentätig-
keit der karlingischen Hofgelehrten steht eine andere Aufgabe,
die gleichfalls manchen Schweiß kostete und der sicher auch
Einhard sein Interesse zugewendet hat: ich meine die Ausbildung der soeben erwähnten sog. „karlingischen Minuskel-
schrift". — Aus der römischen Kursive, bei welcher zwecks
rascheren Schreibens die einzelnen Buchstaben nicht ohne
schwere Beeinträchtigung der leichten Lesbarkeit möglichst
miteinander verbunden wurden, war die sog. merowingische
Schrift entstanden, die dann auch von den Karlingern übernommen worden war und an deren Verwendung in den
Urkunden noch die Kanzlei Karls d. Gr. festhielt. Aber
diese Schrift mußte dem ungeübten Leser nur allzu große
Schwierigkeiten bereiten! Eine klare, allgemein verständ-
liche Wiedergabe der Vorlagen war durch sie nicht zu er-
zielen; es mußte daher mit der Studienreform am fränkischen Königshofe eine Reform der Schrift Hand in Hand
gehen. Dabei griff man zur sog. Halbunziale zurück, welche
sich in Italien am reinsten noch erhalten hatte. Auf solche
Weise entstand unter Karls Einfluß die nach ihm be-
nannte karlingische Minuskel.

Daß auch Einhard sich mit ihr so manche Stunde beschäftigt hat, wird man nicht bezweifeln, wenn man seine
Stellung als Bibliothekar seines Königs berücksichtigt;
diese Sorge um das B ü c h e r w e s e n am Hofe war eine
Aufgabe, die dem Wesen Einhards so recht zugesagt haben
muß. Die Anregungen, die er aus diesem Amte schöpfen
konnte, waren gar vielseitig: nicht bloß dem Gelehrten,
dem Manne der Geisteswissenschaften, brachten die zahl-

---

[1]) Manitius, Gesch. der lat. Literatur 251.

reichen Werke theologischen, literarischen, geschichtlichen
und naturwissenschaftlichen Inhaltes, aus denen sich die
Hofbibliothek zu Aachen zusammensetzte, großen Gewinn;
auch der Sinn des Künstlers, der in Einhards Persönlichkeit
gegenüber dem Gelehrten frühzeitig stark in den Vordergrund trat,[1]) mußte in ihm beim Anblick der prachtvoll ausgestatteten Handschriften, die man am fränkischen Königshofe besaß, erweckt werden. — Bis zum Beginn des
Mittelalters war der einzige große Büchermarkt, den die
abendländische Kultur besaß, Rom, die Stadt der Päpste,
gewesen. Jetzt entstanden auch in dieser Hinsicht neue
Kulturzentren im fränkischen Reiche, vor allem an seinem
Königshofe: in Italien hergestellte Handschriften wurden
jetzt seitens des Frankenherrschers erworben und in die
Heimat übertragen, wie solches z. B. bei einem i. J. 774
von Papst Hadrian I. Karl d. Gr. überreichten Kodex des
kanonischen Rechtes der Fall war; daneben sammelte man
auch im Frankenlande selbst durch unermüdliche Verviel-
fältigung vorhandener Werke, alter Bibeln, Evangeliarien
und Sakramentarien jene große Zahl von Büchern, die sich
am Ende der Regierung Karls in dessen Hofbibliothek,
aber auch in den Bibliotheken so manches schöngeistigen
Bischofs und Abtes befanden. Leuchtenden Auges mag
Einhard oft genug in den mit köstlichen Miniaturen reich
ausgestatteten Werken geblättert haben, die vor ihm aufgeschlagen lagen, in Prachtwerken wie etwa in dem auf
Purpur in Gold und Silber geschriebenen Evangeliar, das
Karl in den Jahren 781—783 durch einen gewissen Gode-
scalc zum Gedächtnis an seinen damaligen Aufenthalt in
Rom und an die daselbst erfolgte Taufe seines Sohnes
Pippin hatte herstellen lassen. Sinnend mag er das reiche
Band- und Flechtwerk in der Ornamentik, die antiken Blät-
ter und Blüten, die symbolischen Tierfiguren und die Ge-

---

[1]) Darüber unter Abschnitt VI.

stalten aus dem Alten und Neuen Testament, die ihm auf
den Blättern solcher Kunstwerke begegneten, die kräftigen
Köpfe mit den rundlichen Augen und den hochgewölbten
Brauen, die langgestreckten Arme und die plumpen Füße
betrachtet und sich hierbei zuerst seine eigenen Gedanken
über das Aussehen der menschlichen Gestalt und ihre
Wiedergabe im künstlerischen und literarischen Porträt gemacht haben! — Und wie mag es ihn interessiert haben,
wenn er von den Tagen der Vorzeit in Werken wie in der
großen Sammlung der Papstbiographien, im sog. Liber
pontificalis, las, den man in seiner Zeit gleichfalls in einer
Abschrift am fränkischen Hofe besaß.[1]) Aber auch für die

---

[1]) Gelegentlich meiner Forschungen über das Constitutum
Constantini, das berühmte gefälschte Privileg Kaiser Konstantins
d. Gr. für den hl. Silvester, und meiner hiermit in Zusammenhang
stehenden Studien über die handschriftliche Überlieferung des
Liber pontificalis ergab sich mir, daß zwei Handschriften des Liber
pontificalis, die von L. Duchesne (Le Liber pontificalis I S. CLXXVI;
vgl. Th. Mommsen, Libri pontif. pars prior, in den M. G. Gesta
pontif. Roman. I S. LXXXVI) mit B² (= Nr. 19) signierte Pariser
Handschrift 13729 (saec. IX.) und ebenso die von Duchesne
(a. a. O. S. CLXXVII; vgl. Mommsen a. a. O.) mit B³ (= Nr. 21)
bezeichnete Kölner Handschrift 164 (saec. IX.) wahrscheinlich für
zwei Vorstände der fränkischen Hofkapelle hergestellt worden sind,
B² z. 3. des Papstes Eugen II. (824—827) für den Erzkaplan
Ludwigs d. Fr., Abt Hilduin von St. Denis, B³ für dessen Vorgänger, Erzbischof Hildebald von Köln z. 3. Leos III. (795—816).
Beide Handschriften, die sehr nahe miteinander verwandt sind,
gehen auf eine dritte verloren gegangene Handschrift (BX) zurück,
in welcher vermutlich das am fränkischen Hofe aufbewahrte
Exemplar des Liber pontificalis zu sehen ist; die Papstbiographien
reichten hier bis zu Stephan III. und brachen mit dem römischen
Konzil des Jahres 769 ab. Diese Vorlage von B² und B³ ist
jedenfalls im Jahre 791 entstanden; denn der Papstkatalog, den
diese Handschrift enthielt, und der in B² überging, gab beim
Namen Hadrians I. nicht mehr, wie bei den vorhergehenden
Päpsten, die Dauer des ganzen Pontifikates an, sondern nannte
das 20. Regierungsjahr Hadrians, muß also 791 hergestellt
worden sein.

jüngste Zeitgeschichte hatte Einhard treffliches Material an
Karls Hofe jederzeit zur Verfügung: er brauchte nur jenen
außerordentlich wertvollen Band aufschlagen, der im
Jahre 791 auf Karls Befehl hergestellt worden war und
als „Codex Carolinus" eine Sammlung der an König Karl
und seine Vorfahren von den griechischen Kaisern und von
den Päpsten gesandten Schreiben darstellte; d e r Teil dieser
Sammlung, welcher die Korrespondenz der römischen Kurie
mit dem fränkischen Hofe enthielt, ist uns übrigens in einer
Abschrift bis zum heutigen Tage erhalten. —

In Einhards Tagen gab es noch keine strenge Scheidung der Amtspflichten der einzelnen Hofwürdenträger —
eine strikte Arbeitsteilung und eine weitgehende Differentierung der Ämter, wie sie uns heute geläufig ist, lagen dieser
Zeit noch ziemlich ferne; das Amt eines Hofbibliothekars
allein hätte das Leben eines allzeit Tätigen wie Einhard
sicher noch weniger ausgefüllt als die Leitung der Hofschule;
aber auch mit der Vereinigung dieser Funktionen war es
noch nicht genug: ein gebildeter Mann wie Einhard war
schon auf Grund seiner Eigenschaft als Bibliothekar dazu
berufen, auch als G e s c h i c h t s s c h r e i b e r zu walten,
wenn man eines solchen bedurfte. Das aber war gerade
damals der Fall. Wenige Jahre, ehe Einhard an den Hof
gekommen war, hatte man hier[1]) ein offiziöses Geschichts-
werk zu schreiben begonnen; die wichtigsten Ereignisse, die
sich Jahr für Jahr in Welt und Kirche abspielten — und
an solchen fehlte es in der Zeit eines Karl wahrhaftig nicht!
— sollten hier in annalistischer Form eingetragen werden.
Aus kleinen, unscheinbaren Anfängen hatte sich diese anna-

· [1]) Darüber, daß das fragliche Annalenwerk nicht in irgendeinem Kloster sondern am fränkischen Hofe selber entstanden ist,
ist man sich heute wohl allseits einig, trotzdem kein Geringerer
als Heinrich von Sybel im Gegensatz zu Leopold von Ranke die
erstere Meinung mit Nachdruck vertreten hatte.

liſtiſche Geſchichtſchreibung herausentwickelt: am Rande der
ſog. Oſtertafeln, d. h. der tabellariſchen Zuſammenſtellun-
gen des Oſtervollmondes, des Oſterfeſtes und anderer Zeit-
rechnungsdaten für eine ganze Reihe von Jahren hatte ehedem dieſer oder jener Mönch, der geſchichtliche Intereſſen
hegte, ſpärliche Notizen über einzelne gedenkenswerte Ereigniſſe ſich gemacht; ſolche Notizen ſtellte man ſpäter in
Klöſtern nach den einzelnen Jahren zuſammen und führte
auf einem ſolchen Grundſtock dann die Aufzeichnung der
wichtigſten Ereigniſſe Jahr für Jahr weiter fort. So waren
annaliſtiſche Geſchichtswerke entſtanden. Aber welch ein
gewaltiger Unterſchied zwiſchen dieſen früheren dürftigen
Aufzeichnungen in Annalenform und den in den Tagen
Karls d. Gr. am fränkiſchen Hofe geſchriebenen fränkiſchen
Reichsannalen mit ihrem umfaſſenden Inhalt! Der frän-
kiſche König ſteht im Mittelpunkte dieſes Werkes; in Rück-
ſicht auf ihn befleißigt ſich der Annaliſt zuweilen einer ſtarken höfiſchen Zurückhaltung. Aber die Fülle von Stoff,
welche ſein Werk bietet, wiegt dieſen Mangel reichlich auf.
— Leider ſagt uns keine Notiz, wer dieſe am fränkiſchen
Hofe entſtandenen Annalen (A n n a l e s r e g n i F r a n -
c o r u m) oder vielmehr die einzelnen Teile derſelben verfaßt hat. Die Frage der Autorſchaft an dieſem Annalen-
werke konnte daher zu einem bevorzugten Kampffeld für
unſere Forſchung werden; trotzdem kann ſie auch heute noch
nicht als völlig geklärt gelten. Daß aber E i n h a r d a n
d e r A b f a ſ ſ u n g dieſer „Jahrbücher des fränkiſchen
Reiches" beteiligt war, wird man nach den Unterſuchungen Wilhelm Gieſebrechts und anderer Gelehrten[1])

---

[1]) Ich möchte an dieſer Stelle auch des um dieſe Fragen
und gerade um die Lebensgeſchichte Einhards verdienten letzten
Biographen dieſes Mannes gedenken, Friedrich K u r z e s, der im
Weltkriege, im Alter von bereits 51 Jahren ſtehend, für ſein deutſches
Vaterland den Heldentod geſtorben iſt. Wenn der treffliche Ge-

doch kaum in Abrede stellen dürfen. Die Eintragungen für die letzten Jahre des 8. Jahrhunderts und für den Beginn des folgenden sind vermutlich von Einhards Hand: zum Jahre 806 erwähnt nämlich der Verfasser dieses Teiles unserer Annalen „Einhardus", und zwar als einzige Persönlichkeit, die ohne Angabe einer weiteren Bezeichnung oder eines Titels in diesem Teile des Werkes vorkommt; er sagt uns von diesem „Einhardus", daß er von Kaiser Karl nach Rom gesandt worden sei, um Karls Testament dem Papste vorzulegen. Das klingt in der Tat wie eine persönliche Erinnerung des Verfassers, der demnach in jenem „Einhardus", also in unserm Einhard, zu sehen wäre, wie eine Erinnerung an die wichtige politische Mission, mit der Einhard damals betraut worden war, eine freudvolle Erinnerung vielleicht noch mehr an die schönen Tage, die ihm im Süden und in der Ewigen Stadt vergönnt gewesen waren! — Ohne allzu große Bedenken wird man somit annehmen dürfen, daß für einen bestimmten Zeitraum, ungefähr für die Zeit von 796 an bis 813, Einhard Jahr für Jahr gewissenhaft seine geschichtlichen Einträge in das am Hofe begonnene Annalenwerk gemacht hat, jene Einträge, die, zwar in kurzen und gedrängten Zügen, uns doch das wesentlichste des Verlaufes der Reichsgeschichte in jener Zeit erzählen und besonders wegen des Mangels an Leidenschaftlichkeit und an Parteinahme ihres Autors eine der wertvollsten Geschichtsquellen der Karlingerzeit für uns bilden.¹) Als der Vertreter des gewal-

---

lehrte auch in einem Problem der karlingischen Annalistik einen Irrweg eingeschlagen hatte, so sollen doch die Verdienste, die er sich durch seine unermüdliche Forschungstätigkeit zweifellos erworben hat, um so bereitwilliger anerkannt werden!

¹) Darf somit Einhard m. E. als Autor dieses Teiles der Annales regni Francorum gelten, so hat er jedenfalls nichts zu tun mit der Überarbeitung dieser Reichsannalen, der irrigerweise

tigen Fortſchrittes, den die Geſchichtsſchreibung gemacht
hatte, erſcheint uns hier Einhard[1]).

An den Eintragungen in jenes offizielle Annalenwerk
ſehen wir aber auch, welch große Fortſchritte man in der
Handhabung der lateiniſchen Sprache am
karlingiſchen Hofe allmählich machte. Während das Latein
der Aufzeichnungen am Anfang der neunziger Jahre noch
manche Verſtöße gegen die Regeln der Grammatik auf=
weiſt, wird es in der Folgezeit immer fehlerfreier und ele=
ganter; immer mehr Phraſen aus lateiniſchen Klaſſikern
werden eingeſtreut, von 806 an erſcheinen auch Cornelius
Nepos und Cicero unter den Autoren, deren Sprache man
gleich Bauſteinen in das neue Werk herübernimmt. Es iſt
ein geiſtvoller Vergleich, wenn Hermann Bloch[2]) die
Sprache der Berichte über die Jahre 795—807, die ſchon
durch ihre perſönliche Färbung als das Werk eines Ver=
faſſers erſcheinen, als „karolingiſche Frührenaiſſance" kenn=
zeichnet im Gegenſatz zu der mit dem folgenden Jahr be=
ginnenden Reife und Vollendung des Stiles, den man in
ſprachlicher Hinſicht als Hochrenaiſſance charakteriſieren
kann. Einhards Anteil an der Abfaſſung der Annales regni
Francorum ſtellt jene karlingiſche Frührenaiſſance dar;
freilich kann es deshalb nicht als ausgeſchloſſen gelten, daß
Einhard auch noch an der Abfaſſung der ſpäter (nach 807)

---

früher nach ihm benannten Jahrbücher („Annales qui dicuntur
Einhardi"); dieſe Überarbeitung iſt, wie Hermann Bloch in den
Götting. Gel. Anz. 1 01, S. 848 wahrſcheinlich machte, zwiſchen
814 und 817 entſtanden; daß ſie nicht von Einhard herrührt, weiß
man heute allgemein; ich glaube als ihren Autor den Abt von
St Denis und oberſten Kaplan Ludwigs d. Fr., Hilduin, nach=
weiſen zu können.
[1]) S. Ranke, Zur Kritik fränkiſch=deutſcher Reichsannalen,
in den Abhandlungen der Berliner Akademie 1854, S. 415.
[2]) Göttingiſche Gelehrte Anzeigen 1901, S. 879 f.

entstandenen Partien des Annalenwerkes teil hat;[1]) sein
eigenes Können und seine Fertigkeit im Anschluß an die
klassischen Autoren wuchsen eben mit seinem Schaffen.

Brachte es somit Einhard zu einer hohen Meisterschaft
in dieser Richtung, so scheint er auch wenigstens einige
Kenntnisse im Griechischen erlangt zu haben;
einige Stellen in seinen Schriften und in seinem Brief=
wechsel deuten darauf hin. Man muß sich, wie ich meine,
die Kenntnisse in der griechischen Sprache im Frankenreich
während der ersten Hälfte des 9. Jahrhunderts überhaupt
ausgedehnter vorstellen, als dies in der Regel geschieht;
schon der starke diplomatische Verkehr mit dem byzantini=
schen Hof machte sie erforderlich.

---

[1]) Keinesfalls aber ist m. E. Einhard auch noch für die
Zeit von etwa 820 an als Verfasser der Jahrbücher anzusehen;
dieser Teil des Werkes ist m. E. von dem genannten Hilduin,
wie dies schon G. Monod, Hilduin et les Annales Einhardi (in den
Mélanges Julien Havet, Paris 1895) 57 ff., besonders 61 ff und
Fr. Kurze, Über die karolingischen Reichsannalen von 741—829
und ihre Überarbeitung (im Neuen Archiv XXI 1896) 58 ff. und
ders., Einhard 36 richtig erkannt haben.

IV

Einhard als Hofdichter Karls d. Gr.

Der stete vertraute Umgang Einhards mit Dichtern der
Antike und der christlichen Vorzeit war es sicher vor allem,
was ihn selber zum Poeten werden ließ. Die umfassende
Lektüre der antiken Dichtungen und das fleißige Auswen=
diglernen ganzer Gesänge, wie es schon in der Klosterschule
betrieben wurde, brachte es mit sich, daß vielfach bereits
Knaben ihre Gedanken unschwer in gebundener Rede wie=
derzugeben vermochten. Über solche Anfänge scheint Ein=
hard aber doch ein erkleckliches Stück hinausgekommen zu
sein, denn es wird uns wiederholt durch Zeitgenossen von
ihm bezeugt, daß er zu den Hofdichtern Karls
gehörte: einer der karlingischen Poeten, welcher sich
unter dem Decknamen „Naso" verbirgt — es ist der spätere
Bischof von Autun, Modoin mit Namen —, hat in einem
zwischen 804 und 814 abgefaßten Doppelgedichte, in wel=
chem er die glückliche und ruhmreiche Zeit des großen Karl
feiert, auch die bedeutendsten Dichter des karlingischen Hofes
besungen; hierbei nennt er im Anschluß an den karlin=
gischen „Homer" (Angilbert), an Alkuin, den „Flaccus"
Kaiser Karls, und an Theodulf unsern Einhard. Ebenso
verrät uns auch Alkuin selber in einem seiner Gedichte, daß
Einhard „gelehrt in Hiliaischen Oden" gewesen sei. Unter
diesen „Hiliaischen Oden" haben wir nichts anderes als
Gesänge nach Art der Ilias, also epische Dichtungen, zu
verstehen.[1] — Das ist freilich alles, was wir mit Be=

---

[1] S. M. Manitius, Das Epos „Karolus Magnus et Leo papa",
im Neuen Archiv VIII (1883) 12.

ſtimmtheit von der Dichtkunſt Einhards ſagen können.
Gerne möchten wir mehr von ihr wiſſen: welche Gegen=
ſtände Einhard behandelte? Hat er vielleicht höfiſche
Lobgedichte geſchmiedet auf den großen Frankenkönig? —
Möglich! — Denn in Einhards Vita Karoli kommt es
zum Ausdruck, von welch tiefer Verehrung für Karl er
beſeelt war und wie gerne er dieſe Verehrung auch nach
außen hin kundgab. — Oder hat Einhard das Getriebe am
Kaiſerhofe, das er ſo gut kannte wie kaum ein zweiter, in
Bildern ſeinen Leſern vor Augen geführt? — Auch dieſe
Annahme läge an ſich recht nahe; denn wir werden ja noch
hören, daß man es geradezu als eine Eigenart der Feder
Einhards bezeichnen kann die Dinge, die ſein Auge ge=
ſchaut hatte, auch in plaſtiſchen, lebenswahren Bildern
feſtzuhalten. — Waren es vielleicht kurze Sinn= und Spott=
gedichte, die ihm beſonders gut aus der Feder floſſen? —
Vermutlich ſo manches Mal; denn Theodulf ſchildert uns
gelegentlich Einhard, wie er gegen ein anderes Mitglied
der karlingiſchen Hofgeſellſchaft, einen Schottenmönch, der
durch ſeinen Sarkasmus auch anderen recht unangenehm
werden konnte, ſich treffſichere Pfeile zurecht macht d. h.
wohl nichts anderes als Epigramme ſchmiedet.

.Ob uns von Einhards poetiſchen Erzeugniſſen etwas
überkommen iſt? Wir können dieſe Frage nicht mit Sicher=
heit beantworten. Allerdings wurde eine in Verſe gebrachte
Leidensgeſchichte der Heiligen Marzellinus und Petrus[1])
und damit jener beiden Heiligen, deren Leib, wie wir
hören werden, Einhard von Rom ins Frankenreich über=
tragen ließ und deren Translation er dann auch in einer
Proſaſchrift dargeſtellt hat, ſeinem Namen auf Grund alter
handſchriftlicher Überlieferung zugeſchrieben. Doch hat

----

[1]) Nun von E. Dümmler in den Mon. Germ. Poëtae Lat. II
125 ff. herausgegeben.

Margarethe Bondois in ihrem Buche „La translation des saints Marcellin et Pierre"[1] in der Hauptsache, wie mir scheint, mit guten Gründen darzutun gesucht, daß dieses Gedicht nicht von Einhard ist.

Dagegen möchte ich die Vermutung — um mehr soll es sich nicht handeln — hegen, daß eine andere g r o ß e D i c h t u n g, von der uns wenigstens e i n umfangreiches B r u c h s t ü c k ü b e r k o m m e n i s t, v o n E i n h a r d herrührt. Ich meine jenes Epos[2] — gerade in der epischen Dichtkunst war ja Einhard nach Alkuins Zeugnis Meister! —, das aus mehr als einem halben Tausend Hexametern besteht und uns, freilich ohne Aufschrift, in einem aus St. Gallen herrührenden Kodex überliefert ist; man betitelt es meist nach einem Hauptteil seines Inhalts als „K a r o l u s M a g n u s e t L e o p a p a".

Mit einer begeisternden Lobpreisung auf König Karl beginnt der Dichter seinen Gesang; er kann sich gar nicht genug tun im Rühmen König Karls, den er als den „Leucht= turm Europas" preist; wie er als Herrscher alle übrigen Fürsten überrage, so übertreffe Karl als Lehrer auch alle andern Meister seiner Zeit. Fast hundert Hexameter hat der Dichter diesem Preise Karls gewidmet. — Dann wendet er sich der Residenz Karls, Aachen, zu: er läßt uns Zeuge davon sein, wie Aachen gebaut wird. Freilich hat der Dichter sich bei dieser Schilderung so stark an Virgils Dar=

---

[1] Paris 1907 S. 9 ff. — Dagegen hält es Manitius, Gesch. der lateinischen Literatur 645 für „sehr wahrscheinlich", daß Einhard doch auch dieses Werk gedichtet hat.

[2] Herausgeg. in den Mon. Germ. Poëtae Lat. I 366 ff. — E. Ausfeld hat in seinem Aufsatz „Zur Frage nach dem Verfasser des Epos, ‚Carolus Magnus et Leo papa'," in den Forschungen zur deutschen Geschichte XXIII (1883) 614 an die Möglichkeit von Einhards Verfasserschaft gedacht, nachdem sie Manitius im Neuen Archiv VIII (1883) 14 als sehr wenig wahrscheinlich abgelehnt hatte.

stellung des Baues des alten Karthago angelehnt, daß
Aachen, „das zweite Rom", ganz zur antiken Seestadt ver=
wandelt wird, bei der Senatsgebäude und Theater, Tempel
und sogar ein Hafen nicht fehlen. Aber trotzdem weiß der
Dichter soviel Lokalkolorit seinem Gemälde zu geben, daß
das Aachen Karls d. Gr. trotz aller antiken Verbrämung
erkenntlich bleibt: wir sehen, wie man die warmen Quellen
aufsucht und ein Bad anlegt — jenes Bad, von dem uns
Einhard in seiner Vita Karoli in so anschaulicher Weise Be=
richt gibt —, wie man in diesem Bade auf den marmornen
Stufen schöne Sitze einläßt und wie Kanäle von diesen
warmen Quellen aus in die verschiedenen Teile Aachens
geleitet werden. Besonders anschaulich und plastisch hat
uns der Dichter — und das ist für mich auch ein Grund,
dieses Gedicht vermutungsweise Einhard zuzusprechen[1]) —
geschildert, welches Leben und Treiben sich im neu erstehen=
den Aachen entwickelt: wir sehen die verschiedenen Gruppen
von Arbeitern, welche mit der Errichtung der Aachener Kunst=
werke sich abmühen und schwer dahinkeuchen unter den
Lasten, die sie schleppen, oder die droben auf hoher Mauer
stehen und kunstvoll Stein auf Stein fügen; wir hören die
schweren Lastwagen daherknarren und vernehmen das Ge=
polter und Getöse, ohne das es nun einmal bei solch ge=
waltigen Bauten nicht abgeht. Wir werden in die Werk=
stätten hineingeführt, wo man die Brechwerkzeuge anfertigt,
die man zur Spaltung der großen Steine und der Marmor=
blöcke braucht, wie auch die andern Geräte, die man nötig hat.
— Das Ganze gibt ein Bild bewegten, nimmer rastenden
Lebens, das der Dichter mit dem Leben in einem Bienen=
staate vergleicht. — Aus dem Lärme des werdenden Aachens

---

[1]) Denn ihn ging, wie wir in einem späteren Abschnitt
(VI) noch hören werden, vorzugsweise die Leitung der Aachener
Werkstätten an.

führt uns unſer Poet hinaus in den grünen Hag, der ſich
nächſt Aachen ausdehnt und der dem Herrſcher als Tiergarten
dient. Dort ſoll es ein luſtig Jagen geben. An einem
ſolchen Jagdtag wird es ſchon beim Strahl der erſten Mor=
genröte lebendig in der Kaiſerpfalz, die Edelknaben erwarten
den Herrſcher vor ſeinem Schlafgemach; auch auf den Gaſſen
der Reſidenz wird es bereits laut, das Jagdhorn erſchallt
und Rufe und Pferdegewieher ertönen hier und dort; jetzt
führt man des Königs edles Leibpferd vor; prächtig iſt es
aufgeſchirrt mit edlem Metall; ſtolz ſchüttelt es die ſchöne
Mähne. — Endlich erſcheint er ſelbſt, der gewaltige Karl,
größer als all die andern, einen goldenen Reifen auf dem
herrlichen Haupte. Nun geht es hinaus vor die Reſidenz
unter dem Geſchmetter der Jagdhörner und unter dem Ge=
kläff der an der Leine geführten Hundemeute, der Wind=
hunde und der Bracken; Jägerjungen ſchleppen die Jagd=
geſchoſſe, die Jagdſpieße und das Netz. — Indes kommt
auch die Königin und all die zahlreichen Töchter und Söhne
Karls mit großem Gefolge mit herausgeritten. Da ſchauen
wir den jungen Karl, das leibhaftige Abbild des großen
Vaters, und Pippin, den herrlichen Sieger über die
Avaren. Die Königin Liutgard zieht an uns vorüber und
die ganze Schar der Prinzeſſinnen, Ruodrud und Bertha,
die dem Vater an Körpergeſtalt und an Sinnesart ſo ähnelt,
Giſela und Rhodhaid, Hiltrud und Theodora, deren Jagd=
ſtiefel der Dichter in allzu großem Anſchluß an ſeinen Vir=
gil als „Sophokleiſchen Kothurn“ einführt!

Nun ſoll das Jagen ſelbſt beginnen. — Die Hunde
werden von ihrer Kette losgelaſſen und ſie ſtürzen jetzt hinein
in das Gehölz, um der Spur des Wildes zu folgen; die Jä=
ger aber umſtellen den ganzen Hain, ein Eber wird aufge=
ſpürt, überall ſchallt und hallt es wider vom Getöſe der
Jagd. Droben auf der Bergeshöhe erreichen die Hunde
den Eber, der auf ſie wacker losgeht. Doch Karl, der große

Nimrod, sprengt herzu und stößt dem borst'gen Burschen das tödliche Eisen in die Brust. Ein guter Anfang ist gemacht, und voll Freude ruft der König sein „Gut Heil!" all den lieben Jagdgefährten zu. So geht es weiter, bis schließlich im Laufe des Tages eine stattliche Zahl von Tieren erlegt ist. Endlich neigt sich auch dieser schöne Tag seinem Ende zu und Karl selber teilt die Jagdbeute unter seine edlen Waidgenossen aus. Darauf zieht man an ein idyllisches Plätzchen in eine Lichtung im Grünen, wo Zelte aufgeschlagen stehen und wo man sich gütlich tun kann. Da sitzen nun hier die Alten, dort das junge Volk, hier die jungen Männer, dort die Mädchen. So schmaust und zecht man, bis die Nacht herabsinkt und man sich zur Ruhe legt.

In dieser Nacht aber hat Karl einen wunderbaren Traum: er schaut die Mißhandlung, welche Papst Leo III. zu Rom tatsächlich von seinen Widersachern erleiden mußte. Auf dieses Traumgesicht hin läßt Karl den Papst in sein Reich einholen; in einem Triumphzug kommt der Papst ins Frankenreich. Auf sächsischer Erde, an der Pader Quelle, empfängt Karl den Papst. Diese Zusammenkunft zwischen dem weltlichen und dem geistlichen Haupte der Christenheit bietet dem Dichter eine willkommene Gelegenheit, neuerdings uns farbenprächtige Bilder aus dem Lager bei Paderborn vorzuführen. —

So gibt uns denn jener Poet des Karlingerhofes so anschauliche und lebensvolle Szenen vom Leben und Treiben daselbst, daß Gustav Freytag diese Szenen in seinen „Kulturbildern"[1]) wohl verwerten konnte. — Dieser karlingische Hofdichter aber ist zweifellos ein Zeitgenosse Karls d. Gr. und des Papstes Leo III., ja ein Augenzeuge[2]) der

---

[1]) Aus dem Mittelalter (Leipzig 1867) 344ff.

[2]) Anders B. Simson, Über das Gedicht von der Zusammenkunft Karls des Großen und Papst Leos III. in Paderborn, in den Forschungen zur deutschen Geschichte XII (1872) 586f.

Vorgänge, von denen er uns berichtet. Die uns über-
kommenen Verse scheinen nur einen Teil eines größeren
Epos', in welchem die Regierung Karls dichterisch verklärt
ward, gebildet zu haben. Da nun der Dichter am Beginn
des uns erhaltenen Bruchstückes ausdrücklich bemerkt, daß
die Segel seines poetischen Schiffleins, mit dem er gewissermaßen seine dritte Fahrt jetzt antrete, vom Ostwind geschwellt würden und er so an den Hof Karls zu Aachen getrieben wurde[1], so muß man hieraus schließen, daß einer
der beiden vorhergehenden Gesänge unseres Epos fern vom
Aachener Kaiserhof, im Osten desselben, sich abgespielt hat.
Ob nicht etwa das Carmen de conversione Saxonum[2]
dieser Gesang war? Möglich erschiene solches jedenfalls[3].

Man hat den Autor unseres Gedichtes
schon in den verschiedensten Persönlichkeiten, in Angilbert,
in Alkuin, in einem gewissen Helperikus, auch in „Naso"
(Modoin von Autun) oder in Theodulf von Orleans vermuten wollen. Indes ist die Forschung von diesen Ver-
mutungen wieder abgekommen — wie ich denke mit Recht.
Freilich: es steht der Wert dieser Dichtung so hoch — Gre-
gorovius[4] hält dieses Gedicht für eines der besten der

---

[1] Vers 10—12 a. a. O. 366; s. dazu Simson a. a. O. XII
585, der jedoch m. E. irrt, wenn er zu dem Schlusse neigt, es sei
im vorhergehenden von Karl noch nicht eingehender die Rede
gewesen. — Das konnte doch wohl der Fall sein, auch wenn nicht
Aachen sondern etwa Sachsen der Schauplatz der Handlung war.

[2] In den Mon. Germ. Poëtae Lat. I 380f.

[3] In diesem Falle wäre also auch dieses „Carmen" von
Einhard; dazu würde der Umstand passen, daß Einhards Ge-
schichtschreibung tatsächlich mit dem Carmen de conversione
Saxonum manche Übereinstimmung zeigt; s. Manitius im Neuen
Archiv VIII 13; über ein angeblich von Einhard verfaßtes Werk
De adventu, moribus et superstitione Saxonum s. Manitius, Ge-
schichte d. lat. Literatur 645.

[4] Gesch. der Stadt Rom II 2. Aufl. (Stuttgart 1869) 473.

Karlingerzeit, dessen Autor eine weit stärkere poetische Ader
zeige als Alkuin —, daß man allzu gerne etwas über seinen
Verfasser wissen möchte. — Wenn man auch bekennen muß,
daß wir keineswegs mit Bestimmtheit angeben können, wer
jene Verse gedichtet hat, so glaube ich doch, wie gesagt, mit
einiger Wahrscheinlichkeit annehmen zu können, daß Ein=
hard der Dichter unseres Epos war: er war jedenfalls Mit=
glied der „Akademie" Karls, der auch unser Dichter angehört
haben muß, da er sonst nicht immer Karl d. Gr. „David"
nennen würde; denn das durfte nicht ein jeder tun¹). Zu=
dem haben wir den Dichter dieses Epos' offenbar nicht in
den geistlichen Kreisen zu suchen: fühlen wir uns doch, wie
Wattenbach²) sich ausdrückt, beim Lesen dieses Gedichtes
und bei der frischen Luft des kraftvollen Lebens, die uns
daraus entgegenweht, „auf einen Augenblick entrückt aus der
einförmigen Atmosphäre der geistlichen Chronisten, ja selbst
der seelenlosen Schulpoesie". Und Max Manitius³) hat
gleichfalls hervorgehoben, daß dieses Epos „in seinem Man=
gel an theologischer Gelehrsamkeit und bei seinen verhält=
nismäßig wenigen Berührungen religiöser Gegenstände
durchaus an die Art von Einharts Schriftstellerei" erinnere,
„der sich ja auch zu einem höheren und mehr objektiven Stil
emporgeschwungen" habe. — Auch die Art der Behandlung
des ganzen Gegenstandes spricht alles weniger als gegen
die Verfasserschaft Einhards: denn abgesehen von dem aus=
drücklichen Zeugnis Alkuins über Einhards Meisterschaft
gerade im Epos erinnern auch die geschickte Anlage, die
an dem uns erhaltenen Bruchstücke zu rühmen ist, der
gefällige und leichte Gebrauch des Lateins, der Sinn für

---

¹) S. W. Wattenbach, Deutschlands Geschichtsquellen bis
zur Mitte des dreizehnten Jahrhunderts I. Bd. 7. Aufl. (heraus=
gegeben von E. Dümmler, Stuttgart u. Berlin 1904) 197.

²) A. a. O. 198.

³) Im neuen Archiv VIII 11.

die Musik des Verses, die außerordentliche Lebendigkeit
und Farbenpracht, mit welcher der Stoff vorgetragen und
ausgeschmückt wird, überhaupt die Vorzüge des Verfassers
als eines Mannes von ungewöhnlichem Geiste und großer
dichterischer Begabung, der sich den Unterricht der Hofschule
mit bestem Erfolge zunutze gemacht hat[1]) — um von weiteren Einzelheiten abzusehen[2]) — an den späteren Verfasser der Vita Karoli. — Ebenso wie diese Lichtseiten finden sich aber auch die Schwächen der Schriftstellerei Einhards in unserem Gedichte wieder: hier wie dort nimmt
es der Autor mit dem Verlauf der geschichtlichen Vorgänge
im einzelnen nicht genau[3]). Wie ferner Einhard in seiner
Vita Karoli sich nur allzu sklavisch an sein antikes Vorbild
angelehnt hat, so hat auch der Dichter unseres Epos' über-
mäßig antike Poeten wie Virgil, Ovid, Lucan, Calpurnius
und die christlichen Dichter Sedulius, Prudentius, Ju-
vencus, Venantius Fortunatus, Sidonius Apollinaris und
Apulejus benützt und so ein Mosaik von schönen Steinen,
die er von anderen geborgt hat, gebildet[4]). Ganz wie Einhard verdankt eben auch der Verfasser unseres Gedichtes die
große Reinheit seiner Sprache vor allem seinem Fleiß, seinem Studium alter Klassiker, nicht seiner eigenen Be-

---

[1]) Simson in den Forschungen XII 567ff. freilich wollte den
Wert des Gedichtes bedeutend geringer einschätzen. Dagegen mit
Recht A. Ebert, Die literarische Bewegung zur Zeit Karls des
Großen, in der deutschen Rundschau III. Jahrgang (1877) XI. Bd
408.

[2]) Vgl. Manitius im Neuen Archiv VIII 12 über die Übereinstimmung des Gedichtes mit der Vita Karoli und mit den (in
diesem Teil wohl gleichfalls von Einhard herrührenden) Reichsannalen hinsichtlich der Mißhandlung Leos III., sowie auch über
den Einklang zwischen Einhard und dem Carmen hinsichtlich des
Überfalls Leos auf dem Wege zur Laurentiuskirche.

[3]) Simson a. a. O. 582f.

[4]) Simson a. a. O. 570ff; Manitius im Neuen Archiv VIII 14ff.

herrschung und Meisterung des Latein. Nur auf solche
Weise ist in unserem Gedichte — genau so wie in den
Schriftwerken Einhards — der eigentlich unlateinische Stil
des Autors zu einer hohen sprachlichen Eleganz emporge-
hoben worden[1]). Ist es auch eine Übertreibung, wenn man
gesagt hat, daß in diesem Gedichte die „antike Verkleidung"
„seelenlose Körper" bedecke[2]), so ist allerdings soviel richtig,
daß in diesem Werke die Schattenseiten des allzu engen
Anschlusses an die Vorbilder der Antike noch stärker hervortreten, als dann in Einhards Vita Karoli. Aber diese
Verschiedenheit spricht durchaus nicht gegen die Identität
der beiden Verfasser. Denn man darf doch nicht übersehen,
daß in dem Gedicht noch der jugendliche Einhard, der damals erst wenige Jahre zuvor die karlingische Hochschule bezogen hatte[3]), uns entgegentritt. Da ist es denn wahrhaftig
leicht begreiflich, wenn hier der Ruhm des Helden, das Lob
Karls d. Gr., noch weit dicker als in der Vita Karoli aufge-
tragen wird. Karls Glanz wird im Geiste des Dichters
durch keine Wolken verdunkelt und durch keine Nacht unterbrochen, ja er beschämt die Sonne, wie Karl selber auch alle
Herrscher und alle Denker und Dichter, selbst Homer und
Cicero, überragt! Und ebenso kann es auch nichts gegen
diese Identität beweisen, wenn Stil und Ausdrucksweise
Einhards in seiner Karlsbiographie im ganzen noch weit
besser und noch viel mehr klassisch durchgebildet sind als in
unserem Carmen[4]). Wenn aber Einhard in der Vita Karoli

---

[1]) Manitius ebd. 35.

[2]) Simson a. a. O. 580.

[3]) Das Gedicht scheint kurz nach jener i. J. 799 erfolgten
Begegnung Karls und Leos verfaßt zu sein, vermutlich noch vor
der Kaiserkrönung Karls, ja noch vor dem Tode Liutgardens,
der Gemahlin Karls (4. Juni 800); s. Simson a. a. O. 587f.

[4]) Das führt Manitius ebd. 13 gegen die Autorschaft Einhards an. — Nichts kann endlich auch der Umstand besagen, daß
Einhard in dem Gedicht sich lediglich an die Sprache der antiken

die von ihm auch hier von andern geborgten Floskeln nicht
ohne großes Geschick in den Rahmen seines eigenen Werkes
einzusetzen versteht, während unser Dichter noch viel unselb=
ständiger zu Werke geht und häufig einen oder mehrere
Verse wortgetreu abschreibt, so kann auch dies nichts gegen
die Gleichheit der beiden Persönlichkeiten beweisen: in dem
Gedicht spricht eben, wie gesagt, noch der jugendliche Ein=
hard zu uns, der soeben erst seine Studien auf der Aachener
Hochschule beendet hatte, in der Vita Karoli aber ist es der
gereifte Meister, der ungefähr volle zwei Jahrzehnte später
diese Schrift abgefaßt hat.

Dichter gehalten hätte, während doch in seinen Prosaschriften
nicht gerade viele Reminiszenzen aus der Poesie der Alten vor=
kommen.   Es entsprach ja gerade der Absicht der karlingischen
Literaten je nach der Art ihres Stoffes auch ihre Vorbilder aus=
zuwählen; s. Manitus ebb. 32.

V

Von Einhard und Imma.

So wenig wir auch von der Dichtkunst Einhards
wissen — ich möchte doch vermuten, daß die Anfänge der
Verszeilen von manchem Liedchen, das aus seiner Feder
floß, mit den Buchstaben I - M - M - A begonnen haben
werden. Denn Imma hieß die Erwählte seines Herzens.
Schade, daß der nüchterne Historiker so gar nichts zu berichten vermag von Einhards junger Liebe; denn vermutlich
schon lange lagen seine Honigmonde damals hinter ihm, als
in einer Urkunde aus dem Jahre 815 zum ersten Male der
Name Immas als der Ehefrau Einhards erwähnt wird;
und auch da erfahren wir zunächst nicht viel mehr als eben
die Tatsache der Verheiratung Einhards und
den Namen seiner Gattin; erst Schriftstücke aus späteren
Jahren, ja zum Teil sogar erst aus einer Zeit, da Imma
schon gestorben war, lassen uns ihr historisches Charakterbild in ziemlich festumrissenen Zügen erkennen:
als eine treffliche Hausfrau, voll weiblicher Geschäftigkeit
den Gatten umhegend und pflegend, aber auch an seinem
Wirkungskreise regen Anteil nehmend — so steht da Imma
vor uns. Eine hohe geistige Bildung scheint ihr eigen gewesen zu sein; mehrere lateinisch geschriebene Briefe Immas
sind uns überkommen, in denen sie sich mit der Bibel vertraut zeigt. Und — was noch mehr besagen will: gerade aus
diesen hinterlassenen Zeilen Immas zeigt sich der echt weib-
liche Zug ihrer Hilfsbereitschaft andern gegenüber, die
solcher bedürfen: so verwendet sie sich in einem Briefe an

eine andere Dame der damaligen Gesellschaft, an ihre
Freundin Blidthrude, für einen Knecht dieser letzteren
namens Wenilo aus Mosbach nächst Großostheim bei
Aschaffenburg; dieser Knecht hatte eine freie Frau zur Ehe
genommen, was er ohne Einwilligung seines Herrn nicht
gedurft hätte. Im Bewußtsein seines Schuldgefühls nahm
Wenilo in Seligenstadt, dem Wohnsitz Einhards und Immas in ihrem späteren Alter, und bei den Schutzheiligen der
dortigen Kirche seine Zuflucht vor dem Zorn seines Herrn
Albuin, der offenbar der Gemahl jener Blidthrude war.
Darum wandte sich Imma an diese und legt Fürsprache für
Wenilo ein. — Noch interessanter ist ein anderer Brief
Immas für deren Charakterbild; denn aus ihm geht hervor, wie sie bei aller Bereitwilligkeit andern entgegenzu-
kommen, doch keineswegs ihr Herz allein sprechen und über
ihren Verstand gebieten ließ: sie werde, so versichert sie dem
Adressaten in mütterlichem Ton, gern dessen Wünschen entsprechen — soweit dies nützlich sei; und im weiteren Verlauf des Schreibens wird der Empfänger ihrer Zeilen recht
deutlich daran gemahnt nicht bloß den Nutzen, sondern auch
die Ehrenhaftigkeit seines Beginnens in Betracht zu ziehen.
— Klar und bestimmt sind auch die Striche, welche der
später als Gelehrter hochberühmte Servatus Lupus, der
nachmalige Abt von Ferrières, zur Charakteristik der Persönlichkeit Immas gibt: durch ihre hervorragende Klugheit,
ihre gediegene Lebensauffassung und ihre Ehrenhaftigkeit —
und diese Vorzüge, so meint Lupus, seien es, die dem Leben des Menschen erst seine rechte Würde aufdrückten! —
sei sie nicht nur nach Frauenart hervorgetreten, sie habe
vielmehr hierin auch eine Reihe von Männern weit überragt; dem Leibe nach eine Frau, sei sie doch an Geist bis
zur Bedeutung eines Mannes vorgedrungen. Freilich: die
Höhe der Weisheit Einhards, sagt Lupus, hätte Imma,
auch wenn sie noch länger am Leben geblieben wäre, nie-

mals ganz erreicht, wie sie auch in den anderen Vorzügen
Einhards, in seiner Geisteskraft und in seiner allgemein an=
gestaunten Ausdauer diesem nur nahegekommen wäre. Über=
haupt führt Lupus — ich lasse es dahingestellt, ob dies
nur eine Schmeichelei gegenüber Einhard ist oder ob es
ganz der Wahrheit entspricht — die Ausbildung der guten
Eigenschaften Immas auf ihre Lebensgemeinschaft mit Ein=
hard zurück: aus ihr heraus habe sich das ihr eigene kluge
Wesen, ihr Lebensernst und ihr ehrenhafter Charakter ent=
wickelt.

Steht somit das Charakterbild der gereisten Imma
deutlich und klar vor uns, so wissen wir doch soviel als nichts
von ihrer Jugend. Aber die Lücke, welche die Quellen der
Geschichte hier lassen, wird durch die Sage reichlich aus=
gefüllt: in der zweiten Hälfte des zwölften Jahrhunderts
schon begegnet im Kloster Lorsch unter den
Aufzeichnungen eines Mönches, der eine
Sammlung der Urkunden seines Klosters angelegt hat, auch
die Erzählung von Einhards Liebe zur „Kaisertochter"
Imma; so, wie er sie bereits von seinen Vorfahren ver=
nommen hatte, hat uns jener Lorscher Mönch die Geschichte
von Einhard und Imma aufgeschrieben.

Gar anschaulich weiß der Autor es zu schildern, wie
Einhard, der hier als Kaiser Karls „Erzkaplan und Notar"
erscheint, an Karls Hof von aller Welt geliebt wird, ganz be=
sonders aber von einer der Kaisertöchter, Imma mit Na=
men, obgleich diese bereits dem „König der Griechen" ver=
lobt ist; und die Liebe Immas zum kaiserlichen „Erzkaplan"
wird von diesem erwidert. Aber man hütet sich, die gegen=
seitige Zuneigung vor dem Kaiser zu verraten. Doch schließ=
lich reißt die unerlaubte Liebe die hemmenden Schranken
nieder und Einhard gelingt es nächtlicherweile sich der
Jungfrau zu nahen. Als bereits der Wintermorgen zu
dämmern beginnt, will er wieder nach Hause zurückkehren.

Aber da muß er zu seinem Schrecken sehen, daß tiefer Schnee
gefallen ist; über dem ganzen Pfalzhof liegt eine weiße Decke
ausgebreitet, auf welcher die Spur von Männerfüßen natür=
lich sogleich zu erkennen wäre und somit den Aufenthalt
Einhards nur allzu leicht verraten könnte. So getraut sich
Einhard gar nicht ins Freie zu gehen. Was soll man tun?
Vergeblich quälen sich die beiden Liebenden mit dieser
Frage ab und schon drückt sie ihr Gewissen und die Furcht
vor Bestrafung des Fehltritts, dessen sie sich schuldig ge=
macht haben, gar sehr. Aber die Liebe macht nicht bloß er=
finderisch, sie macht auch kühn und stark: das Kaisertöchter=
lein will — eine Vorläuferin der wackeren Weiber von
Weinsberg — den Geliebten auf den Rücken nehmen und
ihn bis zu einer seinem Wohngemach nahe gelegenen Stätte
tragen; dann will sie auf ihren eigenen kleinen Fußspuren
wieder in ihre Kammer zurückkehren. Denn so vermied man
den verräterischen Männerfuß auf der Schneedecke. Schon
geht man an die Ausführung des sein gesponnenen Vor=
habens. Aber — o Schreck! — der Kaiser sieht die Szene:
er hatte gerade eine schlaflose Nacht gehabt und ist schon
in aller Frühe von seinem Lager aufgestanden; und wie's
so sein will, tritt er eben an ein Fenster und schaut hinunter
in den Pfalzhof, als sein Töchterlein unter ihrer schweren
Last dahergekeucht kommt. Man kann sich das Staunen
Karls vorstellen, wie er den Vorgang da drunten beobachtet
und sieht, wie seine Imma kaum dahinschreiten kann, wie sie
aber schließlich doch bis zu der vereinbarten Stätte kommt,
hier den kaiserlichen Herrn Erzkaplan und Notar herunter=
gleiten läßt und dann gar hurtigen Schrittes wieder zu
ihrem eigenen Gemach zurückeilt. — Karl ist des Geschauten
wenig froh. Aber er beherrscht sich und seinen Unwillen.
Er ist ja fromm genug, um sich zu sagen, daß auch das,
was er eben gesehen, ein gutes Ende nehmen könne und in
den Plan der göttlichen Vorsehung gehöre. So unterdrückt

4*

er denn den Schmerz, der allerdings in seinem Vaterherzen wühlt; er gebietet auch seiner Zunge Schweigen und sieht ruhig und gelassen der weiteren Entwicklung zu.

Kein so ruhig Gewissen hat Einhard. Er kennt seinen Herrn allzu gut, um nicht zu wissen, daß dessen scharfes Auge bald seinen Liebeshandel durchschauen würde. Eines schönen Tages macht nun Einhard — auf sein böses Gewissen mußte ja die Ruhe und Gelassenheit seines kaiserlichen Herrn erst recht unheimlich wirken! — dem Kaiser selbst eine Szene: er wirft sich ihm zu Füßen, erbittet von ihm seine Entlassung und beginnt mit Klagen gegen Karl, indem er behauptet, seine vielen und großen Dienste würden nicht gebührend belohnt. Karl hört seinen Vertrauten ruhig an, tut, als ob er nichts davon wüßte, was sich zwischen diesem und Imma abgespielt hatte, und — schweigt. Dann antwortet er schließlich Einhard, er werde auf sein Begehr ihm noch Bescheid geben; er setzt hierfür einen Hoftag an, zu dem alle seine Räte und die Ersten seines Reiches und seine sonstigen Vertrauten erscheinen müssen. Als dann diese erlauchte Versammlung wirklich zusammengekommen ist, da tritt der Kaiser vor sie hin und trägt ihr den peinlichen Fall vor: er legt dar, wie die kaiserliche Majestät in hohem Grade verletzt und beleidigt worden sei durch die unwürdige Verbindung seiner Tochter mit seinem Notar, und wie er selber darüber großes Leid verspüre. Alles ist aufs höchste erstaunt und bestürzt. Der Kaiser schildert nun den Vorgang, den er selber beobachtet hat, bis ins einzelne und verlangt dann von den Versammelten die Kundgabe ihrer Meinung. Aber die Ansichten über den Fall gehen auseinander. Die einen sagen, es müsse eine ganz exemplarische Strafe sein, die man dem Einhard geben solle; die andern meinen, er müsse verbannt werden; die dritten sind wieder einer andern Ansicht. Alle lassen sich eben von ihrem Temperamente bestimmen. Eine Gruppe endlich ist milde ge

stimmt und bittet den Kaiser inständig, er selber solle die
Sache untersuchen und gemäß der Weisheit, die ihm vom
Himmel verliehen sei, einen Entschluß fassen. — Karl wägt
alle Meinungen gegeneinander ab und verkündet schließlich.
sein Urteil dahingehend, daß er den Fehltritt der beiden
Liebenden verzeihen wolle. Sie sollten einander in recht=
mäßiger Ehe angehören, denn er wolle dem an sich freilich
schimpflichen Vorfall den Mantel der Ehrbarkeit umhängen.
Darob nun große Freude bei der Versammlung! Natür=
lich rühmt man die Hochherzigkeit und Milde des großen
Kaisers in allen Tönen. Indes führt man nun auch Ein=
harb selbst herein. Zu aller Erstaunen grüßt ihn Karl und
spricht ihn gar freundlich an: schon längst sei es ihm zu
Ohren gekommen, daß er seine Dienste bisher nicht genug=
sam belohnt habe; freilich trage daran Einhard selber die
Hauptschuld; denn wenn er es nur gewußt hätte, so hätte
Karl ganz sicher anders gehandelt. Aber, um's kurz zu
machen, so sagt Kaiser Karl schließlich, er wolle jetzt die
Klagen Einhards durch einen außergewöhnlichen Lohn ab=
stellen: auf daß ihm Einhard auch künftig so treu und so
wohlgeneigt sei wie früher, so wolle er ihm seine Tochter
verloben — „Euere Trägerin" — so fügt der Kaiser, sicher
mit einem Schmunzeln, hinzu —, „welche sich irgendeinmal
hoch geschürzt willfährig genug Euch zu tragen gezeigt hat".
— Nun wird auch noch die Kaisertochter hereingeführt,
natürlich mit zahlreicher Begleitung; über und über errötet
sie, als sie begreift, worum es sich handelt, und als der
Vater sie nun mit ihrem Einhard verlobt. So ward aus
Kaiser Karls Erzkaplan und Notar und dem resoluten
Kaisertöchterlein ein glücklich Ehepaar.

Schade, daß diese Erzählung, die uns hier jener Lor=
scher Mönch bietet, dem scharfen Lichte der historischen

Kritik nicht standhält[1]): allerdings hat sie auch auf die ernste
Geschichtsforschung lange Zeit ihren Einfluß ausgeübt; noch
knapp vor einem halben Jahrhundert war ein Forscher[2]) geneigt, in Imma eine Tochter Karls d. Gr. zu sehen. Indes
erweist sich die fragliche Erzählung bei näherem Zusehen
als eine Anekdote, die ihren S t o f f zum Teil allerdings
g e s c h i c h t l i c h e n V o r k o m m n i s s e n u n d Z u -
s t ä n d e n am Hofe Karls, zum Teil aber auch den Erzeugnissen frei schaltender Phantasie entnommen zu haben scheint:
mit jener Tochter Karls, die angeblich mit dem „König der
Griechen" verlobt war, ist zweifellos die Kaisertochter Ruotrud gemeint, die, wie Einhard in seiner Karlsbiographie
berichtet, mit dem griechischen Kaiser Konstantin verlobt gewesen war, während später dieses Verlöbnis tatsächlich auf-
gelöst wurde; dieselbe Ruotrud stand auch zu einem Großen
Karls, zu dem Grafen Roriko von Maine, in einem illegitimen Verhältnis, dem ein Sohn namens Ludwig ent-
sproß, der später Abt von St. Denis wurde. Eine andere
Kaisertochter, Berta mit Namen, stand in zarten Beziehungen zu einem andern Hofwürdenträger Karls, zu dem
„Homer" des Aachener Hofes, dem Dichter Angilbert, dem
sie zwei außereheliche Söhne schenkte, Harnid und Nithard,
der dann zum Geschichtsschreiber des karlingischen Bruder-
krieges nach dem Tode Ludwigs d. Fr. werden sollte; erst
später scheint Karl sein Einverständnis zu einer legitimen
Ehe zwischen Angilbert und seiner Tochter gegeben zu haben.

So boten also die tatsächlichen Verhältnisse am Hofe
Karls allerdings Raum und Anlaß zu einer derartigen
Anekdote wie der Erzählung bei unserem Lorscher Mönche.

---

[1]) Das hat namentlich Teulet in seinen Oeuvres complètes
d' Éginhard I S. XXIXff. überzeugend nachgewiesen.

[2]) D. Falke in seinem Aufsatz „Karls d. Gr. Tochter Gisla
zu Seligenstadt", in den Forschungen zur deutschen Geschichte
XV (1875) 657 A. 4.

Übrigens scheint hier der Zug von dem starken Schneefall, der während des Besuches bei der Geliebten eingetreten war, sowie von dem verzweifelten Hilfsmittel, zu dem diese greift, nicht originell zu sein; denn schon bei dem englischen Chronisten Wilhelm von Malmesbury, der einige Zeit vor dem Lorscher Mönch geschrieben hat, findet sich eine ganz ähnliche Erzählung: die Schwester Kaiser Heinrichs III. (1039—56) ist hier die „Heldin" der Erzählung. Und ein junger Hofgeistlicher ist es hier, der zu der hohen Frau in ein sündhaftes Verhältnis tritt. Bald wird die Sache am Hofe ruchbar. In Haltung und Blicken verraten sich die Liebenden. Der Kaiser weiß nichts von dem Handel und ist von der Tugendhaftigkeit seiner Schwester überzeugt. Doch bald soll ihn der Augenschein eines andern belehren: während einer harten Winternacht, welche jener Kleriker im Gemache der Prinzessin verbracht hat, ist reichlich Schnee gefallen; schon ist der Morgen angebrochen, als die Lieben=den sich trennen wollen; um nicht durch die Spur seines Fußes sich zu verraten, läßt sich jener Kleriker von des Kaisers Schwester zu seiner Wohnung zurücktragen. Der Kaiser aber erblickt, als er zum Fenster hinaussieht, dieses Schauspiel. Freilich endet hier das Liebesabenteuer nicht damit, daß aus den beiden Liebenden ein glücklich Ehepaar wird; aber auch hier läuft schließlich alles gut ab: zwar spielt der Kaiser sowohl gegenüber dem Kleriker wie gegen=über seiner Schwester recht deutlich auf den Vorfall an jenem Wintermorgen an und beschämt die beiden so — nicht ohne sie zu ermahnen hinfort von ihren sträflichen Beziehun=gen abzulassen, was denn auch geschah, wie uns der englische Chronist versichert. —

So setzt sich also, wie man sieht, die Einhard= und Imma=Anekdote aus so mancherlei Bestandteilen zusammen. Immer fester wurde indes der Glaube an ihren Inhalt, und Einhards angebliche Eigenschaft als Schwiegersohn Kaiser

Karls galt bald allgemein als ausgemachte Tatsache. Im Kloster Lorsch konnte man später eine Grabschrift auf Einharb lesen, deren lateinischer Wortlaut unter anderem behauptete, daß seine neben ihm bestattete Gattin Imma die Tochter Karls d. Gr. sei[1]). Und eine andere Inschrift auf einem Grabstein, der sich heute noch zu Erbach im dortigen Schlosse befindet, spricht gleichfalls von Imma, der Gemahlin Einhards, als „des großen Kaiser Caroli ehelicher Dochter"[2]), während Einhard selbst hier der „erste Herr zu Erbach" genannt wird. Von Einhard und Imma wollten nämlich später die Herren von Erbach abstammen, die vermutlich auf dem Wege der Vogtei im zwölften Jahrhundert ihre Gewalt über Michelstadt erlangten und schon in früher Zeit eine überragende Stellung in jener Gegend einnahmen[3]), in der Einhard einstens tatsächlich eine ansehnliche Grundherrschaft sein eigen nannte[4]); seit dem 13. Jahrhundert erscheinen sie als Herren von Michelstadt[5]).

Nicht uninteressant wäre es die weitere Entwicklung jener vom Lorscher Mönche berichteten Anekdote und ihre Auswirkung in der Literatur zu verfolgen[6]). Doch will ich hier nur in aller Kürze dar-

---

[1]) Dieser Meinung scheint schon der Abt Anselm von Lorsch nach seinem Testament vom 27. Oktober 1095 gewesen zu sein; s. J. W. Ch. Steiner, Geschichte und Beschreibung der Städte Seligenstadt und Aschaffenburg (1820) S. 55f.; Draudt, Das Kloster Michelstadt, Steinbach im Odenwald, im Archiv für hessische Geschichte und Altertumskunde XIII (1874) ²92.

[2]) Bei Teulet a. a. D. I S. CVI; vgl. D. Abel, Kaiser Karls Leben von Einhard. [Die Geschichtschreiber der deutschen Vorzeit. IX. Jahrhundert I. Bd.] Berlin 1850, S 60.

[3]) S. K. Morneweg bei Volk, Der Odenwald 302.

[4]) Darüber s. unten Abschnitt XIV.

[5]) Draudt a. a. D. 396f.

[6]) Vgl. H. Varnhagen, Eginhard und Emma. Eine deutsche Sage und ihre Geschichte, im Archiv für Literaturgeschichte XV (1887) 1ff.; ich wurde auf diesen Aufsatz durch einen meiner Schüler, Herrn cand. phil. Karl Wildstake, hingewiesen.

auf hinweisen, daß wohl der tatsächliche Aufenthalt Einhards
im Odenwald und damit seine zeitweilige Trennung von
dem Aachener Hofe und dessen Genüssen zur Ausgestaltung
jener Anekdote Anlaß bot; hiernach ziehen Einhard und
Imma, von Kaiser Karls Hoflager verbannt, in die Wild=
nis und in einen tiefen Wald, der sich in der Maingegend
ausdehnt; hier bauen sie sich eine Hütte, und der einst so viel
gefeierte Hofmann wird zum Jäger, der sich und seiner Fa=
milie durch die Jagd seinen Unterhalt verschafft. Aber Karl
selber wird die Strafe, die er über das Paar verhängt hat,
leid; allzusehr ist er an seinen Geheimschreiber und an seine
geliebte Tochter gewöhnt. Überall vermißt er die beiden;
Jahre verrinnen, bis er sich gelegentlich einer Jagd in den
Odenwald verirrt. Unter einem Baum schläft da der Kaiser
ein. Als er erwacht, erblickt er einen blonden Knaben vor
sich, der mit Karls Schwert herumhantiert. Erstaunt frägt
der Kaiser, was denn da der Junge mache. Der entgegnet
nur er wolle ihm die Waffe wegtragen, damit der fremde
Mann nicht die Hirsche und Rehe des Waldes totstechen
könne. Nun kommt der Kaiser auch zur Mutter des auf=
geweckten Knaben, die ein weiteres Kind an der Brust hält.
Erstaunt betrachtet der Kaiser die Frau, erkennt aber in ihr
seine Tochter nicht gleich wieder, wie auch diese ihn
zweifelnd ansieht. Als dann der Gatte der jungen Frau
in sein einfaches Heim zurückgekehrt kommt und reiche
Jagdbeute mit sich bringt, richtet man ein frugales Mahl
zurecht. Wie es ans Essen geht, erkennt der Kaiser an der
Art, wie das Wildbret zubereitet ist und wie man es ihm
darbietet, daß die Frau, die ihn da bewirtet, niemand anders
sein könne als seine Tochter. Natürlich kommt es jetzt zur
Versöhnung zwischen dem gestrengen Vater und seinem
Töchterchen und Schwiegersohn. Da erscheint gerade zur
rechten Zeit auch das Jagdgefolge des Kaisers, und alles
endet in Glück und Freude. Beim Scheiden aus dem Oden=
wald ruft Imma, der die Stätte ihres stillen, bescheidenen

Familienglücks gar lieb geworden ist, wehmutsvoll aus:
„Leb' wohl, o du Wald!" — Die Volksetymologie läßt
aus dem letzten Teil dieses Ausrufs den Namen „Oden=
Wald" entstanden sein, wie sie auch den Namen Seligen=
stadts, der späteren langjährigen Wirkungsstätte Einhards
und Immas, mit jener Begegnung und der hierbei er=
folgten Aussöhnung in Zusammenhang bringt und be=
hauptet, Kaiser Karl habe jene Stätte „selig" gepriesen und
darum sei sie zu ihrem Namen gekommen.

Manche Anregung bot dieser Stoff und die Art,
wie er sich gestalten ließ, der deutschen und der
französischen Literatur: in Gedichten und in
dramatischen Darstellungen hat man ihn behandelt. Auch
eines unserer „Volkslieder" geht auf diese Einhardspoesie
zurück, worauf Felix Schreiber[1]) aufmerksam gemacht hat:
es ist das sog. „Thüringer Volkslied" „Ach, wie wär's
möglich dann . . ." Es begegnet nämlich in dem Schau=
spiel „Emma und Eginhard", das Helmina von Chézy
(† 1856) zur Verfasserin hat und das im Jahrer 1812 über
die Dalbergsche Bühne in Aschaffenburg ging und auch
auf Schloß Amorbach aufgeführt wurde[2]); hier singt Ein=
hards Tochter Sieglinde jenes Lied[3]), das nun durch die
deutschen Lande gedrungen ist und in dessen Weise noch
etwas wie ein stiller Nachklang von Einhards junger Liebe
zu uns spricht. —

Wie schon gesagt, weiß uns die nüchterne Geschichte
nicht entfernt so vieles und genaues wie die Sage von Ein=
hards und Immas Liebe und Ehe zu berichten; der histo=
rische Einhard ist wohl auch auf eine weniger außergewöhn=
liche Weise, als die Sage es will, zu seiner Lebensgefährtin

---

[1]) Die Mark Michelstadt (Schleusinger Gymnasial=Programm
1896) 20.

[2]) Varnhagen a. a. O. 19.

[3]) S. Schreiber a. a. O.

und zu dem Hausstande gekommen, der sich ihm in Aachen
aufstat.

Ich möchte gleich hier eine andere Erzählung an=
fügen, die auch Einhard betrifft und die gleichfalls historisch
wenig beglaubigt und vielleicht nur als Anekdote zu be=
trachten ist: als der Statthalter von Jerusalem, Azan mit
Namen, so wird des langen und breiten von einem Mönch
des Klosters Reichenau am Anfang des zehnten
Jahrhunderts erzählt, um jeden Preis mit Kaiser Karl zusam=
mentreffen und sich zu diesem Zwecke in das Frankenreich be=
geben wollte, erkrankte Azan auf Korsika schwer und trachtete
nun danach, daß der Frankenkaiser zu ihm nach Korsika
käme. Aber Karl, der große Kriegsheld, fürchtet die See=
fahrt; er selbst will sich keinesfalls dem Meere anvertrauen.
Da denkt er an Einhard: dieser hat sich ja zu allem, wozu
immer man ihn gebraucht hatte, geschickt und fähig erwiesen.
So tritt man auch jetzt an ihn heran; aber Einhard will
von dieser Mission beileibe nichts wissen: zu Lande, so ent=
gegnet er Karl, möge man ihn überall hinschicken, auch wenn
er zu fremden Völkerschaften gehen müsse, wolle er es tun
und in Treuen Karls Befehl erfüllen. Aber von Wasser=
wegen will er nichts hören. — Wenn demnach Einhard von
der Tatsache, daß das Wasser keine Balken hat, zu tiefst
durchdrungen gewesen sein soll und aus ihr für seine Person
angeblich die nötigen Folgerungen gezogen hat, so schiene,
wie mich dünkt, dieser Charakterzug ganz gut zu dem Por=
trät des historischen Einhard zu passen; aber immerhin mag
es dahingestellt bleiben, ob dieser Erzählung ein geschicht=
licher Kern zugrunde liegt[1]).

---

[1]) Teulet a. a. O. I S. XXXVIIf. betrachtet sie bloß als Sage;
vgl. H. Hoffmann, Karl der Große im Bilde der Geschichtsschrei=
bung des frühen Mittelalters (800—1250), in E. Eberings Histor.
Studien CXXXVII (Berlin 1919) 101ff.

VI

Der „Beseleel" des Aachener Kaiserhofes.

Schon in den ersten Jahren, da Einhard dem Hoflager Karls d. Gr. angehörte, vollzog sich mit dem fränkischen Königshofe selber eine wesentliche Veränderung: in den neunziger Jahren des achten Jahrhunderts erhielt das fränkische Hofleben einen festen, dauernden Sitz; bisher war der Frankenkönig in der Regel von Ort zu Ort, von Pfalz zu Pfalz gezogen, ohne daß es einen bestimmten Platz ge= geben hätte, der als ständiger Regierungssitz, als die Resi= denz des Frankenkönigs schlechthin gegolten hätte. Das alte Wanderkönigtum der Germanen hatte bisher fast un= umschränkt geherrscht. Karl hat damit gebrochen und Aachen als seinen vorzüglichen Aufenthaltsort erwählt. A a c h e n wurde zur R e s i d e n z d e s R e i c h e s, in der künftig der Herrscher zwar nicht ununterbrochen, aber doch regel= mäßig verweilte, wenn anders ihn nicht Kriegszüge und sonstige Geschäfte in die Ferne riefen; namentlich den Winter brachte man meist in Aachen zu.

So wurde damals Aachens Bedeutung im Mittelalter begründet. Kirchliche und weltliche Bauten entstanden jetzt hier. Die weiträumige Pfalz des fränkischen Königs und das zu ihr gehörige herrliche Marienmünster, wie es noch heute unser Auge entzückt, wurden damals errichtet. Eine Reihe von Gebäuden für die einzelnen Hofbeamten mußten hergestellt werden; und ebenso brauchte man in Aachen Un= terkünfte für das übrige zahlreiche Gefolge, für die Scharen von Leibeigenen, welche zur Aachener Pfalz gehörten und

hier Frondienste verrichteten. Desgleichen ließen sich ver=
mutlich so manche auswärtige Herren, reiche Äbte und
Bischöfe, welche zwar nicht dauernd in Aachen wohnhaft
waren, aber doch des öfteren bei Hofe erscheinen mußten,
in Aachen ihre Absteigequartiere erbauen — gewissermaßen
Vorläufer jener Palais und Prälaturen, die sich in späteren
Jahrhunderten der auf dem Lande ansässige hohe Adel und
angesehene geistliche Herren in den Residenzstädten ihrer .
Fürsten errichten ließen. Und ebenso brauchte man in
Aachen Unterkünfte für die übrigen Fremden, die durch ihre
gelegentlichen Geschäfte in großer Zahl zur neuen Königs=
pfalz geführt wurden, für die Bittsteller, welche hier per=
sönlich ihre Sache dem Herrscher vortragen wollten, für die
Kläger und Beklagten, welche vor dem Hofgericht ihres
Königs Gerechtigkeit zu finden hofften. Es entwickelte sich
also ein reger Verkehr in Aachen, der seinerseits wieder die
Entstehung von Verkaufshäusern und die Niederlassung von
Handwerkern begünstigen mußte.

In der Tat war es eine großzügige, glänzende Anlage,
die sich seit der Wende des achten zum neunten Jahrhundert
an der Stätte des alten „Aquisgranum" erhob. Von weither
mußte so manches geschickt werden, was man zum Schmuck
dieser Residenz des mächtigen Frankenherrschers verwendet
sehen wollte; nur die bedeutendsten Kunststätten Italiens
schienen gut genug zu sein, um das ihre beizusteuern zur
Erhöhung des Glanzes des karlingischen Hofes: Rom und
Ravenna mußten Baumaterial für das „neue Rom" jen=
seits der Alpen liefern, marmorne Säulen und Bildwerke
und musivische Arbeiten, die nunmehr unter der nordischen
Sonne ihre Schönheit erstrahlen lassen sollten. Bald
thronte der goldene Apfel am First des Aachener Münsters
— das Vorbild vielleicht des späteren „Reichsapfels", das
Sinnbild der Weltherrschaft! —, und schon bewunderte der
Besucher des Aachener Palatiums auf dem geräumigen

Platze, der sich vor diesem weitete, die Reiterstatue des Theoderich, des berühmten Ostgotenkönigs, von dem die alten deutschen Heldenlieder, die ja gerade Karl d. Gr. sammeln ließ, so vieles zu singen und zu sagen wußten; auch dieses Kunstwerk war von Ravenna, der letzten Metropole des weströmischen Reiches, über die Alpen gewandert — ein Symbol gleichsam für den Anbruch der neuen Zeit, da alle Herrschaft und Macht und alles Heldentum von des fränkischen Volkskönigs Hof wie von einem Magneten angezogen ward. —

Inmitten der Bauten, die in jenen Jahren in Aachen neu erstanden, hat auch Einhard lange, lange Zeit hindurch sein Heim besessen. Es war jenes Häuschen, für dessen Türe die erwähnten Verse Alkuins[1] bestimmt waren. Hier hat Einhard, sofern er nicht seinen Herrscher auf seinen Fahrten begleiten mußte, manche Jahre seines Lebens an der Seite seiner geliebten Gattin verbracht; und hier in diesem Aachener Häuschen hat er manches Mal ausgeruht von des Tages Mühen und Sorgen, die ihm sein Beruf und seine vielseitige Tätigkeit in reichem Maße brachten.

Denn nicht nur als Lehrer und Bibliothekar, als Gelehrter und Dichter wirkte Einhard; nicht nur einen Mann der Wissenschaft und der Feder haben wir in ihm zu sehen — Einhard war auch Künstler. Ja in seinem Naturell trat das Künstlerblut stark hervor gegenüber seiner Gelehrtenart. —

Woher wir das wissen? — Zunächst schon von Einhards „Pseudonym", wenn man's so nennen kann. — Wie gesagt[2], führten in dem Kreise Karls d. Gr. die einzelnen dieser Runde angehörigen Persönlichkeiten Namen von berühmten Männern der Vergangenheit. Wenn

[1] S. oben S. 26.
[2] Oben S. 22.

hierbei Einhard den Namen „Be se le el" erhielt, so ge=
schah dies nur, weil er auf jenem Gebiete Meister war, auf
dem einstens auch der Beseleel der Bibel gewirkt hatte: auf
dem Gebiete der Kunst. Beseleel war nämlich — ich mache
diese Bemerkung mit Rücksicht auf diejenigen meiner ver=
ehrten Leser, welche mit der Bibel nicht ganz auf vertrautem
Fuße stehen — der im zweiten Buche Mosis (Kap. 31,
V. 2 ff.) erwähnte, mit besonderer Kunstfertigkeit auf so
mancherlei Gebieten begabte Mann, der kunstgewerbliche
Gegenstände aus Gold und Silber und Erz, aus Marmor
und Edelgestein für die alttestamentliche Stiftshütte herge=
stellt hat. Gleich diesem Beseleel im Alten Testament war
also auch Einhard in jenen Kunstzweigen ein Meister.
Man hat auch schon seit langem erkannt, daß Einhard
Künstler gewesen sein müsse. Doch suchte man hierbei meist
das besondere Gebiet seiner Kunstbetätigung auf dem Felde
der Architektur. Das war ein Irrtum. Er führte die
Forschung auf eine um so abschüssigere Bahn, als man ge=
neigt war, Einhard, dem vermeintlichen Architekten, nun
auch sogleich das bedeutendste Bauwerk seiner Zeit, das
Aachener Münster, zuzuteilen. Fast ohne jeden positiven
Grund! Wir haben im Gegenteil die ausdrückliche Nach=
richt, daß der Erbauer des Aachener Münsters ein gewisser
Odo von Metz, also nicht Einhard, war. Hat somit Ein=
hards Name mit diesem berühmten Bauwerk als solchem
nichts zu tun, so doch mit der inneren Ausstattung und Aus=
schmückung des Münsters: wie der Beseleel des Alten
Testaments das Nationalheiligtum des israelitischen Volkes,
die Stiftshütte, mit den verschiedensten kunstgewerblichen
Gegenständen ausstattete, wie er ein Meister des Kunsthand=
werks, insbesondere der Metallarbeiten und des Erzgusses
war, so lag auch Einhards künstlerische Domäne im Erzgusse
und in der Metallplastik, so hat auch er für die Inneneinrich=
tung des Nationalheiligtums seines Volkes, für die Aus=

schmückung der „Stiftshütte" seiner Zeit gearbeitet; das aber war die Marienkirche, die eben damals in Aachen entstand.

Doch hören wir zunächst näheres von Einhards Werdegang als bildender Künstler! — Als Einhard seine Lehrjahre in der Fuldaer Klosterschule verbrachte, da wird er nicht selten auch in der Klosterkirche daselbst an der Stätte gestanden haben, wo St. Bonifatius' Leib ruhte; und wenn er so beim Schein der Öllampen oder der Wachskerzen, die man vor den Gräbern von Heiligen brannte[1]), vor der Ruhestätte des großen Apostels der Deutschen stand, dann schaute er hier jenen noch neuen, gar kunstreich gearbeiteten Bogen über dem Grabe dieses Heiligen, den Abt Sturmi von Fulda, der Schüler und Nachfolger des hl. Bonifatius und der Vorgänger Baugulfs, des eigenen Abtes Einhards, mit Gold= und Silberplatten hatte belegen lassen[2]). Auch so manch anderes Werk der kirchlichen Kleinkunst jener Tage wie etwa Kronleuchter oder sein gearbeitete Aquamanilien sah der junge Einhard mit bewunderndem Blick in der Fuldaer Klosterkirche. In jenen Lehrjahren zu Fulda mag er auch schon die erste Kunde vernommen haben von dem liebenswürdigen heiligen Meister der Goldschmiedekunst, der gleichfalls im Frankenreiche gelebt und gewirkt hatte: vom einstigen Bischof von Noyon, St. Eligius (588 bis 659), dem Hofgoldschmied der Merowingerzeit, dessen Gestalt uns in der Legende so recht als eine Künstlerfigur gezeichnet wird: als Persönlichkeit mit ausgesuchtem Äußern

---

[1]) St. Beißel, Die Verehrung der Heiligen und ihrer Reliquien in Deutschland bis zum Beginn des dreizehnten Jahrhunderts (17. Ergänzungsheft zu den Stimmen aus Maria Laach, Freiburg i. B. 1890) 15.

[2]) S. P. Clemen, Merowingische und karolingische Plastik, in den (Bonner) Jahrbüchern des Vereins von Altertumsfreunden im Rheinlande LXXXXII (1892) 47.

— sein sorgfältig gekämmter Bart und seine weißen, zarten
Hände werden an ihm gerühmt —, mit ausgesprochener
Vorliebe für schöne, hübsche Gewandung und mit einer
stark hervortretenden Feinnervigkeit[1]), als Persönlichkeit, die
vom Heiligentyp jener Periode gar sehr absticht. In dem
jugendlichen Einhard mag, als er zu Fulda von dieser Persönlichkeit hörte, der Wunsch sich geregt haben, selber dereinst auf dem Gebiete der bildenden Kunst, und zwar gleich
St. Eligius gerade auf dem der Plastik zu schaffen, wenn
er einst „groß geworden" sei. Freilich: entscheidend auch
für den Werdegang des Künstlers Einhard scheinen
erst die Jahre geworden zu sein, da er dem Aachener
Hoflager angehörte und da ihm hier so recht Augen
und Herz aufgingen für den Glanz und für die Schönheit
der Form, die er hier zu schauen bekam: am Aachener Hofe
und in den andern Pfalzen des Frankenkönigs hatte er ja
Gelegenheit, so manche Zier= und Schmuckstücke zu sehen, an
welchen bereits die Väter und Großväter seiner Zeitgenossen sich erfreut hatten: da bewunderte er die kunstvoll gearbeiteten Schwertgriffe und die schönen Schildbuckel, die
mit roten Granaten verzierten Gürtelschnallen und die ge-
schmackvollen Fibeln, an denen die Freude am Schönen schon
früh ein Betätigungsfeld gefunden hatte; er sah jene
Prunkstücke, deren Herstellung man — gleichviel ob mit
Recht oder Unrecht — gerade mit dem hl. Eligius in Zusammenhang brachte, wie etwa den Thronsessel König Da-
goberts, der bis heute im Cabinet des antiques der Pariser
Nationalbibliothek sich befindet. Seit der Periode der
Völkerwanderung hatte ein brennendes Goldfieber die nordischen Völker ergriffen; in den Schätzen, welche im Römer-
reiche aufgehäuft waren, konnte es seine Befriedigung
suchen; Könige legten sich seitdem ihre Schatzkammern an
und Prinzessinnen bekamen bei ihrer Verheiratung zuweilen

---

[1]) Clemen a. a. O. 34.

Buchner, Einhards Künstler= und Gelehrtenleben.

einen ganzen Zug von Lastwagen mit Schätzen mit; es
waren die Tage, da die Sage vom Nibelungenhort Wurzel
im Denken des Volkes schlagen konnte[1]. Wie prunkliebend
schon die Zeit vor der fränkischen Reichsgründung Chlodwigs am Ende des 5. Jahrhunderts war, davon können wir
uns eine Vorstellung machen, wenn wir des reichen Schatzes
gedenken, den das 1653 zu Tournai aufgedeckte Grab König
Childerichs († 481), des Vaters Chlodwigs, einschloß: die
Unmenge von Kostbarkeiten, die man hier vorfand, deuten
auf den reichen Schmuck des Gewandes und der Rüstung
des alten Merowingerkönigs hin. Im Laufe der folgenden
Generationen war die Freude an Schmuck und Prunk sicher
nicht geringer geworden. Für die Ausbildung namentlich
der Gold- und Silberschmiedekunst war die Vorliebe des
männlichen wie des weiblichen Geschlechtes für Schmuck-
gegenstände, für goldene Ketten, für reiche Armbänder und
ähnliches, von Bedeutung.

So konnte also Einhard am karlingischen Hofe und bei
den Versammlungen der Großen seines Königs oft genug
gleißende Zier schauen. Und wenn er dann in Karls Gefolge in so manche Bischofstadt und in manche altehrwürdige
Abteikirche kam, da wird er gleichfalls nicht selten K u n s t -
w e r k e d e r V e r g a n g e n h e i t haben anstaunen
können: da sah er jene kostbaren gottesdienstlichen Gefäße
und kirchlichen Kunstdenkmäler, die herrlich gearbeiteten
Kreuze und Kelche, die Tragaltärchen und Leuchter, die Al-
tartafeln und Antependien, die Reliquienkästchen und Säu-
lenbaldachine, wie etwa den Kelch, den eine Merowinger-
königin dem Kloster Chelles bei Paris geschenkt hatte, oder
die Tumba für den Leib des hl. Martin in Tours, welche
Bischof Perpetuus von Tours (461—491) hatte herstellen
lassen, oder auch die Grabmäler der französischen National-

---

[1] S. J. von Falke, Geschichte des deutschen Kunstgewerbes
(Berlin 1888) 25.

heiligen, das des hl. Martin in Tours, das der hl. Genofeva in Paris und das des hl. Dionysius in St. Denis, Werke, welche durch die Menge der auserlesenen Edelsteine, die sie schmückten, und durch die Kostbarkeit des Edelmetalls, mit dem ihr hölzerner oder steinerner Kern verkleidet war, weithin berühmt waren. Nicht minder werden Einhard die größeren Gußwerke, welche bereits vor seiner Zeit entstanden waren, interessiert haben, Arbeiten wie jener Adler aus vergoldeter Bronze, der der Kirche von St. Hilaire in Poitiers gehörte, und der hier, auf einem Piedestal stehend, offenbar als Lesepult diente. — Dem Auge Einhards werden die meisten dieser Schätze des ältesten fränkischen Kunsthandwerks sicher erreichbar gewesen sein, während sie dann zum guten Teil schon wenige Jahrhunderte nach seinem Tode in den Stürmen der Normannennot zugrunde gingen und ihren Rest der Vandalismus der französischen Revolution dem Schmelztiegel überantwortete. Nur die erhaltenen merowingischen Reliquienkästchen lassen uns den einstigen Reichtum an verloren gegangenen Schätzen ahnen. Wie oft mag da Einhards Blick in seinen Lehrjahren auf solchen Reliquienkästchen geweilt und es liebevoll studiert haben, wie ihre Künstler mit Goldblech oder mit Rotkupferblech, manchmal auch mit getriebenen Arbeiten sie überzogen und den ungeschliffenen Steinen, die sie trugen, eine so eigentümliche Fassung verliehen hatten[1]). Die fränkische Metallurgie hatte ja zur Zeit der ersten Karlinger bereits einen hohen Stand erreicht, sie umfaßte sowohl die Kunst des Metallgießens wie die des Treibens. Der Boden war also, wie wir sehen, schon gut bestellt, als gegen Ende des achten Jahrhunderts die Renaissance der Kunst unter Karl dem Großen einsetzte.

Der Mittelpunkt, von dem diese karlingische Renaissance ausging, war das als Karls ständige Residenz

---

[1]) Über all das s. Clemen a. a. O. 39.

gedachte Aachen; schon das brachte es mit sich, daß hier mehr als an irgendeiner andern Stätte des Reiches die Kunst und das Kunsthandwerk gepflegt werden mußte. Dazu kam, daß Aachen auch zum kirchlichen Mittelpunkt des fränkischen Reiches bestimmt war: in Aachen hatte das Haupt der fränkischen Hofgeistlichkeit, der sog. capella, der oberste Kaplan oder Erzkaplan, seinen Sitz; hier sollte sich nach den Plänen Karls und seiner gelehrten Umgebung auch das Zentralheiligtum für das gesamte Frankenreich erheben; die Pfalz Karls und die Gesamtheit der an ihr fungierenden Hofgeistlichkeit, die „capella" im persönlichen Sinne des Wortes, sollte hier ihr besonderes Heiligtum, ihre „capella" im örtlichen Sinn[1]), erhalten. Das war der Gedanke, durch den die Aachener Pfalzkapelle, die Marienkirche daselbst, entstand.

Bekanntlich griffen die Maßnahmen Karls in mehrfacher Hinsicht zurück auf die Vorbilder großer Vergangenheit. Namentlich die Gestalten der alttestamentlichen Könige scheint Karl vor Augen gehabt zu haben — nach einem alttestamentlichen Herrscher führte er ja auch selbst sein „Pseudonym" in seiner gelehrten Tafelrunde; und ebenso pflegte man in dem Vorstand der Hofgeistlichkeit Karls einen neuen alttestamentlichen Hohenpriester, einen neuen Aaron, zu sehen; als „Aaron" wurde daher der oberste Kaplan, sowohl der unter Karl, der kölnische Erzbischof Hildebald, wie auch dessen Nachfolger, der Erzkaplan Ludwigs d. Fr., Abt Hilduin von St. Denis, bezeichnet.

Überhaupt war ja der Einfluß des Alten Testaments auf die Anschauung und die Denkungsart der karlingischen Zeit nicht gering. Das Bewußtsein war hierbei maßgebend, daß das Christentum die Erfüllung dessen gebracht habe,

---

[1]) Vgl. W. Lüders, Capella. Die Hofkapelle der Karolinger bis zur Mitte des neunten Jahrhunderts [Archiv für Urkundenforschung II, Leipzig 1909] 17ff., 52ff.

was längst vorher verheißen und vorbedeutet worden war,
so daß man den Inhalt der Geschichte des Alten Testaments
zu dem des Neuen Bundes wie Vorbild und Symbol ge=
genüber Urbild und Erfüllung auffaßte[1]). Daher hat sich
auch die christliche Kunst schon früh an den Gedanken= und
Ideenkreis des Alten Testaments angeschlossen; bekannt ist
ja, wie sie es liebte Szenen aus dem Alten Bunde den ent=
sprechenden Szenen aus dem Neuen Testament gegenüber=
zustellen. Aber nicht bloß solche Vergleiche zwischen alt=
und neutestamentlichen Szenen liebte man in jener Periode
— man schuf auch für den christlichen Gottesdienst Geräte
unmittelbar nach den Vorbildern, die man in der Bibel als
Ausstattungsgegenstände des mosaischen Heiligtums ange=
geben fand. So ließ ein Zeitgenosse Einhards, der schon
wiederholt genannte Hraban von Fulda, wie uns ausdrück=
lich bezeugt wird, „nach dem Vorbilde der mosaischen Bun=
deslade" einen Tragaltar herstellen[2]).

Lebhaftem Interesse begegnete schon in den Tagen des
frühen Mittelalters die alttestamentliche Stiftshütte und
der Salomonische Tempel zu Jerusalem; man erblickte in
der Stiftshütte und in ihren heiligen Geräten das Vorbild
für den Gottesdienst der christlichen Kirche. Unter diesen
Verhältnissen lag der Gedanke nicht fern, eine Art von
Wiedererneuerung der alttestamentlichen
Stiftshütte bzw. des Salomonischen Tem=
pels zwar nicht im architektonischen Sinne, wohl aber dem
Gedanken, der Idee nach vorzunehmen, als man daran ging,
in Aachen ein Zentralheiligtum für das neue Gottesreich,
für die neue „civitas Dei" zu errichten. In der Tat hat
man sich bei der Erbauung der Aachener

---

[1]) Vgl. C. Bock, Die Reiterstatue des Ostgotenkönigs
Theodorichs von dem Palaste Karl d. Gr. zu Aachen, in den
Bonner Jahrbüchern V (1844) 44f.

[2]) Zu all dem s. Buchner, Einhard als Künstler 30ff.

Marienkirche in mancher Hinsicht an das Vorbild des
alttestamentlichen Heiligtums angelehnt[1]): nicht bloß, daß
man eine dem alttestamentlichen Heiligtum entsprechende
Gliederung des Aachener Gotteshauses vorgenommen zu
haben scheint — man griff auch auf die Maßverhältnisse,
die man in der Bibel für die Stiftshütte bzw. für den
Salomonischen Tempel angegeben fand, zurück; auch in einer
Reihe von Einzelheiten, wie z. B. in dem Aachener Königs=
stuhl, der dem Thron Salomos nachgebildet war, ahmte
man Angaben des Alten Testaments nach. Und wenn man
für die Aachener Pfalzkirche nicht einen Langhausbau, son=
dern einen Zentralbau wählte, so war der Grund hiervon
kein anderer, als daß auf dem Platz des Salomonischen
Tempels zu Jerusalem in der Zeit Karls d. Gr. gleichfalls
ein solcher Zentralbau stand, die sog. Felsenmoschee („Omar=
moschee"), die bis zu einem gewissen Grad als das bauliche
Vorbild des Aachener Heiligtums bezeichnet werden darf.[2])
— mag immerhin der Architekt des Münsters in mancher
Hinsicht von San Vitale in Ravenna beeinflußt worden
sein und die Maße des Baues, die Zahl der Mittelpfeiler
und ähnliches davon übernommen haben. Der bewußte An=
schluß des Aachener Münsters an das alttestamentliche Zen=
tralheiligtum macht es auch erklärlich, daß Alkuin noch wäh=
rend dessen Bauzeit in einem Briefe an Karl vom Juni
798 davon spricht, daß gegenwärtig im heimischen Jerusalem
d. h. in Aachen, wo er den König bald zu sehen hoffe, „der
Tempel des weisesten Salomo kunstvoll für Gott erbaut"
werde.

Jetzt erst, da wir den bewußten Anschluß des karlin=
gischen Gotteshauses an das Bundesheiligtum Israels er=
kannt haben, werden wir es auch so recht verstehen, inwie=

---

[1]) Den Nachweis hierfür im einzelnen s. ebd. 34ff.
[2]) Den Nachweis s. ebd. 50ff.

fern auch ein „Befeleel" am Hofe Karls nicht fehlen durfte,
ein Meifter, deffen kunftgeübte Hand Werke aus Gold und
Silber und Erz und fonftigem eblen Metall für die neue
Stiftshütte der Karlingerzeit fchuf. Daß E i n h a r d diefer
„B e f e l e e l" war, daß er diefes „Pfeudonym" erhielt, er=
öffnet uns einen tiefen Blick in fein Schaffen für König
Karl: nicht auf dem Gebiet der Dichtkunft, nicht auf dem
der Wiffenfchaft, auch nicht auf dem Felde der Gefchicht=
fchreibung, fondern auf dem Gebiete der bildenden Kunft
und hier wiederum nicht auf dem Boden der Architektur,
fondern vielmehr auf dem der plaftifchen Kleinkünfte liegt
feine befondere Bedeutung. Die W e r k e, die feine Hand
fchuf, waren vor allem f ü r d i e n e u e S t i f t s h ü t t e
feiner Zeit, f ü r d a s A a c h e n e r M ü n f t e r, be=
ftimmt.

Zu diefen Werken des karlingifchen Befeleel für die
Aachener Marienkirche dürfen wir wahrfcheinlich auch jene
A a c h e n e r M e t a l l a r b e i t e n rechnen, welche fich
bis zum heutigen Tage im Aachener Münfter befinden: ich
meine die bekannten, von Einhard in feiner Vita Karoli be=
fonders erwähnten prächtigen acht Bronzegitter fowie die
beiden größeren und die fechs kleineren Flügel von Erz=
türen, welche Karl für fein Aachener Münfter anfertigen
ließ[1]).

Diefe Aachener Erzarbeiten find wohl eines befonderen
Wortes auch in einer Darftellung des Lebens Einhards
wert: die Forfchung, die fich mit jenen Aachener Gittern be=
fchäftigt hat, ging zeitweife wohl in die Irre, indem fie —
allerdings mit beftechenden Gründen — eine Herkunft
unferer Gitter vom Grabmal des Theodorich in Ravenna
annahm und vermutete, es feien auch die Aachener Erztüren
aus Oberitalien ins Frankenreich gekommen. Indes darf

---

[1]) S. Buchner, Einhard als Künftler 10ff.

heute diese Meinung als überwunden gelten[1]); durch die
Auffindung der Überreste einer Gußwerkstätte in Aachen ist
zudem nun die Übung des Bronzegusses daselbst gesichert;
ein Aachener Kunstwerk, jedenfalls unter der Oberleitung
Einhards gegossen, vielleicht auch von ihm entworfen, darf
m. E. in jenen Erzarbeiten gesehen werden.

Jene acht, aus je einem Stück gegossenen G i t t e r
dienen als Schranken für den oberen Umgang des Gottes=
hauses nach dem mittleren Kuppelraum zu; die entsprechen=
den Gitter des unteren Achteckes, welche wahrscheinlich aus
Stein waren, sind uns nicht erhalten[2]). Als Verzierung
jener acht Bronzegitter finden sich vier verschiedene Muster;
namentlich einige davon sind interessant; das für die Ost=
seite des Oktogons bestimmte Gitter ist in drei Felder zwi=
schen vier Rahmen gegliedert, während das ihm gegenüber
liegende Gitter zwischen sechs Rahmen in fünf Felder ge=
teilt ist, von denen das mittlere Feld jedoch offen war und
einst ein Türchen bildete; durch die Öffnung dieses Tür=
chens sollte dem auf dem Königsstuhl sitzenden Herrscher die
Möglichkeit geboten werden, unbehinderten Blickes dem im
Oktogon sich abspielenden Gottesdienste folgen zu können.
Die beiden erwähnten Gitter waren durch das schöne Rah=
menwerk, das sie zierte, und durch den kunstvollen Guß be=
sonders ausgezeichnet — sie sollten eben vor dem Königs=
stuhl zur Aufstellung kommen! Im Gegensatz zu den übrigen
sechs, in flachem und massivem Guß hergestellten Gittern
waren jene beiden Gitter hohl gegossen; freilich weist dieser
Hohlguß noch starke technische Mängel auf.

Bei zweien der Brüstungspaare lassen sich deutlich noch
überlieferte Formen, wie sie der römischen, spätklassischen

---

[1]) Namentlich Durm, Ricci und andere Forscher haben sich
dagegen ausgesprochen.

[2]) S. A. Haupt, die Pfalzkapelle Kaiser Karls des Großen
zu Aachen [Monumenta Germaniae architectonica I], Leipzig 1913,
S. 25.

Kunst zu eigen waren, nachweisen. Zahlreiche Elemente
der römischen Verzierungsweise, wie die Pilaster mit ihren
Kannelierungen und mit den korinthischen Kapitellen, zierlich
geschwungenes Laubornament, Rundstäbe, mit welchen die
Kannelierungen der Pilaster bis zur halben Höhe ausgefüllt
sind, finden sich hier. — Im Gegensatz zu diesen beiden
Gitterpaaren zeigen die zwei anderen Paare größere Unab-
hängigkeit von antiken Vorlagen. Ihr Meister war hier
offenbar bestrebt, selbständige Verzierungsmotive in har-
monischer Weise mit dem römischen Stil der Umrahmung
in Verbindung zu bringen; in den Streben, die symmetrisch
angeordnet sind, kommt dieser selbständige Formtrieb kräftig
zum Durchbruch. — Das Ringen der beiden am Hofe Karls
waltenden Strömungen, der germanischen und der antiken,
spricht sich so in diesen acht Gittern klar und deutlich aus.

Aber auch die Aachener Erztüren veranschaulichen
die enge Verbindung, welche in den künstlerischen Schöpfungen Einhards die spätrömische Formenwelt mit den dem
Meister dieser Türen angeborenen und ererbten Gebilden
fränkischer Kunstübung eingegangen hat[1]. Einfach und
schlicht muten uns heute noch die beiden Türflügel an, aus
denen das Haupttor, die sog. „Wolfstüre", besteht; noch
stärker tritt diese Einfachheit bei den sechs kleineren Tür-
flügeln hervor. In acht rechteckige, glatte Spiegel sind die
Flächen der „Wolfstüre" eingeteilt; ihre ornamentale Ausstattung liegt fast ausschließlich in der Umrahmung der ver-
tieften Felder. Eierstäbe und gelappte Blätter und Perlen-
schnüre sind reichlich zum Schmuck verwandt. Der Künstler
lehnt sich bei den Profelierungen der Türen stark an die
Antike an. Aus den Spiegeln der Türen treten die Löwenköpfe — eine Reminiszenz an den „Leo de tribu Juda"!

---

[1] Zu all dem s. K. Faymonville, Der Dom zu Aachen und
seine liturgische Ausstattung vom 9. bis 20. rhundert, München
1909, S. 54ff., 70.

— scharf hervor, die ehedem Türringe im Maule hielten und die von einer Rundscheibe mit Akanthusblatt eingefaßt sind. Während diese Löwenköpfe an der Haupttüre nach antiker Art streng stilisiert sind, weisen die kleineren Löwenköpfe an den Nebentüren fast keine antiken Elemente auf, die Mähnen des Löwen sind hier weit mehr naturalistisch behandelt, das Ganze erscheint wohl etwas unbeholfen und hart, aber doch recht kräftig und selbständig. Der Künstler offenbart eben bei den kleineren Löwenköpfen deutlich das Bestreben, ohne allzu große Anlehnung an die Antike selbständig und in freien, lebendigen Formen sein Werk zu schaffen.

Die kleineren Aachener Türflügel sind denn auch hinsichtlich dieses naturalistischen Zuges, der ihnen innewohnt, zum Ausgangspunkt geworden für die naturwahr gebildeten Gestalten späterer Werke wie für die Gestalten der Domtüren zu Mainz. Manche berühmte Erzeugnisse des mittelalterlichen Erzgusses, so die Hildesheimer Domtüren oder die Türen des Augsburger Doms, stehen unter der mittelbaren oder unmittelbaren Einwirkung unserer Aachener Erztüren und somit eines vermutlich vom „Beseleel" der Karlingerzeit herrührenden Werkes.

Die Bedeutung dieser Schöpfung im Rahmen der kunstgeschichtlichen Entwicklung scheint gerade darin zu liegen, daß hier Altes und Neues so stark ineinander übergeht, daß man kaum entscheiden kann, ob dieses Werk mehr nach dieser oder nach jener Seite hin Beachtung verdient. Noch ist allerdings das Alte der Träger größeren Glanzes, der sich gegenüber dem unscheinbaren Neuen anspruchsvoll geltend macht. Aber es sollte doch dieses bescheidene neue Element für die weitere Entwicklung das Entscheidende werden[1]). —

---

[1]) S. R. Dohme, Einhart bei Dohme, Kunst und Künstler des Mittelalters und der Neuzeit (Leipzig 1877) 5.

Doch ich bin mit der Behandlung dieser Kunstwerke im Aachener Münster der Darstellung des Lebenslaufes unseres Einhard vorausgeeilt; denn die Herstellung dieser prächtigen Aachener Metallarbeiten wird erst dem gereiften Einharb, der seine 806 unternommene Italienreise[1]) schon hinter sich hatte, zuzuschreiben sein, nicht dem jugendlichen „Beseleel", als den wir bisher Einhard kennen gelernt haben. Immerhin scheint Einhard schon bald nach seiner Ankunft am Aachener Hof Kunstgegenstände für das neu erstehende Aachener Gotteshaus angefertigt zu haben; denn bereits in Schriftstücken, die noch dem Ende des achten Jahrhunderts angehören, führt er die vielsagende Bezeichnung „Beseleel". An kunstgewerblichen Arbeiten war der Bedarf des Aachener Hofes in jenen Jahren wahrhaftig nicht gering; in Aachen, wo sich der Glanz des karlingischen Hofstaates vereinte mit der Pracht des fränkischen Zentralheiligtums und der an ihm fungierenden Geistlichkeit, ward, wie erst jüngst Alfons Dopsch in seinem prächtigen Werke über die „Wirtschaftsentwicklung der Karolingerzeit"[2]) bemerkt hat, ein außerordentlicher Aufwand und Luxus gerade mit Gegenständen des Kunstgewerbes getrieben.

Vielleicht rührt von den freilich recht spärlichen kunstgewerblichen Arbeiten jener Jahrzehnte, die uns erhalten geblieben sind, oder von denen uns wenigstens durch diese oder jene literarische Quelle eine Nachricht überliefert ist, ein oder das andere von Einhard selber her — ich denke an Werke wie an den aus der römischen Kapelle Sancta Sanctorum stammenden, mit Reliefs geschmückten Silberbehälter, der dem Schutze eines Gemmenkreuzes dienen sollte und den Papst Paschal I. (817—824) hatte anfertigen lassen; ausgeschlossen ist es jedenfalls nicht, daß dieses

---

[1]) Über dieselbe s. unten Abschnitt VII.
[2]) Bd. II (Weimar 1913) 138f.

prächtige Stück von Einhard, in deſſen Wirkungszeit es jedenfalls entſtand, hergeſtellt worden iſt; denn ſchon P. H. Griſar[1]), der uns den Schatz der Sancta Sanctorum erſchloſſen hat, hat als Meiſter dieſes Reliefs einen fränkiſchen Künſtler vermutet.

Es iſt, wenn nicht ſicher, ſo doch recht wahrſcheinlich, daß der geſchichtliche **Einhard** und die Erinnerung an ihn den Kern abgegeben hat für **die Figur jenes Künſt= lers**, von dem uns reichlich ein halbes Jahrhundert ſpäter der geſprächige Mund eines **Mönches von St. Gallen** zu künden weiß und der nach dieſer Quelle unter Karl d. Gr. gelebt und gewirkt haben ſoll; als „praestantissimus . . . in aere magister", **als vorzüglichſter Meiſter der Erztechnik** bezeichnet jener St. Gallener Mönch dieſen Künſtler. Wohl iſt deſſen Geſtalt in dieſer Schrift ſchon mit unglaubhaften, anekdotenhaften Zügen umkleidet — ein Geſchick, das mit ihr bekanntlich auch Kaiſer Karl ſelber teilen mußte, deſſen Perſönlichkeit in der erwähnten St. Gallener Quelle ja auch von den wilden Ranken der Phantaſie erfaßt iſt. Wie aber bei der Schilderung Karls ſeitens jenes Chroniſten doch die Erinnerung an ſeine Größe und Herrlichkeit durch all das Anekdotenhafte klar hindurchleuchtet, ſo klingt auch in ſeiner Erzählung über jenen hochberühmten Meiſter des Erzguſſes das Gedächtnis an die ungemein hohe Bedeutung nach, welche tatſächlich einige Jahrzehnte früher ein Künſtler des Karlingerhofes — Einhard — eingenommen hatte; kein zweiter iſt ihm zu ſeinen Lebzeiten in der Kunſt des Erzguſſes gleichgekommen.

So manchen lieben Tag wird alſo Einhard in ſeiner Aachener Werkſtätte geſtanden ſein und ſich hier mit der Anfertigung von Gegenſtänden der Edelmetallplaſtik und mit

---

[1]) Die römiſche Kapelle Sancta Sanctorum und ihr Schatz. (Freiburg i. Br 1908) 97f.

Erzeugnissen des Erzgusses abgemüht haben, um mit der=
artigen kunstgewerblichen Arbeiten das Auge seines Königs
zu entzücken. Mit welcher Freude konnte er dann aber
auch, wenn er ein besonderes Glanzstück vollendet hatte, es
vor seinen „David" bringen! Das waren jene Augen=
blicke, von denen uns einen Theodulf von .Orleans ge=
schildert hat, wenn er Einhard als den gelehrten Biblio=
thekar und großen Künstler in e i n e r Person darstellt, wie
er, Bücher unter dem Arm und Kunstgegenstände in der
Hand tragend, eilig dahintrippelt.

Dürfen wir nach all dem auf dem Gebiete der Metall=
plastik und des Erzgusses die eigentliche Domäne der künst=
lerischen Betätigung Einhards sehen, so war seine Kunst=
übung doch nicht allein auf dieses Gebiet beschränkt; zu
seiner Zeit gab es ja im Leben des Künstlers ebensowenig
eine Differentierung nach den einzelnen Kunstzweigen, wie
in der gelehrten Welt eine solche nach den einzelnen wissen=
schaftlichen Disziplinen üblich war; die Betätigung eines
Meisters auf verschiedenen Kunstgebieten hatte also für die
damalige Zeit nichts Auffälliges an sich. Wenn trotzdem
Einhards Zeitgenossen die Vielseitigkeit seiner Begabung
anstaunen und rühmen zu müssen glaubten — der eine nennt
ihn den „erfahrensten Meister in den verschiedenen Künsten",
ein anderer charakterisiert ihn als einen auf allen Gebieten
gar gelehrten Herrn —, so zeigt dies, wie w e i t v e r =
z w e i g t in der Tat E i n h a r d s k ü n s t l e r i s c h e B e =
g a b u n g gewesen sein muß.

Vermutlich hat seine kleine Hand auch das Schnitz=
messer geschickt geführt, vielleicht hat sie sogar ein oder das
andere Werk der E l f e n b e i n p l a s t i k, das noch heute
unsere Bewunderung erregt, selbst geschaffen. Zur Zeit
Karls d. Gr. hatte ja die Elfenbeinplastik[1]) schon eine erste

---

[1]) S. Clemen, in den Bonner Jahrbüchern LXXXXII (1892)
108ff.

Blüte erreicht, um dann gegen Ende des neunten und am
Beginn des zehnten Jahrhunderts ihrem Höhepunkt ent=
gegenzugehen. Schon im siebenten Jahrhundert gab es im
Westfrankenreich eine Elfenbeinschnitzerschule; gar köstliche
Werke, namentlich die große Gruppe der Elfenbeinkämme,
sind schon in früher Zeit entstanden. Vor allem war das
Elfenbein für die Anfertigung von kunstvollen Buchdeckeln
und von Reliquienschreinen ein beliebtes Material. Daß
auch Einhard mit der Anfertigung solcher Gegenstände, in
deren Herstellung die mittelalterliche Kleinkunst bekanntlich
wahre Meisterstücke lieferte, umzugehen verstand, können wir
aus einer Stelle in einer seiner eigenen Schriften schließen;
denn hier sagt Einhard, daß ihm ein Kästchen, welches die
von ihm hochverehrten Überreste seiner Lieblingsheiligen
Marzellinus und Petrus barg, wegen der Geringfügig=
keit des Materials, aus dem dieser Schrein bestand, als zu
minderwertig erschienen sei und daß er sich nun die Maße
dieses Kästchens habe geben lassen — um eben ein neues
Reliquiar anzufertigen.

Wie diese Stelle, so bieten uns einzelne andere zeit=
genössische Schriftstücke eine willkommene Ergänzung zu Ein=
hards Pseudonym als Beseleel, indem sie uns interessante
Blicke auf sein Schalten und Walten als bildender Künstler
werfen lassen: die Stelle bei Theodulf von Orleans habe
ich schon erwähnt[1]). Rhabanus Maurus bezeugt in der
von ihm gedichteten Grabschrift Einhards ausdrücklich, daß
dieser vielen Menschen durch seine Kunstübung dienlich ge=
wesen sei und daß Kaiser Karl durch seine Hand gar manche
Werke geschaffen habe. Ein anderer Zeitgenosse Einhards,
der uns auch schon bekannte Walahfried Strabo, erwähnt
einmal, daß der Beseleel Karls die Entwürfe zu jeglichen
Kunstwerken, wie sie für Aachen seitens der dortigen Kunst=

---

[1]) Oben S. 28.

handwerker angefertigt worden waren, sich vor der Ausferti=
gung dieser Entwürfe ansah[1]).

Einhards Stellung als Künstler in Aachen war eben
weit bedeutungsvoller und weiterreichend als es etwa die
Tätigkeit eines selbständigen Baumeisters gewesen wäre; er
war ja auch der große Organisator, der o b e r s t e
L e i t e r d e r K u n s t w e r k s t ä t t e n , die in Aachen
eingerichtet worden waren. Das bezeugt uns der Verfasser
der „Taten der Äbte von Fontanelle", indem er uns Einhard
als das Haupt der sog. „opera regalia in Aquisgrani
palatio regio" d. h. der königlichen Werkstätten in der
Aachener Pfalz[2]) vorstellt, unter dem der damalige Abt des
Klosters Fontanelle, Ansegis, als Werkmeister tätig gewesen
sei. Gerade Einhards Bedeutung als Organisator, ver=
bunden mit seiner Wirksamkeit als ausübender Künstler, er=
klärt die z e n t r a l e S t e l l u n g A a c h e n s i n d e r
w e i t e r e n E n t w i c k l u n g des mittelalterlichen Kunst=
handwerks: es ist mehr als ein bloßer Zufall, wenn dasselbe
Aachen, das die langjährige Wirkungsstätte Einhards war,
zu einem Mittelpunkt für die Anfertigung kunstgewerblicher
Kleinodien geworden ist: hier in Aachen haben in späterer
Zeit Meister wie jener Wibert von Aachen, als dessen
bedeutendste Leistung der von ihm im Auftrag Friedrich
Barbarossas gearbeitete kupferne Kronleuchter des Aachener
Münsters gilt, ihre Tätigkeit ausgeübt; auf dem von Ein=
hard bestellten Aachener Boden entstanden Werke wie der
prächtige Aachener Karlsschrein von 1215 mit seinen Silber=

---

[1]) S. zu all dem Buchner, Einhard als Künstler 3ff., 15f.

[2]) Nicht königliche Bauwerke, wie man meist liest, sondern
die (Kunst-) Werkstätten, die im Anschluß an die Aachener Pfalz
entstanden sind und welche möglicherweise in dem Verbindungs=
bau zwischen Palast und Kapelle untergebracht waren, hat man
unter diesen „opera regalia" zu verstehen; man spricht ja auch
heute noch von „Werken" im Sinne von Werkstätten, besonders
bei der Eisenindustrie; vgl. Buchner a. a. O. 7—20.

figuren, Karl d. Gr., die hl. Maria und eine Mehrzahl von
deutschen Königen und Kaisern darstellend, oder auch
Schöpfungen wie der einige Jahrzehnte später hergestellte
Marienschrein; die Sakristei des Aachener Münsters konnte
zu einem Sammelplatz der vorzüglichsten mittelalterlichen
Goldschmiedearbeiten werden, so daß nach dem Urteil eines
Fachgelehrten, des verstorbenen P. Stephan Beissel S. J.[1]),
es kaum einen zweiten Ort gibt, der für das Studium des
abendländischen Kunstgewerbes eine reichere Ausbeute ge-
währte. — Doch hören wir nun Näheres von Einhards Tätigkeit als Leiter jener Aachener Kunstwerkstätten.

Gar rege und munter ging es in diesen K u n s t w e r k -
s t ä t t e n i n d e r A a c h e n e r P f a l z in der Regel
her. Da sieht man jene Handwerksleute und Kunsthand-
werker, welche in dem Capitulare de villis, der berühmten Wirtschaftsordnung, und in anderen Quellen dieser
Zeit gelegentlich erwähnt werden: die Drechsler und
Schreiner und Schnitzer, vor allem aber die verschiedenen
Arten der Metallarbeiter, die es gab: die Eisenschmiede
und die Gold- und Silberarbeiter, die Toreutiker und die
Ziseleure und wie sie alle heißen. Da wird das Ackergerät
hergestellt, das der fränkische Großgrundbesitzer auf seinen
Gutshöfen braucht, werden die Waffen geschmiedet, mit
denen die Kriegsscharen des Frankenkaisers ausgerüstet werden, die gleißenden Beinschienen und die scharfen Schwerter,
mit denen man gegen Sarazenen und Normannen und
Sachsen ficht; hier werden die Werkzeuge angefertigt, die
man bei der Errichtung des Aachener Münsters und der
andern großen Bauten braucht; hier fabriziert man auch die
Kunstgegenstände, deren Glanz dann in Kirche und Palast
widerstrahlen soll. Auch eine Gußhütte fehlt innerhalb der
Aachener Werke nicht. Gerade die M e t a l l i n d u s t r i e

---

[1]) Der Reliquienschrein des Aachener Münsters, in der Zeitschrift des Aachener Geschichtvereins V (1882) 2.

war schon in der Karlingerzeit reich entfaltet; die Erfahrungen waren nicht in Vergessenheit geraten, welche man
im Bergbau und in der Metallurgie zur Römerzeit in den
linksrheinischen Gebieten gemacht hatte[1]); Eisenbergwerke
gab es in der Zeit Einhards bereits in den verschiedensten
Gegenden Deutschlands; ja man kann behaupten, daß damals schon die rheinische Eisenindustrie in ihrem Keime vorhanden war; in der Umgebung von Xanten waren jedenfalls Hochöfen keine Seltenheit[2]); daß in Aachen eine Gußhütte gestanden hat, ist seit den Ausgrabungen, welche man
vor wenigen Jahren in der Nähe des Münsters vorgenommen hat, und bei denen die hier verwendeten Gußwerkzeuge
sowie Stücke des Bronzegusses vorgefunden wurden, völlig
gesichert[3]).

Wie die Metalltechnik, so mußten aber auch andere
Zweige der bildenden Kunst zur Verschönerung der neu
erstehenden Bauten Karls d. Gr. beitragen; auch die M o -
s a i k k u n s t und die M a l e r e i wurden in den Dienst
des großzügigen Wirkens gestellt, das unter Karl in Aachen
entfaltet wurde. Von manchen Werken der Großmalerei
haben wir, wenn sie auch selbst längst zugrunde gegangen
sind, wenigstens durch schriftliche Überlieferung Kunde erhalten; so von der Ausschmückung der Ingelheimer Pfalz
mit Darstellungen aus der Weltgeschichte, insbesondere mit
Schilderungen aus der eigenen inhaltsreichen Regierung
Karls, desgleichen von der großen Folge von alt= und neutestamentlichen Bildern, mit welchen die Wände der Ingelheimer Palastkirche verziert wurden, von den Gemälden in
der Aachener Kaiserpfalz, welche die allegorischen Gestalten

---

[1]) S. dazu Pettzer, Geschichte der Messingindustrie und der
künstlerischen Arbeiten in Messing, in der Zeitschrift d. Aachener
Gesch. Ver. XXX (1908) 24▸f.

[2]) S. Dopsch, Wirtschaftsentwicklung II. Teil. S. 174 ff.

[3]) S. Zeitschrift d. Aachener Gesch. Ver. XXXV 399.

Buchner, Einhards Künstler= und Gelehrtenleben.

der sieben Freien Künste sowie die Kämpfe Karls in Spa-
nien zur Darstellung brachten; freilich sind diese Malereien
erst etwas nach Karls Tod entstanden[1]). — Daß Einhard
der Malerei nahestand und mit dieser Kunst zu tun hatte,
können wir nicht bloß aus einem seiner Briefe schließen, in
welchem er seinem Nachfolger in der Leitung der Aachener
Kunstwerkstätten, Gerward[2]), einen Maler empfahl. Auch
daraus ergeben sich für uns gewisse Beziehungen Einhards
zur Malerei, daß durch den Abt Ratgar von Fulda (802
bis 817) in Einhards Lehre ein Priester namens Brun gesandt wurde, der dann, wie uns eine Quelle berichtet, die
Kirche von Fulda mit Gemälden ausgeschmückt hat. Allerdings wird Einhard auf dem Gebiete der Malerei wohl
kaum im gleichen Maße wie auf dem des Erzgusses und der
Metallplastik ausübender Meister gewesen sein; aber die
Oberaufsicht auch über das Schaffen der Maler, welche am
Aachener Hofe und in den andern Pfalzen des Frankenkaisers ihre Kunst entfalteten, führte Einhard allem Anschein nach; vermutlich wird er die Stoffe, die Gedanken und
Gegenstände, welche in den Gemälden dargestellt werden
sollten, bestimmt haben; überall konnte man eben seine an-
regende und fördernde Tätigkeit auf dem Gebiete der Kunst
verspüren.

Zur Seite aber stand unserem Einhard bei seiner ver-
antwortungsvollen Leitung der Aachener Werkstätten sein
getreuer Ansegis, der später heilig gesprochene Abt des
Klosters Fontanelle, eine Persönlichkeit, die selbst einen berühmten Namen besitzt im Buche der bildenden Künste sowohl wie auch in wissenschaftlicher Hinsicht, in der Rechts-
geschichte: von ihm rührt eine Sammlung der fränkischen
„Kapitularien" her, jener unter den Karlingern erlassenen Ge-

---

[1]) K. Woermann, Geschichte der Kunst aller Zeiten und
Völker[2] (Leipzig-Wien 1918) 132.
[2]) S. dazu Buchner a. a. O. 47ff.

setze und Verordnungen, die man wegen ihrer Einteilung
in einzelne Kapitel mit dem erwähnten Namen zu bezeich=
nen pflegt; derselbe Ansegis hat auch mit seiner Künstler=
hand einen der hl. Maria geweihten Altar im Kloster
Luxeuil mit einer silbernen Tafel geschmückt, die sich durch
ihre getriebenen bildnerischen Darstellungen auszeichnete.
Mit Meister Ansegis zusammen hat Einhard wohl so man=
ches Jahr hindurch treu und redlich an der Ausgestaltung
und Vergrößerung der Aachener Kunstwerkstätten geschaffen
und mit ihm Beratungen darüber gepflogen, wie man diese
oder jene Frage, die sich bei der Entstehung vieler Kunstwerke
ergab, lösen sollte, um den Blick des Herrschers und seiner
höfischen Umgebung zu erfreuen und ihm Anerkennung und
Bewunderung abzuringen.

Einhard mußte ja den ganzen umfangreichen Betrieb
der Kunstwerkstätten am Aachener Hofe nach jeglicher Rich=
tung hin überwachen; da galt es immer die Augen offen zu
halten; ich habe ja schon erwähnt, daß uns ein Gedicht
Walahfrid Strabos die interessante Tatsache bezeugt, daß
von Einhard die Entwürfe zu den in Aachen neu entstehen=
den Kunstwerken, die Modelle und Pläne für dieselben, zu
besichtigen und gutzuheißen waren, ehe man an die Ausfüh=
rung dieser Projekte gehen durfte.

Natürlich hatte Einhard auch mit den öffentlichen
Bauten, welche damals im Frankenreiche entweder neu er=
richtet wurden, oder welche doch instandzuhalten oder zu
erneuern waren, zu schaffen. Die Forscher sind über Ein =
hards Stellung zur Architektur zwar recht
verschiedener Meinung: die einen Gelehrten wollen in ihm
geradezu einen Architekten vom Fach, einen selbständig aus=
übenden Baukünstler erblicken, während andere Einhard nur
als einen Minister für öffentliche Bauten, der allerdings
mehr oder minder große Fachkenntnisse in der Baukunst habe
besitzen müssen, als „Generalintendanten der kaiserlichen

6*

Schlösser . . ., zu deſſen Reſſort auch die oberſte Leitung der Bauten gehörte[1])", in deſſen Händen die Regelung der geſamten Bautätigkeit gelegen und der an Karls Hofe überhaupt die Rolle eines „ministre des beaux-arts" eingenommen habe[2]), gelten laſſen wollen. Wenn ich mich mehr dieſer letzteren Auffaſſung anſchließen möchte, ſo geſchieht dies nicht in dem Sinne, als ob ich etwa die Betätigung Einhards auf dem Gebiete der Architektur leugnen und es in Abrede ſtellen will, daß er auch praktiſch mit der Konſtruktion und mit der Ausführung weltlicher und kirchlicher Bauten zu tun gehabt haben wird; wohl aber glaube ich, daß dieſe Betätigung Einhards auf dem Felde der Baukunſt eben nur eine Seite ſeines künſtleriſchen Schaffens und nicht einmal die bedeutendſte Seite davon war; infolgedeſſen werden auch Einhard bei der Bewältigung der architektoniſchen Aufgaben, vor die er geſtellt war, praktiſche Werkmeiſter zur Seite geſtanden haben; daß aber Einhard auch mit den Geſetzen der Baukunſt wohlvertraut war, daß er vor allem den klaſſiſchen Lehrmeiſter der Architektur, Vitruv, zu ſchätzen wußte und mehr als einmal nach deſſen Lehrbuch dieſer Kunſt gegriffen hat, wird kaum zu bezweifeln ſein. Sicher hatte er ja oft genug Gelegenheit, die Anlage und Ausgeſtaltung neuer Bauten im fränkiſchen Reiche zu beſtimmen und ihre Ausführung zu überwachen; denn dafür, daß Einhard zuweilen auch genötigt war, mit der Kleinarbeit des Baumeiſters, wenn ich ſo ſagen darf, ſich zu befaſſen, haben wir ein vollwertiges Zeugnis in einem ſeiner Schreiben, das ſich mit einer Beſtellung von Zie-

---

[1]) So Dohme in ſeiner Skizze über Einhard, bei R. Dohme, Kunſt und Künſtler des Mittelalters und der Neuzeit (Leipzig 1877) 7.

[2]) Auch P Clemen in ſeinem prächtigen Werke über „Die romaniſche Malerei in den Rheinlanden" (Düſſeldorf 1916) 11f. vertritt dieſe Meinung.

geln befaßt, die genau nach römischen Maßen hergestellt sein
sollten; ich werde auf dieses Schreiben noch in anderem Zu=
sammenhang zurückkommen[1]).

In Einhards Hand liefen eben gleichsam all die Fäden
zusammen, welche das gesamte Kunstleben und namentlich
die einzelnen Zweige des Kunstgewerbes, das in Aachen
betrieben und — gleichzeitig hiermit — auch gelehrt wurde,
miteinander verbanden. Kunstübung und Kunstlehre fielen
noch in eins zusammen: der Meister, dessen Hand die hier
entstehenden Kunstwerke anfertigte oder dessen Auge doch
ihre Herstellung überwachte, ward zugleich auch zum Lehrer
für die „juniores", für die Jünger der Kunst. So erhielten
die Aachener Werkstätten die Bedeutung einer großen Kunst=
gewerbeschule für das ganze Frankenreich; Meister Ein=
hard selber aber ward hierdurch zum geborenen Leiter
dieser fränkischen Kunstakademie; gerade
auf diesem Wege wurde er zum geistigen Vater
des französischen wie des deutschen Kunst=
gewerbes im Mittelalter, besonders der früh=
mittelalterlichen Plastik und des Erzgusses.

Auch für diese Wirksamkeit Einhards als Leiter der
fränkischen Kunstwerkstätten bieten uns die Quellen dankens=
werte Einzelnachrichten: wir hören z. B., wie schon gesagt,
von jenem Brun, der sich später als Maler betätigt hat,
daß er zu Einhard, „dem hocherfahrenen Lehrer der ver=
schiedenen Kunstgattungen", geschickt worden sei. Ein
anderes Schriftstück läßt uns einen interessanten Blick hin=
einwerfen in den Lehrsaal, wenn ich so sagen darf, der
Aachener Kunstgewerbeschule: da steht vor unseren Augen
ein Modell, das der „Herr E(inhard)"[2]) zu Studienzwecken

---

[1]) Unten im Abschnitt X.

[2]) Daß nicht Eigil von Fulda unter dem in der Hand=
schrift genannten „domnus E." zu verstehen ist, hat bereits Hampe
in seiner Untersuchung „Zur Lebensgeschichte Einhards" im Neuen

angefertigt hatte; an ihm konnte man schwierige technische
Ausdrücke aus Vitruv studieren; es war mit elfenbeinernen
Säulen geschmückt, war nach antikem Vorbild angelegt und
stellte vermutlich den Bau eines griechischen Tempels, etwa
von der Art, wie ihn die Kanonestafel des Evangeliars von
Gandersheim aufweist, dar¹). Wir hören von diesem Modell in einem B r i e f e, den das besorgte Herz eines
väterlichen Freundes a n seinen bisherigen Zögling, einen
jungen Mann namens „B u f f i n“ o d e r vielmehr B u l -
f i n, wie der Name richtig gelesen gelautet haben dürfte²),
gerichtet hatte; Bulfin hatte nämlich kurz vorher seine bisherige Aufenthaltsstätte, das Kloster, das ihn bis dahin um-
hegt hatte, verlassen und war als Kunststudierender nach
Aachen gezogen; der Gedanke daran machte dem Schreiber
unseres Briefes schwere Sorge; denn am Aachener Hofe
ging’s zuweilen recht locker her; es war ein gefährlicher
Boden für einen jungen Mann, der aus klösterlicher Abge-
schiedenheit zum erstenmal in die große Welt hinausgetreten
war; das weiß der Briefschreiber nur allzu gut; darum bedenkt er seinen Bulfin auch reichlich mit guten Ermahnungen
zu einem sittlichen Lebenswandel und zum tüchtigen Studium. Denn der Schreiber fürchtet, der junge Bulfin
möchte jetzt, da er seine bisher gewohnte Hürde verlassen
hat, dessen nicht mehr gedenken, was er seiner eigenen Person sowie seinem bisherigen Mentor schuldig sei. Denn
unreife Jugend, so sagt er, verläßt gar leicht die Pfade des
Rechtes, wenn man sie nicht mit dem Zügel der Zucht leitet.
Und nun kommt die dringende Bitte gute Vorbilder nachzuahmen und d e m Mann immer zu folgen, der dem Bulfin

---

Archiv XXI (1896) 630f. gezeigt; in meinem erwähnten Buche
suchte ich überdies nachzuweisen, daß als jener „Herr E.“ Einhard selbst anzusehen ist; s. Buchner, Einhard als Künstler 5f.

¹) S. ebd. 47.
²) S. hierüber ebd. 71f. — S. nun auch im Nachtrag.

seitens des Briefschreibers als stetiges Vorbild vorgestellt wird; durch die Weisungen dieses Mannes solle sich Vulfin belehren lassen und er solle sich an die Befolgung der Befehle seines Meisters gewöhnen; dann werde er keinen der Vorteile entbehren, die menschliches Wissen bieten könne. Wie er ihm schon mündlich immer wieder gesagt habe, solle sich Vulfin im Lerneifer üben; und alles, was er „von dem gar glanzvollen und gar überreichen Genie des großen Lehrers" selber an edlem Wissen gewinnen könnte, sollte er sich zunutze machen. Ganz besonders aber soll er im Charakter jenem ausgezeichneten Mann nachzustreben suchen; eitel seien ja die Studien von Grammatik und Rhetorik und von all den anderen freien Künsten, ja sie brächten den Dienern Gottes sogar Schaden, wenn sie nicht mit Hilfe der göttlichen Gnade auch dem Charakter nutzbar würden; denn Wissen blähe auf, die Liebe aber erbaue. Lieber wolle er, so versichert der Absender unseres Briefes, seinen Vulfin tot wiederfinden, als ihn als einen eitlen und sündhaften Menschen schauen. Der Erlöser habe nicht befohlen, daß man von ihm seine Wundertaten, sondern vielmehr seine Güte und Herzenseinfalt lerne. — Solches und noch manch anderes hat jener treu besorgte Mentor damals an seinen bisherigen Zögling geschrieben; das Ideal aber, das er diesem vor Augen rückt und an das sich Vulfin getreulich anschließen soll, ist, wie mir scheint, niemand anders als Einhard[1]. Für die außerordentlich h o h e B e w e r t u n g, deren sich dessen g e i s t i g e u n d s i t t l i c h e E i g e n - s c h a f t e n b e i s e i n e n Z e i t g e n o s s e n erfreuten,

---

[1] S. hierzu Buchner ebb. 45ff. — Wie ich nachträglich der 1820 zu Aschaffenburg erschienenen „Geschichte und Beschreibung der Stadt und ehemaligen Abtei Seligenstadt" von Joh. W Ch. Steiner S. 64 (vgl. 53) entnehme, hat schon K. R. Dahl (Jubelfest zu Seligenstadt am 18. 10. 1817, Darmstadt 1817) die Meinung vertreten, daß Einhard unter jenem E. zu verstehen ist.

ist unser Brief daher von besonderem Interesse; denn Ein=
hards Geist ist das „außerordentlich glanzvolle und über=
reiche Genie" des großen Lehrers, dem man nachstreben
müsse, wenn man keines der menschlichen Wissenszweige bar
sein wolle; seine Charaktervorzüge sind die „guten Sitten",
von welchen der Schreiber spricht, und deren Wert er noch
über die geistigen Gaben jenes vorbildlichen Lehrers stellt.

Der Kunstjünger, der damals nach Aachen gekommen
und hier in Einhards Schule eingetreten war, scheint jene
Ermahnungen voll beherzigt zu haben; denn etwa ein Jahr=
zehnt später begegnet er uns, wenn ich nicht irre, wieder
fern im Süden, im Dienste des kunstsinnigen, prunkliebenden
Mailänder Erzbischofs Angilbert II.; für ihn hat jener ehe=
malige Aachener Kunststudierende Vulfin oder Wulfin, wie
derselbe Name auch lautet, ein Denkmal geschaffen, das ein
gütiges Geschick uns bis heute erhalten hat: ich meine jene
kostbare Edelmetallverkleidung des Haupt=
altars von Sant' Ambrogio in Mailand,
den berühmten „Paliotto" daselbst[1]). — So hat ein
Schüler Einhards das stolze und alte Mailand mit einem
Kunstwerke bereichert, das noch heute das Auge des Italien=
besuchers entzückt.

Dieses Schaffen eines Jüngers Einhards im Dienste
eines italienischen Kirchenfürsten ist bezeichnend für die Er=
weiterung und Steigerung aller Verhältnisse im Franken=
reiche, das damals längst sich zum christlichen Weltreiche aus=
gedehnt hatte. Am Weihnachtstage des Jahres 800 war
dem Frankenherrscher zu Rom von Papst Leo III. die
Kaiserkrone aufs Haupt gesetzt worden — das Abendland
hatte wieder ein Oberhaupt, einen christlichen Kaiser! Der

---

[1]) Über die Identität des erwähnten „Vulfin" mit dem
Meister des Paliotto s. Buchner a. a. O. 71ff.

Vertraute des neuen Kaisers aber, der so manche Stunde von weltgeschichtlicher Bedeutung in der Umgebung des großen Karls miterlebte, war unser Einhard. Als „Getreuesten der Getreuen" seines kaiserlichen Herrn mag man ihn ansprechen.

VII

Unter Kaiser Karls Paladinen.

In einem Gemälde, das im Maximilianeum zu München sich befindet, hat uns Friedrich Kaulbach jene weltgeschichtliche Szene vom 25. Dezember 800 dargestellt; er hat den Augenblick zu schildern versucht, da drinnen in der von Kerzenglanz erhellten und von Weihrauchwolken erfüllten alten Petersbasilika Leo III., umgeben von Kirchenfürsten in golddurchwirkten Gewändern, vor den am Altar knieenden Karl d. Gr. hintritt, um ihm die Kaiserkrone, die der Papst hoch erhoben trägt, aufs Haupt zu setzen; die Angehörigen der Familie Karls, seine Gattin, seine Schwester und sein Söhnlein, stehen dicht hinter ihm, während ihn in einem weiteren Umkreis die Großen seines Hofes umgeben: Alkuin, der Denker, steht sinnenden Auges da, gewissermaßen als der Vertreter der karlingischen Geisteswelt; neben ihm sehen wir einen jugendlichen Krieger, den Roland der Karlssage. Den Hintergrund des Bildes füllt das römische Volk, das den neuen Kaiser mit begeistertem Heilruf begrüßt. Rechts vorn aber schauen wir einen schmächtigen Mann mit einem Knebelbärtchen, der in den Pergamentband, welchen ihm ein Edelknabe hinhält, die Worte einträgt: „Karolo Augusto Leo papa . . ." Es ist Einhard, den Kaulbach hier als Zeugen jenes weltgeschichtlichen Vorgangs vom Jahre 800 und als Berichterstatter darüber uns vorgeführt hat.

Die Phantasie des bildenden Künstlers durfte gewiß Einhard als Augenzeugen der Kaiserkrönung

Karls darstellen; der Historiker freilich muß eingestehen, daß es sich nicht mit Bestimmtheit behaupten läßt, daß Ein= hard wirklich damals persönlich mit Karl in Rom war und seiner Kaiserkrönung beiwohnte; für wahrscheinlich mag man solches immerhin halten[1]). Jedenfalls hat uns Einhard in seiner Karlsbiographie jenes Ereignis von säkularer Be= deutung selber berichtet. Er hat dabei eine Äußerung Karls wiedergegeben, die er vielleicht in Rom aus dem eigenen Munde des Kaisers vernahm: Karl sei, so erzählt Einhard, über das Vorgehen des Papstes anfänglich alles weniger als erfreut gewesen und habe erklärt, er wäre gar nicht zur Kirche gegangen — und es war doch ein hoher Feiertag, das Weihnachtsfest! —, wenn er von Leos Absicht im voraus etwas gewußt hätte. — Einhard hat mit dieser knappen Mitteilung eigentlich recht Böses verschuldet; denn die Gelehrten haben sich bis in unsere Tage die Köpfe dar= über zerbrochen und so manches Buch Papier mit Er= örterungen über die Frage beschrieben, warum denn Karl anfänglich von seiner Kaiserkrönung so wenig entzückt ge= wesen sei[2]). Bis heute konnte man sich über den Grund von Karls Erregung über das Vorgehen des Papstes nicht einig werden. Das hat Einhard auf dem Gewissen, da er mit seinen knappen Worten der Forschung ein Problem ge= stellt hat, ohne auch seine Lösung zu geben.

Wenn man berücksichtigt, daß Karl d. Gr. nach Ein= hards ausdrücklichem Zeugnis sich nie von seiner Familie

---

[1]) Einhard scheint nicht nur einmal, im Jahre 806 (s. darüber im nächsten Abschnitt), sondern mehrmals in Italien gewesen zu sein; man darf sich die Italienreisen in jener Zeit überhaupt nicht als eine so große Seltenheit vorstellen, wie man dies in der Regel zu tun geneigt ist. Berichtet uns doch Einhard selber in seiner Vita Caroli, daß Karl d. Gr. während seiner 47jährigen Regierung „nur" viermal nach Rom gekommen sei.

[2]) S. neuestens P. L. Himmelreich, Die Kaiserkrönung Karls des Großen, N. D. de Zuid-Limburger — Kerkrada 1920.

trennen wollte, daß vielmehr Karls engere Umgebung in der
Regel die Züge des Herrschers mitgemacht haben wird, dann
wird man kaum Bedenken tragen anzunehmen, daß auch
Einhard an einer Reihe der wichtigsten politischen und kirchlichen Ereignisse sei-
ner Zeit persönlich und unmittelbar teilgenommen habe;
denn darüber kann kein Zweifel bestehen, daß er zum in-
timsten Kreise Kaiser Karls gehörte; nicht bloß die schon
angeführten[1]) Worte Walahfrid Strabos bezeugen uns dies;
auch Einhard selbst versichert uns in der Vorrede seiner
Karlsbiographie, daß er in unwandelbarer Freundschaft sowohl dem großen Herrscher selber wie auch dessen Kindern
verbunden war. Und auch das sagt Einhard, der alles
weniger als ein eitler Prahlhans war, in diesem Prolog
zur Vita Karoli nicht ohne einen gewissen Stolz auf den
eigenen Lebenslauf, der ihn zum Zeugen weltgeschichtlicher Vorgänge werden ließ: er glaube zur
Abfassung der Lebensgeschichte Karls schon um dessentwillen
verpflichtet zu sein, weil niemand wahrheitsgetreuer als er
das aufzeichnen könne, was er selber miterlebt, was er mit
eigenen Augen geschaut habe.

Nur als fast ständiger Begleiter Karls
konnte Einhard all die kleinen Züge an seinem Helden
beobachten, die er in Karls Biographie aus dessen Alltagsleben wiedergibt: manchmal mag er sich ganz heimlich und
verstohlen über seinen großen König gefreut haben, wenn
dieser — ein Muster der Mäßigkeit im Trinken und auch
im Essen nicht gerade maßlos! — dennoch beim Mahle nur
schwer sich Abbruch tun konnte und zuweilen zu jammern
begann, daß die kirchlichen Fasten seinem mächtigen Körper
schon gar nicht gut bekämen! Und wie oft mag er schmun-
zelnd es wahrgenommen haben, wenn die Jäger in feier-
lichem Aufzug mit dem Bratspieß zum Saal hereinkamen

---

1) Oben S. 2.

und das prächtige Gericht dann vor dem Herrscher nieder=
setzten! Auch an den Bädern Karls d. Gr. nahm Einhard
zweifellos mehr als einmal teil: nicht umsonst erzählt er
uns, wie der Kaiser, ein Liebhaber der Aachener warmen
Quellen und ein Meister im Schwimmen, nicht bloß seine
Söhne, sondern auch seine Großen und seine Vertrauten,
ja manchmal sogar die ganze Schar seines Gefolges und
seiner Leibgarden einlud mit ihm zusammen zu baden, so
daß zuweilen hundert Menschen und mehr badeten. Der
Kaiser gab sich überhaupt vor den Seinen immer rein
menschlich. Einhard selbst war wohl damals bei Karl, als
diesen die Kunde vom Tode des Papstes Hadrian I. er=
reichte und als Karl auf diese Nachricht hin in so bittere
Tränen ausbrach, wie wenn er einen Sohn oder einen viel=
lieben Bruder verloren hätte. „Denn er hatte," — so sagt
Einhard, der diese schöne Seite an dem Menschen Karl
wohl selber empfunden und erfahren hatte — „ein für Freund=
schaft äußerst empfängliches Gemüt, leicht war er für sie
empfänglich, unverbrüchlich hielt er sie fest und bewies gegen
alle diejenigen heilige Treue, zu denen er in solch ein Ver=
hältnis getreten war."

Wie Einhards Name mit den meisten bedeutenden Er=
eignissen im letzten Drittel der Regierung Karls d. Gr. in
irgendeiner Weise verknüpft gewesen zu sein scheint, so
hatte er auch mit jener einschneidenden Maßregel Karls,
welche die Verpflanzung von tausenden von sächsischen Fa=
milien in außersächsische Gebiete bedeutete, zu tun; nach
Einhards eigener Angabe in seiner Vita Karoli betrug die
Zahl der von den Elbufern verpflanzten Sachsen nicht we=
niger als 10 000. Wir lesen nun in einem aus dem Jahre
805 herrührenden Erlaß, daß Einhard[1]) sich unter den

---

[1]) Freilich, ob dieser Einhard wirklich mit unserem Einhard
— oder vielleicht auch mit dessen Vater? — identisch ist, kann
nicht mit Bestimmtheit gesagt werden. E. Bacha in seiner Étude
biographique sur Eginhard (Liége 1888) 35 bestreitet es.

Großen befand, deren Obhut sächsische Geiseln überwiesen
worden waren; wie es in jenem Schriftstück heißt, hatte er
aus dem Stamm der Engern einen gewissen Fridamund, den
Sohn eines Warmund, sowie einen Makrinus, den
Sohn Megitods, anvertraut erhalten; zu Mittfasten sollten
diese sächsischen Geiseln und noch 35 andere Sachsen nach
Mainz kommen.

Die Beschwerden des Feldlagers, die Einhard als
Begleiter seines Herrschers wohl auch so manches Mal
kosten mußte, wird er oft genug recht unangenehm empfun=
den haben; auch er mag sich — gleich einem andern Ge=
lehrten jener Tage —, wenn er so mit seinem König im
unwirtlichen Sachsenlande, das ja bekanntlich immer von
neuem durch Waffengewalt niedergehalten werden mußte,
bis es endlich (seit 804) als völlig bezwungen gelten konnte,
weilte, „wie ein Häslein zwischen den Ebern, wie ein im
Frieden gesäugtes und schlachtungewohntes Lämmchen zwi=
schen Löwen" vorgekommen sein. Karl aber wollte auch
im Kriege den Verkehr mit seinen gelehrten Freunden nicht
missen. Als der König beispielsweise 797/8 zu „Heristelli"
überwinterte, das, zwischen Höxter und Karlshafen gelegen,
seinen bis heute beibehaltenen Namen (Herstelle) von dem
fränkischen Heere erhielt, das damals dort sein Lager auf=
geschlagen hatte, da wurden hier nicht bloß wichtige Reichs=
angelegenheiten erledigt und Gesandtschaften von weither
wie die des Königs von Asturien und Galizien empfangen
— auch an geistigen Anregungen fehlte es nicht. Da mochte
dann der Frankenherrscher seinen „Beseleel" sicher auch nicht
dauernd entbehren. — Vermutlich wird dieser auch in
Karls Umgebung gewesen sein, als zu Paderborn im Jahre
799 vor dem Könige ein hoher Flüchtling aus dem Süden
erschien: Papst Leo III. war es. Kurz vorher, bei der am
Markustage (25. April) in Rom stattfindenden Prozession,
hatten ihn seine Gegner vom Pferde gerissen, mißhandelt

und ausgeplündert; nur mit genauer Not war Leo der Ge=
walt seiner Widerfacher damals entkommen. Dann aber
war der gerettete Papst ins Frankenreich geeilt, das er wie
im Triumphzug durchqueren konnte. In Paderborn wollte
ihn der fränkische Herrscher, umgeben von seinem Hofstaate,
in festlicher, glänzender Weise empfangen. Die farben=
reichen Bilder, die uns in dem schon oben[1]) behandelten Ge=
dicht von jener Zusammenkunft entrollt werden, lassen uns
zurückblicken auf das weite, baumlose Gefilde um Pader=
born, wo sich weithin die Lagerzelte ausbreiten; von einem
Hügel aus überblickt man die von bewaffneten Scharen be=
lebte Ebene; wir schauen die wohlgeordneten Reitergeschwa=
der dahersprengen, unter deren Galopp die Staubwolken
aufwirbeln, sehen die blitzenden Waffen, die flatternden
Fahnen, wie sie in festlichem Aufzug dem hohen Fremdling
entgegengetragen werden; auf starkem Schlachtroß reitet
mitten im Zug König Karl einher, mit schimmerndem
Waffenschmuck angetan, den goldenen Helm auf dem ener=
gischen Haupte. Die Geistlichen und große Volksmengen
stehen vor dem Lager und erwarten den Papst, dem des
Königs Sohn Pippin entgegengezogen war. Schon nähert
sich das geistliche Haupt der Christenheit; Karl eilt ihm jetzt
selber entgegen, umarmt den Papst und gibt ihm den Freun=
deskuß. Hand in Hand schreiten nun die Repräsentanten
von Kirche und Reich zum Gotteshause von Paderborn, wo
der Klerus seine Loblieder anstimmt. Ein feierlicher Gottes=
dienst wird abgehalten. Nach seiner Beendigung zieht man
zur Tafel in die reichgeschmückte Festhalle, wo das Auge die
herrlich gestickten Teppiche, die von Gold strotzenden Ge=
rätschaften, die prächtigen Stoffe und den Glanz des Pur=
purs, der hier erstrahlt, bewundert. Da schäumt der edle
Traubensaft in Bechern aus Edelmetall; und auch der

---

[1]) S. 39 ff.

Schmaus, der hier der hohen Festgenossen wartet, erhöht die allgemeine Festesfreude[1]).

Mit den Vorbereitungen solcher Feste, mit ihrer „Regie", wenn ich es so nennen darf, d. h. mit der Ausstattung und Ausschmückung der Räume, in denen sie stattfanden, mit der Auswahl des Tafelgeschirrs, das man verwandte, mit all diesen unscheinbaren und doch bedeutungsvollen Kleinigkeiten hatte im Verein mit anderen Hofwürdenträgern wie dem königlichen Kämmerer, dem Seneschall und dem Obertürwart gewiß auch Einhard schon auf Grund des Ressorts, das er am karlingischen Hofe innehatte, genug zu tun. Da ist es denn auch selbstverständlich, daß er derartige denkwürdige Vorgänge miterlebt und mit eigenen Augen geschaut hat. Wie dem Empfange Leos III. im Feldlager zu Paderborn, so hat Einhard wohl auch dem Besuch beigewohnt, den derselbe Papst fünf Jahre hernach (804) dem Kaiser abstattete; zu Reims wurde damals Leo von Karl empfangen und dann von hier aus nach Quierzy und schließlich nach Aachen geleitet, wo die Feier des Weihnachtsfestes, der Jahrestag der ersten mittelalterlichen Kaiserkrönung zugleich, von den beiden Häuptern der Christenheit gemeinsam begangen ward.

Aber auch auf die Leitung des Weltreiches Karls dürfte Einhard nicht ohne Einfluß geblieben sein; manchmal mochte sich Karl in der Politik, die er einschlug, von seinem allzeit getreuen, klugen Vertrauten bestimmen lassen, namentlich soweit kulturpolitische Angelegenheiten in Frage standen. Wie weit freilich Einhards Rat die gewaltige Reformtätigkeit beeinflußt hat, welche Karl namentlich seit seiner Kaiserkrönung auf politischem, kirchlichem, rechtlichem, sozialem, wirtschaftlichem und geistigem Gebiete entfaltete, ob etwa Maßnah-

---

[1]) Vgl. E. Mühlbacher, Deutsche Geschichte unter den Karolingern (Stuttgart 1896) 198.

men, die der Kaiser auf diesen Gebieten traf um die Lehre Christi und die Autorität der Kirche bei seinem Volke zu stärken und zu vertiefen, um die Interessen des Staates und aller seiner Untertanen unter Vermeidung jeder willkürlichen Beamtenherrschaft überall zu wahren, um den Frieden zu sichern und das Recht zu gewährleisten — das läßt sich im einzelnen nicht nachweisen; denkbar aber wäre es jedenfalls, daß Einhard beispielsweise auf Institutionen wie die Einrichtung der Missi dominici (Königsboten), auf die in zahlreichen Kapitularien getroffenen wirtschaftlichen Maßnahmen, auf die Aufzeichnung bisher ungeschriebener Volksrechte den Blick des alternden Kaisers hingelenkt hat.

Vor allem aber wird Einhard in Angelegenheiten, welche das geistige Leben seiner Zeit und die von seinem Herrscher zu dessen Förderung getroffenen Maßnahmen betrafen, ein in der Regel zwar bescheidenes, aber doch oft auch recht entschiedenes Wort mitgesprochen haben.

Besonders gilt das hinsichtlich der Fürsorge, welche Karl der Erhaltung der Bauwerke zuwandte; wenn Karl eingehende Verordnungen über die Verpflichtungen zur Instandhaltung und Herstellung der Kirchengebäude ergehen ließ, wenn seine Sendboten darauf achten mußten, daß die zu Lehn vergabten Gebäulichkeiten nicht in Verfall gerieten, wenn Anordnungen über die Instandhaltung der Dächer, der Wände, der Malereien u. s. f. ergingen, so ist bei diesen zahlreichen und frühen Äußerungen staatlichen Denkmalschutzes sicher auch Einhard mit Pate gestanden.

Einhard im Gelehrtenkreise Karls d. Gr.! — Hier, unter den geistigen Paladinen des Kaisers, war sein Platz. Hier war auch er, der kleine, unscheinbare Nardulus, gleichgestellt seinem Kaiser, ein Fürst in der Geisteswelt, wie all die andern Teilnehmer an dieser Tafel-

runde! Hier wird, wie wir schon gehört haben[1]), die große
Vergangenheit wieder lebendig, die stolzen Gestalten der
Antike und die ehrwürdigen Männer des Alten Testaments
erstehen zu neuem Leben und die klassischen Dichter und
Schriftsteller lassen ihre Stimmen hier wieder hören. Vor
allem aber liest und bespricht man in diesem Kreise die
Schrift jenes Gottesmannes, der durch sie nach Einhards
Zeugnis die nachhaltigste Wirkung auf Karls empfänglichen
Geist ausübte: die Schrift St. Augustins „De civitate Dei";
so manchmal mag man sich hier über die Verwirklichung
der hohen Gedanken des großen Kirchenlehrers ausgesprochen
haben. — Nicht selten auch ertönte Gesang und Harfen-
spiel in dieser Tafelrunde des großen Karl. Und wenn
eine besondere Feierstunde angebrochen ist, dann tritt einer
der Hofdichter hervor und bringt seine neue Dichtung als
literarische Gabe seinem „David" dar. Da werden dann
zuerst die Verse eines Alkuin oder jene Gedichte eines Angilbert und eines Theodulf vorgetragen, welche uns durch
ein freundliches Geschick bis heute erhalten sind und die uns
so farbenreiche Gemälde vom Leben jener Tage darbieten.
Als denkwürdiges Ereignis seines Lebens wird es Einhard
betrachtet haben, wenn auch ihn sein Herrscher aufforderte
eine jener Dichtungen zum Vortrag zu bringen, um derentwillen ihn Alkuin als „gelehrt in Hilaischen Gesängen"
rühmt[2]), und wenn nun Einhard, zwar etwas ängstlich, aber
doch mit klarer und lauter Stimme, sein Gedicht wie etwa
jenes Preislied auf den Frankenherrscher vortrug und darin
auch von der Jagd im Aachener Tiergarten erzählte, bei
deren Gedenken es wohl manchem in der Runde wieder
so froh und heiter ums Herz geworden ist, wie an jenem
Tage selber, da er an dem hier geschilderten fröhlichen
Waidwerk teilgenommen hatte.

[1]) Oben S. 22.
[2]) S. oben S. 37.

Hier in diesem gelehrten Kreise wird Karl wohl zuerst auch von jenen national-fränkischen Bestrebungen gesprochen haben, von denen sein Herz erfüllt war, wie uns solches auch wieder Einhard selber verrät: hier wird man zuerst sich darüber unterhalten haben, daß es eigentlich doch recht widersinnig sei jenen Monat, der gemäß dem in karlingischer Zeit üblichen, mit dem Weihnachtsfest einsetzenden Jahresanfang nicht der siebente Monat war, doch noch immer nach dem römischen Sprachgebrauch als „September" und die folgenden Monate dann als „Oktober", „November" und „Dezember" zu bezeichnen. Und Karl machte da den Vorschlag anstelle der römischen Monatsbezeichnungen deutsche und christliche Monatsnamen einzuführen und künftig von einem Wintarmanoth (Wintermonat), von einem Hornung, einem Lentzinmanoth, einem Ostarmanoth, einem Winnemanoth (Wonnemonat), einem Brachmanoth, einem Heuvimanoth (Heumonat), einem Aranmanoth (Ährenmonat), einem Witumanoth (witu = Holz, Holzmonat), einem Windumemanoth (windumôn = vindemiare = die Arbeit des Winzers treiben), einem Harbistmanoth, einem Heilagmanoth (nach dem heiligen Weihnachtsfest) zu reden. Und ebenso — all das erzählt uns ja Einhard in seiner Biographie Karls! — wollte Karl für die Winde deutsche Bezeichnungen gebraucht und durch Zusammensetzungen die Namen der vier Hauptwinde auf zwölf vermehrt wissen. Ja Karl trug sich sogar mit dem Plane eine deutsche Grammatik abzufassen. — Aber freilich: recht viel Verständnis und Gegenliebe scheint Karl für diese seine national-fränkischen Bestrebungen auch bei seinen geistigen Paladinen nicht gefunden zu haben; und gerade unser Einhard mag sein Näschen hin und wieder gerümpft haben über diese Hochschätzung der deutschen Volkssprache gegenüber seinem klassischen Latein seitens seines großen Königs — er, der ja im Vorwort zu seiner Vita Karoli fast wehmütig bemerkt, daß er selber bloß ein „Barbar" sei!

7*

Ob Einhard, der Dichter und Epiker, auch dafür kein
Verständnis hatte, daß sein König — auch das berichtet er
uns wieder selbst — die alten deutschen Heldengesänge auf=
zeichnen ließ, jene „barbarischen Lieder, in denen die Taten
und Kriege der alten Könige besungen wurden", auf daß
diese Lieder nicht in Vergessenheit gerieten? — Vielleicht
doch! Möglicherweise verdanken wir es diesem Gebot
Karls und vielleicht gerade der Sorge Einhards für seine
Ausführung, daß uns ein einziges Denkmal aus der
Blütezeit uralten deutschen Heldengesanges im Hildebrands=
lied erhalten ist — in jenem Sang von Hildebrand und
seinem Sohne Hadubrand, der in ergreifenden Tönen uns
von seelischen Konflikten zu erzählen weiß, von denen das
Menschenleben auch der ältesten Vorzeit nicht frei war; ist
uns doch dieses Hildebrandslied durch die um 800 geschrie=
bene Umschlagseite einer heute in der Landesbibliothek zu
Kassel befindlichen Handschrift überliefert, die gerade aus
d e m Kloster stammt, in welchem Einhard seine Jugend=
erziehung genossen hatte und mit dem er auch in späteren
Jahren in Verbindung blieb: aus dem Kloster Fulda.

Manchmal waren es auch theologische Streitfragen,
welche den Kreis um Karl beschäftigten; hier mochten mit=
unter zuerst von Karl Gedanken und Fragen ausgesprochen
werden, über welche seine Theologen dann ihre umfang=
reichen und gelehrten Abhandlungen schrieben. Oder man
beschäftigte sich mit Problemen der Sternkunde: da will
der König einmal über den Lauf der am Horizont herum=
irrenden Sterne, ein andermal über das ungewohnte Auf=
treten des Mars im Bilde des Krebses unterrichtet sein.
Oder man spricht über grammatische Feinheiten, über die
größere Richtigkeit, welche diese oder jene Wortform für sich
habe, über die Vorteile der Interpunktion u. s. f. Wie schon
erwähnt'), fehlten auch Frohsinn und Laune und Witz in

') Oben S. 21, 25.

diesem Gelehrtenkreise niemals, und gar manchmal wurde
der Humor recht derb und die Ausdrücke kräftig genug.

Der Hofdichter Ermoldus Nigellus berichtet uns aus=
drücklich, daß Einhard es war, der im Jahre 813 den
greisen Kaiser dazu veranlaßte nun, nach=
dem kurz vorher Karls älteste Söhne Karlmann und Pippin
gestorben waren, seinen jüngsten Sohn Ludwig zum
Mitkaiser und Nachfolger im Reiche zu bestim=
men; auf einem Reichstag zu Aachen erhob Einhard seine
Stimme zugunsten Ludwigs. Auf einer neuen Versamm=
lung, welche im September des nämlichen Jahres 813 gleich=
falls zu Aachen zusammentrat, wurde das ganze karlingische
Reich, mit Ausnahme Italiens, das einem Enkel des alten
Kaisers, Bernhard, dem Sohn des verstorbenen Pippin, zu=
gesprochen wurde, Ludwig als Erbe zuerkannt und dieser
gleichzeitig im Aachener Münster in feierlicher Weise zum
Mitkaiser Karls gekrönt. Es war die erste Kaiserkrönung,
welche damals das Aachener Gotteshaus sah — jene ehr=
würdige Stätte, an der in der Folgezeit dann so viele
deutsche Herrscher ihren feierlichen Regierungsantritt be=
gehen sollten; zum erstenmal wurden damals in der Aachener
Marienkirche die feierlichen Versprechungen und Zusagen
abgelegt, welche seitdem der neue Herrscher hier an heiliger
Stätte vor Gott und im Angesicht seines Volkes zu geben
pflegte. Und zum erstenmal scholl damals im Münster zu
Aachen der jubelnde Zuruf des Volkes, das „Vollwort des
Umstandes", dem künftigen Oberhaupte des Reiches ent=
gegen. Wieviel Segenswünsche und wieviel inbrünstige
Gebete für eine starke, glückliche Regierung sind seit dieser
Stunde des Jahres 813 an derselben ehrwürdigen Stätte
zum Himmel emporgestiegen!

Wohl nicht ohne Grund hat man[1]) die Vermutung aus=
gesprochen, daß die testamentarischen Verfügungen, welche

---

[1]) Bacha, Etude biographique sur Eginhard 34.

Karl anfangs 811 über die in der kaiferlichen Schatzkammer
befindlichen Gegenstände getroffen hatte, von Einhard als
dem befonderen Vertrauten des alten Kaifers redigiert worden feien; Einhard hat uns ja auch diefes Teftament Karls
vom Jahre 811 in feinem vollen Wortlaut überliefert.

Aber auch noch mit einem andern Teftament feines
Kaifers hatte Einhard zu tun: mit dem berühmten Haus-
gefetz vom Jahre 806, das man meift als „Divisio imperii"
(„Reichsteilung") bezeichnet; in ihm hatte Kaifer Karl die
Verfügungen niedergelegt, welche auf einer Verfammlung
zu Diebenhofen über die Zukunft feines Reiches ergangen
waren, und wonach die Teilung des ganzen Reiches zu-
gunften feiner damals noch lebenden drei ehelichen Söhne
Karl, Pippin und Ludwig in Ausficht genommen war.
Es war ein politifch außerordentlich wichtiges Aktenftück, in
welchem jene Reichsteilung feftgelegt wurde; dem Papfte
als dem kirchlichen Oberhaupt der Chriftenheit follte diefes
Schriftftück vorgelegt werden, damit er feinen Namen darunter fetze und fo zum Garanten feiner Ausführung würde.
Mit der Überbringung diefes Teftaments an den Papft
aber betraute Karl niemanden fonft als unfern Einhard.

VIII

Italienische Reise und Mission in Rom.

Was den großen Karl wohl dazu bestimmte, unter all
seinen Würdeträgern und Vornehmen gerade Einhard
zur Überbringung seines inhaltsschweren
Testamentes nach Rom auszuwählen — Einhard,
der zwar zu den engsten Vertrauten Karls zählte und daher
auch oft genug als politischer Ratgeber diente, der aber doch
eigentlich kein Staatsmann, sondern vielmehr Künstler und
Gelehrter war? — Wenn trotzdem Karl gerade ihn mit
dieser Mission zu beauftragen sich entschloß, so mag ihn
hierbei neben anderen Beweggründen die Überzeugung geleitet haben, daß eine Reise an die vom Geist der Antike
umhauchten Stätten Italiens, zu der sich für seinen
„Beseleel" auf diese Weise eine Gelegenheit bot, bei Einhard nicht ohne Frucht bleiben werde, daß so manches, was
Einhard anläßlich dieser Sendung im Süden Neues zu
schauen bekam, nutzbringend werden möchte für seine eigene
künstlerische Fortbildung und damit auch für die Entwicklung der Kunst in seinem nordischen Heimatlande.

Mit welchen Augen mag Einhard Italien und
seine Schätze betrachtet haben! — Als er, wahrscheinlich
über den Großen St. Bernhard, über den in jenen Zeiten
der Hauptverkehr auf einer der bedeutendsten Welthandels-
straßen ging, die Alpen überschritt, da wird er für die
Schönheiten des Hochgebirges sicher ebenso wenig wie seine
übrigen Zeitgenossen Verständnis gehabt, vielmehr in ihm.

nur das „ſchreckliche Gebirge" geſehen haben, über deſſen
rauhes Klima und ſchwierige Straßenverhältniſſe man bloß
zu klagen wußte. Auch in ſeiner Karlsbiographie erwähnt
ja Einhard bei der Schilderung von Karls Alpenübergang
i. J. 776 nur die Schwierigkeiten dieſes Marſches, die
Mühſeligkeiten, welche die „unwegſamen Gebirgszüge", die
„zum Himmel anſtoßenden Bergkuppen" und die „rauhen
Felſen" verurſachten. Aber nach der Überſteigung der
Alpen und der Überwindung der Schrecken, die dieſe bargen,
kamen die lachenden Gefilde der oberitalieniſchen Tiefebene, die alten Städte daſelbſt, in denen ſich reiche Überreſte früherer Kultur erhalten hatten! Wahrſcheinlich hat
E i n h a r d i n P a v i a verweilt. Wenigſtens wiſſen wir,
daß er hier in ſpäterer Zeit eine Kirche, die Baſilika
St. Johannes des Täufers, beſaß. Zur Zeit von Einhards
Italienreiſe war es erſt wenige Jahrzehnte her, ſeitdem
Pavia, die alte Reſidenzſtadt der Langobardenkönige, i. J.
774 vom Frankenherrſcher belagert und erobert worden war
und ſeitdem die ſtolze Stadt die Gefangennahme ihres
eigenen Königs Deſiderius geſehen hatte. Aus den „Reichsannalen" und durch mündliche Berichte, vielleicht aus dem
Munde Karls ſelber waren ſolche Ereigniſſe der jüngſten
Vergangenheit Einhard zweifellos geläufig; mehr als einmal
mögen derartige hiſtoriſche Erinnerungen ihn, der ja ſelber
zeitweiſe als Reichsannaliſt tätig war, beſchäftigt haben.
Aber noch größere Beachtung wird Einhard den Kunſt-
werken, denen er hier begegnete, geſchenkt haben. In den
oberitalieniſchen Städten ſchaute er manche Überreſte der
ſpätrömiſchen Kunſt, vor allem auch Werke des E r z -
g u ſ ſ e s , der in dieſen Gebieten damals gut bekannt war
und gepflegt wurde. In Pavia ſelbſt ſah er u. a. ein altes
Reiterſtandbild, deſſen Benennung nur in verderbter Form
als „Regiſol" — wahrſcheinlich trug es ſeine Bezeichnung
nach dem Namen des in ihm dargeſtellten Fürſten, etwa

eines Ragnegisel oder ähnlich[1]) — überliefert ist. Es ist
denkbar, daß dieses Reiterstandbild von Einfluß wurde auf
ein anderes Kunstwerk, in dem vielleicht eine eigene Schöp=
fung Einhards, auf die wir noch zurückkommen werden, zu
sehen ist: auf die Karl d. Gr. darstellende Reiterstatuette.

Auch R a v e n n a wird Einhard im Jahre 806 auf=
gesucht und hier die gewaltigen Denkmäler der Völker=
wanderungsperiode bewundert haben, welche diese Stadt
als Erinnerungszeichen ihrer Blüte gerade in jener Periode
des allgemeinen Verfalls in sich schloß.[2]) In S. Apollinare
Nuovo in Ravenna mag Einhard geweilt und hier die Aus=
stattung dieser Basilika, insbesondere den glänzenden Mo=
saikenschmuck ihres Mittelschiffes, angestaunt haben; nicht
minder mag er sich der Herrlichkeiten erfreut haben, welche
der Zentralbau von S. Vitale mit seiner hohen Kuppel über
dem achteckigen Innenraum sowie die altchristliche Basilika
S. Apollinare in Classe darboten; vor allem aber werden
die reichen Überbleibsel der einstigen Blüte des K u n s t =
g e w e r b e s , welche Ravenna in sich barg, Werke wie die
phantasievollen Altarschranken von S. Apollinare Nuovo und
S. Vitale, die Kanzel der ersteren Kirche oder der Ambo des
Erzbischofs Agnellus im Dom von Ravenna, Einhard an=
gezogen haben. Bildete doch Ravenna für die Zeit Karls d.
Gr. gewissermaßen ein wertvolles Lager von Altertümern, aus
dessen Schätzen man unbedenklich schöpfte, wenn man sie für
Kunstwerke der eigenen Zeit verwenden konnte; schon einige
Jahrzehnte vor Einhards Italienreise hatte König Karl mit
Erlaubnis des Papstes Hadrian I. Säulen und Marmor=
stücke aus dem damals bereits verfallenden Palaste Theodo=
richs für die Bauten, die Karl selber in Angriff genommen
hatte, über die Alpen befördern lassen; und kurz vor 806

---

[1]) S. darüber Buchner, Einhard als Künstler S. 129 A. 4.
[2]) Vgl. Walter Goetz, Ravenna (Berühmte Kunststätten Bd. X)
Leipzig=Berlin 1901 S. 15ff.

nur das „fchreckliche Gebirge" gefehen haben, über deffen
raubes Klima und fchwierige Straßenverhältniffe man bloß
zu klagen wußte. Auch in feiner Karlsbiographie erwähnt
ja Einhard bei der Schilderung von Karls Alpenübergang
i. J. 776 nur die Schwierigkeiten diefes Marfches, die
Mühfeligkeiten, welche die „unwegfamen Gebirgszüge", die
„zum Himmel anftoßenden Bergkuppen" und die „rauhen
Felfen" verurfachten. Aber nach der Überfteigung der
Alpen und der Überwindung der Schrecken, die diefe bargen,
kamen die lachenden Gefilde der oberitalienifchen Tiefebene, die alten Städte dafelbft, in denen fich reiche Überrefte früherer Kultur erhalten hatten! Wahrfcheinlich hat
E i n h a r d i n P a v i a verweilt. Wenigftens wiffen wir,
daß er hier in fpäterer Zeit eine Kirche, die Bafilika
St. Johannes des Täufers, befaß. Zur Zeit von Einhards
Italienreife war es erft wenige Jahrzehnte her, feitdem
Pavia, die alte Refidenzftadt der Langobardenkönige, i. J.
774 vom Frankenherrfcher belagert und erobert worden war
und feitdem die ftolze Stadt die Gefangennahme ihres
eigenen Königs Defiderius gefehen hatte. Aus den „Reichsannalen" und durch mündliche Berichte, vielleicht aus dem
Munde Karls felber waren folche Ereigniffe der jüngften
Vergangenheit Einhard zweifellos geläufig; mehr als einmal
mögen derartige hiftorifche Erinnerungen ihn, der ja felber
zeitweife als Reichsannalift tätig war, befchäftigt haben.
Aber noch größere Beachtung wird Einhard den Kunft-
werken, denen er hier begegnete, gefchenkt haben. In den
oberitalienifchen Städten fchaute er manche Überrefte der
fpätrömifchen Kunft, vor allem auch Werke des E r z -
g u f f e s, der in diefen Gebieten damals gut bekannt war
und gepflegt wurde. In Pavia felbft fah er u. a. ein altes
Reiterftandbild, deffen Benennung nur in verderbter Form
als „Regifol" — wahrfcheinlich trug es feine Bezeichnung
nach dem Namen des in ihm dargeftellten Fürften, etwa

eines Ragnegifel oder ähnlich[1]) — überliefert ift. Es ift denkbar, daß dieses Reiterftandbild von Einfluß wurde auf ein anderes Kunftwerk, in dem vielleicht eine eigene Schöp= fung Einhards, auf die wir noch zurückkommen werden, zu fehen ift: auf die Karl d. Gr. darftellende Reiterftatuette.

Auch Ravenna wird Einhard im Jahre 806 auf= gefucht und hier die gewaltigen Denkmäler der Völker= wanderungsperiode bewundert haben, welche diefe Stadt als Erinnerungszeichen ihrer Blüte gerade in jener Periode des allgemeinen Verfalls in fich fchloß.[2]) In S. Apollinare Nuovo in Ravenna mag Einhard geweilt und hier die Aus= ftattung diefer Bafilika, insbesondere den glänzenden Mo= faikenschmuck ihres Mittelschiffes, angeftaunt haben; nicht minder mag er fich der Herrlichkeiten erfreut haben, welche der Zentralbau von S. Vitale mit feiner hohen Kuppel über dem achteckigen Innenraum fowie die altchriftliche Bafilika S. Apollinare in Classe darboten; vor allem aber werden die reichen Überbleibfel der einftigen Blüte des Kunft= gewerbes, welche Ravenna in fich barg, Werke wie die phantafievollen Altarschranken von S. Apollinare Nuovo und S. Vitale, die Kanzel der erfteren Kirche oder der Ambo des Erzbischofs Agnellus im Dom von Ravenna, Einhard an= gezogen haben. Bildete doch Ravenna für die Zeit Karls d. Gr. gewiffermaßen ein wertvolles Lager von Altertümern, aus deffen Schätzen man unbedenklich schöpfte, wenn man fie für Kunftwerke der eigenen Zeit verwenden konnte; schon einige Jahrzehnte vor Einhards Italienreife hatte König Karl mit Erlaubnis des Papftes Hadrian I. Säulen und Marmor= ftücke aus dem damals bereits verfallenden Palafte Theodo= richs für die Bauten, die Karl felber in Angriff genommen hatte, über die Alpen befördern laffen; und kurz vor 806

---

[1]) S. darüber Buchner, Einhard als Künftler S. 129 A. 4.
[2]) Vgl. Walter Goetz, Ravenna (Berühmte Kunftftätten Bd. X) Leipzig=Berlin 1901 S. 15ff.

war ein anderes Schmuckstück der alten Oftgotenstadt in das Frankenreich verbracht worden: das Reiterstandbild des sagenberühmten Theodorich war im Jahre 801 nach Aachen gelangt und erhob sich seitdem hier vor dem Palaste Karls, wohl als das erste große Erzdenkmal auf deutschem Boden. — Jedenfalls konnte also Einhard gerade in Ravenna manche Anregungen gewinnen, die er dann bei seiner Rückkehr ins Frankenreich in seinen eigenen Werken redlich und erfolgreich verwertete. Zeigen doch die schon erwähnten Aachener Metallarbeiten spätrömische Stilisierung, so daß man die Hypothese hatte verfechten können, es seien diese Aachener Gitter selbst vom Grabmal des Theodorich genommen worden.[1])

Doch begleiten wir Einhard weiter auf seiner Italienreise! Folgen wir ihm, dem Gesandten des abendländischen Kaisers, in die Ewige Stadt!

Leo III. saß damals auf dem Stuhle Petri; er ist für die bauliche Entwicklung des Roms der Karlingerzeit etwa dasselbe, was Julius II. für das Rom der Renaissance bedeutete. Schon Leos unmittelbarer Vorgänger, Hadrian I., hatte das Seine dazu beigetragen, daß seit dem Ende des achten Jahrhunderts für das kirchliche Rom eine neue Entwicklung in baulicher Hinsicht, eine zweite monumentale Periode — (nach der ersten großen Bauzeit unter Kaiser Konstantin d. Gr. (306—337) — angebrochen war. Allerdings ging mit dem Baueifer der damaligen Päpste Hand in Hand die Zerstörung des antiken Roms; die alten römischen Bauten mußten zum guten Teil das Material abgeben für die neuen Kirchen, die jetzt in Rom entstanden. Die Paläste der römischen Cäsaren, welche sich einst auf dem Palatin erhoben hatten, erstrahlten zur Zeit Einhards längst nicht mehr in ihrem früheren Glanze, und die Tempel der antiken Gottheiten lagen in Schutt und Trümmer. Aber

---

[1]) S. oben S. 71.

neue Gotteshäuser, über die alten Götterstatuen triumphierend, erhoben sich nun an ihrer Stelle. In Einhards Tagen
waren die bedeutendsten kirchlichen Bauwerke Roms:
S. Giovanni in Laterano, S. Pietro und S. Paolo und andere Gotteshäuser schon Jahrhunderte alt. Das christliche
Rom war es nun, das die Völker aus allen Himmelsrich-
tungen anzog und so in neuer Form die antiken Triumph-
züge wieder erstehen ließ, die einstmals auf der Via sacra
hinauf zum Tempel des kapitolinischen Juppiters geschritten
waren.¹) Wie stark mußten diese römischen Gotteshäuser
auf den fränkischen Pilger einwirken, der doch in seiner
Heimat in der Regel nur kleine, oft bloß roh aus Balken,
Reisig und Holz gezimmerte Kirchlein zu sehen gewohnt
war! Wie mußte auf ihn das glänzende Rom überhaupt
wirken, die Stadt, welche die ehemaligen Beherrscher der
Welt mit Aufwendung ihrer Reichtümer verschönt hatten!
Welchen Eindruck mußten auf ihn die Ruinen des antiken
Roms machen, deren Trümmerhaftigkeit der Ewigen Stadt
eine gar eigenartige Anziehungskraft verlieh!²) — Auch für
Einhards Zeitgenossen war also Rom die durch ihren kirch-
lichen Nimbus, aber auch durch ihre große weltliche Vergangenheit einzig dastehende Weltstadt, war immer noch die
„aurea Roma", das „goldene Rom", wie sie in einem
Schriftstück aus jener Zeit genannt wird.

In diese römische Welt trat im Jahre 806 Einhard
ein. Wir wissen leider nichts davon, wie gerade auf seine
Persönlichkeit diese „aurea Roma" und der päpstliche Hof,
den er nun kennen lernte, eingewirkt haben. Aber eine leb-
hafte Vorstellung können wir uns, denke ich, doch davon
machen, wie das „Nardelchen", geschäftig wie immer, durch

---

¹) J. Zettinger, Die Berichte über Rompilger aus dem
Frankenreiche bis zum Jahre 800 (Römische Quartalschrift, XI.
Supplementheft, Rom 1900) S. 5.
²) C. Beissel, Verehrung der Heiligen 69.

die römischen Gaffen geeilt, wie es, getragen vom ftolzen
Bewußtfein als Gefandter des allgewaltigen Frankenkaifers
zu kommen in den glänzenden Palaft der Päpfte, in den
Lateran, der damals kurz vorher durch einen neuen, präch=
tigen Speifefaal gefchmückt worden war, eingetreten ift, wie
es, vorbei an den Türftehern, den Kammerdienern und Leib=
wachen des Papftes vor dem kirchlichen Oberhaupt der
Chriftenheit felber erfchien, um diefem die letztwillige Ver=
fügung des höchften weltlichen Herrn des chriftlichen Abend=
landes vorzulegen! Die Stunde, da Einhard fo vor
Leo III. ftand und feine wichtige politifche Miffion erfüllte,
rechnete er gewiß zu den denkwürdigften feines Lebens.
Ebenfo unvergeßlich wird ihm aber auch der Befuch der
Peterskirche in Rom und der Grabftätte des Apoftelfürften
dafelbft geblieben fein. Da erblickte er, die Stufen zur
Plattform des Vorhofes von St. Peter emporfteigend, zu=
nächft die malerifche Gruppe, zu welcher fich an der Vor=
derfeite der alten Peterskirche eine Reihe von Paläften,
Torbauten und Loggien vereinigt hatten und zu deren be=
fonderem Gepräge nicht zuletzt der Glockenturm Stephans II.
beitrug.

Als von hier aus Einhard die Peterskirche felbft be=
trat, tat fich ihm ein Bild auf, das auf ihn, den Künftler,
überwältigend gewirkt haben muß durch die Großzügigkeit
der Raumanlage wie auch durch die Pracht der Ausftattung:
der lange, breite Raum, durch 88 Säulen in fünf Schiffe
geteilt, die aus Marmor und aus Granit hergeftellten
Schäfte diefer Säulen, die herrlichen Kapitäle, alten Pracht=
bauten entnommen, der ftrahlende Mofaikenfchmuck, die gol=
denen Leuchter und Lampen, die hier aufgehängten Kronen
und die koftbaren Weihegefchenke von frommen Gläubigen,
an deren Stiftung altehrwürdige Erinnerungen hafteten —
kurz: all die Schätze, welche St. Peter für den Künftler wie
für den Gelehrten in fich fchloß! Dazu die Eigenfchaft

dieser Kirche als Ruhestätte der Gebeine des Apostelfürsten,
die ihr für den gläubigen Christen eine besondere Weihe
gab! — Und alle die andern Kirchen und heiligen Stätten
in Rom, nicht zuletzt die größte und glanzvollste der altchrist=
lichen Basiliken: St. Paolo. Draußen aber, wo sich Ein=
hards Auge der entzückende Ausblick auf die Campagna und
auf die Sabiner= und Albanerberge darbot, dehnten sich
weithin die ehrwürdigen Katakomben aus, über die
schon damals der Verfall hereingebrochen war; namentlich
unter den Verwüstungen der Langobarden hatten die Kata=
komben schwer gelitten; in bitterem Schmerze war ein Papst
jener Tage in den Klageruf ausgebrochen, daß die Hirten
der Campagna ihre Herden nächtlicherweile in die unter=
irdischen Grabkammern trieben und die Heiligtümer der
Märtyrer als Ställe für ihre Tiere benützten. Eben dieser
Papst — es war Paul I. (758—67) — entschloß sich dazu,
viele Überreste der bisher in den Katakomben bestatteten
Heiligen in römische Kirchen übertragen zu lassen; seinem
Beispiele folgten einige seiner Nachfolger; auch war man
jetzt seitens mancher Päpste bestrebt die verwüsteten Kata=
komben wiederherzustellen und auf sie die Beachtung der
Gläubigen stärker als vordem hinzulenken; namentlich die
großen an der Via Appia gelegenen Katakomben scheinen
damals häufig besucht worden zu sein; Einhards Zeitge=
nosse Leo III. hat solche Erneuerungen an den beiden Haupt=
krypten des Cömeteriums von S. Calliftus, an der Papst=
gruft und an dem Grabe des hl. Cornelius, vorgenommen.[1])
Die Katakomben, welche wenigstens der Phantasie der da=
maligen Zeit ungeheure Grabstätten der christlichen Blut=
zeugen mit geradezu unerschöpflichen Reliquienmassen zu
sein schienen, wurden nun gewissermaßen als die große
Schatzkammer Roms betrachtet, der das christliche Abend=

---

[1]) S. J. Guiraud, La commerce des reliques an commencement
du IX. siècle, in den Mélanges G. B. Rossi. (Paris-Rom 1892) 84.

land sein reges Interesse zuwandte und aus der man sich die
Reliquien holte, deren Besitz nun die Sehnsucht weiter
Kreise war. Auch in Einhards späterem Lebenslauf sollten,
wie wir noch hören werden, die Katakomben eine große
Rolle spielen.

Aber nicht bloß für das christliche — auch für das
antike Rom und seine Überreste wird Einhard begeisterte
Blicke gehabt haben. Insbesondere mögen ihn die antiken
Skulpturen, wie er sie auf alten Marmorsarkophagen und
auf anderen Denkmälern der Vorzeit noch in großer Zahl in
Rom vorfand, aufs regste interessiert haben. Manches von
solchen antiken Überresten mag auf seine Anregung hin damals in das Frankenreich geschafft worden sein, darunter
vielleicht auch jener antik-römische Marmorsarkophag, dessen
Seitenwände lebensvolle Reliefs einer mythologischen Darstellung, des Raubes der Proserpina, schmückten und der
vermutlich gerade auf Einhards Veranlassung wenige Jahre
hernach (814) Kaiser Karls Leiche aufnehmen sollte. Vielleicht waren es die Studien an antiken Denkmälern, die in
Einhards Künstlerseele ein besonderes Interesse für die
menschliche Gestalt, für das Aussehen der einzelnen Persönlichkeit erweckten.

Als Einhard von seiner Romreise in das Frankenreich
und nach Aachen zurückgekehrt war, da wird er mit neuer
Schaffenslust und Schaffenskraft und mit manch reichem
Gewinn von seiner Italienfahrt an die Aufgaben gegangen
sein, die hier seiner warteten. Schon allein die o b e r s t e
L e i t u n g   d e r   k a i s e r l i c h e n   W e r k s t ä t t e n   i n
d e r   A a c h e n e r   P f a l z erforderte Mühe und Sorge genug: wie oft konnte man da das „Nardelchen" aus seinem
Aachener Hause treten und eiligen Schrittes durch die Höfe
und Werkstätten und Arbeitsräume eilen sehen, die um die
Aachener Pfalz herum neu entstanden waren und in denen
meist lautes Leben und reges Getriebe herrschten: Da schallt

Hammerschlag und Amboßklang, die Art des Zimmer=
manns wird geschwungen und das Schnitzmesser von ge=
übter Hand geführt; hier sehen wir die roten Flammen aus
einem Gußofen herauszüngeln, dort beobachten wir, wie eben
Metallgegenstände in kunstvoller Arbeit getrieben werden;
wieder an einer andern Stelle kann man die Elfenbein=
schnitzer, über ihr kostbares Material gebeugt, die Gegen=
stände herstellen sehen, deren Anblick noch der fernsten Nach=
welt Achtung vor dem Können dieser Zeit abringen muß.
Lang hin dehnen sich die Werkstätten der Eisenschmiede.
Klein nur ist dagegen die Zahl der Gold= und Silberarbeiter;
aber eine um so sorgfältigere Auswahl der Arbeitskräfte hat
man bei ihnen getroffen. Unter ihrer Hand wandelt sich das
wertvolle Edelmetall, das man ihnen anvertraut hat, in die
erlesensten Schmuckstücke für geistliche und weltliche Große.
— Bei diesen Handwerkern sehen wir im Geiste Einhard,
begleitet von seinem verläßigen Werkmeister Ansegis von
Fontanelle, so manches Mal stehen, die Entwürfe und Mo=
delle, ehe sie ausgeführt werden, musternd oder auch kritischen
Blickes prüfend, wie sich die hier hergestellten Arbeiten zu
seinem klassischen Kunstideal, zu den Überresten der Antike,
die er namentlich in Italien geschaut und an denen er selber
seinen Blick geschult hatte, verhielten. Manchen Ärger
wird da Einhard gehabt haben, wenn das Geschaffene zu=
weilen nur allzu weit hinter dem Erstrebten zurückblieb.
Aber auch hohe Befriedigung wird der „Beseleel" Karls
empfunden haben, wenn er betrachtete, wie hier im deutschen
Norden ein neues Kunstzentrum gleichsam aus dem Boden
gestampft worden war, wenn er die Pläne ausreifen sah,
die in Kaiser Karls Kreise ausgesponnen worden waren, und
wenn er beobachtete, wie das Aachener Münster immer mehr
dem Gedankenkreise des alttestamentlichen Zentralheilig=
tums, der Stiftshütte oder des Tempels Salomos, ange=
glichen wurde.

In Einhard war diesem in Aachen wiedererstandenen Heiligtum des Alten Testamentes ein würdiger „Beseleel" geschenkt, der seine Ausstattung in ebenso künstlerischer wie glanzvoller Weise zu verwirklichen wußte. Noch zu Lebzeiten Karls erhielt sein Münster jene schon wiederholt erwähnten Bronzegitter und Erztüren, als deren Meister Einhard zu betrachten ist und in denen wir bereits Früchte seiner Studien in Italien erkennen dürfen; nicht allzu lange dauerte es, bis das Aachener Münster auch in herrlichem Mosaikenschmuck erstrahlte.

Unter dem neuen Herrn, Ludwig dem Frommen.

Der 28. Januar 814 war ein Tag der Trauer für das weite Frankenreich, ein Tag des bittersten Schmerzes sicher auch für Kaiser Karls allertreuesten Diener Einhard: Karl, der große König und gewaltige Kaiser, h a t t e für immer s e i n e A u g e n g e s c h l o s s e n. In ergreifenden, umgeheuchelten Tönen hat ein Zeitgenosse dem tiefen Schmerze Ausdruck gegeben, der die weitesten Kreise des hohen und niederen Volkes beseelte. Nicht ohne Sorge hatte man den körperlichen Verfall des alten Kaisers — Karl hatte ja die Grenze des Siebenzigers schon überschritten — und seine Erkrankung in den kalten Januartagen des Jahres 814 verfolgt. Und gerade E i n h a r d s ängstliches und von Aberglauben nicht ganz freies Gemüt wird schon seit langem schweren Herzens die Vorzeichen beobachtet haben, die den Zeitgenossen auf ein kommendes großes Unglück, wie es der Tod des mächtigsten Herrschers der Christenheit allerdings für die Gesamtheit bedeutete, hinzuweisen schienen, und von denen Einhard ja auch selber in seiner Karlsbiographie uns aufs genaueste Kunde gibt: Sonnen- und Mondfinsternisse waren eingetreten, an der Sonne hatte man tagelang schwarze Flecken beobachtet; dazu Erdbeben, die man in Aachen feststellte; das Einstürzen des Säulenganges, der die Aachener Pfalzkapelle mit dem Palaste verband; der Brand der Mainzer Rheinbrücke, die für eine Ewigkeit gebaut zu sein schien, und deren Zerstörung doch das Werk

von nur drei Stunden war; ein Sturz des Kaisers vom Pferd
gelegentlich des Dänenfeldzuges (810) in einem Augenblick,
da sich seinem Auge gerade eine ungewöhnliche Himmels=
erscheinung gezeigt hatte; ein Blitzschlag, der Karls Lieb=
lingsschöpfung, sein Aachener Münster, traf und dessen Be=
krönung, den goldenen Apfel, herunterschlug; endlich das
Erlöschen der in roter Farbe ausgeführten Worte „Karolus
princeps" („Karl, der Herrscher"), mit welchen eine im
Aachener Münster angebrachten Inschrift, die Karl als den
Stifter des Gotteshauses nannte, endete. All diese Ge=
schehnisse hatten furchtsame Naturen wie Einhard als Vor=
zeichen für das nahe Ende des Kaisers aufgefaßt.

Und nun war dieses Ereignis, vor dem man schon lange
gebangt hatte, wirklich eingetreten! Schon am siebenten
Tage nach seiner Erkrankung im Januar 814 war Karl eine
Leiche. Da lag er nun, der gewaltige Held, zu dem Ein=
hard zwei Jahrzehnte hindurch voll aufrichtiger Ehrfurcht
und in kindlicher Dankbarkeit emporgeblickt hatte! — Wie
uns Einhard in seiner Vita Karoli berichtet, konnte man sich
anfangs nicht darüber einigen, wo man den toten Kaiser be=
statten sollte: in St. Denis lagen Karls Vater Pippin, seine
Mutter Bertrada, sein Großvater Karl Martell. Aber auch
das St. Arnulfskloster in Metz, wo seit 643 der Ahnherr
des karlingischen Hauses, Arnulf, der spätere Bischof von
Metz, bestattet war und das zeitweise gleichsam als karlin=
gische Familienstiftung galt, wird man als Begräbnisstätte
Karls ins Auge gefaßt haben; denn auch hier ruhte so
manches Glied der Karlinger: neben St. Arnulf selbst und
neben dem Sohn Pippins des Mittleren und Plektrudens,
Drogo mit Namen, haben dort auch Karls eigene Gemahlin
Hildegard sowie drei seiner Söhne ihr Grab gefunden.¹)

---

¹) S. E. Müsebeck, Die Benediktinerabtei St. Arnulf vor
Metz in der ersten Hälfte des Mittelalters, im Jahrbuch der Ge=
sellschaft für lothringische Geschichte und Altertumskunde XIII
(1901) 167 ff.

Vor allem aber schien doch die eigentliche Palastkapelle
Karls zu Aachen, seine Marienkirche, dazu berufen zu sein,
zur Kaisergruft zu werden; für sie hat man sich auch schließ=
lich entschieden. Man einigte sich, wie uns Einhard sagt,
in der Auffassung, daß es eine würdigere Grabstätte als die
Kirche, welche Karl auf eigene Kosten aus Liebe zu Gott
und zu unserm Herrn Jesus Christus und zu Ehren der Got=
tesmutter erbaut hatte, nicht geben könne. — Schade, daß
uns Einhard keine genaueren Angaben über Karls Begräb=
nisstätte macht. Er sagt uns nur, daß Karl in der Aachener
Marienkirche noch an dem Tage beigesetzt wurde, an dem er
gestorben war, und daß man über seinem Grabe einen ver=
goldeten Bogen mit seinem Bilde und mit einer Inschrift,
deren Wortlaut uns Einhard getreulich wiedergibt, errichtet
habe. So kommt es — wieder durch eine bedauerliche
Schweigsamkeit Einhards —, daß in der wissenschaftlichen
Forschung der Ort des Karlsgrabes im Aachener Münster
gar viel besprochen wurde und doch noch heute ein umstritte=
nes Problem darstellt, das erst allmählich von manchem
Gestrüpp von Sage und Dichtung gesäubert worden ist.
Soviel aber ist wohl sicher, daß bis zum Jahre 1165, da der
begeisterte Nachfolger und Nachahmer Karls, Kaiser Fried=
rich I., sein Grab öffnen und seine Gebeine erheben ließ,
die Leiche des großen Kaisers in einem noch heute erhalte=
nen, von Napoleon I. nach Paris geschafften, aber dann
wieder nach Aachen zurückgebrachten antik-römischen Mar=
morsarkophag sich befand, dessen Seitenwände mit der
plastischen Darstellung des Raubes Proserpinens geschmückt
waren. Einhard, der große Freund der Antike und der
Liebhaber plastischer Kunstwerke, wird es wohl gewesen sein,
der diesen Sarg als Ruheplätzchen für den entseelten Leib
seines Kaisers ausgesucht hat. Es war eine letzte Liebes=
tat, die Einhard dem Entschlafenen damit erwies.

Und nun mußte sich Einhard mit seinem neuen

8*

Herrn, mit Ludwig dem Frommen, der Karl ja
als einziger unter deſſen ehelichen Söhnen überlebte, zurecht=
finden. Es wird ihm dies nicht allzu ſchwer geworden ſein.
Denn Einhard war ja nach ſeiner eigenen Angabe mit den
Kindern Karls aufgezogen worden; alte Freundſchaftsbande
müſſen ihn und Ludwig daher verbunden haben; Einhard
war es auch geweſen, auf deſſen Veranlaſſung im Jahre 813
Ludwig zum Mitkaiſer Karls angenommen worden war.
Es iſt daher innerlich recht wohl begreiflich, wenn Einhard
im Gegenſatz zu den meiſten anderen Hofbeamten und Hof=
würdenträgern, die nun neuen Männern Platz machen muß=
ten, ſeine bisherige Stellung am Kaiſerhofe beibehielt, wenn
er nach wie vor an der Spitze des Kunſtweſens im Franken=
reiche ſtand und die Hofbücherei verwaltete ſowie all die
anderen Pflichten erfüllte, mit denen man ihn betraut hatte;
ſein Naturell zeigte keine ſo ſcharfen Ecken und Kanten,
daß ſie es dem jungen Herrſcher erſchwert hätten den ver=
trauteſten Ratgeber ſeines Vaters beizubehalten. So blieb
er denn auch bei Ludwig eine persona gratissima.

Freilich: das Bild, welches das Aachener Hofleben in
den Tagen Karls d. Gr. geboten hatte, änderte ſich jetzt
gründlich; die Leichtigkeit und Ungebundenheit, welche unter
Karl in Aachen geherrſcht hatten und die zuweilen in ſtarke
Sinnlichkeit ausgeartet waren, mußten unter Ludwig einem
ſtrengen Tone weichen. Es war eine der erſten Maßnahmen
des neuen Herrſchers, daß er eine Verordnung über die
ſtrenge Zucht, die fortan in der Aachener Königspfalz wal=
ten ſollte, erließ. Karls zahlreiche Töchter, die dem leicht=
lebigen Treiben am Hofe des Vaters nicht zum wenigſten
ihren Stempel aufgedrückt hatten, mußten den Glanz des
Hofes mit Kloſtermauern vertauſchen. — Der Etikette und
dem Hofzeremoniell wurde jetzt unter Ludwig ein breiterer
Raum gewährt als bisher. Das geiſtige Leben und die
Pflege der ſchönen Künſte am Hofe ging indes nicht etwa

zurück, der äußere Glanz und Prunk steigerte sich sogar noch
gegenüber den Tagen Karls. Aber der gleißenden Form
entsprach in mancher Hinsicht nicht mehr der gediegene
Inhalt. Der Kaiser, voll redlicher Absichten, voll des
guten Willens, war nicht fähig das Steuer eines Weltreiches, wie es das Frankenreich geworden war, mit sicherer, fester Hand zu lenken. Er selbst ward mehr und mehr
gelenkt und geschoben von trefflichen, aber auch von schlimmen Ratgebern. Es waren die Tage, da am fränkischen
Hofe Ehrgeiz und Selbstsucht, Lüge und Machenschaften
Wurzel faßten und schon wenige Jahre hernach mächtig
ins Kraut schossen. Ich werde auf diese Entwickelung,
unter der eine anima candida wie Einhard nicht selten
zu leiden hatte, noch zurückkommen.

Unter den Vornehmen und Großen, welche am
27. Februar 814 den von Aquitanien kommenden Thron-
folger in Aachen als neuen Herrscher begrüßten, wird sicher
auch Einhard gewesen sein. Vielleicht, daß er damals mit
einem Willkommsgedicht den Sohn des großen Vaters
bedachte und über ihn in solcher Form das Füllhorn guter
Wünsche ausschüttete. Aber schon bald wird Einhard es
nicht ohne ein gewisses Mißbehagen empfunden haben, daß
ein anderer Geist nunmehr in den Hallen der Aachener
Kaiserpfalz walten sollte als vordem, daß hier jetzt strenge
Kirchlichkeit und herbes Aszetentum an die Stelle der
leichtgeschürzten Muse traten. Der heilige Benedikt
von Aniane, der an die ernsten Gestalten altchristlichen
Anachoretentums gemahnt und der kurz vorher schon das
Klosterwesen in Aquitanien reformiert hatte, ward nunmehr
die angesehenste Persönlichkeit im Aachener Kaiserpalaste.
In einer Lichtung des Aachener Wildparkes, wo wenige
Jahre vorher noch Kaiser Karl dem lustigen Weidwerk ob-
gelegen hatte, ward jetzt von Kaiser Ludwig für Benedikt
ein neues Kloster, Inden (Cornelimünster) mit Namen, er-

baut; hier konnte Benedikt die Ideale seines mönchischen
Lebens zu verwirklichen suchen. Bei manchem Besuch,
den hier Ludwig seinem vertrauten geistlichen Ratgeber
zu machen pflegte — Ludwig selbst erhielt wegen seines
engen Verhältnisses zu Benedikt die Bezeichnung „der
Mönch" — wird sich auch Einhard in des Kaisers Gefolge
befunden haben; man darf mit gutem Grunde annehmen,
daß auch er durch diese Beziehungen zum hl. Benedikt von
Aniane mehr und mehr von dem Reize klösterlichen Lebens
angezogen und schließlich selber für den Ordensstand gewonnen ward, dem er am Ende seines Lebens tatsächlich
angehört zu haben scheint, wie wir noch hören werden.

Zunächst freilich nahm Einhard als Laie am Leben
des Aachener Hofes vollen Anteil. Mit den neuen Männern, die jetzt die Stelle von Karls verdienten, altvertrau-
ten Paladinen einnahmen, wird er sich nicht allzu schwer
zurechtgefunden haben. Namentlich mag ihn eine geistige
Interessengemeinschaft mit dem gelehrten und kunstsinnigen
neuen Kanzler Ludwigs, Elisachar, dem Abt von St.
Riquier, verbunden haben, der einer der bedeutendsten
Persönlichkeiten am Hofe Ludwigs war; ein Orientale, vermutlich ein Semite (Syrer) von Geburt, wie uns sein
Name sagt, hatte Elisachar Ludwig dem Frommen schon zu
der Zeit, da dieser als Unterkönig Aquitanien regierte, als
Kanzler gedient. Als Haupt der kaiserlichen Kanzlei hat
Elisachar einen bedeutsamen Einfluß auf die Weiterent-
wicklung der karlingischen Miniaturmalerei, insbesondere
auf das Eindringen syrischer Elemente in diesen Kunstzweig,
ausgeübt; für ihn scheint eine der prächtigsten uns noch erhaltenen Handschriften dieser Zeit, das aus St. Riquier
stammende Evangeliar der Stadtbibliothek von Abbéville,
hergestellt worden zu sein. Neben einem andern Hofwürdenträger, der gleichfalls erst unter Ludwig eine bedeutsame
Rolle spielen sollte, galt Elisachar seinen Zeitgenossen

gleichsam als eine der beiden Hauptstützen Kaiser Ludwigs.
— Dieser zweite Hofwürdenträger, mit dem nun Einhard
auf Grund seines Amtes ebenfalls in engen Verkehr treten
mußte, war . H i l d u i n , der oberste Kaplan (Erzkaplan)
Kaiser Ludwigs, der durch sein Amt einmal die Stellung
gewissermaßen eines Oberhofpredigers oder eines kaiserlichen Stiftspropstes, daneben auch die eines Ministers für
Kultus und Unterricht innehatte; auch er darf als kunst-
begeisterter, prunkliebender Kirchenfürst gelten, für den m.
E. gleichfalls eine bis heute erhaltene kostbare Handschrift
bestimmt war: das sog. Evangeliar von Soissons, das
Ludwig d. Fr. i. J. 827 dem Medarduskloster in Soissons,
dessen Abt Hilduin war, geschenkt haben soll; wie das
Evangeliar von Abbéville so scheint also auch dieses Evangeliar am Kaiserhofe in Aachen entstanden zu sein und als
ein Werk der dortigen Schola palatina betrachtet werden zu müssen.[1])

Daß Einhard an der Herstellung solch köstlicher, kunstvoller Handschriften . im Aachener Skriptorium reges Interesse bekundete, darf als gewiß gelten; im Skriptorium der
Aachener Pfalz wird er in so mancher Stunde über einem
dieser Bände gebeugt gesessen sein. — Wie Einhard schon
unter Karl d. Gr., wenigstens in dessen letzten Jahren als
Vertrauter des Kaisers geschaltet und diesem so manchmal
durch seinen Rat und wohl noch öfter durch seine gewandte
Feder gedient hatte — manches Schriftstück Karls, so z. B.
sein Testament, dürfte im Auftrag des alten Kaisers von
Einhard entworfen worden sein —, so hat E i n h a r d
auch K a i s e r L u d w i g dieselben Dienste geleistet und
i n g e w i s s e m S i n n e z u w e i l e n a u c h a l s s e i n
S e k r e t a r i u s fungiert. Denn eine Mehrzahl von
Schreiben, die uns in der noch zu erwähnenden Sammlung

---

[1]) S. über all das Buchner, Einhard als Künstler 58 ff.

der Briefe Einhards überliefert sind, hat Einhard offenbar
auf eine besondere Weisung seines kaiserlichen Herrn hin
geschrieben. Einen „kaiserlichen Sekretär" in d e m Sinne
freilich, als ob Einhard grundsätzlich und von Amts wegen
mit der einlaufenden und auslaufenden Korrespondenz des
Herrschers sich zu beschäftigen gehabt hätte, darf man nicht
in ihm sehen. Denn wenn Einhard beispielsweise dem be=
rühmten Liturgiker Amalar von Metz auf das ausdrückliche
Geheiß seines Kaisers eine Mitteilung hinsichtlich einer
bevorstehenden Audienz Amalars zukommen ließ, so war
dies allein schon dadurch veranlaßt, daß sich Amalar in
dieser Sache zuerst an Einhard persönlich gewandt, und daß
demgemäß Einhard die fragliche Angelegenheit auch dem
Kaiser vorgetragen hatte; es war also nur ganz natürlich,
wenn daraufhin Ludwig gerade Einhard anwies, den Be=
fehl, den er diesem in Amalars Sache mündlich gab,
Amalar auch schriftlich mitzuteilen. — Ähnlich ist es auch
in einem andern Fall: man darf nicht allzu viel daraus
schließen, daß am Ende eines längeren, an den Kaiser ge=
richteten Schreibens theologischen Inhalts, dessen unbekann=
ter Verfasser sich in einer Art von Nachschrift zu diesem
Briefe noch an Einhard wendet und dabei meint, wenn
Einhard diese Zeilen lese, so möge er sich nicht wundern,
falls er Fehler darin finde; vielmehr solle er über das
Richtige staunen, das der Verfasser vielleicht geschrieben
habe. — Es ist ganz verfehlt, wenn man hieraus den Schluß
ziehen wollte, daß Einhard die an den Kaiser gerichteten
Briefe grundsätzlich in Empfang zu nehmen oder doch zu
Gesicht zu bekommen pflegte; denn wenn jener Unbekannte
erwartete, daß sein an den Kaiser adressiertes Schreiben
auch Einhard zu sehen bekäme, so war dies durch die Natur
des fraglichen Schreibens, durch den gelehrten Charakter
desselben, der es nicht bloß für den Kaiser selbst, sondern

auch für deſſen gelehrte Umgebung intereſſant und leſens=
wert zu machen ſchien, ganz erklärlich.[1])

Darf man alſo Einhard auch nicht die Würde eines
kaiſerlichen Sekretärs im offiziellen Sinne des Wortes zu=
teilen, ſo ſcheint ſich, wie geſagt, doch zuweilen Kaiſer Lud=
wig ſeiner geſchulten Feder bedient zu haben, wenn es ſich
um die Abfaſſung wichtiger Schriftſtücke handelte; auf
ſolche Weiſe mag in der Tat jenes intereſſante, im Namen
Ludwigs ausgefertigte S c h r e i b e n, das ſich a n d i e
B e w o h n e r der alten ſpaniſchen Stadt M e r i d a am
Guadiana wandte und das uns unter den Briefen Einhards
überkommen iſt, von dieſem ſelbſt entworfen worden ſein.
Es ſucht die Emeritaner — noch heute künden die aus
Granit erbauten Überreſte der Römerzeit daſelbſt von der
ehemaligen Größe und Bedeutung ihrer Stadt, des „ibe=
riſchen Roms“, — von der Intereſſengemeinſchaft zu über=
zeugen, welche dieſe bei ihrem Kampfe gegen den Emir
von Cordova, Abd=ar=Rahman II. (822—52), mit dem
fränkiſchen Herrſcher hätten; die Leiden werden draſtiſch
geſchildert, welche die armen Emeritaner von dem tyran=
niſchen Emir und ſchon von ſeinem Vater hätten erdulden
müſſen. „Aber ihr,“ ſo heißt es in dieſem wahrſcheinlich
von Einhard entworfenen Schreiben, „habt, wie wir hörten,
ſtets als tapfere Männer die Ungerechtigkeiten, die euch von
ruchloſen Fürſten zugefügt worden ſind, tapfer zurückgewie=
ſen und ihrer Grauſamkeit und Habgier euch mannhaft ent=
gegengeſtemmt. Durch den Bericht von vielen Leuten
hören wir, daß ihr dies auch jetzt tut.“ Und nun werden
die Emeritaner ermahnt, in dieſer wackeren Haltung ſtand=
haft zu bleiben und gegen den grauſamen Herrſcher zu ſtrei=
ten und nicht ſeiner Wut zu weichen. Gemeinſam will der
Frankenkaiſer mit den Emeritanern vorgehen; im nächſten
Sommer ſoll ein fränkiſches Heer in die ſpaniſche Mark

---

[1] S. Bondois, Translation des saints Marcellin et Pierre 32.

gesandt werden und auf Wunsch der Emeritaner gegen den
Emir von Cordova losschlagen. Am Ende des Briefes
wird den Emeritanern die Erhaltung ihrer alten Frei-
heiten sowie die Freiheit von jeder Abgabe und Steuer
verheißen; unter ihrem eigenen Gesetze sollten sie leben und
als Freunde und Verbündete des fränkischen Herrschers
behandelt werden.

Wie es bei einem der ersten Hofwürdenträger und
Vertrauten eines Herrschers ja ganz selbstverständlich ist,
stand Einhard mit Kaiser Ludwig in ständigem
persönlichem Verkehr; tagtäglich pflegte er in der
Regel, sofern sich der Kaiser sowohl wie er selber in
Aachen aufhielt, vor dem Kaiser zu erscheinen; wenn wir
uns auch den Verkehr am Hofe Ludwigs d. Fr. keineswegs allzu formlos vorstellen dürfen, so scheint doch der
Umgang Einhards mit seinem kaiserlichen Herrn, der ja
auch sein alter Jugendgespiele war, nicht in zu starke zere-
monielle Fesseln geschlagen gewesen zu sein. Durch Einhards eigenen Bericht hören wir davon, wie er zu einer
Zeit, da er schon sein Hofamt niedergelegt hatte, und da
Gerward sein Nachfolger in demselben geworden war, eines
schönen Tages vor den Kaiser getreten sei, wie dies so der
Gepflogenheit entsprochen habe. Da habe ihm nun der
Kaiser eine Geschichte erzählt, die Ludwig selbst von jenem
Gerward gehört hatte und die Einhards größtes Interesse
wachrief. Betraf sie doch die Heiligen Marzellin und
Peter, die wir bald noch als die Lieblingsheiligen Einhards, der ihre Leiber von Rom in das Frankenreich übertragen hatte lassen, kennen lernen werden. In Gangelt,
südlich von Roeremont im Maasgau, so hatte an jenem
Tage Kaiser Ludwig Einhard berichtet, sei eine Frau gewesen, die ein ungefähr achtjähriges Töchterlein hatte, das
an einer furchtbaren Lähmung litt, und zwar in solchem
Grade, daß es schon seit längerem kein Glied mehr bewegen konnte. Die Mutter hörte die Kunde von den

Wundern, die — wir werden darauf zurückkommen — in
Aachen bei der Anwesenheit der Gebeine des hl. Marzellin
in der Privatkapelle Einhards vorgekommen waren. Und
Mutterliebe und frommes Vertrauen zeitigten nun in jener
Frau den Entschluß, ihr Töchterlein mit eigenen Armen
in das Oratorium nach Aachen, in dem sich die Reliquien be=
fanden, zu tragen, wiewohl von Gangelt aus dorthin immer=
hin etwa acht Meilen Weges waren. Die Frau kam nach
diesem beschwerlichen Marsche an ihrem Ziele vor der Mit=
tagszeit, da man eben zu frühstücken pflegte, an; daher
war auch gerade keiner der Geistlichen in dem Gebetsraum
anwesend; sie hatten ihn kurz zuvor zur Erholung verlassen.
Die Frau betrat gleichwohl die Kapelle und legte ihr Mäd=
chen vor sich auf das Pflaster, dann zündete sie ein ganz
kleines Kerzlein, das sie mit sich gebracht hatte, an und
stellte es vor dem kranken Kinde auf, während sie selbst sich
voller Ehrfurcht zur Erde warf. Kaum war das geschehen,
da erlangte die Kleine durch Gottes Gnade sogleich die
Gesundheit an allen Gliedern wieder: sie stand, ohne daß
es die Mutter merkte, vom Boden auf, ergriff das vor
ihr brennende Kerzlein und blieb damit dann hinter ihrer
zu Boden geworfenen Mutter stehen. Als die Mutter ihr
Gebet vollendet und ihr Haupt wieder vom Boden er=
hoben hatte, sah sie weder die Kerze noch ihre Tochter an
der Stelle, wo sie dieselbe hingelegt hatte; erst als sie auf=
gestanden ist und sich umdreht, schaut sie voll Freude und
Dank die Kleine hinter sich mit ihrem Kerzlein stehen.
Allerdings findet die Frau niemanden, dem sie das Wun=
der sogleich berichten könnte; denn es sind nur Bettler,
keine andern Leute, in der Kirche. So kehrte denn die Frau
wieder nach Hause zurück. Als sie nun nach Gangelt zu=
rückgekommen war, da wurde dieses Wunder natür=
lich sogleich zum allgemeinen Tagesgespräch. Ein paar
Tage hernach wird der Frau plötzlich gesagt, sie möchte nur

rasch sich zurecht machen, ein großer Herr wünsche sie zu
sprechen. Man kann sich die Überraschung der Frau vor=
stellen! Der große Herr, der sie zu sprechen wünschte, war
der kaiserliche Hofbibliothekar und Minister für Kunstange=
legenheiten Gerward, der gerade von der Kaiserpfalz zu
Ingelheim kam und nach Aachen zog, hierbei aber im klei=
nen Gangelt zu übernachten sich entschlossen hatte; dort
hatte er mit dem Wirte, der ihn beherbergte, eine Unter=
haltung anzuknüpfen gesucht: ob dieser nichts neues von
der Kaiserpfalz zu Aachen wisse, frägt Gerward. Der
Wirt antwortet darauf, daß derzeit bei den Hofleuten über
nichts so viel gesprochen würde als über die Zeichen und
Wunder, die sich zu Aachen „durch gewisse Heilige" im
Hause Einhards, der angeblich deren Reliquien besitze, er=
eigneten. „Zu ihrer Verehrung — so erzählte der gesprächige
Herbergsvater seinem hohen Gaste sicher in sehr devoter
Haltung — eilen Tag für Tag alle unsere Nachbarsleute;
und wer nur immer krank dorthin geführt worden ist, wird
dort gesund." Und so kommt er auch auf jene Frau und ihr
geheiltes Töchterlein zu sprechen. Den Herrn Hofbiblio=
thekarius und Minister für Kunstangelegenheiten interessiert
dieser Fall offenbar sehr. Aber war es nicht nur ein
wildes Gerücht, das er da hört? Ehe er es nicht von jener
Frau selbst vernommen hätte, wollte er nicht so recht an
die Kunde glauben. So läßt man denn jene Frau rufen,
deren Erzählung von dem großen Wunder, das sie an
ihrem Kinde erlebt hatte, ihr vor dem hohen Herrn wohl
recht wenig geläufig, aber gerade darum um so eindrucks=
voller und um so größeres Vertrauen erweckend aus dem
Munde kam. Gerward aber hatte diese Geschichte nun ver=
bürgt und konnte sie schon am nächsten Tage seinem kaiser=
lichen Herrn berichten. Aus Ludwigs Munde endlich er=
fuhr sie Einhard. „So ging es zu," erzählt dieser uns,
„daß wir von einem Wunderzeichen, das sich ohne unser

Wiſſen in unſerem Hauſe abgeſpielt, erſt auf dieſe Weiſe erfahren haben."

Ich wollte dieſe Erzählung wiedergeben, weil durch ſie Einhards Verkehr mit dem Kaiſer einigermaßen beleuchtet wird. — Auch ſonſt erfahren wir aus den Quellen manches über den perſönlichen Umgang Einhards mit ſeinem Herr= ſcher. Wir hören z. B. in einem Briefe Einhards davon, wie er einmal zuſammen mit den Pfalzgrafen Adalhard und Geboin vor Kaiſer Ludwig getreten iſt, um dieſem den ganzen Rechtshandel, der einen von Einhards Leuten, einen gewiſſen Alahfrid, betraf, nach den Ergebniſſen des Inquiſitionsverfahrens, das vom Grafen Hruotbert ange= ſtellt worden war, vorzutragen. Dabei tat der Kaiſer die nicht unintereſſante Bemerkung: es erſcheine ihm ſonderbar, daß dieſe Sache noch nicht zum Austrag gelangt ſei. — Ein= hard hat daraufhin dem Grafen Hruotbert in ſehr diploma= tiſcher, höfiſcher Form von dieſer Audienz und von der hierbei geäußerten Kritik des Kaiſers Mitteilung gemacht — zweifellos in der Abſicht eine beſchleunigte Beendigung des Handels zu gunſten ſeines Alahfrid zu bewirken; Hruotbert, ſo bittet Einhard, möge ihm Mitteilung zu= kommen laſſen, was Alahfrid jetzt zu tun habe, und wie überhaupt Hruotbert den Fall auffaſſe, ob er denke, daß etwa der ganze Handel fallen zu laſſen ſei, oder daß Alah= frid noch etwas für ſich erhoffen dürfe.

Natürlich war angeſichts des Einfluſſes, den Einhard beim Kaiſer hatte, ſeine Perſönlichkeit von allen ſeinen Bekannten immer und immer wieder, wenn man bei der kaiſerlichen Regierung etwas durchſetzen wollte, als Vermittler in Anſpruch genommen. Da iſt z. B. der Stuhl des Erzbistums Sens unbeſetzt; Klerus und Volk dieſes Metropolitanſitzes hatten eine Wahl vorgenommen, wie dies nach den kirchlichen Vor= ſchriften notwendig war; aber die Perſon des Gewählten hatte nicht den Beifall der kaiserlichen Regierung, nicht die Bestätigung des Kaisers erhalten; so fand eine zweite Wahl gleichfalls nach den kanonischen Geboten statt; doch auch der hier Erkorene war den Vertretern des Kaisers, den Königsboten, nicht genehm. Um dennoch die kaiserliche Anerkennung des Erwählten durchzusetzen, wandten sich die Wähler jetzt an verschiedene Persönlichkeiten am kaiser= lichen Hof, von denen man annahm, daß ihr Wort bei der Entscheidung des Kaisers schwer in die Wagschale falle: man wendet sich vor allem an den kaiserlichen Erzkaplan, in dessen Ressort ja kirchenpolitische Dinge und namentlich die Besetzung der Bischofsstühle fielen; man wendet sich auch an Ludwigs schöne und einflußreiche Gemahlin Judith; und man wendet sich nicht zuletzt an Einhard, da man auch von ihm nicht ohne Grund zu glauben geneigt ist, daß seine Fürsprache viel vermöge. — Oder: ein unse= rem Einhard besonders nahestehender Kirchenfürst, der Bischof Bernhari von Worms, dem Einhard schon am 2. September 820 als Zeuge bei einem zu Quierzy vollzogenen Gütertausche, den Bernhari mit einem Grafen Hug vorgenommen, gedient hatte,[1] will noch auf dem Totenbette in den Sorgen um seine Kirche, die seine Seele belasten, Einhards Vermittlung beim Kaiser erbitten: er tut dies in einem Briefe, der uns glücklich über= kommen ist und aus dessen Inhalt das schwerbedrückte Ge= müt eines Sterbenden zu uns redet: schon beschwert die Todesangst, wie der Schreiber selber · in jenem Briefe meint, ihm nur allzu beklemmend Leib und Geist, um noch viel sagen zu können; aber dennoch glaubt er sich an seinen „teuersten Einhard" wenden zu sollen; nicht allein dessen fürbittendes Gebet ist es, was er sich erwünscht, sondern auch Einhards Vermittlung am Hofe; die Sorge um seine bisherige Bischofskirche Worms und auch um die Abtei

---

[1] Jaffé, Bibliotheca rer. Germanicarum IV (Berolini 1867) 474.

Weißenburg im Elſaß, welche Bernhari gleichfalls beſeſſen hatte, legt der ſterbende Biſchof und Abt ſeinem Freunde Einhard wärmſtens ans Herz; denn ganz ſchrecklich will ihm der Gedanke ſcheinen, daß nach ſeinem Hinſcheiden reißende Wölfe in das Heiligtum, das bisher er ſo treulich zu verwalten geſucht hatte, eindringen möchten und daß ſie dann ſeine Herde in alle Winde zerſtreuen könnten. Das will er verhindern; deshalb hat Bernharis Blick denn auch ſchon Ausſchau gehalten nach einem geeigneten Nachfolger, der ein gottesfürchtiger Mann und der auch den Seinen ein wahrer Hirte ſein würde; und er hat auch einen ſolchen bereits gefunden; freilich iſt dieſer Biſchofskandidat noch jung an Jahren, aber gereift iſt er in ſeinem Charakter; ein Mönch des Kloſters Weißenburg ſei es, ſchreibt Bern= hari an Einhard, und Folkwin heiße er; Einhard ſelber kenne ja doch die Familie Folkwins, den Vater und ebenſo den Bruder desſelben; einer ganzen Reihe von vornehmen Geſchlechtern ſtünde Folkwin nahe; man habe dieſen nun nach Worms an das Krankenlager Bernharis gebracht, als der letztere gerade den Beſuch eines hohen Herrn hatte; wahrſcheinlich haben wir unter dieſem hohen Herrn den Abt Hilduin von St. Denis[1]) zu verſtehen, der ja neben dieſer Abtei auch das Amt eines kaiſerlichen Erzkaplans innehatte; als ſolchem aber oblagen ihm, wie geſagt, auch die Aufgaben eines modernen Kultusminiſters; daher war ſeine Perſon vor allem bei Wünſchen für eine Biſchofskandi= datur zu gewinnen; es war daher ganz natürlich, wenn

---

[1]) Jaffé IV 442 N. 1 glaubte unter dem N., der in dem Briefe Bernharis als ſein Beſucher erwähnt iſt, Kaiſer Ludwig d. Fr. ſelber verſtehen zu ſollen; Hampe hat dies in den Mon. Germ. Epistolae V 110 A. 5 (vgl. Neues Archiv XXI 628 A. 1) nicht be= ſtritten, wenn er auch ſelber lieber an Hilduin denkt; ich halte es für geradezu ausgeſchloſſen, daß der Kaiſer unter dem ohne jedes Standesprädikat erwähnten N. zu verſtehen iſt und glaube aus inneren Gründen beſtimmt, daß Hampes Annahme vorzuziehen iſt.

Bernhari gerade Hilduins Einverständnis mit seinen Wün=
schen erstrebt hatte. — Als man nun bei jenem Besuch Bern=
haris durch Hilduin diesem den Folkwin empfohlen hätte,
da habe Hilduin dem Kranken und dessen Leuten in Gegen=
wart des Grafen (von Worms) die Zusage gemacht, daß
Folkwin und kein anderer Bernharis Nachfolger werden
sollte.¹) Trotzdem glaubte aber nun der sterbende Bernhari
doch auch noch die Unterstützung Einhards — nicht ohne
Grund mag sie ihm als verlässiger erschienen sein als die
Zusage Hilduins! — anrufen zu sollen. Gleichzeitig mit
dieser Bitte übersandte er Einhard und diesem nahestehen=
den Leuten einige Gaben als Erinnerungszeichen. Die
Brüder vom St. Servatiuskloster in Maastricht, dem Ein=
hard als Laienabt vorstand, sollten ein Pallium erhalten
mit der Bestimmung, daß sie des toten Bernhari im Gebete
gedenken möchten. Einhard selbst aber bekam Bernharis
Maultier geschenkt; zur Ausführung und Verwirklichung
dieser seiner letztwilligen Wünsche bestellt Bernhari noch
besonders Einhards Gemahlin Imma.

Einhard hat sich gewiß der Sache Bernharis pflicht=
getreu angenommen und hat sicherlich beim Kaiser und bei
Erzkaplan Hilduin darauf gedrungen, daß der ihm so warm
empfohlene Folkwin auch wirklich der Nachfolger Bernharis
würde. Und auch in zahlreichen anderen Fällen hat Ein=
hard mit Klugheit und mit Erfolg eingegriffen: so hören wir
von einer Ehedispens, welche Einhard einem Grafen P o p =
p o erwirkt hatte; er ist in diesem Falle selbstlos genug, um
bei der Mitteilung des Erfolges seiner Fürbitte von Poppo
nichts anderes als dessen Freundschaft als Gegenleistung zu
verlangen.

In den Jahren, da Einhard bereits von seinem Amte
als Leiter der Aachener Kunstwerkstätten und der dortigen

---

¹) Soweit scheint mir der allerdings dunkle Sinn des Briefes
(f. Hampe in den M. G. Ep. V 110 A. 5) klar zu sein.

Kunstgewerbeschule zurückgetreten war, legte er bei seinem
Amtsnachfolger Gerward[1]) ein gutes Wort ein für einen
j u n g e n M a l e r , den er als „ergebenen Jünger" Ger=
wards bezeichnet; Gerward sollte sich für den jungen Künstler
auch beim Kaiser verwenden, wenn sich eine passende Gele=
genheit hierzu ergeben würde, auf daß er nicht durch die
Mißgunst von irgendwelchen Menschen — „ich brauche euch
nicht zu sagen, wer die sind, welche er in dieser Beziehung
fürchtet, da sie mir und euch in gleicher Weise bekannt sind,"
fügt Einhard mit geheimnisvoller Miene bei — das Lehn
verlieren würde, das er durch treuen Dienst bei seinem
Herrn sich erworben habe. Und so bittet denn Einhard den
Vorstand der Aachener Kunstgewerbeschule nach Möglich=
keit dem jungen Künstler zu helfen.

Allem Anschein nach — Michael Tangl hat dies in
einem scharfsinnigen Aufsatz[2]) gezeigt — hat Einhard auch
in eine Angelegenheit vermittelnd eingegriffen, welche das
G e s c h i c k F u l d a s , seiner alten Erziehungsstätte, nahe
betraf: an die Stelle des friedlichen Lebens, das dort in
Einhards Jugendzeit, in den Tagen des Abtes Baugulf,
geherrscht hatte, waren jetzt schlimme Zerwürfnisse zwischen
dem neuen Abte namens Ratgar und seinen Mönchen ge=
treten; die Mönche mußten bittere Beschwerden über Ratgar
vorzubringen; er stelle so ungebührliche Forderungen an Ar=
beiten für Bauten, die er ausführen ließ. In dem jahrelan=
gen Kampfe, der zwischen Ratgar und den Fuldaer Mönchen
geführt ward, hatten sich die Bande der klösterlichen Zucht so
stark gelockert, daß schließlich nicht bloß der Abt abgesetzt
wurde, sondern daß auch westfränkische Mönche aus der

---

[1]) Dieser, nicht der Pfalzgraf Geboin ist m. E. als der Adressat
des Briefes Nr. 18 (in der Ausgabe von Hampe in den M. G. Ep.
V 119) zu betrachten; s. Buchner, Einhard als Künstler 47.

[2]) Die Urkunde Ludwigs d. Fr. für Fulda, im Neuen Archiv
XXVII (1901) 25, 31 f.

Schule des hl. Benedikt von Aniane zur Reform Fuldas
herbeigerufen werden mußten. Da mag denn, wie Tangl
vermutet, unser Einhard als gründlicher Kenner der Zu=
stände, wie sie in Fulda in der „guten, alten Zeit" geherrscht
hatten, sowohl seitens des jungen Kaisers wie auch seitens
der Fuldaer Mönche herangezogen worden sein, um den un=
erfreulichen Verhältnissen in Fulda ein Ende zu machen; so
erklärt es sich wohl, daß Einhard in einer auf diese Dinge
bezüglichen kaiserlichen Urkunde vermutlich vom Jahre 817
als Intervenient, als Vermittler, erscheint.

Bei aller Bescheidenheit, die Einhard zeit seines Le=
bens eigen war, war er sich doch wohl auch dessen bewußt,
was sein Wort am Hofe des Kaisers zu bedeuten hatte; das
kommt in seinen Briefen an manchen Stellen zum Ausdruck.
Und auch das zeigt sich in seiner Korrespondenz, daß er —
wenn ich es so nennen darf — genug „Geschäftssinn" besaß,
um aus seinem Einfluß und aus der Macht seiner Für=
sprache am Hofe für andere gelegentlich selber ein bißchen
Gewinn zu ziehen. So ist es sehr köstlich zu lesen, wie
Einhard einen seiner Bekannten bittet sein Ersuchen zu er=
füllen, und wie er dieser Bitte durch die Worte: „auf daß
auch du uns immer dir um so bereitwilliger und um so mehr
bestrebt deinen Willen zu erfüllen, finden mögest", einen
stärkeren Nachdruck zu geben sucht.

Der Kreis der Bekannten und Freunde,
welche sich Einhard durch seinen langjährigen Aufenthalt am
Hofe erworben hatte, dehnte sich weit aus. Da waren es
vor allem die Angehörigen des Kaiserhauses selbst, mit
denen er wenigstens teilweise in vertrautem Umgang
stand; durch seine Erziehung stand Einhard in den
Tagen Kaiser Ludwigs der damaligen Karlinger=
generation — Karl hinterließ neben Ludwig, dem
einzigen ehelichen Sohn, der ihn überlebte, auch eine Mehr=
zahl außerehelicher Kinder — nahe, nicht zuletzt wohl

Drogo, der im Jahre 823 den Bischofsstuhl von Metz
bestieg. Aber auch mit der ersten Gemahlin Kaiser Ludwigs,
der schon bald verstorbenen Kaiserin Irmingard, sowie mit
der schönen Judith, der zweiten Gattin des Kaisers, des=
gleichen auch mit dessen Söhnen wird Einhard nicht selten
zusammengetroffen sein. Namentlich der Erstgeborene Lud=
wigs, Lothar, ward der besonderen Fürsorge Einhards an=
vertraut: in einem Briefe, den Einhard im Jahre 830 in
kritischer Stunde an Lothar geschrieben hat, nimmt er auf
seine ehemalige Mission als Mentor Lothars Bezug und
erinnert den jungen Fürsten daran, wie dessen Vater im
Jahre 817 ihn (Einhard) beauftragt habe, sich um die Er=
ziehung und Charakterbildung seines ältesten, gerade damals
zum Mitregenten erhobenen Sohnes anzunehmen; aber frei=
lich waren Einhards Bestrebungen, wie er in jenen Zeilen
vom Jahre 830 schrieb, nicht von dem gewünschten Erfolg
begleitet gewesen, wenn es auch ihm selber nicht an gutem
Willen gefehlt habe. Wie es scheint, lassen Einhards wohl=
abgewogene Worte es dahingestellt, ob dieser Mißerfolg
ihm, dem Lehrer, oder etwa — seinem hohen Zögling, oder
vielleicht auch den äußeren Verhältnissen, durch welche dieser
schon bald dem Einfluß Einhards entrückt worden sein
dürfte, zuzuschreiben ist. Jedenfalls aber hatte Einhard in
seiner Tätigkeit als Erzieher des Kaisersohnes nicht allzu
viel Erfolg aufzuweisen.

Eine Anzahl von Hofwürdenträgern und Reichsbeam=
ten, von Bischöfen und Äbten gehörte gleichfalls zu Ein=
hards engerem und weiterem Freundeskreis. Auch in dieser
Hinsicht ist sein Briefwechsel recht aufschlußreich, da er uns
eine Reihe von hervorragenden Persönlichkeiten als Be=
kannte und Vertraute Einhards verrät. Manch berühmte
Namen sind darunter, wie etwa der des Abtes Hrabanus
Maurus von Fulda, des „praeceptor Germaniae", der
schon als Knabe gleich dem nur wenig älteren Einhard die

Fuldaer Klosterschule besucht hatte, und den daher auch schon
alte Freundschaftsbande mit Einhard verknüpft haben werden; oder der des Servatus Lupus, des durch seine Gelehrsamkeit hochberühmten jüngeren Zeitgenossen Einhards, von
dessen Beziehungen zu letzterem noch die Rede sein wird.
Auch der schon erwähnte Amalar von Metz, der als Liturgiker einen Namen von gutem Klang hat, gehört hierher.
Ebenso auch Ansegis von Fontanelle, der nicht bloß auf dem
Gebiete der bildenden Kunst als Meister der Aachener Werkstätten unter der Oberleitung Einhards sich verdient gemacht
hat, sondern der durch die Abfassung seiner Kapitularien-
sammlung auch in der Geschichte der Rechtswissenschaft erwähnenswert ist. Auch mit manchen „Ausländern", nicht
zuletzt mit mehreren Griechen, die als Gesandte des byzanti-
nischen Kaisers an den fränkischen Hof gekommen waren,
wird Einhard bekannt geworden sein; er selbst erzählt uns
einmal von seinen Beziehungen zu dem Abte Georg von
St. Salvius bei Valenciennes und fügt, auf diese Bekanntschaft fast ein wenig stolz, dem die Bemerkung bei, daß dies
jener Georgios von Venedig sei, der — es war im Jahre 826
gewesen — zu Kaiser Ludwig gekommen sei und dann hier
in der Aachener Pfalz eine Orgel, die man in griechischer
Sprache als „Hydraulica" bezeichne, in kunstvoller Weise
konstruiert habe.

Einhard wird auch an den meisten Empfängen
fremder Gesandter, die bei seinem Kaiser von nah
und fern eintrafen, persönlich teilgenommen haben. Wie oft
mag sich da Einhards Künstlerauge an den malerischen
Trachten erfreut haben, welche jene aus aller Herren Länder
kommenden Gesandten trugen: da sah er den Sarazenen-
häuptling, der aus Spaniens heißen Fluren über die Pyrenäen an den Hof des mächtigen Frankenherrschers gekommen
war, angetan mit seinem farbensatten Turban, die mit Edelsteinen verzierte Waffe in der Hand, sah sächsische Edelinge

im langen Linnengewande, sah Grafen aus den Gauen des alten Langobardenreiches, bekleidet mit einem kurzen, mit Pfauenfedern besetzten Purpurmantel, sah Avarenkrieger mit ihren charakteristischen, geflochtenen Haarschöpfen, sah die stolzen, aufgeblähten Würdenträger aus der Stadt am Bosporus, sah die Abgesandten des gewaltigen Herrschers der Perser und sah die dunkeln Mauren[1]). Gewiß hat sich auch Einhard über die lustigen Streiche der drolligen Äfflein und nicht weniger über den ungeschlachten Elephanten gefreut, den schon zu Zeiten Kaiser Karls der Kalif von Bagdad, Harun al Raschid, der sagenberühmte, geschickt hatte. Ganz besonders aber wird sein Interesse jene Wasseruhr aus Metall erregt haben, die einen Zeiger aufwies, und auf welcher der Wechsel der Stunden durch kleine Kugeln festzustellen war, die klingend auf eine Metallplatte fielen, sowie durch Reiter, die an Türen, die sich von selbst öffneten, erschienen. Wie wird solch ein Kunstwerk, das Zeugnis gab von der weit fortgeschrittenen Mechanik der Araber, Einhards Staunen erregt haben! Und wie wird er über den Mechanismus nachgesonnen haben, der einem solchen Werke eigen war!

Nur selten wird Einhard bei wichtigen p o l i t i s c h e n Z u s a m m e n k ü n f t e n und auf R e i c h s t a g e n , auf denen es schwerwiegende Entschlüsse zu fassen galt, gefehlt haben. Wahrscheinlich war Einhard auch Augenzeuge jener Begegnung von Kaiser und Papst, die in den Oktobertagen des Jahres 816 in Reims stattfand; mit glänzendem Gepränge war Papst Stephan IV. damals über die Alpen gekommen und hatte von Rom auch einen goldenen, edelsteinbesetzten Stirnreif mitgebracht, in dem man die Krone Kaiser Konstantins sehen wollte; mit ihr krönte damals in der Marienkirche zu Reims der Papst den Kaiser. Auch wichtige Abmachungen, welche das Verhältnis von Kaiser-

---

[1]) S. die anschauliche Schilderung bei G. Freytag, Aus dem Mittelalter (Leipzig 1867) 343.

tum und Papsttum betrafen, wurden damals in Reims ge=
troffen;[1]) auch Einhard dürfte in sie eingeweiht worden
sein. — Vermutlich hat er auch beim Erlaß des wichtigen
Reichserbfolgegesetzes mitgewirkt, das auf dem Aachener
Reichstage im Jahre 817 erging, und das die Nachfolge
im Reiche Ludwigs d. Fr. unter grundsätzlicher Wah=
rung der Reichseinheit regelte. Auch der Reichsversamm=
lung zu Attigny, die im August 822 abgehalten ward, und
dem Bußakte, welchem sich daselbst Ludwig d. Fr. unterzog,
um die Blendung seines Neffen Bernhard von Italien und
das gewalttätige Vorgehen gegen seine unschuldigen Stief=
brüder und Verwandten zu sühnen, mag Einhard persönlich
beigewohnt haben. Kurze Zeit vorher gehörte er wohl auch
einem Rate von Großen an, der in Quierzy tagte; denn eine
in jenen Tagen ergangene kaiserliche Urkunde, welche einen
Tauschvertrag über Güter des Klosters Weißenburg betraf,
ist auch von Einhard unterzeichnet.[2])

Es war gewiß mehr als eine hohle Phrase, wenn
Ludwig d. Fr. in einer urkundlichen Schenkung für Einhard
vom Jahre 815 sagte, daß dieser durch seinen t r e u e n
D i e n s t wie auch durch seinen ergebenen Gehorsam sich um
ihn, den Kaiser, gar wohl verdient gemacht und bisher all
seine Kraft dem Kaiser gewidmet und dessen Aufträge gar
getreulich zu erfüllen gesucht habe; in der Tat hat Einhard,

---

[1]) Damals entstand, wie sich mir bei meinen langjährigen
Forschungen über diese Probleme ergab, die berühmte Fiktion der
sog. Konstantinischen Schenkung (Constitutum Constantini); die=
selbe wurde nicht in Rom, sondern im Frankenreiche hergestellt,
wie diese Annahme schon von verschiedenen Forschern, namentlich
von Grauert, vertreten worden ist. Sie diente aber nicht bloß
den kaiserlichen, sondern auch den päpstlichen Interessen. Auf
kaiserlicher Seite scheint namentlich der Kanzler Ludwigs d. Fr.
Helisachar am Entwurf der Fiktion mitgewirkt zu haben.

[2]) B. Simson, Jahrbücher des fränkischen Reiches unter
Ludwig dem Frommen I (Leipzig 1874) 157 f.

wie wir schon aus dem Gesagten erkennen und wie uns spätere Abschnitte noch neuerdings zeigen werden. Jahrzehnte hindurch dem karlingischen Kaiserhaus so gedient, wie dies nur immer ein pflichtgetreuer und tüchtiger Beamter vermochte. Es war nicht mehr als billig, daß die Gnade des Kaisers diese langjährigen Dienste Einhard gebührend entlohnte. Und das sollte denn auch geschehen. Hören wir des näheren davon!

X.

Der Laienabt.

Vermutlich der Gnade seines Herrschers verdankte es Einhard, wenn er, der Laie, in den Besitz einer Mehrzahl von Abteien und Kirchen kam und als Laienabt an deren Spitze trat.

Das Institut der Laienäbte, auch Abtgrafen (abbacomites) genannt, war im fränkischen Reiche eine alt= eingewurzelte Erscheinung oder vielmehr, wie man es rich= tiger nennen muß, eine alteingewurzelte Unsitte. Die Not, unter welcher das Frankenreich z. Z. des Großvaters Karls d. Gr., Karls des Hammers (Martells), des Arabersiegers von Poitiers, gelitten hatte, hatte diesen veranlaßt, in aus= gedehntem Maße die reichen Kirchengüter zu staatlichen Zwecken heranzuziehen, sie gewissermaßen als das Kapital zu betrachten, mit dessen Zinsen man Männer entlohnte, die dem Reiche ihren Dienst im Kampfe gegen die Ungläubigen wie auch im Frieden geweiht hatten. Auch seitens Karls d. Gr. wurde über das Kirchengut oft selbständig verfügt, wurden Kirchengüter als Lehn an die Getreuen des Herr= schers vergeben. Die reichen Erträgnisse einzelner Klöster bildeten gewissermaßen den Gehalt oder auch die Pension für Männer, die sich um Fürst und Volk verdient gemacht hatten. Die Ausstattung hervorragender Persönlichkeiten mit einem oder mit mehreren Klöstern war damals durchaus keine seltene Erscheinung. Wie der heutige Staatsbeamte allmählich in eine höhere Gehaltsklasse vorrückt, je älter er

wird, in ähnlicher Weise konnten im neunten Jahrhundert
die „Dienstjahre" eines Würdenträgers und die Anerken=
nung seiner Verdienste dadurch zum Ausdruck kommen, daß
ihm seitens seines Herrschers immer reichere Abteien zuge=
wiesen wurden oder auch dadurch, daß er zu seinem bereits
erworbenen Kloster noch weitere hinzu erhielt; denn von den
Einkünften dieser Abteien hatte natürlich vor allem sein
Haupt Gewinn, der Abt des Klosters, auch wenn er selbst
kein Mönch, sondern nur Laie war und somit die geistlichen
Amtsobliegenheiten nicht selber verrichten konnte, sondern
sie einem Stellvertreter übertragen mußte. — Auch Ein=
hard hat im Laufe der Jahre eine Reihe von Abteien
als Laienabt zugewiesen erhalten. Zu Maastricht,
also nur einige Meilen von seinem regelmäßigen Aufent=
haltsort Aachen entfernt, besaß er das Kloster St. Serva=
tius. In Gent, wo der Lys sich in die Wasser der
Schelde ergießt, lag eine weitere ihm gehörige Abtei: die
des hl. Bavo; in der Nähe dieser Stadt hatte er das Peters=
und Paulskloster in Blandigny; auch in der Umgebung
von Paris besaß Einhard vielleicht ein Kloster: St.
Cloud; i. J. 816 erhielt er auch die berühmte Abtei St.
Wandrille (Fontanelle) unfern der Mündung der
Seine, die er freilich schon einige Jahre nachher (823) seinem
getreuen Gehilfen am Aachener Hofe, Ansegis, überließ; daß
Einhard auch in Pavia eine Kirche besaß, habe ich schon
erwähnt.

Neben diesen Klöstern hatte Einhard auch eine Mehr=
zahl von Gutsherrschaften, von Eigengütern und
Lehn inne, wie gleich in diesem Zusammenhang erwähnt
sein mag. Auf seine große Gutsherrschaft in Steinbach=
Michelstadt und ebenso auf sein Hofgut in Obermulinheim
(Seligenstadt a. M.) wie auf sein Besitztum im Ahrtal zu
Lohrsdorf werde ich noch zurückkommen; hier sei noch das
Lehn erwähnt, das er zu Fritzlar in Hessen innehatte.

Einhards Stellung als Laienabt bedeu=
tete für ihn durchaus keine Sinekure; denn wenn er auch
die erwähnten Klöster vor allem zu dem Zwecke überwiesen
erhielt, um durch ihre Erträgnisse seine Renten zu steigern,
so gab es doch auch in jedem der ihm unterstellten Klöster
für ihn genug zu sorgen und zu schaffen. Reisen
waren zu unternehmen; denn hier wie dort schien oft der
persönliche Aufenthalt des Abtes erforderlich zu sein. Bald
begegnet uns daher auch Einhard in seinem Kloster zu
Maastricht, bald in St. Bavo in Gent; namentlich hier
scheint er sich öfters aufgehalten zu haben; dann wieder hat
er in Quierzy bei Noyon zu tun und vollzieht hier ein
Tauschgeschäft mit dem Bischof Bernhari von Worms. Ein
andermal treffen wir ihn in dem bei Paris gelegenen
Nonnenkloster Argenteuil, um hier — vermutlich im Inter=
esse seines Klosters St. Cloud — einen Gütertausch abzu=
schließen mit Theodora, der Äbtissin von Argenteuil, die
eine Tochter Karls d. Gr. war und nun hinter den Kloster=
mauern von Argenteuil nach den lebenslustigen Tagen am
Aachener Hofe ihre Wirksamkeit entfaltete.

Vor allem galt es für Einhard als Laienabt sich von
der staatlichen Gewalt, von seinem Kaiser, die Rechte und
Besitzungen seiner Klöster verbriefen zu lassen; das hat er
denn auch getan. So ließ er sich am 2. Juni 815 von
Ludwig d. Fr. eine Urkunde ausstellen, durch welche Kaiser
Ludwig dem Kloster Blandigny im Gau Tournai auf
Bitten seines Abtes Einhard und auf Grund der dem
Kaiser vorgewiesenen Vorurkunde Karls d. Gr. Immunität
mit Königsschutz bestätigte. Ebenso wurde am 13. April
819 durch Ludwig d. Fr. auf Bitten Einhards und unter
Vorlegung einer entsprechenden Vorurkunde Kaiser Karls
dem Kloster St. Bavo zu Gent dieses Vorrecht der Im=
munität mit Königsschutz gewährt. Durch solche Privilegien
verzichtete der Kaiser zu Gunsten Einhards und seiner

Klöster auf die Geltendmachung seiner richterlichen und finanziellen Autorität über die Bewohner und Gebiete, welche zu den als immun erklärten Abteien gehörten; die Leistungen der Bewohner des „gefreiten" Gebietes konnte nun Einhard in seiner Eigenschaft als Abt des betreffenden Klosters und als „Immunitätsherr" beanspruchen; in seinen „gefreiten" Gebieten hatte der öffentliche Beamte keine Amtshandlungen vorzunehmen.

Freilich: ohne alle Verpflichtung gegenüber der staat= lichen Gewalt waren die Angehörigen der immunen Gebiete keineswegs, und Einhard kam manchmal in die Lage seine Leute gegenüber der Staatsgewalt und gegenüber ihren Vertretern in Schutz nehmen zu müssen; so besitzen wir ein Schreiben, das er an einen Stellvertreter des Herrschers, einen Königsboten, richtete; in diesen Zeilen erhob er Ein= spruch gegen die Forderung des sog. „Heerbanngeldes" von Leuten, die zu seinen Abteien (in Gent und Blandigny) ge= hörten und die einen Feldzug nicht mitgemacht hatten, an dem sie nach der Auffassung jenes Vertreters der Staats= gewalt hätten teilnehmen müssen; um dieses Versäumnisses willen sollten sie eben jenes Heerbanngeld erlegen; dieser Anschauung gegenüber macht aber Einhard in jenem Schrei= ben geltend, daß seine Leute ihre Kriegsdienstpflicht in der schuldigen Weise erfüllt hätten, da sie ja statt ihrer Teil= nahme am Heerzuge Küstenwacht gehalten hätten; es möchte also der Adressat seines Briefes — jener Königsbote, an den er seine Zeilen richtete — die Erledigung der Angelegenheit wenigstens bis zur Rückkehr des Kaisers aufschieben; Ein= hard werde dann dem Kaiser den Fall vortragen und Lud= wig selbst solle die Entscheidung treffen.

Überhaupt lag Einhard die S o r g e   f ü r   d i e   A n g e = h ö r i g e n   s e i n e r   A b t e i e n, für die „familia" seiner Klöster, sehr am Herzen. — Unter den Schriftstücken, welche einiges Licht auf sein Wirken als Laienabt werfen, ist u. a.

auch eine Urkunde[1]) von Interesse, welche die Freilassung eines
Hörigen Einhards zum Inhalt hat. In seiner Eigenschaft
als Abt von St. Servatius erklärt hier Einhard einen Unfreien dieser Kirche namens Meginfrid als frei; und zwar
war der Grund dieser Freilassung die Tatsache, daß Meginfrid von der Kirchengemeinde einmütig zur geistlichen Weihe
bestimmt worden war; nun durfte diese aber nur ein Freier
erhalten. Deshalb erklärte Einhard in seierlicher Weise, in
Anwesenheit von Priestern und Adeligen den Meginfrid
auf Grund von kirchlichen und kaiserlichen Bestimmungen
als einen „civis Romanus". Vor dem Altar der Kirche
von St. Servatius fand dieser seierliche Akt der Freilassung (manumissio) statt; kraft der Urkunde, welche Einhard darüber ausstellte, sollte der ehemalige Unfreie von
allen Banden der Knechtschaft frei sein und dieselben Rechte
besitzen, wie wenn er von freien Eltern abstammte. Keinen
Knechtsdienst sollte er hinfort mehr zu leisten haben, sondern
sein ganzes Leben lang auf Grund der an ihm vorgenommenen Freilassung und der ihm gewährten Freiheit gleich allen
andern „römischen Bürgern" frei und sicher sein, wie er
auch in vermögensrechtlicher Hinsicht die Zusicherung erhielt,
er sollte über sein derzeitiges wie über sein künftiges Vermögen nach den kanonischen Bestimmungen frei verfügen
dürsen.

Die Personen, welche zu einem Kloster gehörten, bildeten infolge ihrer gemeinschaftlichen Lebensführung in
w i r t s c h a f t l i c h e r H i n s i c h t zusammen eine große,
einheitliche Verbrauchswirtschaft; die Zahl der Münder, die

---

[1]) Nach Teulet, Oeuvres complètes d' Éginhard II 419 Anm. 2
besteht kein begründetes Bedenken gegen die Echtheit dieser Urkunde. Über Freilassungsformen im fränkischen Reiche, die dem
römischen Rechte entlehnt waren und welche die Ausstellung einer
Urkunde zur Voraussetzung hatten, s. H. Brunner, Deutsche Rechts-
geschichte I 2. Aufl. (Leipzig 1906) 359 ff.

hier alltäglich zu stopfen waren, ging in den bedeutenderen fränkischen Abteien an die Hunderte. Die wirtschaftlichen Sorgen, welche auf dem Abte lasteten, waren also nicht gering. So mußte sich die Fürsorge des Abtes von Corbie täglich auch auf die Herstellung von 450 Broten erstrecken, und alljährlich wurden hier nicht weniger als 600 Schweine konsumiert.[1]) Freilich konnten sich die Klöster, die Einhard als Laienabt besaß, an Zahl der Mönche mit solchen altberühmten Abteien im Frankenreiche wie etwa mit St. Denis im Westen oder mit Fulda im Osten kaum messen. Gleichwohl gab es auch in Einhards Klöstern schon allein in wirtschaftlicher Hinsicht genug zu schaffen, da ja natürlich auch hier alle Güter, deren man innerhalb dieser Verbrauchswirtschaft bedurfte, nach Möglichkeit durch Eigenproduktion aus den Erträgnissen des klösterlichen Vermögens gewonnen werden sollten; die Fronhofswirtschaft war ja grundsätzlich Eigenwirtschaft. Die Bauern, welche in dieser oder jener Form zu der „familia" eines Klosters gehörten, mußten einen Teil ihrer landwirtschaftlichen Erträgnisse an den Grundherrn und an dessen Beamten, den „villicus", den Meier, abliefern. Beim Meier wurden also die Produkte von Feld und Flur, von Stall und Hof, Getreide, Wein, Honig, Lämmer, Schweine, Hühner, Gänse, Enten, Wolle u. s. f. gesammelt, um sodann von hier aus an den Herrenhof, bei Einhards Grundherrschaften somit in sein Aachener Häuschen, abgeführt zu werden und hier zum Verzehr zu gelangen. Aber auch aus der eigenen Gutswirtschaft, wie sie der Abt auf dem Grund und Boden seines Klosters betrieb, stammte ein Teil der Lebensmittel, die man brauchte. Um die Aufgaben, welche sich bei einer derartigen Gutswirtschaft ergaben, zu bewältigen, waren natürlich viele Hände nötig. Teils bestanden diese Arbeitskräfte aus ledi-

---

1) W. Sombart, Der moderne Kapitalismus I[2], München und Leipzig 1916 S. 63 ff.

gem Gesinde, teils aus verheirateten Gutstagelöhnern, welche
ihre Holzhäuschen neben dem Gutshofe hatten; daneben
waren auch die Bauern, welche als Pächter zur Gutsherrschaft gehörten, zu Arbeitsleistungen für den Gutsherrn
verpflichtet. Solche Arbeitsleistungen auf dem Gutshofe
waren immer in großer Zahl vonnöten: die Herstellung des
Brotes, des Bieres, des Käses, die Anfertigung der Gewebe aus Leinwand oder Wolle, das Walken der Tücher
auf den herrschaftlichen Walkmühlen, ihr Färben, die
Schneiderarbeiten, nicht minder die zur Fußbekleidung nötigen Verrichtungen, Gerberei und Schusterei — diese und
noch genug andere Arbeitsleistungen gehörten nun einmal
zum Alltagsleben in einem Kloster der damaligen Zeit; und
wieviele Dienstleistungen mußte erst ein Abt verlangen, der
etwa an den Neubau von Klostergebäuden, an die Errichtung
einer neuen Kirche, an den Bau klösterlicher Wohn- und
Wirtschaftsräume, oder auch nur an die Ausbesserung von
schadhaft gewordenen Baulichkeiten heranging! All diese
Sorgen blieben auch Einhard bei der Verwaltung und Leitung der ihm übertragenen Klöster nicht erspart.

Eine Reihe von Dokumenten erzählt uns von
derartigen Wirtschafts-sorgen Einhards
und überhaupt von den Beziehungen zu seinen Klöstern;
namentlich seine Briefe bieten reiches Material hierfür.
So beauftragte Einhard gelegentlich seinen Priester Willibald den Zins, den er von den Leuten seiner Abteien St.
Bavo in Gent und im Peter- und Paulskloster zu Blandigny zu beanspruchen hatte, zu erheben; dabei sollte dem
Willibald der Priester Liuthard sowie Einhards Viztum
Erembert behilflich sein; an Liuthard und Erembert wendet
sich Einhard mit entsprechenden Weisungen — nicht ohne
ausdrücklich zu bemerken, daß der Zins in vollem Ertrag
und in gutem Silber erlegt werden solle; auch sollen die
beiden Genannten dem Priester Willibald dazu verhelfen,

daß er die einbezahlte Summe Einhard richtig überbringen
konnte. — Zinse, die an St. Servatius in Maaſtricht zu
zahlen ſind, werden auch in einem andern Briefe erwähnt,
den Einhard an einen Biſchof Jakob — vermutlich handelt
es ſich um einen Chorbiſchof von Langres — richtete: ein
Kleriker namens Otmar hatte Einhard ein Schreiben die=
ſes Kirchenfürſten überreicht; Einhard war darin gebeten
worden dem fraglichen Kleriker zu erlauben bei jenem
Prälaten zu verbleiben, nachdem er in deſſen Gebiete ja
auch gebürtig und hier aufgewachſen war. Einhard ant=
wortete darauf, er habe ſich den Fall wohl überlegt und er=
teile dem Erſuchen Jakobs ſeine Genehmigung: der fragliche
Kleriker ſolle alſo ſamt ſeinen Brüdern und ſamt ſeiner
Mutter bei Biſchof Jakob nach deſſen Wunſche bleiben
dürfen; alljährlich aber ſollen Otmar und die Seinen ihren
Zins nach St. Servatius zu bezahlen verpflichtet ſein, wie
dies von Einhards „Brüdern“, d. h. von den Mönchen von
St. Servatius, feſtgeſetzt worden ſei; hinſichtlich der Weihe
jenes Klerikers Otmar bemerkt Einhard, es ſolle die Ver=
fügung hierüber Jakob überlaſſen bleiben; denn er nur kenne
den Charakter Otmars und deſſen Verkehr und wiſſe, ob er
würdig zum Empfang der Weihe ſei. — Wieder ein anderes
Schreiben Einhards beſchäftigt ſich mit Wachszinſen: Ein=
hard teilt dem Adreſſaten dieſer Zeilen mit, daß er an ſeinem
derzeitigen Aufenthalt Wachs nötig habe, das er aber in
dieſer Gegend nicht erhalten könne; denn hier ſei der Ertrag
an Honig nur ſehr gering geweſen; deshalb ſolle der Adreſſat
zuſammen mit einem andern Getreuen Einhards überlegen
und Schritte zu Verhandlungen einleiten, wie man an ihn
(Einhard) durch ſeine Vaſallen, die nach der am 1. Ok=
tober ſtattfindenden Meſſe von St. Bavo in Gent zu ihm
heimkehren würden, eine Saumtierladung Wachs ſchicken
könne. — Auf ein anderes Schreiben, das ſich gleichfalls mit
Wirtſchaftsſorgen befaßt und das wegen ſeines ärgerlichen

Tones für die Psychologie Einhards besonders interessant
ist, werde ich später zurückkommen. Hier gedenke ich zunächst noch jenes Briefes Einhards, in dem dieser einen
seiner Bekannten beauftragt in seinem Namen einen gewissen Egmund[1]) (Egmunel) den Bescheid zu geben, er solle
für ihn (Einhard) 60 Stück viereckige Ziegel anfertigen;
dieselben sollten auf jeder Seite zwei Spannen lang
und vier Finger dick sein; und ebenso braucht Einhard
200 kleinere viereckige Ziegel, welche auf jeder Seite
1½ Spannen und vier Finger, in der Dicke aber drei Finger
messen sollen; interessant ist hierbei, daß die größeren von
Einhard bestellten Ziegeln hinsichtlich ihrer Maße genau
den bei römischen Bauten vorkommenden Ziegeln entsprechen und daß auch die Maße des kleineren Ziegel-For-
mates römischem Vorbild nachgeahmt zu sein scheinen.[2])
In demselben Brief teilt Einhard dem Adressaten mit, er
habe ihm durch seinen Boten einen Pflanzensamen geschickt,
den der Empfänger anbauen solle und der zu einem großen
Kraute aufgehen werde.

Die Wirksamkeit Einhards in seinen
Klöstern war in kultureller Hinsicht sicher
segensreich. Die Mönche von St. Bavo in Gent und von
St. Peter und Paul in Blandigny besaßen eine Reihe von
Gütern, die im Gebiete von Gent und Brabant zerstreut
lagen; noch waren hier manche Strecken mit Waldungen
und mit Sumpfgebieten, überhaupt mit unkultiviertem Boden bedeckt. — gerade hier ist ja in der Folgezeit durch Kul-
tivierung des Moor- und Sumpfbodens viel geleistet worden; und von hier aus wurde in späteren Jahrhunderten von

---

[1]) S. zum Namen Hampe in den Mon. Germ. Ep. V 139
Nr. 159; vgl. Kurze, Einhard 46 f.

[2]) S. F. Schneider, Über die Gründung Einhart's zu Seligenstadt, in den Annalen des Vereins für nassauische Geschichtsforschung und Altertumskunde XIII 296 f; Hampe a. a. O. 139 Nr. 1.

Holländern und Flämingern diese segensreiche Kulturarbeit
in unverdrossener Tätigkeit in die Elblandschaften und bis
tief in den Osten hinein vorgetragen.[1] Der Name
„Eynaerdstriest", der unter den Besitzungen von St. Bavo
als Bezeichnung einer großen Gemeindewiese, die ehedem
Wildland gewesen zu sein scheint, begegnet, weist noch auf
Einhards Tätigkeit in diesem Gebiete hin. Namentlich
wegen der Handelsbeziehungen zwischen dem östlichen Fran=
ken, Flandern und England waren diese Länder, von wich=
tigen Wasserstraßen durchzogen, von Bedeutung; die Nieder=
lande und ebenso ein großer Teil des nordöstlichen Frank=
reich wiesen schon in der Karlingerzeit einen stark entwickel=
ten Handel auf. Gerade Gent und Maastricht, wo Einhard
Klöster hatte, waren neben Antwerpen bedeutende Emporen
des aufblühenden Handels; in den flandrischen und fries=
schen Gebieten gab es schon früher eine einheimische In=
dustrie; denn die Bewohner dieser Gebiete fertigten weit
über ihre persönlichen Bedürfnisse hinaus aus der Wolle
ihrer Schafherden feine Gespinste und Gewebe, so daß die
friesische Tuchindustrie bald zu blühen begann. Auf den
großen Wasserstraßen des Rheins, der Schelde und der
Maas sowie auf den Verkehrslinien zu Lande wurden diese
Erzeugnisse in die verschiedenen Teile des Reiches geführt;
auch Einhard ist so manches Mal in diesen Gegenden dahin=
gereist, so, als er, wie wir noch hören werden, i. J. 830 in
schwer leidendem Zustand, von Milz= und Nierenschmerzen
gequält, von Maastricht über Valenciennes nach Gent zog,
um dann von hier aus auf dem Wasserweg über Frankfurt
nach Obermulinheim (Seligenstadt) am Main zu fahren[2].

---

[1] S. G. Freytag, Bilder aus der deutschen Vergangenheit
III (Leipzig 1867) 46.

[2] Vgl. H. Pirenne, Geschichte Belgiens I (Gotha 1899) 31;
Dopsch, Wirtschaftsentwicklung der Karolingerzeit II 117; W. Mat=
thaei, Einhards Translatio SS. Marcellini et Petri in kulturgeschicht=
licher Beziehung I. Teil (Laubacher Programm, Grünberg 1848) 14.

Einhard hat auch die finanziellen und wirt=
schaftlichen Gerechtsame seiner Abteien
wohl zu wahren gesucht; ein Teil der Gebiete, welche zu den
einzelnen Klöstern Einhards gehörten, wurde von den
Mönchen selbst in Anbau genommen; diese erhielten von dem
Abte Ländereien als „terrae dominicatae" in Zinsleihe.

Nicht minder als auf die weltlichen Interessen seiner
Klöster war Einhard aber auch auf die Blüte des
kirchlichen Lebens daselbst bedacht; das Seelenheil
der Angehörigen seiner Klöster hat er sicher nicht vernach=
lässigt und gewiß oft und oft die goldenen Worte gelesen,
die in St. Benedikts Ordensregel über die von einem wah=
ren und guten Abt erforderlichen Eigenschaften geschrieben
standen. Gar eindringlich werden zu Einhards Seele jene
ernsten Sätze des Heiligen gesprochen haben, welche von den
hohen Pflichten und der großen Verantwortung eines
rechten Abtes handelten: „Sein Befehl und seine Lehre
dringe als ein Sauerteig der göttlichen Gerechtigkeit in die
Herzen der Jünger. Immer bedenke der Abt, daß im furcht=
baren Gerichte Gottes seine Lehre und seiner Schüler
Gehorsam untersucht wird. Der Abt wisse, daß die Schuld
den Hirten trifft, wenn der Hausvater an den Schafen zu
wenig Nutzen findet.")

Von den Klöstern, die Einhard besaß, reformierte
er das Peters= und Paulskloster in Blan=
digny gründlich; aus gänzlicher Verlassenheit brachte er
es zu neuer Blüte und überwies ihm Besitzungen, welche
zum Leben von 24 Mönchen genügten. Das Andenken,
das hier Einhard hinterließ, war gesegnet: aus einer Grün=
dungsgeschichte von Blandigny aus dem zehnten Jahrhun=
dert ersieht man, daß man die Verdienste Einhards um das
Kloster auch in dieser Zeit hier noch nicht vergessen hatte.

---

1) Bühler, Klosterleben 13.

Rühmt doch der Autor dieses Werkes von ihm, er sei gleich jenem Zorobabel des Alten Testamentes, der nach der babylonischen Verbannung das alte Heiligtum zu Jerusalem wiederhergestellt hat, darauf bedacht gewesen, das Kloster Blandigny aus der völligen Veröhung, in welche es ver=fallen war, zu erheben. Und in einem andern Kloster, das Einhard als Laienabt besaß, in St. Wandrille, ist er später geradezu als Heiliger verehrt worden, wie ja auch zwei andere hohe Hofwürdenträger an Karls Hof in den Klöstern, in denen sie geschaltet hatten, der Nachwelt als Heilige gelten sollten: auch Alkuin wurde zu Tours als Heiliger verehrt und sein Gedächtnistag am 19. Mai ge=feiert, während man zu St. Riquier am 18. Februar Angil=bert, den Hofpoeten und Abt dieses Klosters, als Heiligen feierte. Einhards Gedächtnistag aber wurde am 18. Mai in St. Wandrille begangen.')

Gerade durch seine Fürsorge für die ihm unterstellten Klöster scheint Einhard selber innerlich dem religiösen und klösterlichen Leben immer näher gekommen zu sein. Manch=mal mag ihn, den Laienabt, die Mahnung des hl. Benedikt: es solle ein Abt nicht durch die Hingabe an vergängliche, irdische und hinfällige Dinge zur Sorglosigket und Gering=schätzung des Heiles der ihm anvertrauten Seelen verleitet werden, sondern immer bedenken, daß er Seelen zu leiten auf sich genommen habe und über sie einst werde Rechen=schaft ablegen müssen,²) bedrückt und mehr und mehr ver=anlaßt haben sich selbst dem Mönchsstande zu=zuwenden. Entscheidend hierfür wurde freilich erst seine Besitzung in Michelstadt bzw. in Seligenstadt und die Über=führung römischer Reliquien dorthin.

---

¹) S. Beissel, Verehrung 39.
²) Bühler, Klosterleben 15.

Aus Einhards Briefen.

Wir besitzen für das Privatleben des alternden Ein=
hard eine hoch zu schätzende Quelle in Gestalt einer Samm=
lung zahlreicher von ihm vornehmlich zwischen 825 und 836
geschriebener Briefe. Diese **Briefsammlung** ist uns
durch eine einzige Handschrift überliefert,
welche noch am Ende des neunten Jahrhunderts entstanden
ist und die sich bis in das erste Drittel des 19. Jahrhunderts
in Laon befunden hatte; auf 13 Blättern dieser Handschrift
stehen jene Schriftstücke mit der einfachen Überschrift:
„Libellus epistolarum" — „**Briefbüchlein**"; daß uns
dieses „Briefbüchlein" gerade Einhards Briefe überliefert,
sagt uns zunächst keine Angabe.

Den erwähnten Kodex hatte in Laon zuerst ein gelehr=
ter französischer Jesuit, Jaques Sirmond mit Namen, im
ersten Viertel des 17. Jahrhunderts benützt, während ihn
dann ungefähr zwei Jahrhunderte später ein deutscher For=
scher, Georg Heinrich Pertz, heranzog. Kurz darauf kam
die Handschrift in die königliche Bibliothek in Paris. Noch
heute befindet sie sich dort und trägt unter den Handschriften=
schätzen der Pariser Nationalbibliothek die Signatur „codex
Parisiensis Latinus 11379". Der Herausgeber der Ge=
samtwerke Einhards, Alexander Teulet,[1] hat sie 1840 zu
seiner Edition benützt, und ebenso haben auch deutsche Ge=
lehrte wie Philipp Jaffé, Karl Rodenberg, der sie nach

---

[1] Oeuvres complètes d' Éginhard I S. LXXI.

Berlin geschickt bekam, Karl Zeumer und vor nicht allzu langer Zeit Karl Hampe diese Handschrift studiert und kolla= tioniert.[1])

Auf den über tausend Jahre alten Kodex, der auf jenen 13 Blättern unser Briefbüchlein überliefert, hat also schon mehr als e i n gelehrtes Augenpaar geblickt. Die Hand= schrift befindet sich heute in einem sehr schlimmen Zustand: die 13 Blätter, auf denen jene Briefe stehen, sind im Laufe der Zeit zerrissen worden und die Schriftzüge sind zum Teil schon halb oder sogar ganz erloschen; vieles wurde durch die Reparatur beschädigt, welche man in Paris vorgenommen hat, um der weiteren Zerstörung der Handschrift Einhalt zu tun. Aber all das wäre noch nicht einmal so schlimm: was die Forschung besonders zu erschweren scheint und was doch wieder den Forscher um so mehr anreizt und anzieht, das ist die Tatsache, daß fast alle Eigennamen, welche einst in den Originalen der Briefe vorgekommen waren, in unserer Hand= schrift nur mit ihrem Anfangsbuchstaben angedeutet sind; so liest man statt des Namens „Einhartus" stets nur den Buchstaben „E."; und wenn hinter diesem Buchstaben noch ein „p." steht, so will das besagen „Einhartus peccator", d. h. „der Sünder Einhard", wie sich Einhard in allzu großer Bescheidenheit, die nun einmal nicht bloß ihm selbst eigen, sondern auch in seiner Zeit gang und gäbe war, zu nennen pflegte. Fast noch schlimmer ist es, daß uns gar keine Daten für die einzelnen Briefe überkommen sind, daß wir also nicht von vornherein wissen, wann sie geschrie= ben sind.

Warum der Schreiber jener Laoner Handschrift in der angedeuteten Weise verfuhr? Ganz gewiß nicht, um der späteren Forschung Schwierigkeiten zu machen und ihr das Rätsel aufzugeben, wie denn alle die Persönlichkeiten hießen,

---

[1]) S. über all das K. Hampe in den Mon. Germ. Ep. V 105 ff.

die er nur mit einem E. oder B. oder F. oder sonstwie an=
deutete. Vielmehr hat jener Schreiber in der Regel die
Eigennamen deshalb weggelassen, weil es für seine Zwecke
ziemlich gleichgültig war, wie die in den Briefen vorkom=
menden Persönlichkeiten hießen; ihn interessierte der Inhalt
der Briefe selber herzlich wenig; ihm kam es nicht darauf
an geschichtliches Material über Einhard und seine Zeit=
genossen zu sammeln und der Nachwelt zu überliefern. Was
er mit der Abschrift jener Briefe Einhards erreichen wollte,
war lediglich die Herstellung von Mustern und Vorbildern
für den Briefstil. Zu solchen Zwecken legte man sich schon
in früher Zeit derartige Formularsammlungen an, in welche
die Briefe schriftgewandter Persönlichkeiten unter Weg=
lassung aller Personen= und Ortsnamen oder vielmehr unter
Ersetzung dieser Namen durch unpersönliche Wendungen
oder Buchstaben aufgenommen zu werden pflegten. So ist
also der Teil der erwähnten Handschrift aus Laon, den jener
„Libellus epistolarum" bildet, entstanden.

Interessant aber ist, wie die Briefe Einhards oder
vielmehr schon die Sammlung derselben als Formulare nach
Laon gekommen sein dürften: die ursprüngliche Sammlung
dieser Briefe selber ist nämlich allem Anschein nach nicht in
Laon entstanden, sondern vielmehr in der Abtei St. Bavo
in Gent, die ja in Einhards Besitz gestanden hatte;¹) in
Laon hat man vermutlich jene Genter Handschrift lediglich
abgeschrieben; in St. Bavo aber hat man entweder schon
zu Lebzeiten Einhards oder bald nach dessen Tode seine
Briefe gesammelt, vielleicht sie auch schon zu Formularen zu=
rechtgestutzt und sie so in einem Formularbuch vereinigt.
Aber diese Sammlung scheint nun ein eigenartiges Geschick
erlitten zu haben: um die Mitte des 9. Jahrhunderts hatte
auch St. Bavo wie so manches andere reiche Kloster unter

---

¹) S. oben S. 137.

der Normannennot gar sehr zu leiden; mit ihren schnellen
Schiffen kamen damals die „Nordmänner" von den Fluß=
mündungen her den Lauf der großen Flüsse wie etwa der
Schelde hinaufgefahren und verwüsteten weit und breit das
Land. Da kann man es den frommen Gottesstreitern nicht
verdenken, wenn sie rechtzeitig sich und alle ihre Schätze in
Sicherheit vor den normannischen Seeräubern zu bringen
suchten. So sahen sich denn auch die Mönche von St. Bavo
schon unter dem Nachfolger Einhards, unter Abt Einkerich,
veranlaßt ihr Kloster zu verlassen und in Saint=Omer ihre
Zuflucht zu suchen, nicht ohne daß sie die Reliquien ihres
Klosters, seine Archivalien und Bücherschätze mitgenommen
hätten; aber auch in dem neuen Asyl fühlte man sich schon
bald nicht mehr sicher — man floh jetzt nach Laon. Hier
blieben die Mönche von St. Bavo fast ein halbes Jahrhun=
dert lang; und hier hat man auch die alte Sammlung der
Briefe Einhards in einen andern Band geschrieben; er ist
uns erhalten und stellt eben den erwähnten „libellus
epistolarum" in der genannten Pariser Handschrift dar.

So also war das Geschick dieser Briefe Einhards. Und
nun mußte die F o r s c h u n g ans Werk gehen und es auf=
zuhellen suchen, welche Persönlichkeiten unter den Buch=
staben, die in jenem Kodex viele Eigennamen ersetzen, ge=
meint seien; dieser Entzifferung mußten vor allem jene
Namen dienen, welche der Schreiber, seinem sonstigen Ver=
fahren glücklicherweise ungetreu, nicht nur mit ihren An=
fangsbuchstaben wiedergegeben, sondern sie voll ausgeschrie=
ben hatte; sie waren die Hebel, an denen man ansetzen konnte.
Und gleichzeitig mußte die Abfassungszeit der einzelnen
Briefe aus deren Inhalt möglichst genau bestimmt werden,
wenn anders die Briefe als Quelle für die Zeitgeschichte
und besonders für Einhards Lebenslauf verwertet werden
sollten. Eine schwierige, aber verdienstvolle und anziehende
Arbeit wartete so der Forschung, die, freilich nicht restlos,

aber doch zu einem guten Stück, heute durch die unverdrossene Arbeit von Gelehrten wie Teulet, Bacha und Kurze und nicht zuletzt Karl Hampe[1]) gelöst wurde.

Warum ich all dies dem Leser erzähle? — Nun, um ihm an einem Beispiel einen Einblick zu verschaffen in die Werkstätten der Forschung und ihm anzudeuten, welch umfangreiche und entsagungsvolle Vorarbeiten früherer Forscher nötig waren, ehe wir den kostbaren Inhalt einer Quelle wie der Briefe Einhards für die Lebensgeschichte eines solchen Mannes ausschöpfen konnten.

Der unvergleichliche Wert, den diese Brief=sammlung Einhards für uns besitzt, beruht darin, daß ihr Inhalt uns unmittelbar hineinblicken läßt in Einhards Lebenstage, in sein eigenes Denken und Handeln, in seine Freuden und Sorgen, ohne daß der Schreiber dieser Briefe auch nur im entferntesten hätte daran denken können, daß seine Zeilen noch Menschen nach mehr als einem Jahrtausend interessieren würden. Wie hätte es doch auf Einhard, den bescheidenen Menschen, gewirkt, wenn er voraus=ahnen hätte können, daß Gelehrte späterer Zeiten sich noch einmal rege mit den Zeilen beschäftigen würden, die er flüch=tig und schnell zu Pergament gebracht oder vielmehr wohl in der Regel seinem Sekretarius in die Feder diktiert haben wird! Wie hätte es auf ihn gewirkt, wenn er hätte ahnen können, daß diese seine Briefe im 20. Jahrhundert noch auf deutschen Hochschulen gelesen und studiert würden! Wie hätte er da am Stile seiner Briefe gefeilt, wie hätte er man=chen kleinlichen Gedanken unterdrückt, dem er nun tatsächlich freien Lauf gelassen hat! — Glücklicherweise hat Einhard nichts von der Beachtung seiner Briefe seitens der Nachwelt geahnt! Nur in Rücksicht auf den Augenblick und seine Erfordernisse, ohne Seitenblicke auf die späteren Geschlechter

---

[1]) Einige Nachträge bzw. Richtigstellungen habe auch ich in meinem Buche „Einhard als Künstler" gegeben.

und ihr Urteil sind sie abgefaßt; so kommt es, daß Einhard, der in seiner Vita Karoli, wie wir hören werden, einen so glänzenden Stil geschrieben und in dieser Schrift seine aus antiken Klassikern zusammengearbeitete Phrasensammlung reichlichst verwertet hat, in seinen Briefen seine klassischen Vorbilder ganz außer acht läßt, ja sogar manchmal recht ungrammatikalisch schreibt.[1]) Aber gerade wegen dieses ihres Charakters als Erzeugnisse des Augenblickes, denen jede Spur von Gekünsteltem und Gemachtem fehlt, sind jene Briefe von unschätzbarem Werte für die Erkenntnis des echten, wahren Einhard.

Da lesen wir z. B. in einem der Schreiben, wie E i n = h a r d , der G u t s h e r r und rechnende H a u s v a t e r , einen seiner Wirtschaftsbeamten, den V i z e d o m i n u s zu F r i t z l a r , gar böse anläßt, weil dieser — so ist Einhard zu Ohren gekommen — das aus seinem Verwaltungsgebiet fällige Getreide nicht nach Mulinheim geschickt hat, wie er es gemußt hätte, sondern bloß drei Scheffel Hülsenfrüchte und dreißig Schweine, zudem keine Prachttiere, sondern nur recht mittelmäßige; und nicht bloß das: während des ganzen Winters hatte sich der Viztum weder selber sehen lassen noch auch einen Boten geschickt, der Einhard Kunde hätte bringen können vom Stand seiner Besitzungen zu Fritzlar; bei solchen Zuständen wüßte man schon überhaupt nicht mehr, wozu man jenes Lehn besäße, meint Einhard polternd. Schließlich kommt das dringliche Ersuchen, der Viztum solle, wenn anders ihm noch etwas an der Gnade Einhards liege, seine Schlampe wettzumachen suchen und aufs rascheste Ein= hard wissen lassen, was er denn von ihm zu erwarten habe. — W i r t s c h a f t s s o r g e n sind es auch, die aus einem andern Briefe Einhards, der gleichfalls an einen V i z = t u m , offenbar an den von S t . S e r v a t i u s in

---

[1]) S. darüber M. Manitius, Einharts Werke und ihr Stil, im Neuen Archiv VII (1882) 548.

Maastricht, gerichtet ist, sprechen: der Empfänger des Schreibens solle Leute nach Aachen schicken, die in Einhards Haus daselbst die nötigen Reparaturen vornehmen sollten; denn um Martini (11. November) herum gedenke er, sofern er noch am Leben sei, mit Gottes Beistand nach Aachen zu kommen. Bis dahin solle auch dafür gesorgt sein, daß sich die nötigen Vorräte an Lebensmitteln im Hause befänden: Mehl, Wein, auch Käse nicht zu vergessen! Desgleichen eine Getreideart, die zur Herstellung von Malz zum Bierbrauen nötig war. Der Biztum solle sich nach Lubinaca — Lanaeken bei Maastricht — begeben und hier einige Rinder schlachten; eines davon soll Hroutloug erhalten; die Kleinteile und Eingeweide, welche nicht frisch blieben und somit sich auch nicht zur Aufbewahrung für Einhards eigenen Haushalt eigneten, sollten seinen Leuten in Lanaeken geschenkt werden.

Einen Gegenstand, der in Einhards Briefen immer und immer wiederkehrt, bildet die F u r s p r a c h e für alle möglichen Leute, die sich an ihn mit ihren großen und kleinen Anliegen gewandt haben; ich habe mehrere Beispiele ja schon bei der Besprechung der Stellung Einhards am Hofe Ludwigs d. Fr. angeführt. Hier sei noch etwa auf folgendes hingewiesen: da ist es z. B. ein engerer Landsmann Einhards, s e i n G a u g e n o s s e D a v i d, für den er sich verwendet, um ihm die Möglichkeit zu einer Audienz zunächst beim Pfalzgrafen und durch diesen beim Kaiser zu verschaffen; möglich, daß dieser Gaugenosse Einhards mit jenem Juden desselben Namens identisch ist, von dem Einhard auch in einem andern Zusammenhange spricht und von dem er erzählt, daß er Zeuge eines in Aachen erfolgten Wunders gewesen sei; eine Mehrzahl von Juden war übrigens bei diesem vor den Reliquien St. Marzellins sich abspielenden Wunder zugegen gewesen, wie ja überhaupt am Hofe Ludwigs d. Fr. die Juden eine große Rolle spielten — trotz aller Anfeindungen, die sie von einzelnen Männern wie von dem Erzbischof Agobard von Lyon erfuhren.

Um engere Landsleute und Vertraute Einhards handelt es sich auch in einem anderen Schreiben: es ist ein Brief, welchen er eben diesen, einem gewissen Aristeus und einem Theotous mitgibt, um durch diese Zeilen einen ihm selbst befreundeten Hofwürdenträger zu bitten, er möchte jene beiden gut aufnehmen und sie in ihren Interessen, die sie ihm mündlich vortragen würden, beim Kaiser Lothar und bei dessen Vater unterstützen.

In einem weiteren Briefe lesen wir folgendes: ein guter Bekannter Einhards hat seine Schweine einem Grafen übergeben, um sie in dessen Amtsbezirk zur Eichel= mast treiben zu lassen; die Schweine waren aber inzwischen noch nicht so recht schön und fett geworden; es wollte daher jener Graf die Schweine, ehe er sie zu einem anständigen Preise für das Herrengut erwerben zu können meinte, noch weiter auf der Weide lassen. Um nun hierzu das Einver= ständnis des Besitzers der Tiere zu bekommen, glaubte sich der Graf an Einhard wenden zu sollen, da dieser, wie er weiß, mit jenem Schweinebesitzer in guten Be= ziehungen steht; Einhard soll also vermitteln. Und er tut es auch und schreibt so diesen Brief an „seinen geliebten Bruder und teuersten Freund".

Ein Dienstmann Einhards, ein gewisser Gerbert, hatte auf Einhards Bitte zu Asbach bei Mergentheim im Taubergau von Bischof Wolfgar von Würzburg auf Lebenszeit des Bischofs ein Lehn von St. Kilian daselbst erhalten, nun ist aber Bischof Wolfgar gestorben; das ist für Gerbert doppelt schmerzlich, denn nun ist sein Lehn verfallen. Da greift denn Einhard wieder zur Feder und ersucht zwei Würzburger Geistliche namens Egilolf und Humbert, man möchte seinem Gerbert doch das fragliche Lehn lassen, bis ein neuer Bischof geweiht sei und er sich mit diesem Kirchenfürsten über das weitere vereinbart hätte.

Wieder ein andermal wendet sich Einhard im Inter=
esse eines seiner früheren Lehnsträger an seinen Nachfolger
in der Leitung der Abtei F o n t a n e l l e, seinen „geliebten
Bruder in Christo, den ehrwürdigen Ansegis": Anfegis
möchte doch jenem Lehnsträger das Lehn, das ihm Einhard
— eben in seiner früheren Eigenschaft als Abt von Fon=
tanelle — gegeben hatte, wenigstens solange lassen, bis Ein=
hard ihm aus einem andern Lehn, das er vom Kaiser Lud=
wig und seinem Sohne trägt, eine gewisse Entschädigung für
den Verlust des ersteren geben könnte.   Weil man aber
eine derartige Gefälligkeit nicht umsonst verlangen möchte,
stellt Einhard, wohl wissend, was sein Wort am Kaiserhofe
gilt, dem Adressaten sogleich auch seine Protektion in Aus=
sicht, indem er seinen Zeilen die Versicherung beifügt: „Ich
werde mich gerne bereit und geneigt dazu finden euere
Wünsche und euere Interessen zu fördern, wenn ihr euch
dazu versteht meine Bitte in dieser Sache zu erfüllen."

Eine Art D i e n s t z e u g n i s besitzen wir in einem
anderen Schreiben Einhards, das dieser an einen Kirchen=
fürsten gerichtet hat; Einhard bezeugt hier nämlich die nahen
Beziehungen, in denen er zu einem gewissen A g a n t h e o
steht.   Dieser hatte eine zeitlang in Einhards Dienst ge=
standen; jetzt aber soll Agantheo bei einem andern Herrn sein
Brot verdienen; um Agantheo diesem zu empfehlen, schreibt
Einhard einen Brief an jenen Herrn und bittet darin den
Adressaten den Agantheo in seinen Dienst zu nehmen.   „Ich
meine," sagt er, „daß ihr an ihm keinen unnützen Diener
haben sollt."   Das war freilich ein etwas zurückhaltendes
„gutes Zeugnis" für den Agantheo!

Voll väterlicher Sorgen zeigt sich Einhard für einen
gewissen F r u m o l d, den Sohn eines Grafen N., dessen
Schwester der X. hat, wie Einhard, an verwandtschaftlichen
Verhältnissen offenbar rege interessiert, beifügt; in einem der
Briefe, die er zugunsten jenes Frumolds abfaßte, schildert

er, wie Frumold von einem schweren chronischen Fußleiden
gequält werde. Durch diese Einleitung soll offenbar das
Herz des Adressaten gewonnen werden, und Einhard kann
nun im folgenden mit dem herausrücken, was ihn bedrückt:
Frumold habe in Burgund im Gau von Genf, wo sein
Vater Graf gewesen sei, ein nicht gar großes Lehn; er fürch=
tet nun dieses zu verlieren, wenn ihm nicht der geehrte Emp=
fänger dieses Briefes zu Hilfe komme, da er durch seine
körperliche Unpäßlichkeit verhindert sei am Hofe zu er=
scheinen. Drum bittet Einhard den Adressaten, dieser
möchte in der fraglichen Sache beim Kaiser Lothar vorstellig
werden und dem armen Kranken den Besitz jenes Lehns,
das Lothars Großvater, Kaiser Karl, ihm schon bewilligt
und das auch Kaiser Ludwig ihm verliehen habe, erwirken;
sobald es der körperliche Zustand Frumolds gestatte, werde
dieser dann auch an den Hof des Kaisers kommen und sich
hier in feierlicher Weise kommendieren, also dem Kaiser die
Huldigung leisten. Und Einhard schließt diesen Brief mit
den Worten: „Bene vale, igulorum amantissime! sic
optat igulus tuus vetulus et infirmus."[1]

Auch bei Ludwig dem Deutschen hat sich Ein=
hard gelegentlich für einen seiner Freunde und Vertrauten
verwendet und Ludwig hierbei gebeten diesem Manne eine
Tröstung von den Lehn zukommen zu lassen, welche sich
in der Nachbarschaft von Einhards damaligem Wohnsitz
(Seligenstadt) befanden und welche gegenwärtig erledigt
waren. Einhard weiß hierbei seinen Freund gar sehr zu
rühmen: als einen Mann von vornehmer Geburt und gutem

---

[1] „Lebe wohl, geliebtester von allen ‚iguli'! so wünscht es
Dein alter und schwacher ‚igulus'". — Ich weiß ebensowenig wie
Hampe in den Mon. Germ. Epistolae V 123 N. 10 anzugeben, was
„igulus" bedeutet, möchte aber vermuten, daß es sich um irgend=
einen scherzhaften Ausdruck handelte, da ja auch Einhard sich
selbst als „alten und schwachen igulus" bezeichnet.

Glauben, wohlgeeignet zum Dienst beim ostfränkischen Herrscher in jedem Amt, mit dem man ihn betraut; und rühmend wird beigefügt, daß es sich bei dem Empfohlenen um einen alten Diener der karlingischen Familie handle, der bereits dem Großvater Ludwigs des Deutschen, Karl d. Gr., wie seinem Vater in Treue und Tüchtigkeit seine Dienste geleistet habe und der geradeso auch dem jungen Ludwig dienen werde, wenn anders ihm Gott Leben und Gesundheit gebe; zurzeit allerdings sei er schwer leidend und könne daher nicht vor Ludwig erscheinen; sobald ihm dies aber möglich sei, würde er kommen; Einhard möchte für jetzt nur um einen Bescheid darüber bitten, was sein Freund von Ludwig erwarten dürfe, damit er einstweilen, bis er selber dann zu Ludwig käme, wenigstens eine Hoffnung habe.

Schwieriger lagen die Verhältnisse in einem andern Fall: es handelte sich hier um zwei Brüder, welche zwei Lehn, das eine im Gau Tournai, das andere jenseits des Rheins gelegen, besaßen. Der eine dieser Brüder, der Besitzer des im Gau Tournai gelegenen Lehns, wollte in den Dienst des Kaisers Lothar treten, während der andere Bruder mit dem jenseits des Rheins gelegenen Lehn sich Ludwig dem Deutschen kommendieren sollte; aber eben dieses Lehn sollten sie als ganzes in Gemeinschaft haben. Nun glaubte aber der Lehnsbesitzer im Gau Tournai zur Kommendation an König Ludwig sich nur dann verstehen zu können, wenn sein Lehnsherr, der Kaiser, es ihm befehlen würde; ohne eine solche Kommendation des Bruders an Ludwig den Deutschen aber mußte man mit dem Verlust des jenseits des Rheins gelegenen Lehns rechnen. — Einhard wandte sich nun in dieser Sache an einen ihm bekannten Grafen und ersuchte diesen Kaiser Lothar zu bitten, er möchte den einen Bruder veranlassen in der angegebenen Weise zu handeln. Eben dieser Bruder aber sei bereit, so schreibt Einhard, eine Sicherheit, wie sie dem Kaiser als

angemessen erscheine, dafür zu leisten, daß er sein Lehn
immer gemeinsam mit seinem Bruder besitzen wolle.

Wieder ein andermal ist es ein Kirchenfürst, an den
sich Einhard wendet, um als Fürbitter für einen
armen Geistlichen aufzutreten, der an ihn mit dem
Ersuchen um seine viel vermögende Vermittlung herange=
treten war. Der betreffende Priester ist in gar so großer
Armut; und das jetzt ganz besonders, da man ihm das
kleine Lehnsgut, das er in bayrischen Landen besessen hatte,
auch noch genommen und es einem andern gegeben hat. Er
weiß wahrhaftig nicht mehr, was er anfangen soll und wie
er seinem Herrn dienen soll, wenn ihm nicht der Kaiser
Lothar irgendwie unter die Arme greifen will.

Bei einer andern Gelegenheit wendet sich Einhard an
den Mainzer Erzbischof Otgar im Interesse eines
ihm nahestehenden Mönches aus dem Kloster Fulda
namens Werdrich; dieser hielt sich mit Erlaubnis des
Abtes von Fulda bei Einhard auf. Einhard sandte diesen
Werdrich nun nach Mainz zu Otgar, auf daß er hier die
Weihe zum Diakon erhielte, wenn anders sich der Erz=
bischof auf Grund eines Briefes des Abtes von Fulda —
Einhard legt ihm dessen Zeilen bei — von der kanonischen
Zulässigkeit einer solchen Weihe überzeugt habe; aus dem
erwähnten Briefe des Fuldaer Abtes könne sich Otgar auch
über die Frage Aufschluß erholen, ob die Weihe sogleich
vorgenommen werden könne oder ob man sie auf spätere
Zeit verschieben müsse.

Ein weiteres Schreiben Einhards hat einen ähnlichen
Inhalt: es enthält die an einen Dritten gerichtete Bitte
einen von Einhards Klerikern zum Diakon zu
weihen; und Einhard fügt dieser Bitte die Versicherung
bei, daß der Kandidat nicht bloß an Alter, sondern auch an
Gelehrsamkeit als geeignet für die erbetene Würde befunden
worden sei; Einhard müsse diese Bitte deshalb aussprechen,

weil sich ihm ein Mangel an Altardienern fühlbar macht;
so sende er denn den erwähnten Geistlichen zu dem Adressa=
ten des Schreibens, um von diesem die fragliche Persön=
lichkeit, wenn sie zum Diakon geweiht worden sei, zurück=
zuerhalten.

, Bei dem Briefwechsel Einhards, der eine Fürsprache
für Dritte zum Inhalte hat, ist auch die Beobachtung nicht
uninteressant, daß sich Einhard in solchen Fällen zuweilen
an verschiedene Persönlichkeiten wendet und bei ihnen sein
Anliegen vorbringt gemäß der alten Erfahrung, daß, was
doppelt genäht ist, besser hält. So in folgendem Fall: eines
schönen Tages weilte bei Einhard E b u r o , ein Verwandter
und Getreuer eines hohen Kirchenfürsten; in dem Briefe,
welchen Einhard an diesen letzteren schrieb und den er dann
dem Eburo mitgab, damit dieser ein Zeugnis für seinen
Aufenthalt bei Einhard hätte, glaubte Einhard den Über=
bringer des Briefes dem Adressaten noch besonders empfeh=
len zu müssen, obgleich Eburo ohnehin, wie Einhard bei=
fließen läßt, der liebe Verwandte des fraglichen Prälaten
war. Den Grund dieses Vorgehens Einhards erfahren wir
durch einen zweiten Brief, den Einhard in derselben Sache
an einen Abt schreibt; aus seinem Inhalt geht gleichfalls
hervor, wie aufrichtig er sich um den Eburo anzunehmen
sucht: er hat von befreundeter Seite erfahren, so schreibt
Einhard, daß der betreffende Prälat — Einhard schwankt,
ob er ihn als Abt oder als Bischof bezeichnen soll[1]) — große
Stücke auf den Rat eines Abtes — eben jenes Abtes, an
den sich dieser zweite Brief wendet — gebe; das veranlaßt
nun Einhard auch bei diesem Abt ein gutes Wort für den
gerade bei ihm weilenden Verwandten des erwähnten Kir-

---

[1]) Ich vermute, daß es sich um Abt Hilduin von St. Denis
handelt, der scheinbar nach der bischöflichen Würde strebte und
später vom Kaiser m. E. auch tatsächlich zum Erzbischof (von Köln)
erhoben wurde.

chenfürsten einzulegen: der Adressat dieses Briefes solle doch
mit diesem Prälaten Rücksprache in dem Sinne nehmen, daß
dieser den Eburo hinsichtlich der Aussichten nicht betrüge,
die er ihm gemacht habe, sondern daß er sich ihm vielmehr
so wohlwollend erweise, wie er dies verheißen hatte; und
zwar solle er das dadurch betätigen, daß er den in Not
geratenen Eburo aus seinen eigenen Mitteln unterstütze, auf
daß Eburo sich nicht gezwungen sähe, aus Armut und aus
Bedürfnis an Lebensmitteln jenen Platz zu verlassen, auf
welchen ihn sein hochgestellter Verwandter selber gesetzt
hatte; soweit aber müsse es noch kommen, wenn sich nicht der
letztere des Armen annehmen wolle. — Wir sehen: Eburo
hatte offenbar Einhard sein ganzes Herz ausgeschüttet und
hatte ihm auch das nicht verschwiegen, was er von seinem
eigenen Verwandten fürchten zu müssen glaubte; Einhard
hat dies Vertrauen nicht enttäuscht und sich für den be=
drängten Eburo offenbar aufrichtiger und tatkräftiger anzu=
nehmen gesucht als dessen Verwandter und „Gönner".

Wie wir aus all dem ersehen, bilden die Bitten Ein=
hards diesem oder jenem seiner Getreuen sein Lehn zu lassen
oder ihnen solche zu geben ein Hauptthema seines Brief=
wechsels. Aber auch von anderen Dingen hören wir; so
schreibt er einmal dem Erzbischof Otgar von Mainz wegen
eines Priesters namens Hruodrad: dieser hatte von
seinen Vorgesetzten die Erlaubnis erhalten nach Rom zu
ziehen; das war schon im vergangenen März gewesen. Aber
in Mainz, von wo aus Hruodrad seine Romfahrt
hatte antreten wollen, konnte er beim besten Willen keinen
Weggenossen finden. So ist er immer noch diesseits der
Alpen und hat sich inzwischen bei Hildebert, einem engeren
Landsmann Einhards, aufgehalten; jetzt endlich hat Hruod=
rad Mitreisende ausfindig gemacht und möchte nun seine
Romreise antreten; er wolle sie gewiß beschleunigen und so
rasch als möglich wieder zurückkehren; Otgar werde daher

nichts einzuwenden haben, wenn sich Hruodrad jetzt auf den Weg mache.

Auch für einen Kriegsdienstpflichtigen hat sich Einhard gelegentlich auf dessen Bitten hin verwendet und um seine Befreiung von der Verpflichtung zur Heeresfolge nachgesucht: wie er den armen Gundhard, der sich zum Heer= bann einfinden sollte, so vor sich stehen sah voll von Ängsten und von Gefahren bedroht, und wie er von ihm seine Not sich erzählen ließ, da konnte Einhard nicht mehr anders als an den Lehnsherrn Gundhards, an Abt Hraban von Fulda, schreiben und ihm vorstellen, welche unangenehmen Folgen für Gundhard die Teilnahme an diesem Kriegszug haben müßte; denn Gundhard hätte soviele Feinde, daß er's nicht wagen könne, sein Haus zu verlassen und zusammen mit seinen Gegnern und denen, die seinem Leben nachstellten, den Feldzug mitzumachen; ganz schlecht vollends stünde er sich mit dem Grafen, zu dessen Aufgebot er gehörte. Drum solle sich Hraban damit zufrieden geben, daß Gundhard zu Hause bliebe; mit dem Amtmann, der den Heerbann auf= biete, werde sich Gundhard, wenn dieser zu ihm käme und ihn zur Verantwortung ziehe, schon zu vergleichen wissen, ohne daß sich Hraban mit dem Handel zu befassen brauche.

Selbst für manchen Schuldigen legte Einhard seine Fürbitte ein: da hat z. B. ein unfreier Knecht namens Hunno ohne Erlaubnis seines Herrn, eines Grafen Hatto, eine Leibeigene desselben Herrn ohne viel zu fragen geheiratet. Das hätte er nicht gedurft und Einhard muß für ihn bei Hatto ein gutes Wort einlegen. — Ein anderer Leibeigener hat im Streit einen Kameraden erschlagen; Einhard zögert nicht auch für ihn zu bitten; allerdings soll der Übeltäter nicht ganz straflos ausgehen; aber die gesunden Glieder soll man ihm lassen und auch Hiebe soll er nicht bekommen; er soll vielmehr durch das Erlegen einer Geldstrafe sühnen, was er

Böſes getan hat. — Oder: zwei Brüder, Williram und
Otbert, beide Hörige von St. Martin in Mainz, zu Hai=
bach bei Aſchaffenburg ſeßhaft, kommen zu ihm und klagen
ihm ihr Leid: ihr dritter Bruder hat gleichfalls einen T o t =
ſ ch l a g auf dem Gewiſſen — er hat einen Mitknecht er=
ſchlagen; ſie möchten nun ſein Vergehen mit dem W e r =
g e l d ſühnen, um ſo dem Bruder Leib und Leben zu er=
halten; Einhard tritt auch für ihr Anliegen ein. — Für
zwei W i l d d i e b e legt er ſich gleichfalls ins Zeug, ſo gut
es geht: freilich haben ſie Wild geſtohlen im kaiſerlichen
B a n n w a l d; in Gegenwart des Grafen — es iſt derſelbe
Graf Poppo, dem ſich Einhard in ſeiner Heiratsangelegen=
heit gefällig erwieſen hatte — ſind ſie ihres Diebſtahls
überführt worden; man kann auch beileibe nicht ſagen, daß
die Geldſtrafe, die über ſie verhängt worden iſt, ungerecht
wäre; die Wilddiebe haben auch ſchon einen Teil dieſer
Strafe gezahlt. Aber den Reſt ſoll ihnen Poppo in Gna=
den erlaſſen; es ſind ja ſo arme Schlucker, die nicht wiſſen
woher das Geld nehmen! Drum Gnade für Recht, auf daß
nicht die beiden Schelme noch ganz ins Verderben geſtoßen
werden!

Die Briefe Einhards ſind überhaupt geeignet ſo man=
ches von den r e ch t l i ch e n und g e ſ e l l ſ ch a f t l i ch e n
Verhältniſſen ſeiner Zeit ins hellſte Licht zu ſetzen; da
leſen wir z. B. einen Brief, der nur wenige Zeilen umfaßt
und der zunächſt von geringem Intereſſe zu ſein ſcheinen
möchte, der aber doch für den, der die rechtlichen und geſell=
ſchaftlichen Grundſätze der Zeit kennt, die Sorgen und
Wünſche dreier Menſchen des neunten Jahrhunderts und die
wackere Hilfe, die Einhards gutes Herz ihnen bringen
wollte, entrollt. Der Brief, den ich im Auge habe, iſt an
einen Getreuen Einhards gerichtet: „Du weißt,“ ſo ſchreibt
Einhard, „daß wir, ſoviel in unſern Kräften ſtand, deinem
Willen darin, daß wir die Rückgabe deiner Tochter an dich
11*

betreiben, zu entsprechen trachteten. Und wir bitten dich daher, daß du aus Liebe und Verehrung zu dem Heiligen N."
— der Patron eines Klosters, dem Einhard als Abt vorstand, ist gemeint — „und uns zu Ehren und uns zuliebe einverstanden damit seiest, wenn mit deiner Erlaubnis deine Tochter jenen Mann, welchen wir ihr freimachen, zur Ehe erhält. Und dies deshalb, weil es uns besser zu sein scheint, daß sie zum zweiten Mal jenem Mann, wenn er freigelassen sein wird, vermählt werde als daß sie von allen[1]) verachtet werde." — Wenn man sich daran erinnert, daß nach fränkischem Rechtsgrundsatz durch die Verheiratung einer Freien mit einem Knechte die erstere selber zur Unfreien des Herrn des betreffenden Knechtes wurde, so wird man, denke ich, den Inhalt dieser Zeilen leicht begreifen; der Vorhang, der vor den Menschenschicksalen, die in diesen wenigen Zeilen berührt werden, gezogen ist, wird fallen: wir sehen klar und deutlich die Umrisse der schweren Sorge, die auf einem Bekannten Einhards, seinem Getreuen N. N., lastete; dessen Tochter hatte sich mit einem Hörigen Einhards eingelassen und hatte so selber die Freiheit verscherzt, war zur Hörigen Einhards geworden. Das war natürlich eine arge Schande für ihre Familie, nicht zuletzt für ihren alten Vater. In bewegten Worten mag dieser Einhard sein Leid geklagt haben. Und der hatte ein Verständnis für den Kummer des Vaterherzens und war auch in diesem Falle wieder gewillt werktätig zu helfen, soweit er dies nur immer konnte: er ist bereit, seine Ansprüche auf jenes Mädchen als Hörige fahren zu lassen und sie ihrem Vater als Freie wieder zurückzugeben. Aber damit noch nicht einmal genug: er will auch das Mädchen nicht in seiner Schande sitzen lassen, sondern ihm dazu verhelfen, daß es seinen Knecht in legitimer Ehe erhält; deshalb hat er sich entschlossen auch diesen frei zu

---

[1]) Es wird wohl omnibus statt ominibus zu lesen sein; s. Mon. Germ. Ep. V 139 Nr. 60 g.

laſſen; den Freigelaſſenen konnte ſie ja dann heiraten ohne
an ihrer eigenen Freiheit eine Einbuße zu erleiden. Es
mußte alſo nur mehr das Einverſtändnis des Vaters zu der
geplanten Ehe gewonnen werden. Das aber mochte viel=
leicht nicht ſo ganz leicht ſein. Denn der Vater des Mäd=
chens mag ſich gegen den unerwünſchten Schwiegerſohn, der
ja doch die Urſache von ſoviel Schande und Leid für ſeine
Familie geweſen war, ſehr entſchieden gewehrt haben. Aber
Einhard, gutherzig und tapfer zugleich, will auch dieſen
Widerſtand brechen; ſein Brieflein ſollte dies tun.

Einen ähnlichen Zweck hatte ein anderes ſeiner Schrei=
ben. An dem „Falt“, um den es ſich hier handelte, ſcheint
ihm beſonders viel gelegen zu ſein: einer ſeiner D i e n e r
war in L i e b e z u m T ö c h t e r l e i n e i n e s B e =
k a n n t e n Einhards entbrannt; ſeine Liebe wurde auch er=
widert. Die Mutter, der Bruder, die Anverwandten des
Mädchens — ſo leſen wir in Einhards Zeilen —, ſie alle
ſind mit der geplanten Heirat einverſtanden; nur der Vater
ſcheint ſie nicht gewollt zu haben. Da wendet ſich denn
Einhard in einem Schreiben an ihn; und dieſes Schreiben
dünkt mich gar köſtlich zu leſen; denn reizend finde ich es,
wie Einhard in den Eingangsworten des Briefes den
Empfänger desſelben daran erinnert, wie dieſer ſich und die
Seinen ihm ergeben habe; daraus leitet nun Einhard für
ſich das Recht ab in die häuslichen Angelegenheiten des ge=
ſchätzten Adreſſaten ſich einmiſchen zu dürfen. Und nun
macht er dem Vater — oder er tut wenigſtens ſo, als ob es
ſich um eine große Neuigkeit für dieſen handelte! — die
überraſchende Eröffnung, daß ſeine Tochter und einer ſeiner
eigenen Diener zuſammen ein Paar werden wollten. Des
Vaters Einverſtändnis vorausgeſetzt, ſei alles einig. „Über=
dies wünſche auch ich“ — ſo ſagt das „Nardelchen“ recht be=
ſtimmt — „nicht bloß, daß die Sache beſtätigt wird, ſondern
ich möchte, ſo beſchleunigt es ſich nur machen läßt, durch

die Erteilung von Lehn und anderen Dingen in ehrenvoller
Weise sie auch geziemend zu einem guten Ende führen, falls
ihr mir Vollmacht dazu gebt die Angelegenheit ins Reine
zu bringen." Also: Einhards gutes Herz will in Verbindung mit seinem Sinn fürs Reale dem künftigen jungen Ehe-
mann durch Erteilung von Lehn und anderen materiellen
Vergünstigungen zu einer wirtschaftlichen Existenzmöglich-
keit verhelfen. Und daß der Vater sich über die Vermögens-
frage auch ganz beruhigen kann, fügt er gleich noch die Versicherung bei, der Bräutigam werde eine Aussteuer geben
und mit Geschenken nicht knausern. So fehlt von allem nur
noch e i n e s : das Einverständnis des Vaters. Dieser
möge, um „dieses Geschäft fertig zu machen", entweder sogleich persönlich herbeieilen oder er solle Einhard die Gewalt
geben es zu vollenden. Mit dem philosophischen Hinweis
darauf, daß, was die Welt morgen bringt, ungewiß sei, und
daß man daher, was man heute noch vollenden könne, nicht
auf morgen verschieben solle, schließen diese ergötzlichen
Zeilen Einhards.

Zuweilen weht uns aus Einhards Korrespondenz auch
der Geist warmer D a n k b a r k e i t entgegen: da haben z.
B. ein paar „K ö n i g s b o t e n" die Leute von Einhards
Besitzungen recht gnädiglich behandelt; namentlich in
Sachen der Heerbannpflicht, aber auch in andern Dingen
haben sie ihnen ihr Wohlwollen bezeigt; dafür weiß ihnen
Einhard heißen Dank; Gott und seine Heiligen[1]) werden es

---

[1]) Wenn Einhard in Brief Nr. 51 (in der Ausgabe Hampes
in den Mon. Germ. Ep. V 135) nur von ‚sancti‘ im allgemeinen
spricht und nicht die Heiligen Marzellin und Peter nennt, so hat
er hierbei offenbar auch nicht gerade diese beiden Heiligen im
Auge, wie Hampe a. a. O. N. 2 annehmen zu sollen glaubt; darin
stimme ich allerdings Hampe bei, daß unter diesen „sancti" nicht
alle Heiligen zu verstehen sind; Einhard meint offenbar die Patrone
der Klöster, um deren Hörige es sich in dem vorliegenden Falle
handelt, also die Heiligen Bavo und Servatius, da deren

den Guten lohnen, nicht nur hier im Diesseits, sondern auch
drüben im ewigen Leben.

Einer der Briefe Einhards ist für einen S ch w e r =
kranken, den Bischof Bernhari von Worms,
von dessen Anliegen wir schon früher[1]) gehört haben, be=
stimmt; mit guten und frommen Worten sucht ihn Einhard
aufzurichten: wie leid es ihm doch sei hören zu müssen, daß
sein „liebster Herr" Bernhari in so schlimmer Krankheit dar=
niederliege. Da könne man sich nur mit dem Gedanken
trösten, daß Gottes Güte Bernhari nur deshalb so schwer
und so lange leiden lasse, weil er ihn, wenn seine Seele vom
Körper scheide, gereinigt und geläutert in den Himmel auf=
nehmen wolle; an Gebeten für Bernhari werde es Einhard
gewiß nicht fehlen lassen; er werde dafür sorgen, daß Leute,
deren Gebete nach seiner Ansicht auf Erhörung bei Gott
rechnen dürften, für den Schwerkranken zu Gott flehen sollten.
Übrigens dürfe man nie die Hoffnung aufgeben wieder ge=
sund zu werden, da Gott allmächtig sei; allerdings sei es für
uns geraten nicht in der Hoffnung auf Besserung das
Nötige zu versäumen, sondern uns auf das Sichere vorzu=
bereiten.

Solche und ähnliche Briefe hat Einhard in großer Zahl
geschrieben. Sie gewähren uns einen so intimen E i n b l i ck
i n d a s L e b e n u n d T r e i b e n d i e s e s M a n n e s,
wie wir ihn nicht besser wünschen können; und sie zeigen
vielfach, welch p r ä ch t i g e r C h a r a k t e r, welch warm
fühlendes Herz dem Menschen Einhard eigen war. Es war
wirklich eine ehrliche Entrüstung, wenn Einhard in einem
Briefe, den er an einen Abt Gozbert richtete, und in dem
er diesem einen gewissen Bebo empfahl, unter anderem
schrieb, er kenne die schlechte Gesinnung und die ungemessene

---

Klöster in Gent und Maastricht unter jenen Klöstern (nach Hampe)
zu verstehen sein werden.

[1]) Obere S. 126 ff.

Habſucht mancher Leute, die ſich gar keine Sorge über den Schaden von anderen machten, ſofern ſie nur ihrer eigenen leidenſchaftlichen Habſucht frönen könnten. Ein derartiger brutaler Egoismus lag Einhard allerdings fern. Das zeigen ſeine Briefe recht deutlich; ſein menſchenfreundliches, fried= volles Weſen ſpricht aus ihnen zumeiſt; zuweilen freilich, wenn ihm etwas doch allzu ſehr wider den Strich ging, macht er auch aus ſeiner erregten, verärgerten Stimmung kein Hehl; ſo in dem ſchon erwähnten Brief an den Viztum von Fritzlar. Auch einen andern Brief, der an ſeinen Nachfolger am Aachener Hof, Gerward, gerichtet iſt,[1]) beſeelt eine ähnliche Stimmung. Am Schluſſe dieſes in gallichtem Tone gehaltenen Briefes „verlangt und erbittet mit Ent= ſchiedenheit" Einhard von ſeinem lieben Gerward, daß dieſer das frühere an ihn gerichtete Schreiben nochmals leſen und verſtehen ſolle.

Was uns beim Leſen all dieſer Biefe noch beſonders packt und anzieht, iſt, wie mir ſcheinen will, das Gefühl, daß das tägliche Leben eines Menſchen vor 1100 Jahren mit all ſeinen großen und kleinen Sorgen und Freuden gar nicht ſo grundverſchieden geweſen iſt von unſerem Alltag und den Empfindungen, die er in uns auslöſt, das Gefühl, daß ſo manches vom Inhalt der Korreſpondenz Einhards auch in Briefen von Kindern des zwanzigſten Jahrhunderts ſtehen könnte.

---

[1]) Näheres darüber unten in Abſchnitt XVIII.

XII

Der Verfasser der Vita Karoli und die Reiterstatuette Karls d. Gr.

Die lateinisch geschriebenen Briefe Einhards gehören zumeist den zwanziger und dreißiger Jahren des neunten Jahrhunderts, der Lebensperiode des alternden Einhard an; auf der Mittagshöhe seines Lebens stehend, noch im ersten Jahrzehnt der Regierung Ludwigs d. Fr.,[1]) hat Einhard jenes gleichfalls in lateinischer Sprache abgefaßte Werk geschrieben, das seinen Namen bis in unsere Tage den weitesten Kreisen der Gebildeten bekannt gemacht hat: seine „Vita Karoli".

Den Einfluß dieser Biographie auf die Folgezeit veranschaulicht wohl nichts besser als die große Zahl von Handschriften, welche sie uns überliefern; gegen hundert alte Kodizes enthalten Einhards Werk; in den Bibliotheken Deutschlands und Frankreichs, Italiens und der Schweiz, Belgiens und Englands sind heute diese Handschriften zerstreut. In einer Unzahl von Klöstern und Domstiften schrieb man dieses „Leben Karls d. Gr." von Einhard für die mittelalterlichen Bibliotheken immer wieder ab; schon im Jahre 821 wird es in einem Bücherverzeichnis

---

[1]) Vermutlich kurz nach 820; O. Holder-Egger in seiner neuesten Ausgabe der Vita Karoli (in den Scriptores rer. Germ. in usum scholarum ed. 7. 1911) S XXVII war geneigt die Vita nach 820, vielleicht sogar nach 825, anzusetzen (s. auch folgende Anmerkung).

des Klosters Reichenau erwähnt¹) — genau siebenhundert
Jahre, bevor es durch den Humanisten Hermann von Neuenahr zum erstenmal vermittels des Buchdruckes verviel-
fältigt wurde. Eine Reihe von Übersetzungen in das
Deutsche und in das Französische sind inzwischen erschienen.
Aber auch schon Zeitgenossen Einhards haben sein Werk
hochgeschätzt und es in ihren eigenen Schriften benützt: wir
werden in anderem Zusammenhang noch hören, wie entzückt
der junge Lupus, der spätere Abt von Ferrières, von der
Schrift Einhards war. Zur selben Zeit etwa hat der Amtsnachfolger Einhards, der Hofbibliothekar Gerward, einige
Distichen gedichtet und diese vermutlich in das am Hofe
selbst befindliche Exemplar der Vita eingeschrieben; in diesen
Versen wird Einhard als Verfasser dieser Biographie gerühmt. Schon bald nach dem Tode Einhards, noch vor der
Mitte des neunten Jahrhunderts, veranstaltete Walahfrid
Strabo eine Neuausgabe der Schrift und setzte ihr jenen
von ihm verfaßten Prolog vor, der uns heute eine so wertvolle Quelle für die Erkenntnis der Lebensumstände Einhards ist; auch die Einteilung der Vita in einzelne Kapitel,
die mit Überschriften versehen wurden, wurde damals von
Walahfrid Strabo vorgenommen. — Benützt wurde die

---

¹) Nach H. Wibel, Beiträge zur Kritik der Annales regni
Francorum und der Annales q. d. Einhardi (Straßburg 1902) 218ff,
229 freilich steht es nicht fest, daß tatsächlich schon 821 im Kloster
Reichenau sich eine Handschrift der Vita befand; Wibel will die
Vita aber doch jedenfalls zwischen 817 und 836, und zwar „wahr-
scheinlich . . . erst einige Zeit nach 817 und jedenfalls längere
Zeit vor 836 entstanden" sein lassen. Wibel ebd. 227 A. 2 gibt
die „Möglichkeit zu, daß der fragliche Katalog, in welchem
„Vita et gesta Karoli imp. Augusti volum." vorkommt, aus dem
Jahre 821 stammt und daß diese Vita die von Einhard verfaßte
ist. Auch P. Lehmann hält in seinem Werke „Mittelalterliche
Bibliothekskataloge Deutschlands und der Schweiz" I (München
1918) 242f. wenigstens vorläufig an der Datierung des fraglichen
Kataloges in das Jahr 821/22 fest.

Karlsbiographie auch schon in den Fuldaer Annalen sowie
in den „Taten der Äbte von Fontanelle", desgleichen auch
von den Biographen Ludwigs d. Fr., von Thegan und vom
sog. Astronomus. Auch in der von Rudolf von Fulda her=
rührenden Translatio S. Alexandri ist Einhards Karlsbio=
graphie verwertet. Der sog. Poeta Saxo benützte dann den
Inhalt des Karlslebens als Quelle zu seiner Dichtung über
die Taten Kaiser Karls und schuf gerade so eines der ersten
Denkmale literarischer Tätigkeit, die wir von dem durch
Karl für die christliche Kultur gewonnenen Sachsenvolke
haben. — Auch Widukind von Korvei, der berühmte Ge=
schichtschreiber der sächsischen Kaiserzeit, griff zu Einhards
Werk, und Rahewin, der Fortsetzer Ottos von Freising,
des großen Geschichtsphilosophen des 12. Jahrhunderts,
hatte bei der Schilderung Friedrichs I. die Vita Karoli nicht
minder vor Augen. Als unter dem nämlichen Friedrich I.
die Heiligsprechung des großen Karl seitens des kaiserlichen
Gegenpapstes vollzogen und in Zusammenhang hiermit auch
eine neue Biographie Karls abgefaßt wurde, da benützte und
verwertete deren Autor gleichfalls Einhards Schrift. Im
13. Jahrhundert wurde dann auch eine deutsche Übersetzung
von Einhards Werk angefertigt; Reste von ihr haben sich
bis zum heutigen Tage erhalten. Auch in der Vorrede zum
Schwabenspiegel, dem „Buoch der künige alter und
niuwer ê", ist das Werk Einhards eifrigst benützt.

Aus all dem wird ersichtlich, wie kräftig Einhards viel=
gerühmtes Werk bei der Nachwelt weiterlebte, wie stark die
Wirkung war, die von ihm ausging; ihm ist es zum guten
Teil zuzuschreiben, wenn das Bild des ersten mittelalterlichen
Kaisers noch in der Erinnerung fernster Geschlechter seine
lebensfrischen Farben behielt; ohne Einhard wäre Kaiser
Karl schwerlich zur volkstümlichsten Herrschergestalt in der
Geschichte des deutschen wie des französischen Volkes ge=
worden.

Die Karlsbiographie Einhards nimmt unter den zahl=
reichen historischen Schriften des früheren Mittelalters und
unter den vielen biographischen Darstellungen dieser Zeit
schon insofern eine e i g e n a r t i g e S t e l l u n g ein, als sie
inmitten der großen Fülle von Heiligenleben das Lebensbild
eines Laien zum Inhalt hat; und ein Laie war es ja, der
dieses Werk verfaßt hat, verfaßt unter dem Vorbild einer
anderen Lebensbeschreibung, die einen heidnisch=antiken Ur=
sprung hatte¹); auch darin wahrt sich die Vita Karoli eine
gewisse Sonderstellung gegenüber allen andern Schriften
dieser Art aus der fraglichen Periode, daß sie die Ereignisse
nicht einfach in ihrer zeitlichen Aufeinanderfolge berichtet,
daß sie also — ein echtes Kunstwerk — von keinem
chronologischen Schema beengt ist.²)

Nicht ohne Grund hat ein jüngerer im Dienste seines
Vaterlandes gefallener Forscher der Karlsbiographie Ein=
hards eine geradezu epochemachende Bedeutung zugeschrie=
ben: „Zum ersten Mal entstand auf deutschem Boden
die Lebensbeschreibung eines Herrschers. Ein erster Versuch,
der uns doch vielleicht die beste Biographie des deutschen
Mittelalters geschenkt hat.“

Ein Denkmal der Liebe und der Verehrung über den
Tod hinaus ist es vor allem, das Einhard mit der Ab=
fassung seiner Vita Karoli seinem alten kaiserlichen Herrn
errichten wollte; ihm zunächst verdankte er ja die Möglich=
keit zur Entfaltung der glücklichen Anlagen, die ihm Gott
verliehen hatte; diese Dankesschuld trug er mit seinem
Werke ab. In geradezu rührender Weise hat Einhard

¹) S. A. Ebert, Allgemeine Geschichte der Literatur des
Mittelalters im Abendlande II (Leipzig 1880) 96. — Vgl. unten
S. 173

²) Vgl. Teulet, Oeuvres complètes d' Éginhard I S. XLIII

³) H. Hoffmann, Karl der Große im Bilde der Geschichts=
schreibung, Berlin 1919, 5.

selbst im Vorwort unter den G r ü n d e n , die ihn zur A b =
f a s s u n g seines Werkes bestimmt hätten,[1]) auch die
D a n k b a r k e i t genannt, zu der er Karl verpflichtet sei;
sie allein genüge schon, um seine Karlsbiographie zu recht=
fertigen; denn Karl habe ihn ausbilden lassen, er habe ihm
von der Zeit an, da er an den Hof gekommen sei, immerdar
seine und seiner Kinder Freundschaft geschenkt und ihn so
zum Schuldner für immer gemacht; und diese Schuld sei
auch durch Karls Tod nicht erloschen. — Wie aus diesem
Vorwort, so spricht auch aus dem Werke Einhards selber
die treue Ergebenheit, in der er sich auch dem toten Kaiser
verbunden fühlte. Was wir Einhard aber hierbei beson=
ders hoch anrechnen müssen, ist die Tatsache, daß er trotzdem
nicht zum Schmeichler und Lobhudler gegenüber Karl wird,
daß der panegyrische Ton, der so vielen Schriften dieser Zeit
eigen ist, hier fehlt, und daß Einhard auch die Schattenseiten
von Karls Persönlichkeit, wenn schon mit Takt und Zurück=
haltung, andeutet.

In k l a s s i s c h e m S t i l e ist die Karlsbiographie ab=
gefaßt. Aber so trefflich auch Einhard die Sprache des alten
Rom durch nimmermüden Fleiß zu schreiben gelernt hatte
— zu einer wirklich souveränen Beherrschung des klassischen
Lateins hat er es nicht gebracht. Darum hat sich Einhard
bei den einzelnen in seiner Vita vorkommenden Redensarten
und Phrasen enge an ein Werk der Antike angelehnt: an
S u e t o n s K a i s e r b i o g r a p h i e n , namentlich an
dessen Lebensbeschreibung des Augustus. Er hat — um mit
Ranke[2]) zu sprechen — „gleichsam die Maße und Verhält=
nisse nach dem Muster der Antike eingerichtet . . . . Aber
damit noch nicht zufrieden, wendet er . . . auch sogar antike
Werkstücke an". Einhard trug kein Bedenken. selbst die per=

. [1]) Über Einhards künstlerische Absichten s. auch unten S. 177 ff.
    [2]) Einige Bemerkungen über die Annalen des Einhard, in
den Abhandlungen der Berliner Akademie 1854 (Berlin 1855) 416.

fönlichsten Züge Karls mit denselben Worten und Aus=
drücken zu schildern, mit denen Sueton von seinen römischen
Imperatoren, von einem Augustus, einem Vespasian oder
einem Titus, erzählt. Faft wortwörtlich hat Einhard seinen
Bericht über Karls Persönlichkeit und über seine Lebens=
gewohnheiten aus Wendungen zusammengestoppelt, die aus
Sueton herrühren. „Aus antiken Steinen, die für römische
Imperatoren zugeschnitten waren, hat Einhard das Mosaik=
gemälde des fränkischen Volkskönigs zusammengefügt."[1] —
Und nicht bloß dies: auch die ganze Anlage seiner Bio=
graphie guckte Einhard Sueton ab; das ist allerdings eine
Schwäche seines Werkes. Aber wir dürfen bei der Beur=
teilung dieser Eigentümlichkeit doch nicht übersehen, daß
Einhard gerade dank seiner ungewöhnlich großen Abhängig=
keit von den Kategorien der Kaiserbiographien Suetons und
nur durch sie veranlaßt ward, manches von Karls Persön=
lichkeit und Regierung zu erzählen, was er uns sonst nicht
gesagt hätte; so führt Einhard die Schilderung, welche er
bei Sueton über den Aberglauben des Augustus gelesen hatte,
zur Hervorhebung der Religiosität Karls; und nur die Dar=
stellung der gesetzgeberischen Akte des Augustus seitens Sue=
tons regt Einhard zur Erwähnung der Aufzeichnung der
„Leges barbarorum" seitens Karls an. Oder: die Be=
merkungen Suetons über die kaiserliche Tafel veranlaßten
Einhard uns von den Vorlesungen bei Karls Mahlzeiten zu
berichten[2]. — Es war übrigens im Grund gar nicht so un=
paffend die Farben für Karls literarisches Porträt dem
Farbenteller des römischen Kaiserbiographen zu entlehnen
und Karls Zeichnung der Zeichnung der römischen Impe=
ratoren bei Sueton anzugleichen; ist doch der Karl, den uns

---

[1] Hoffmann a. a. O. 6.
[2] S. E. Bernheim, Das Verhältnis der Vita Caroli magni
zu den sogen. Annales Einhardi, in der Histor. Vierteljahrschrift I
(1908) 79.

Einhard schildert, bereits der alternde Kaiser, der selbst bewußt in vielfacher Hinsicht die Antike und das alte Römerreich — wenn auch in chriftlichem Geifte — wieder zu erneuern gedachte[1]). Daher mochte der Stil von Einhards Geschichtschreibung mit gutem Grund der Antike angepaßt sein; alle Verhältniffe werden denn auch tatfächlich bei Einhard gewiffermaßen antikisiert dargestellt: die fränkischen Zustände werden mit termini technici wiedergegeben, welche der römischen Heeres= und Staatsverwaltung, der römischen Kriegskunst und dem römischen Hofleben entnommen sind. Und Kaiser Karl wird ebenso mit dem römischen Imperator gleichgesetzt wie sein Reich, sein Heerbann und sein Volk mit dem Reiche, dem Heere und dem Volke Roms identifiziert werden[2]).

Den eleganten Stil, den Einhards Vita Karoli aufweist, verdankt ihr Verfasser vor allem C i c e r o; er war ihm für den Stil im allgemeinen Muster gewesen, wie ihm die Hiftoriker der Antike für das Sachliche vorzugsweise dienten. Wie schon die Vorrede zur Karlsbiographie im antiken Geifte als eine captatio benevolentiae abgefaßt ist, so ist der Stil der Vita überhaupt ein getreues Abbild ciceronianischen Lateins; ja Einhard selbst hat Cicero ausdrücklich als sein sprachliches Ideal hingestellt[3]). Dem ciceronianischen Stile sind die gut durchgeführten Perioden bei Einhard nachgebildet. Gewaltig ist jedenfalls der Umschwung in sprachlicher Hinsicht, der auf solche Weise im Rahmen der Geschichtschreibung in den erften Jahrzehnten des neunten Jahrhunderts gegenüber dem ausgehenden achten Jahrhundert festzuftellen ist: das barbarische Latein der Mero-

---

[1]) Wattenbach, Deutschlands Geschichtsquellen I. 7. Aufl. 205.
[2]) M. Manitius, Einharts Werke und ihr Stil, im Neuen Archiv VII (1882) 550.
[3]) S. ebd. 541, 543.

wingerzeit ist ersetzt durch ein fast fehlerfreies, schön stili=
siertes Latein.

Ernst Bernheim[1]) hat in einem lehrreichen Aufsatz die
Arbeitsweise Einhards beleuchtet und gezeigt, wie
dieser die gesamte Gliederung seiner Vita, die Schlagworte,
nach denen er seine Disposition macht, Sueton entnommen
hat. Nicht als ob etwa Einhard beim Schreiben der Karls=
biographie das Werk Suetons selbst vor sich liegen gehabt
und es erst jetzt, in demselben hin= und herblätternd, benützt
hätte; vielmehr hatte Einhard noch v o r Abfassung seiner
Schrift sich ein Schema aus Sueton exzerpiert und begann
nun unter Zugrundelegung desselben seine Biographie zu
schreiben; ebenso hatte er sich zunächst eine Art von Zitaten=
sammlung aus Sueton angelegt, indem er beim Lesen von
dessen Biographien jene Wendungen, die ihm für seine
eigenen Zwecke geeignet zu sein schienen, sich notierte und so=
dann mit Hilfe dieser Aufzeichnungen seine Vita Karoli aus=
zuarbeiten anfing; vermutlich entstanden diese Aufzeichnun=
gen Einhards in Form einer Art von Wortlexikon, in wel=
chem sich die für die verschiedenen Begriffe, z. B. für Staats=
verwaltung, Heerfahrten, Königshaus u. s. f. begegnenden
Ausdrücke zusammengestellt fanden[2]). Neben Sueton hat
Einhard noch eine Reihe antiker und frühmittelalterlicher
Werke bei der Abfassung seiner Vita Karoli herangezogen;
so namentlich r ö m i s c h e H i s t o r i k e r wie Cäsar, Li=
vius, Florus, Tacitus, Justin und Orosius; die Vorrede
der Biographie des Sulpicius Severus mußte ihm für sein
eigenes Vorwort dienen. — In ähnlicher Weise wie von
Sueton hat Einhard für den politischen Teil seiner Karls=
biographie auch von einem Werk seiner eigenen Zeit, von

---

1) Die Vita Karoli Magni, in den Histor. Aufsätzen für Gg.
Waitz, Hannover 1886, 73ff.
2) Vgl. Manitius im Neuen Archiv VII 544.

der kurz vorher entstandenen Überarbeitung der
fränkischen Reichsannalen, Auszüge gemacht
und sie für den Inhalt seines Werkes als Leitfaden verwertet.

Was an Einhards Vita Karoli gegenüber andern
mittelalterlichen Biographien besonders rühmenswert hervor-
tritt, das ist, abgesehen von den Vorzügen seines Stiles,
durch welchen Einhard nach sachkundigem Urteil[1]) geradezu
zum „Vater des guten historischen Stiles im Mittelalter"
geworden ist, die Anschaulichkeit, in welcher uns das
literarische Porträt des Kaisers, von allen Seiten aus beleuchtet, vor Augen geführt wird; in keinem zweiten Werke
der Karlingerzeit steht der Held des Werkes so abgerundet
vor uns wie hier.[2]) Das ist kein blutleeres Schema, was
Einhard uns bietet. Überall schlägt uns hier warmes Leben
entgegen. Ein Künstler hat diese Biographie abgefaßt
— ein Künstler, nicht so sehr ein Gelehrter. Zum
bedeutenden Geschichtschreiber mangelte Einhard die natürliche Anlage; allerdings fehlen in seiner Karlsbiographie nicht
gewisse Ansätze zur genetischen Geschichtschreibung; wenn er z. B. gleich am Beginn der Vita
mit kurzen, kräftigen Strichen die Ohnmacht darstellt, in
welche das Merowinger-Königtum versunken war, wenn er
dessen Repräsentanten nur als die Puppen auf dem Thron
schildert, welche den fremden Gesandten die Antworten er-
teilten, die man ihnen eingetrichtert hatte, und wenn er
dann den Übergang des Königtums auf die Karlinger als
eine historische Notwendigkeit nachweisen will, so durchdrin-
gen allerdings hier Einhards Gedanken und Ideen den Stoff,
den er bietet. Auch hat er es recht wohl verstanden großzügig, ohne ängstliches Eingehen auf das Detail, den Gang
der weltgeschichtlichen Begebenheiten in Karls Regierung

---

[1]) S. Manitius a. a. O. VII 553.
[2]) Hauck, Kirchengeschichte Deutschlands II, 3. u. 4. Auflage
(Leipzig 1912) 183.

zu ſkizzieren, das Entſcheidungsvolle herauszuheben aus der
Maſſe erdrückender Einzelheiten, wie er ſie in ſeiner Quelle,
den Reichsannalen, vorgefunden hatte. Aber trotz dieſer
unbeſtreitbaren Vorzüge der geſchichtlichen Auffaſſung und
Darſtellung fehlt es Einhards Hiſtoriographie doch an der
nötigen Selbſtändigkeit. Allzu ſklaviſch hängt er
von ſeinem Vorbild ab; ſo manches noch hätte uns
Einhard von Karl ſo leicht berichten können, wenn ihn nur
ein entſprechender Abſchnitt bei Sueton dazu veranlaßt
hätte! Aber wovon Sueton ſchweigt, läßt in der Regel auch
Einhard nicht viel hören. — Zum Geſchichtſchreiber hat Einhard außerdem auch zu wenig wiſſenſchaftliche Genauigkeit. Die Vita Karoli, ſo kurz ſie iſt, ſo reich iſt
ſie an Verſtößen gegenüber dem tatſächlichen Hergang der
Ereigniſſe. Was kümmern aber auch Einhard genaue
Datenangaben! Ob Karlmann, der Bruder Karls d. Gr.,
zwei oder mehr als drei Jahre regiert hat, ob eine Reichsteilung, die der Vergangenheit angehört, in dieſer oder in
jener Weiſe vollzogen worden war, ob ein früherer Papſt
den Namen Stephan oder Zacharias getragen hatte — all
das iſt ihm ziemlich gleichgültig! Solche Dinge ſagen ja
dem Herzen des Leſers recht wenig; und das Herz ſoll doch
durch ſeine Vita Karoli vor allem erfreut und gehoben werden! Seinen Leſern[1]) eine angenehme Unterhaltung zu
bieten, ſeinem toten Kaiſer aber ein literariſches Denkmal zu
ſetzen — das war der Zweck, der Einhard bei der Abfaſſung
ſeiner Karlsbiographie vorſchwebte; auf das Feſthalten genauer Einzelheiten kommt es ihm nicht an.

Es iſt recht bezeichnend für Einhards künſtleriſche
Abſichten bei Abfaſſung ſeiner Vita, wenn
er im Prolog auf das Wort Ciceros im erſten Buch ſeiner

---

[1]) Vielleicht auch hat Einhard ſeine Vita insbeſondere für
den jungen Lothar abgefaßt, zu deſſen Mentor er ja 817 beſtellt
worden war (ſ. oben S. 131).

tusculanischen Gespräche hinweist: Cicero sage da, es heiße:
Zeit und Schrift unverantwortlich vergeuden, wenn man seine
Gedanken schriftlich niederlege, ohne sie zu ordnen, schön
auszudrücken und dem Leser damit Ergötzen zu . bereiten.
Zwar behauptet Einhard dieses Wort des großen Römers
mißachtet zu haben; denn er, der Barbar, mit der römischen
Sprache herzlich wenig vertraut, hätte sich eigentlich gar nicht
an die Abfassung dieser Karlsbiographie machen dürfen! —
Aber der Leser kann gar nicht darüber im Zweifel sein, daß
dies nur eine Phrase allzugroßer Bescheidenheit ist und daß
der Autor in Wahrheit sehr wohl darnach getrachtet hatte ge=
rade auch hinsichtlich der Form seiner Biographie sein Bestes
zu geben! In der Tat kann sich Einhards Vita Karoli nicht
bloß im Hinblick auf die Bedeutung ihres Inhaltes, auf die
Klarheit, in der uns das Charakterbild Kaiser Karls über=
liefert wird, sondern auch im Hinblick auf die Schönheit der
Form mit der Germania des Tacitus messen.[1]

Der Künstler in Einhard hat eben, wie gesagt, bei der
Gestaltung des literarischen Karlsporträts ein großes Wort
mitgesprochen. Was war da natürlicher, als daß Einhard
auch auf dem Gebiete, das er mit gutem Rechte als seine
eigenste Domäne betrachten durfte, auf dem Gebiete der
bildenden Kunst und hier wieder auf dem des Erzgusses
seinem Kaiser ein Denkmal setzen wollte?

In der Tat möchte es mir fast scheinen, als ob Einhards
Hand auch ein plastisches Bildnis Kaiser
Karls hinterlassen habe, das trotz mannigfacher Schicksale,
die es seit dem 18. Jahrhundert durchgemacht hat, bis auf
den heutigen Tag uns erhalten geblieben ist in Gestalt einer
kleinen Reiterstatue aus Bronze, die sich nunmehr
im Museum Carnavalet in Paris befindet.[2] Über

[1] Manitius, Gesch. d. lat. Lit. 643.
[2] Eine gute Abbildung u. a. bei G Wolfram, Die Reiter=
statuette Karls des Großen aus der Kathedrale zu Metz (Straß=

das Alter dieser Statuette wurde zwischen den Kunsthistori=
kern freilich längere Zeit hindurch eine scharfe Fehde geführt.
Sie darf, wie mir scheint, zugunsten der Ansicht aus'm
Weerths und Clemens als entschieden gelten; mit
großem Geschick suchte Clemen den Nachweis zu erbringen,
daß es sich bei dem hier dargestellten Reiter um das zeit=
genössische Porträt eines der ersten Karlinger, höchst wahr=
scheinlich um das Kaiser Karls d. Gr., handelt. Der Fund
einer Gußstätte in Aachen vor einigen Jahren kann nur zur
Sicherung dieses Ergebnisses beitragen. Als Meister aber,
der am Aachener Hofe den Erzguß als sein besonderes Ar=
beitsgebiet übte, haben wir nunmehr Einhard kennen gelernt.
Sollte er da nicht berufen gewesen sein, wenn es galt das
Bildnis des Frankenkaisers zu modellieren? Von seiner
Hand scheint jene Pariser Statuette modelliert, unter seiner
Leitung scheint sie in der Aachener Gußhütte ausgeführt
worden zu sein.[1]) Ganz derselbe Karl, den wir schon aus
dem literarischen Porträt der Vita Karoli kennen, tritt uns
ja auch in jenem Reiter entgegen: an der kräftig gebauten,
machtvollen Gestalt des Reiters, die, herrschgewaltig und
doch ungezwungen, bequem im Sattel sitzt, fällt besonders
der kurze Hals und der dicke, rundliche Kopf mit dem herab=
gezogenen Schnurrbart, dem kräftig hervortretenden Unter=
kinn, den weit geöffneten Augen unter den hochgewölbten

---

burg 1890), sowie besonders bei E. aus'm Weerth, Die Reiter=
Statuette Karls des Großen aus dem Dom zu Metz, in den
(Bonner) Jahrbüchern des Vereins von Altertumsfreunden im
Rheinlande LXXVIII (1884) 139 ff.; ebenso bei S. Hausmann,
Lothringische Kunstdenkmäler (Straßburg i. E.) Tafel 42.

[1]) Den Nachweis für die Möglichkeit dieser An=
nahme — um mehr handelt es sich hier nicht — suchte ich in
meinem Buche „Einhard als Künstler" S. 124 ff. zu liefern. —
Der Gießer suchte sich seine Arbeit dadurch zu erleichtern, daß er
das Ganze nicht in einem Guß, sondern Pferd und Reiter als
getrennte Stücke in zwei Hohlgüssen herstellte und dann durch
einen Nagel Reiter und Pferd verband.

Brauen auf; besondere Sorgfalt ist der Behandlung des Haupthaares geschenkt; es ist in ornamental=symmetrischen Locken, auf denen ein breiter, von Edelsteinen geschmückter und in Blattornamente auslaufender Kronreif ruht, gehalten. In der Linken trägt der Reiter, dessen starkes Roß ruhig dahinschreitet, den Reichsapfel; die Rechte hielt ehemals ver= mutlich nicht das (später beigegebene) Schwert, sondern ein Zepter. Es ist nicht mehr der alte karlingische Volks= könig, der uns hier geschildert wird, es ist bereits der „Karolus Augustus a Deo coronatus, magnus ac pacificus Romanorum imperator", als den nach Einhards eigenem Berichte an jenem Weihnachtstage des Jahres 800 Leo III. den Frankenherrscher begrüßt hatte. — Als Friedensfürsten hat uns der Künstler seinen Herrscher dargestellt, nicht ohne Anklang an die Auffassung des Reiterstandbildes des „Regisol" zu Pavia, dessen wir bereits im Zusammenhang mit Einhards Italienreise gedachten.[1])

So hat uns also Einhards Feder nicht bloß das be= kannte literarische Bildnis des großen Kaisers in seiner Vita Karoli gezeichnet, seiner Hand verdanken wir es mög= licherweise nicht minder, wenn wir auch noch ein plastisches Porträt Karls in Gestalt unserer Reiterstatuette besitzen. Es ist nicht zufällig, wenn dieses Denkmal zuerst (1634) im Dome zu Metz auftaucht; denn hier in Metz führte seit dem Jahre 823 ein illegitimer Sohn Karls, Drogo mit Na= men, den Bischofsstab. Durch diesen Kirchenfürsten, der als Kunstliebhaber einen Namen hat, kam vermutlich unsere Reiterstatuette in die Metzer Kathedrale.

Ein eigentümliches Geschick sollte aber die= sem kleinen Kunstwerk beschieden sein: Zunächst ver= blieb es jahrhundertelang dem Domschatz zu Metz; noch im 17. Jahrhundert wird berichtet, daß die Statuette, die in der

---

[1]) Oben S. 104 f.

Regel in einer Lade der Sakriftei des Metzer Domes auf=
bewahrt wurde,. alljährlich am Todestage Karls auf dem
Lettner daselbst zwischen vier brennenden Kerzen aufgestellt
zu werden pflegte. Mit einer religiösen Verehrung war
also das Bild jahrhundertelang umgeben. Auf die Vor=
stellung, die man sich in weiteren Kreisen des Volkes und der
Gebildeten vom Aussehen Kaiser Karls machte, konnte unsere
Bronzestatuette, solange sie im Metzer Dome verblieb,
natürlich wenig Einfluß ausüben. Allerdings hatte sich
in den alten Porträtdarstellungen Kaiser Karls eine gewisse
traditionelle Auffassung erhalten, welche letzten Endes auf
zeitgenössische Porträtversuche wie auf unsere Statuette zu=
rückgehen mochte. Aber allmählich wurde die ganze An=
schauung, die man sich von Karls Persönlichkeit machte,
anders: das Karlsbild der Chronik des Pseudoturpin. welche
im 12. Jahrhundert (um 1165 herum[1]) geschrieben ist, hat all=
mählich das geschichtliche Karlsporträt verdrängt; diese neue
Auffassung hat auch in Malerei und Plastik ihren Nieder=
schlag gefunden[2]); namentlich wurde dann auf die landläufige
Vorstellung, die man sich von Karl machte, jenes G e =
m ä l d e A l b r e c h t D ü r e r s von entscheidendem Einfluß,
das dieser im Auftrag des Nürnberger Stadtrates 1512 schuf
und in dem er den greisen Karl als die majestätische, über=
ragende Persönlichkeit mit langem Bart und herabwallendem

---

[1] Eingehende Untersuchungen über diese Fälschung ergaben
mir, daß Pseudoturpin am Vorabend der Heiligsprechung Karls
des Großen (1165) entstanden ist, und daß der Zweck dieser
Fiktion war Material für die Heiligsprechung Karls zu bieten.
Das Werk ist, wie ich an anderer Stelle wahrscheinlich machen
zu können glaube, auf Veranlassung Rainalds von Dassel, des
berühmten Kanzlers Friedrichs I., geschrieben worden, der mit der
Abfassung des Werkes vermutlich seinen Hofdichter, den Archi=
poeten, beauftragt hat.

[2] S. G. Wolfram, Neue Untersuchungen über das Alter
der Reiterstatuette Karls des Gr., im Jahrbuch der Gesellschaft
für lothringische Geschichte und Altertumskunde XIII (1891) 327.

Haupthaar, aus deren ernsten Zügen Hoheit und Klugheit nicht minder als Edelmut und Güte spricht, wiedergab. Der Versuch die historische Bedeutung der Persönlichkeit Karls in seinem Bilde festzuhalten war hiermit gemacht[1]).

So hat denn Dürers Karlsporträt, das für die „Nürnberger Heiltumskammer"[2]) gemalt ward, auf die Folgezeit weit lebhafter eingewirkt als jene zeitgenössische Bronzestatuette, welche das ganze Mittelalter und fast die ganze Neuzeit hindurch bis zum Ausgang des 18. Jahrhunderts in der Metzer Kathedrale verborgen blieb. — Erst in der Zeit der französischen Revolution verschwindet die Statuette — kostbare Dinge erleiden in Zeiten turbulenter Umwälzungen bekanntlich allzu leicht ein derartiges Geschick! — aus dem Domschatz der Metzer Kathedrale; aber sie ist nicht untergegangen. Im Jahre 1807, zu einer Zeit, da bereits der große Korse das Erbe Kaiser Karls angetreten hatte, taucht das Kunstwerk wieder auf. Es war nicht weit gekommen: denn ein biederer Apotheker in Metz war sein glücklicher Besitzer geworden. Bei ihm entdeckt es ein französischer Kunsthistoriker, Alexander Lenoir, der verdiente Begründer der Sammlung der Ecole des beaux-arts in Paris. Und er weiß es auch zu erwerben; um nicht viel Geld wird er es seinem Landsmann abgehandelt haben; denn selbst noch 32 Jahre später, als Lenoir starb und nun sein Nachlaß versteigert werden sollte, will man für die Statuette bloß 800 Franken geben. Das war denn doch etwas gar wenig und wir können es der Familie Lenoir nicht verargen, wenn sie die Statuette zurückbehielt und wenn diese nun an den Sohn Alexander Lenoirs, an Albert Lenoir, der gleichfalls

---

[1]) S. ebenda 346.

[2]) D. h. für jene Kammer des Schopperschen Hauses in Nürnberg, in welcher der Ornat der deutschen Kaiser in der Nacht vor seiner alljährlichen öffentlichen Ausstellung auf dem Markt aufbewahrt wurde.

in der französischen Kunstwissenschaft einen Namen hat,
kam; dieser behält das Kunstwerk ein paar Jahre; dann ver=
kauft es sein Bruder und Miterbe um 3000 Franken. Eine
Engländerin wird jetzt die Eigentümerin der Statuette und
„Karl d. Gr." wandert nach England in den Besitz der
Madame Evans=Lombe. Aber 1867 kommt die Statuette
über den Kanal zurück auf das Festland: sie soll eine
Sehenswürdigkeit auf der Pariser Weltausstellung bilden.
In der „Geschichte der Arbeiten und Denkmäler"
jener Ausstellung konnte man auch die Reiterstatuette
Karls d. Gr. anführen. Als dann die Sammlung jener
Engländerin verkauft wird, erwirbt die Stadtgemeinde von
Paris das Reiterbildnis; 5000 Franken läßt sie es sich
kosten. In einem Nebenbau des Hotel=de=Ville findet das
Werk sein neues Heim. Aber das Jahr 1871 sollte auch
im Schicksal dieser Statuette seine Spur hinterlassen; denn
zur Zeit der Commune wird das erwähnte Gebäude
in Brand geschossen — unter seinen Trümmern findet man
auch den alten Reiter; er war ziemlich mitgenommen worden
von diesem Unfall: nachdem bereits früher (um 1854) der
Pferdeschweif abgebrochen und schon in sehr früher
Zeit die Insignie, die der Kaiser ursprünglich in der Rechten
getragen hatte — vermutlich ein Zepter —, abhanden gekom=
men war und man an ihrer Stelle dem Kaiser ein ganz mo=
dernes Schwert in die Hand gesteckt hatte, wurde jetzt durch
das Herunterstürzen der Statuette und durch die Hitze, der sie
bei dem Brande ausgesetzt war, die Feinheit der Form ver=
nichtet, ihre Oberfläche wurde fast ganz abgeschliffen, manche
Teile der Figur wurden stark beschädigt; so der Daumen der
Linken und die Nasenspitze, die Gewandspange wurde über=
haupt abgebrochen. Erst jetzt gelangte die Statuette an
einen Ort, an dem sie bis heute geblieben ist: in das ehe=
malige Palais der Frau von Savigné, das zum Museum
Carnavalet umgestaltet worden war.

Nachdem dann die Statuette bereits in verschiedenen
für das französische Publikum bestimmten Werken abge=
bildet worden war, wurden weitere deutsche Kreise mit ihr
durch ihre bildliche Wiedergabe in dem ersten, in 2. Auf=
lage 1880 zu Bielefeld und Leipzig erschienenen Bande
von L. Stackes „Deutscher Geschichte" bekannt. Der Metzer
Dombaumeister Tornow hat das Verdienst, das Augenmerk
der Forschung auf unsere Statuette besonders hingelenkt zu
haben. Auf seine Anregung ließ der kaiserliche Minister für
Elsaß=Lothringen eine Nachbildung des Werkes, die für den
Metzer Dom bestimmt war, anfertigen; ein weiterer Abguß
in Bronze wurde für Kaiser Wilhelm I. hergestellt, während
Gipsabgüsse für Otto von Bismarck, für Freiherrn von
Manteuffel, den Bezwinger von Metz, für den geistlichen
Oberhirten dieser Stadt sowie für mehrere Museen (in
Metz, Berlin, Dresden, Nürnberg, Aachen) hergestellt
wurden. Abbildungen der Statuette wurden in immer wach=
sender Zahl in Geschichtswerke aufgenommen. Bald wandte
sich auch die historische Kritik unserm Kunstwerk und der
Frage seiner Echtheit zu: der Bonner Professor aus'm
Weerth schenkte ihm gründliche Studien und glaubte den
Nachweis erbringen zu können, daß der prächtige Reiter,
entsprechend seiner Tradition, auch tatsächlich Karl d. Gr.
darstelle und daß es sich hierbei um ein zeitgenössisches Werk
handle. So schien die karlingische Herkunft der Statuette
gesichert zu sein. Schon begann die Vorstellung, welche
weite Kreise der Gebildeten auf Grund des Dürerporträts
bisher von Karl d. Gr. gehabt hatten, durch unsere Dar=
stellung verdrängt zu werden. Der Nachweis aus'm Weerths
wurde noch vervollständigt durch Paul Clemen, der nament=
lich die Gewandung des Reiters einer sorgfältigen Prüfung
unterzog. Da erstand aber der Echtheit unserer Statuette
in einem ausgezeichneten Historiker, Georg Wolfram, ein
sehr beachtenswerter Widersacher. In einer Mehrzahl von

Studien suchte Wolfram den Nachweis zu erbringen, daß die Statuette nicht karlingischer Herkunft sein könne, daß sie vielmehr erst in der Zeit der Renaissance, anno 1507, von einem Metzer Goldschmied namens François auf Bestellung des Metzer Domkapitels hergestellt worden sei. Kein Geringerer als Bismarck interessierte sich gelegentlich für diesen Gelehrtenstreit und stimmte in einem Brief an Wolfram vom 19. Dezember 1890 der Meinung bei, daß das Werk, dessen Abbild er ja in Friedrichsruh besaß, nicht karlingischen Ursprungs sei. Aber Clemen hat in trefflichen Untersuchungen doch wohl den karlingischen Ursprung überzeugend dargetan. Und nunmehr darf wenigstens die Vermutung geäußert werden, daß niemand anders als gerade Einhard der Meister der Statuette ist. Kein Metzer Meister François, sondern der Ostfranke Einhard hat dieses Werk vermutlich geschaffen, das schon allein angesichts der Schicksale, die ihm beschieden waren, einen besonderen Reiz auf jeden Altertumsfreund ausüben muß.

XIII

Die ehernen Türflügel von St. Denis — ein vergessenes Kunstwerk Einhards?

Wer hätte noch nichts gehört vom mittelalterlichen St. Denis und von seiner Bedeutung für das werdende Frankreich? Die Benediktinerabtei, die dort in den Tagen des Merowingerkönigs Dagobert I. (622—38) gegründet worden war, konnte Jahrhunderte hindurch als ein Kristallisationspunkt für das Westfrankenreich und für den sich hieraus bildenden französischen Nationalstaat gelten. Und dies nach mehr als e i n e r Richtung: in politischer, in kirchlicher, in wissenschaftlicher und auch in künstlerischer Hinsicht. Das Viertelhundert von fränkischen und französischen Herrschern, die in der altehrwürdigen Kirche von St. Denis dem jüngsten Tag entgegenschlummern, erzählt uns allein schon genugsam von St. Denis als einem staatlichen Zentrum des alten Frankreich. Und welch große Rolle in der Entwicklung des französischen Nationalbewußtseins nimmt nicht die alte Kriegsstandarte der Abtei St. Denis ein, die „aurea flamma", die durch Sage und Dichtung verklärte „Oriflamme", die zur Kriegsfahne der französischen Könige, zum Hauptbanner der französischen Heere geworden ist! Wie viel bedeutende Äbte von St. Denis stehen während des Mittelalters zugleich in der vordersten Reihe der fränkischen und französischen Staatsmänner — angefangen von Fulrad, dem obersten Kaplan und Gesandten Pippins und Karls d. Gr., und von Hilduin, dem Erzkaplan Ludwigs d. Fr. und Lenker der fränkischen Kirchenpolitik, bis zu Suger, dem allgewaltigen, treuen Berater Ludwigs VI. (1108—37) und Ludwigs VII. (1137—80), dem Vorläufer eines Richelieu und eines Mazarin[1]), und bis zu Matthias von Vendôme, der dann unter Ludwig IX., dem Heiligen (1226—70), dem besonderen Begünstiger von St. Denis, zeitweise als Regent Frankreichs schalten konnte!

Im selben St. Denis hat man sich gerade in den Tagen unseres Einhard, um das Jahr 830 herum, mit dem kühnen Projekte beschäftigt, diese Abtei gewissermaßen zum Range eines zweiten Rom, den Abt von St. Denis aber zu einer Art von Vizepapst für die weiteren Gebiete des fränkischen Reiches, für „Gallien und Germanien", zu erheben.[2]) Diese hochfliegenden Ansprüche und Bestrebungen sind in St. Denis auch in der Folgezeit nicht spurlos verflogen; auf lange Zeit hinaus lehren sie in dieser oder jener Form wieder; der Anspruch des Abtes von St. Denis auf den Primat gegenüber allen Erzbischöfen und Bischöfen Frankreichs findet sich noch in einer Fiktion, die im Jahre 1149 hergestellt worden ist.[3])

---

[1]) O. Cartellieri, Abt Suger von St. Denis, in Eberings Historischen Studien XI (Berlin 1898) 122 f.

[2]) Diese Pläne bilden in gewissem Sinne die Grundlage für die Entstehung der späteren gallikanischen Ideen; sie ergaben sich mir aus einer Reihe von höchst interessanten Fälschungen von Urkunden, deren Charakter als Fiktionen bis heute von der Forschung teils noch nicht erkannt oder doch noch nicht klargestellt ist; meine langjährigen Studien über diese Fälschungen hoffe ich in einem größeren Werke veröffentlichen zu können, wenn auch solches durch die derzeitigen Druckschwierigkeiten stark verzögert werden wird.

[3]) In dieses Jahr gehört nämlich jene interessante Fälschung auf den Namen Karls des Großen, welche nun in den Mon. Germ. Diplomata Karolinorum I 428 f. (Böhmer-Mühlbacher, Regesta imperii I² Nr. 4-2) gedruckt ist; ich hoffe diese Datierung in einer besonderen Untersuchung demnächst begründen zu können.

Wollte man doch in St. Denis auch den Patron dieses
Klosters, den hl. Dionysius von Paris, dessen Leib man
in der Abteikirche barg, jedenfalls seit dem neunten, wenn
nicht schon seit dem achten Jahrhundert für identisch erklärt
wissen mit jenem Dionysius Areopagita, der in der Apostel=
geschichte als Schüler des hl. Paulus erwähnt ist. Auf
solche Weise wurde die Wirksamkeit des Patrons von
St. Denis zurückgerückt bis in das Zeitalter der Apostel,
wurde St. Dionysius zum Apostel des fränkischen Reiches,
bekam somit auch die Abtei St. Denis den Vorzug einer
„apostolischen Kirche", wurde zur „mater ecclesia", zur
„Mutterkirche" gegenüber allen andern französischen
Kirchen. Daher feierten auch gerade in dieser Kirche im
12. Jahrhundert mehrere Päpste kirchliche Feste mit dem
glänzendsten Zeremoniell.

Aber nicht bloß als politischer und kirchlicher Mittel=
punkt war St. Denis weithin berühmt — auch regste
wissenschaftliche Tätigkeit war hier zu finden. Der Name
und die Wirksamkeit Abälards, jenes hochberühmten Scho=
lastikers und Theologen, steht mit St. Denis in Verbindung.
Und wieviel Mühe und Fleiß wurde in St. Denis auf
die Geschichte dieser Abtei verwendet! — Um endlich die
hervorragende Stellung St. Denis auf dem Gebiete der
bildenden Kunst anzudeuten, braucht man nur wieder den
Namen Sugers, des Erbauers der weithin berühmten
Kathedrale von St. Denis, und auf die Bedeutung dieses
Gotteshauses für die Frühgotik hinzuweisen, oder auch auf
jene herrlichen Grabdenkmäler, welche dann zur Zeit der
Renaissance in dieser Kirche Aufstellung fanden, auf Kunst=
werke wie das Mausoleum Franz' I.

Von der außerordentlich reichen Literatur, die sich
mit der Geschichte St. Denis und seiner Abtei befaßt,
möchte ich nun dem Leser drei dicke Bände vorlegen, die wir
dem sprüchwörtlich gewordenen Fleiß und der großen Ge=

lehrsamkeit von Benediktinermönchen verdanken: ich meine einmal die von Jacques Doublet im Jahre 1625 zu Paris veröffentlichte „Histoire de l'abbaye de S. Denis-en-France", ferner die „Annales ordinis S. Benedicti", die den berühmten Jean Jacques Mabillon zum Verfasser haben,[1]) und endlich die „Histoire de l'abbaye royale de Saint-Denis" von Michael Félibien.[2]) In diesen Bänden finden sich gelegentliche Notizen[3]) über ein Kunstwerk — sie stimmen zum guten Teil ganz mit einander überein und sind auch tatsächlich von einander abhängig —, das sich zur Zeit der genannten Verfasser noch in der Kathedrale von St. Denis befand: es handelt sich nämlich um eherne Tür-flügel in der von Suger erbauten Kirche; und zwar stammten diese Türflügel bereits aus der alten Kirche von St. Denis, der Vorgängerin der gotischen Kathedrale; aus dieser alten karlingischen Basilika, deren Bau in der zweiten Hälfte des achten Jahrhunderts erfolgt war, waren diese Türflügel in den Neubau Sugers übernommen worden. Auf diesen alten Erztüren waren nun — und gerade das macht uns die Kunde von ihnen besonders wert-voll und interessant — als Reliefs Menschendarstellungen, von denen zwei nicht als typische Gestalten, sondern als bestimmte Einzelindividuen gedacht waren, so daß diese Bildnisse als Porträts aufzufassen sind, angebracht. Auf der einen der beiden Türen war nämlich ein Geist-licher dargestellt, offenbar einer der Insassen des Klosters St. Denis, während auf der gegenüberliegenden Türe an der Nordseite der Kirche sich ein Widmungsbild befand.

---

1) Bd. II, Lutetiae Parisiorum 1704.
2) Paris 1706.
3) Ich wurde auf sie, wie ich dankbar vermerken möchte, durch ein Zitat in dem Aufsatz M. Dubruels über Fulrad in der Revue d'Alsace LIII (4. série III 1902 S. 299) hingewiesen.

Der hl. Dionyſius war hier dargeſtellt; vor ihn tritt eben
der Meiſter, der die Türen geſchaffen hatte, hin und bringt
ihm ſein Werk als Gabe dar. Über dieſer Dedikations=
ſzene ſtand ein lateiniſches · Diſtichon, deſſen beide Verſe
Doublet folgendermaßen wiedergegeben hat:

„Hoc opus Airardus, coelesti munere fretus
Offert, ecce, tibi, Dionysi, pectore miti.“

„Siehe, Dionyſius, dieſes Werk bringt Dir mit mil=
dem Sinn Airard im Vertrauen auf des Himmels
Hilfe dar.“

Daneben fanden ſich noch andere Worte bei dieſem
plaſtiſchen Kunſtwerke geſchrieben: die Figur des hl. Dio=
nyſius war als ſolche durch die Worte „sanctus Dionysius“
bezeichnet, während bei der Abbildung des Künſtlers die
Worte „Airardus monachus“ ſtanden. Wenigſtens hat
Doublet dieſe Inſchrift ſo geleſen. Freilich: dieſe Buch=
ſtaben ſchienen ihm, wie er ſelbſt in ſeiner Chronik zugibt,
„assez difficiles à lire“ — „ſchwer genug zu leſen“ zu ſein.
Wir können es begreifen, daß ihm ihre Entzifferung
Schwierigkeiten machte; denn von den fraglichen Buchſtaben
war nicht etwa einer neben den andern geſtellt, ſondern
ſie waren durch ſog. Ligaturen miteinander verbunden und
ineinander hineingeſchrieben. Auch das verraten uns
jene Chroniken: Mabillon charakteriſiert die Schriftzüge
auf der Türe mit den Worten: „insertae simulque im-
plexae litterae“; und Doublet ſpricht von jenen Buch=
ſtaben als „entre-lacees l'unes dans l'autres“. —

Wann iſt nun das fragliche Relief ent=
ſtanden? — Jedenfalls war jene Inſchrift und überhaupt
das Kunſtwerk von ſehr hohem Alter. Doublet hat die
Buchſtaben als „lettres très antiques“ bezeichnet; Félibien
fand die Darſtellung des Mönches Airard als ſehr alter=
tümlich hinſichtlich des Geſchmackes und nennt dieſes Bild=
nis „eines der älteſten“, nachdem bereits Mabillon kein

Bedenken getragen hatte, das Kunstwerk noch in das achte
Jahrhundert zu datieren; er hatte nämlich seinen Meister
in einem gewissen Airradus erblicken wollen, der — an=
geblich — zur Zeit des Abtes Fulrad von St. Denis
(† 784) gelebt haben soll. Aber diese Annahme ist nicht
haltbar.¹) Vielmehr müssen unsere Türen in einer Zeit
entstanden sein, da die Insassen des Klosters St. Denis
sich nicht als Mönche, sondern als Weltgeistliche, als Ka=
noniker, trugen; denn der am Südtor dargestellte Kleriker
ist, wie schon Mabillon richtig beobachtet und hervorge=
hoben hat, mit einer Gewandung bekleidet, welche mehr
der Tracht der Kanoniker als der der Mönche entspricht.
Nun läßt sich aber feststellen, daß im zweiten und dritten
Jahrzehnt des neunten Jahrhunderts, etwa von 814—829
(bez. 832), die Abtei St. Denis wirklich als Kanonikerstift
galt und daß ihre Insassen damals tatsächlich die Tracht
von Kanonikern statt ihres Mönchskleides trugen; da=
mals muß daher unser Kunstwerk entstanden
sein.²)

In dieser Periode hatte ja auch der Erzguß im Fran=
kenreiche schon eine derartige Blüte erreicht, daß die Her=
stellung solch eherner Türflügel technisch möglich war.
Für diese Datierung unseres Kunstwerkes spricht aber auch
manche Einzelheit, die wir darüber bei Doublet und
Félibien erfahren: nicht bloß, daß das hohe Alter der frag=
lichen Türen, ihr sehr altertümlicher Stil von den genann=
ten Gelehrten hervorgehoben wird — auch die Darstellung
der Figuren in Tiefreliefs paßt in jene frühe Zeit;
ebenso auch der Umstand, daß die ehernen Türflügel einen
hölzernen Kern aufwiesen, der mit Guß überzogen war;
denn das entspricht der Technik der Karlingerzeit; es war
ferner damals üblich. Widmungsverse, wie man sie an

---

¹) Die Gründe dagegen bei Buchner, Einhard als Künstler 81f.
²) S. zu all dem und zum folgenden ebenda 82 ff.

unſerem Kunſtwerke leſen konnte, ſolchen Gegenſtänden bei=
zugeben und die dargeſtellten Perſonen mit ihren Namen
zu bezeichnen. Aber noch mehr als alle dieſe Einzelheiten
zeugen für die angedeutete Datierung unſerer Erztüren
die Verhältniſſe in St. Denis in jenen Jahrzehnten: da=
mals ſtand an der Spitze dieſer hochberühmten Abtei der
ſchon erwähnte Hilduin, eine der intereſſanteſten Perſön=
lichkeiten dieſer Zeit; zugleich Erzkaplan Ludwigs d. Fr.,
ſuchte er, wie ich ſchon erwähnt habe, St. Denis gewiſſer=
maßen zu einem zweiten Rom auszugeſtalten und ſeine
eigene Stellung zu einer Art von vizepäpſtlichen Würde
emporzuheben. Von eben dieſem Hilduin ſagt uns nun
einer ſeiner Zeitgenoſſen, daß er gar viele herrliche Gegen=
ſtände zum Schmucke der Kirche von St. Denis dorthin
brachte; und ein Dichter jener Zeit, der Schotte Dungal,
erzählt uns gerade von Werken der Metallurgie, durch
welche die Kirche von St. Denis und die dortigen Grab=
mäler des hl. Dionyſius und ſeiner Gefährten zur Zeit
Hilduins geſchmückt worden ſeien. Unter ihm ſcheinen
auch unſere Erztüren nach St. Denis gekommen zu ſein.

Spricht ſomit vieles dafür, daß unſere Türflügel in
die angegebene Zeit zwiſchen 814 und 829 (bez. 832) an=
zuſetzen ſind, ſo würde dieſe Datierung noch mehr ge=
ſichert, wenn es gelänge unter den Künſtlern dieſer Zeit
und ſpeziell unter ihren Metallplaſtikern den als ihren
Meiſter überlieferten „Airardus" nachzu=
weiſen; und zwar muß dieſer „Airardus" mönchiſches
Leben geführt haben, da ihn ja die eine Inſchrift als
„monachus" bezeichnet. — Iſt ein ſolcher Nachweis nun
möglich?

Jedenfalls laſſen ſich, denke ich, einige Aufſchlüſſe
bieten, welche über die Perſönlichkeit jenes „Airardus"
wenigſtens einigermaßen Licht zu verbreiten geeignet ſein
dürften.

Der Name „Airardus" begegnet in der fraglichen
Zeit mehrfach; so finden wir Mönche dieses Namens in Klöstern, die mit der Abtei Reichenau in einer
sog. Gebetsverbrüderung standen.[1]) Ein Mönch mit dem
Namen „Hairardus", der natürlich mit „Airardus" gleich-
bedeutend ist, und ebenso ein anderer Mönch mit dem
gleichfalls hiermit identischen Namen „Hairhardus" begegnen um 830 unter den Insassen eines Klosters, das in der
betreffenden Quelle, einem um die genannte Zeit (830) in
Reichenau angelegten Verzeichnis all der Leute, für welche
man hier betete, als „cella sanct. Dyonisii, ubi
confessor Christi Hilarus quiescit humatus",
als „Zelle (Tochterkloster) des hl. Dionysius, wo der Be-
kenner Christi, Hilarus, bestattet liegt", bezeichnet wird.[2])
Der Herausgeber der erwähnten Quelle in den
Monumenta Germaniae hat unter dieser „cella sancti Dyonisii" unsere berühmte Abtei St. Denis verstehen zu dürfen
geglaubt;[3]) er wurde hierin durch den Umstand bestärkt,
daß an der Spitze der zu jener „cella" gehörigen Konventualen ein „Hilduinus abb." („Abt Hilduin") genannt wird,[4])
unter dem er — mit Recht — den schon erwähnten, um

---

[1]) S. Mon. Germ. Libri confraternitatum ed. P. Piper
S. 167, 257. — S. auch im Nachtrag.

[2]) Ebenda S. 356 auf pag. XCIII des unter Abt Erlebald
von Reichenau um 830 angelegten Necrologium Augiense (s. die
Vorbemerkungen von Piper ebenda 147); den Hinweis auf diese
Stelle verdanke ich der Freundlichkeit meines lieben Kollegen,
Professor Dr. Erich König; durch diesen Hinweis aber wurde
ich zur Aufklärung des in den Mon. Germ. unterlaufenen Irrtums
hinsichtlich des fraglichen Klosters, wie ich sie im folgenden zu
bieten suche, angeregt.

[3]) Piper a. a. O. 256 Note.

[4]) Neben Abt Hilduin ist noch ein zweiter Abt namens
„Abrolbus" genannt; bei diesem dachte Piper — ganz ohne stich-
haltigen Grund! — an den Abt Farbulf von St. Denis, einen
Vorgänger Hilduins.

830 regierenden Abt Hilduin von St. Denis verstand. Falls wirklich jene „cella" St. Denis war und falls somit jener Hairardus und sein Ordensbruder Hairhardus Mönch dieses Klosters waren, so wird man wenigstens mit einem gewissen Grad von Wahrscheinlichkeit einem dieser beiden unser Kunstwerk, das ja, wie wir hörten, um diese Zeit herum eben für die Kirche von St. Denis an= gefertigt wurde, zuteilen dürfen.

Nun beruht aber die D e u t u n g j e n e r „cella sancti Dyonisii" auf S t. D e n i s a u f e i n e m I r r t u m des Herausgebers. Wenn auch unter dem an der Spitze der zu dieser „cella" gehörigen Konventualen genannten „Abt Hilduin" der berühmte Abt von St. Denis, der Erz= kaplan Ludwigs d. Fr., verstanden werden muß, so ist doch die fragliche „cella" keinesfalls das Kloster St. Denis. Denn dieses hätte man niemals als „cella . . ., ubi confessor Christi Hilarus quiescit humatus" bezeichnet, sondern einfach als „monasterium sancti Dyonisii" oder „mona- sterium, ubi martyr Christi Dyonisius quiescit humatus". Mit der Ruhestätte des „Bekenners Christi Hilarus" oder vielmehr Hilarius[1]) konnte nicht St. Denis, sondern das Kloster S t. H i l a i r e le Grand in Poitiers gemeint sein, das vor 511 gegründet worden war und zur Diözese Poi= tiers (Erzdiözese Bourges) gehörte; es führte seinen Namen nach dem als „confessor" verehrten Bischof S. Hi= larius von Poitiers, der als einer der größten Kirchen= lehrer der abendländischen Kirche gilt,[2]) und dessen Leib eben zu Poitiers im Kloster St. Hilaire bestattet lag.[3])

---

[1]) Über das Vorkommen der Form Hilarus oder Helarus statt Hilarius vgl. J. E. Stadler, Vollständiges Heiligen=Lexikon II (Augsburg 1861) 722; vgl. Mon. Germ. Epistolae III 734 im Index nominum: Hilarius, Hilarus, Helarus etc., ebenda 121 31; 435 32.

[2]) S. Stadler a. a. O. II 719 ff.

[3]) Vgl. eine Urkunde Pippins vom Jahre 768 für St. Hilaire, in der es heißt: „. . .Bertinus abba de monasterio sancti

Durch den hl. Fridolin, der nach seinem früheren Aufent=
halt in Poitiers, wo er die Gebeine des hl. Hilarius ge=
funden und Kirche und Kloster St. Hilaire wiederherge=
stellt hatte, bekanntlich in Alemannien als Verkünder des
Christentums wirkte, kam die Verehrung des hl. Hilarius
nach Deutschland. Es erklärt sich daher auch sehr gut, wenn
gerade das alemannische Kloster Reichenau in einer Ge=
betsverbrüderung mit dem fernen St. Hilaire in Poitiers
stand. Dafür, daß dieses Kloster und nicht St. Denis
unter jener „cella" gemeint ist, spricht übrigens auch der
Umstand, daß in dem fraglichen Verzeichnis der mit Rei=
chenau verbrüderten Klöster unmittelbar vor unserer „cella"
ein anderes Kloster gleichfalls aus der Diözese Poitiers,
das „monasterium Carrofense", heute Charroux, aufgeführt
wird.[1]) Und auch der Umstand, daß unter den Konven=
tualen der betreffenden „cella" ein Bischof namens Altfred
uns begegnet und unter diesem ein Oberhirte des Poitiers
benachbarten und gleichfalls zur Erzdiözese Bourges ge=
hörigen Bistums Angoulême zu verstehen sein wird,[2]) spricht
für die Beziehung auf St. Hilaire in Poitiers. — Aber
was soll dann die Bezeichnung als „cella sancti Dyonisii"?
Und wie kommt gerade Abt Hilduin von St. Denis an die
Spitze der Mönche von St. Hilaire? — Die Beantwor=
tung dieser Frage muß m. E. dahin lauten, daß Hilduin
als Abt von St. Denis auch über andere Benediktinerstifte
des fränkischen Reiches mit Erfolg eine Oberherrschaft
auszuüben und sie gewissermaßen als Tochterklöster, als

Hilarii ... Pectavis civitate, ubi ipse praeciosus cor-
pore requiescit.“

[1]) A. a. O. 254; auf unsere „cella" folgen dann Kirchen in
der Erzdiözese Lyon.

[2]) S. die Note bei Piper a. a. O.; vgl. den bei Duchesne,
Fastes épiscopaux de l'anienne Gaule II² ᵉᵈ. (Paris 1910) 70 ge=
nannten Bischof „Acfraedus" von Angoulême.

Filialen von St. Denis, zu betrachten suchte. Wir haben
nämlich durch einen im zehnten Jahrhundert lebenden
Mönch des Klosters St. Medard in Soissons, dessen
Quelle ein Schreiben eines Propstes von St. Medard,
Rodoin, an Hilduin bildet,[1]) die ausdrückliche Nachricht
überkommen, daß Hilduin zu seiner Zeit in der ganzen
Monarchie Ludwigs des Frommen über alle, die dasselbe
Gewand trugen, eine Oberherrschaft ausgeübt habe.[2]) Auch
St. Hilaire stand also offenbar unter der Oberleitung
Hilduins. Auf ein solches Abhängigkeitsverhältnis St.
Hilaires von St. Denis weist zudem auch die Tatsache hin,
daß neben und nach Hilduin noch ein zweiter Abt namens
Aldroldus in unserm Verzeichnis aufgeführt wird,[3]) unter
dem sicher der Abt von St. Hilaire selbst, also der Unter-
abt Hilduins, zu verstehen ist; es weist ferner die Bezeichnung St. Hilaires als „cella" darauf hin, daß es in einem
solchen Abhängigkeitsverhältnis stand: denn bei einer
solchen „cella" wird es sich nicht um ein selbständiges Kloster, sondern gewissermaßen um ein Tochterkloster, um die
Filiale eines andern Klosters gehandelt haben;[4]) dieses
sein Mutterkloster aber war St. Denis.[5])

---

[1]) Mon. Germ. SS. XV 391; vgl. Holder-Egger ebenda 377;
Wattenbach, Deutschlands Geschichtsquellen I⁷ 218 A. 1.

[2]) „Ea tempestate . . . pater Hilduinus apicem . . . in omni
augusti monarchia super omnes sui habitus retinebat." Odilo,
Translatio S. Sebastiani, in den Mon. Germ. SS. XV 380.

[3]) S. oben S. 194 A 4.

[4]) Vgl. über den Gebrauch des Wortes „cellae" und des
mit ihm gleichbedeutenden Ausdruckes „obedientiae" für Klöster,
welche zu größeren Abteien in einem Abhängigkeitsverhältnis
standen, Du Cange, Glossarium mediae et infimae latinitatis. Ed.
nova II 250 und VI 3.

[5]) Tatsächlich stand ja auch St. Denis in Beziehungen zu
St. Hilaire: Teile des Leibes des heiligen Hilarius kamen nach
St. Denis, wie auch daselbst am 22. August der Gedächtnistag
dieses Heiligen gefeiert ward; s. Stadler a. a. O. 722.

Unter diesen Umständen kann also nicht St. Denis, sondern nur St. Hilaire in Poitiers als das Kloster gelten, dem jene Mönche namens „Hairardus" und „Hairhardus" angehörten. Daher werden wir auch nur als **Möglich- keit die Annahme** vertreten dürfen, daß **von einem** dieser beiden **Mönche von St. Hilaire die Erz- türen von St. Denis** herrühren, als deren Meister uns ein „Airardus monachus" bezeugt ist. Denkbar wäre es natürlich sehr wohl, daß man seitens des Abtes von St. Denis als Meister für ein Kunstwerk, das man für diese Kirche hergestellt zu sehen wünschte, sich einen kunst- fertigen Angehörigen eines Tochterklosters kommen ließ und daß so einer der genannten Mönche von St. Hilaire mit der Anfertigung unserer Erztüren betraut wurde. Doch dürfen wir nicht vergessen, daß wir von keinem dieser beiden Mönche wissen, daß er Künstler und speziell Erz- gießer gewesen ist, daß somit die Annahme dieser Iden- tität mit dem „Airardus" unserer Türen nur einen gewissen Grad von Wahrscheinlichkeit für sich hat, wenn auch auf die Insassen von St. Hilaire die Charakteristik des Mei- sters der Türen als „monachus" ausgezeichnet paßte.

Aber noch eine **andere Hypothese** muß hier besprochen werden, eine Hypothese, um derentwillen allein in diesem Zusammenhange auf unsere Erztüren von St. Denis und ihre Herkunft Rücksicht zu nehmen war: es ist die von mir früher[1]) geltend gemachte Annahme, daß nie- mand anders als **Einhard der Künstler unse- rer Erztüren** war. Zur Stütze dieser Hypothese kann man zunächst auf das zeitliche Zusammenfallen der Ent- stehung unserer Türen mit der Lebens- und Wirkungszeit Einhards hinweisen. Man kann die Zuteilung unseres Kunstwerkes an Einhard besonders damit zu begründen

---

[1]) In meinem Buch „Einhard als Künstler" 93 ff.

suchen, daß ja Einhard, der „Beseleel" des Karlinger=
hofes, Künstler und besonders Meister in der Metall=
technik war, daß also die Anfertigung unseres Kunstwerkes
so recht zur Domäne Einhards auf künstlerischem Gebiete
gehörte. — Eine andere Frage ist, ob auf Einhard die Be=
zeichnung des Schöpfers unserer Erztüren als „monachus"
passen würde. Gegen Ende der Periode, welche für die
Entstehungszeit dieses Kunstwerkes überhaupt in Frage
kommt (814—829 bez. 832), jedenfalls erst nach 819, aber
doch schon vor 828, hat Einhard m. E. eine mönchische
Lebensweise zu führen begonnen, hat wohl auch die
Mönchsgelübde abgelegt und eben deshalb seine Ehe mit
Imma gelöst,[1]) so daß er von diesem Gesichtspunkte aus
allerdings als „monachus" bezeichnet werden konnte. Gleich=
wohl gebe ich gerne zu, daß es, wenn er wirklich der
Meister unserer Türen ist, immerhin einigermaßen auf=
fällig bleibt, warum er sich nicht als „Abt" (abbas), der er
doch war und als der er auch sonst genannt wird, sondern
bloß als „Mönch" bezeichnete[2]); doch wäre es denkbar,
daß sich Einhard absichtlich auf dem von ihm angefertigten,
dem hl. Dionysius gewidmeten Kunstwerk als „monachus"
statt als „abbas" betitelte, nicht nur aus Bescheidenheit,
sondern auch um anzudeuten, daß er nunmehr wirklich mön=
chisches Leben führe, während er früher nur Laienabt ge=
wesen war. — Jedenfalls stand Einhard mit Abt Hilduin
von St. Denis, in dessen Regierungszeit unsere Türen ent=
standen sind, in engster Beziehung,[3]) schon allein durch die
Stellung, welche sowohl er wie Hilduin am Kaiserhofe ein=

---

1) Darüber Buchner, Einhard 99 ff. und unten Abschnitt XVII.
2) Herr Geheimrat Hampe wies mich gütigst darauf hin.
3) Übrigens scheint zu den Namen der Konventualen von
St. Hilaire, also eines zum Verbande St. Denis gehörigen Klosters,
Einhards Name nachträglich noch hinzugefügt worden zu sein;
s. Libri confraternitatum S. 256, wo ein „Einhart" als später
hinzugefügt erwähnt wird.

nahmen; er mochte wohl gelegentlich dazu veranlaßt werden
sich die Gunst des vielvermögenden kaiserlichen Erzkaplans
durch eine kostbare Spende für eines der Klöster Hilduins
zu erwerben. Tatsächlich wissen wir sogar von einer
Spende, welche Einhard für ein anderes Kloster Hilduins,
für St. Medard in Soissons, gelegentlich gemacht hat.[1])

Es könnten also doch wohl manche Umstände für die
Annahme, daß unsere Erztüren von Einhards Meister-
hand herrühren, ins Feld geführt werden. Aber ein
Haupteinwand bliebe noch zu beseitigen: wie sollte unseres
Einhards Name „Airardus" lauten? Heißt nicht Einhard
im Lateinischen „Einhardtus" oder „Ainhardtus", nicht aber
„Airardus"? — Allerdings! Aber auch unsere Inschrift
kann möglicherweise „Ainhardtus" gelautet und Doublet
diesen Namen nur falsch gelesen haben!

Um diese Möglichkeit darzulegen, muß ich vor allem
nochmals daran erinnern, daß Doublet eingestandener-
maßen nur mit großer Schwierigkeit jene Inschrift ent-
ziffert hat; ich muß besonders darauf aufmerksam machen,
daß die Buchstaben jener Inschrift ineinander hineinge-
schrieben und durch Ligaturen miteinander verbunden
waren. Wenn wir uns diese Tatsache vor Augen zu
stellen suchen, so können wir uns, denke ich, von dieser
ganzen Inschrift, die, wie genug andere derartige Inschriften auch, in Kapitalbuchstaben ausgeführt war, die
Buchstaben N und H des Wortes „Ainhardus" in der
Weise vorstellen, daß der Buchstabe n als kapitales N in
Minuskelform geschrieben, und daß mit diesem N der
folgende Buchstabe H so verbunden wurde, daß die beiden
Schäfte des N zugleich als Schäfte des H benützt wurden,
dieses also nur durch seinen Querstrich, der zwischen den
beiden Schäften des N gezogen wurde, zum Ausdruck kam.
Auf solche Weise entstand aber statt der beiden Buchstaben

---

[1]) Darüber unten Abschnitt XVIII S. 328.

N und H ein Gebilde, das als R nicht bloß gelesen werden konnte, sondern als solches fast gelesen werden mußte. So war es jedenfalls möglich, daß aus der tatsächlich „Ainhardus" (oder „Ainhardtus") lautenden Inschrift bei Doublet ein „Airardus" wurde[1]).

Auf solche Weise, durch Berichtigung eines naheliegenden Lesefehlers Doublets, könnte also der Meister der Türen von St. Denis und mit ihm unser Einhard wieder zu seinem Rechte kommen. Ein Kunstwerk, das der karlingische Beseleel für die Kirche von St. Denis angefertigt hat, dürften wir in diesem Fall in jenen Erztüren erblicken. Jedenfalls aber muß dieses Kunstwerk als höchst bedeutungsvoll gelten. Nicht bloß darum, weil es — gleichviel ob Einhard sein Schöpfer ist oder ob als solcher vielleicht jener Airard von St. Hilaire in Poitiers zu gelten hat — eine der frühesten Schöpfungen des Erzgusses nördlich der Alpen ist, die man in Parallele stellen kann mit den in derselben Zeit gegossenen Aachener Erztüren. Was unserem Kunstwerk aber seine besondere Bedeutung verleiht, das sind die porträtistischen Darstellungen, die es umfaßte; denn Versuche zur porträtistischen Wiedergabe der menschlichen Gestalt gehören für die fränkische Periode doch noch zu den Seltenheiten. Besonders bemerkenswert aber ist es, daß die eine unserer Erztüren das Selbstbildnis ihres Meisters aufwies und daß dieser Meister — möglicherweise wenigstens — kein geringerer als der seit Jahrhunderten gefeierte Biograph Karls d. Gr. war.

Bei dieser großen kunstgeschichtlichen Bedeutung unserer Erztüren ist es um so bedauerlicher, daß sie uns nicht erhalten sind, vielmehr gleich so vielen anderen äußerst kostbaren Schätzen der Metallurgie vermutlich

---

[1]) Näheres über all das bei Buchner, Einhard als Künstler 94ff.

in den Wirren der französischen Revolution in einem Schmelztiegel ihr Ende gefunden haben. Gelegentlich seines Besuches von Paris und von St. Denis in den achtziger Jahren des 16. Jahrhunderts hat der Utrechter Arnold van Buchel unsere Türen noch gesehen und die Inschriften darauf abzuschreiben sich bemüht; seine Nachzeichnung — sie ist im XXVI. Band der Monuments de la société de l'histoire de Paris 1899 im Handschriftendruck veröffentlicht worden — zeigt, daß tatsächlich die fragliche Inschrift sehr schwer zu entziffern war und daß sie auch dem Paläographen von heute durch die starken und zahlreichen Ligaturen große Schwierigkeiten böte[1].

Es ist ein glücklicher Zufall, daß wir wenigstens durch einen Kupferstich d i e G e s t a l t d e s am Südtor dargestellten I n s a s s e n v o n St. D e n i s u n d d i e d e s „Airardus (bzw. „Ainhardtus") monachus" ü b e r k o m m e n haben; diesen Kupferstich hat M a b i l l o n in seine „Annales" aufgenommen[2]; nicht aus Interesse für das Kunstwerk selbst, sondern vielmehr bloß aus Interesse für die Form der Gewandung, welche jener Insasse von St. Denis trug, und in welcher Mabillon die Kleidung der Mönche dieses Klosters in der zweiten Hälfte des 8. Jahrhunderts sehen wollte. Auf diese Weise wäre uns nun in jenem Kupferstich, vorausgesetzt, daß das Kunstwerk wirklich von Einhard ist, zugleich dessen S e l b s t b i l d n i s überliefert: als kleines, etwas untersetztes Männchen ist jener Künstler der Türen im Vergleich zu der anderen, mehr hageren, in Kanonikertracht gehüllten Figur dargestellt, also in einer Gestalt, die, wie gesagt,[3] in mehr als e i n e r schriftlichen Quelle als besonders charakteristisch für Einhards Aussehen hervorgehoben wird. Jedenfalls wäre es

---

[1] Näheres bei Buchner a. a. O. 141 f.
[2] Auch ebenda.
[3] Oben S. 25.

begreiflich, wenn die Körpergröße als eines der hauptsäch=
lichsten und primitivsten Merkmale, durch deren Beachtung
das Abbild einer Persönlichkeit ihrem Originale ange=
glichen und so ein wesentlicher Zug in der porträtistischen
Darstellung überhaupt zum Ausdruck gebracht werden
konnte[1]), auch von Einhard bei seinem Selbstbildnis be=
rücksichtigt worden wäre.

Eiligen Schrittes — sein Gewand gerät davon in
leichtes Flattern — trippelt auf unserem Kupferstich der
Meister vor den hl. Dionysius, um ihm seine Gabe dar=
zubringen; unwillkürlich gedenkt man der emsigen Ge=
schäftigkeit und unruhigen Art, welche Einhard eigen war.
Hat ihn doch einer seiner Zeitgenossen sehr treffend mit
der kleinen, geschäftigen Ameise verglichen und ihn ge=
schildert, wie er mit nimmer rastendem Schritt hin= und her=
eile. Und ein neuerer Forscher[2]) hat gleichfalls diese Eigen=
schaft an Einhard hervorheben zu sollen geglaubt, wenn er
von dessen „dem Quecksilber ähnlichen Bewegung und Un=
ruhe" spricht, während Margaretha Bondois[3]) auf Grund
der „Translatio" Einhards — ich werde auf diese Schrift
noch zurückkommen — als Eigenart ihres Verfassers dessen
„nervosité irritable" vermerkt.

Für den Biographen Einhards aber wäre, wie ich
denke, in diesem Zusamenhang noch das I n t e r e s s e
dieses Meisters a m A u s s e h e n d e r m e n s c h l i c h e n
G e s t a l t, das in seinen Schriften wiederholt zum Aus=
druck kommt, hervorzuheben: an mehr als e i n e r Stelle
verrät Einhard dieses Interesse an der Natur und an der

---

[1]) S. M. Kemmerich, Die frühmittelalterliche Porträtmalerei
in Deutschland (München 1907) 1 ff; derselbe, Die frühmittelalter=
liche Porträtplastik in Deutschland bis zum Ende des 13. Jahr=
hunderts (Leipzig 1907) 2.

[2]) Dohme, Einhard (Kunst und Künstler I) 19.

[3]) La Translation des saints Marcellin et Pierre 112.

Form des Menschen; wie liebevoll und eingehend hat er nicht das Äußere seines großen Kaisers uns geschildert, Karls „gewaltigen und starken Körper", seine „hochragende Gestalt", die runde Form seines Kopfes, sein schönes Haar, sein großes und lebensvolles Auge. Und auch in Einhards Translatio findet sich ein Hinweis auf sein Interesse für das Äußere des Menschen: ich meine jene Stelle, an der Einhard von seinem Vergleichen der Überreste des hl. Marzellinus mit denen des hl. Petrus redet und dabei sagt, daß er daraus den Schluß gezogen habe, es müsse St. Marzellinus an Körpergestalt von kleinerem Maße gewesen sein als St. Peter. —

So gehört also Einhards Name vielleicht[1]) auch in die Geschichte des Künstlerbildnisses; es ist dann auch kein bloßer Zufall, daß sein Name zu den Namen anderer Meister, von denen uns gleichfalls derartige, dem Kunsthistoriker schon bisher bekannte Selbstbildnisse, die zu den ältesten dieser Art gehören, erhalten sind, in Beziehung steht: Hrabanus Maurus hat in einer seiner Schriften, dem Liber de laudibus s. crucis, sich selber abgebildet, wie er zu Füßen des hl. Kreuzes kniet. Und Wolfin, der schon anderweitig erwähnte Schüler Einhards, hat auf der Altarverkleidung von St. Ambrogio in Mailand eine Dedikationsszene dargestellt und gleichfalls hierbei sich selber abgebildet, wie er das von seiner Hand gefertigte Schmuckstück dem hl. Ambrosius, dem Patron der

---

[1]) Ich betone ausdrücklich nochmals, daß es sich hier bloß um eine Hypothese handelt; ich wage sie heute nicht mehr mit derselben Zuversichtlichkeit wie in meinem Buche Einhard als Künstler und schon in meinem in der III. Vereinsschrift der Görres-Gesellschaft für 1916 erschienenen Aufsatz: „Die Erztüren der karlingischen Basilika von St. Denis — ein vergessenes Kunstwerk Einhards mit dessen Selbstbildnis" zu vertreten.

Kirche, für die es bestimmt ist, überreicht: das entspricht genau dem Gegenstand unseres Reliefs auf der Nordtüre von St. Denis, wo ja auch der Meister des Kunstwerkes vor den als Bischof gedachten hl. Dionysius hintritt und diesem seine Türflügel übergibt.

XIV

Einhard als Gutsherr in Michelstadt=Steinbach und die Einhards=Basilika daselbst.

Es war an einem schönen Septembertag, als ich, von dem interessanten Wertheim und dem entzückenden Miltenberg kommend, über Amorbach hinaufstieg zu den Höhen des Odenwaldes, um Michelstadt aufzusuchen und seine Einhards=Basilika zu schauen.

Mit Recht hat man die Eigenart gerühmt,[1]) die dem Odenwald gegenüber den andern Mittelgebirgen Deutschlands innewohnt: seine Waldungen haben nicht jene finstern, ernsten Tiefen wie etwa die Wälder des Harzes; das Sonnige der Rheinlande liegt auch über dem Odenwalde. Gemächlich ansteigende Talgründe, von bläulichem Schleier sanft umwallt, grüßen an so vielen Stellen den Wanderer, wo immer sich ihm Ausblicke auf die Landschaft bieten; saftige Fluren, gut bestellte Äcker und sorglich gepflegte Obstbaumpflanzungen legen Zeugnis davon ab, daß dieses Waldland auch altes Kulturland ist. Und wer an einem schönen Herbsttage, wie er mir damals beschieden war, den Odenwald durchzieht, der muß voll Bewunderung auf die Farbenglut blicken, welche die vielfach gemischten Baumbestände dem entzückten Auge darbieten: auf das tiefe, gesättigte Blaugrün der Kiefern, auf die stolzen Ge=

---

[1]) S. zum folgenden A. Kleinschmidt, Wandertage im Odenwalde, Stuttgart [1900] 1 ff.

ſtalten der Schwarztannen, der Lärchen und Fichten, auf
das flammende Rot der wilden Kirſchbäume, auf den in
gelbem Herbſtſchmuck prangenden Ahorn, auf die ſchlanken
Birken, deren lichte, heitere Form das Auge erfreut, auf
die mächtigen Eichen und Buchen und all die Sträucher,
die aus den von friſchem Moos gebildeten weichen Polſtern
hervorſprießen, und nicht minder auf die Tauſende von
Farnkräutern, die jetzt, in ihrer Sterbezeit, nochmals ihre
höchſte Farbenpracht entfalten. — Eine köſtliche Luft um=
fängt uns; immer würziger wird ſie, je höher wir vom
heißen Maintal hinaufſteigen. Immer ſpärlicher werden
die menſchlichen Siedlungen, an denen wir vorüberkommen,
und nicht allzu oſt mehr ſehen wir in der Ferne einen
Kirchturm oder ein vereinzeltes Gehöft; immer ſeltener be=
gegnet uns ein Gefährt oder ein Wanderer; von weither
nur klingt zuweilen das Gebell eines Hofhundes oder der
Ton einer Kirchenglocke zu uns herüber. Eine heilige
Sabbatſtille umfängt uns immer mehr.

In eine ſolche weihevolle Stille glaube ich meine
Leſer führen zu müſſen, wenn ich ihnen im folgenden von
Einhards Schalten im Odenwald erzählen will. Denn
wenn noch heute, da man doch ſchon längſt den heſſiſchen
Odenwald durch Schienenſtränge dem allgemeinen Verkehr
zugänglich zu machen ſuchte, ein heiliger Gottesfriede dieſen
Gebieten eigen iſt, welche Weltabgeſchiedenheit muß da
erſt vor 1100 Jahren geherrſcht haben! Sie mußte auf
einen Mann, der wie Einhard in ſeinen beſten Lebens=
jahren mitten drinnen ſtand im Getriebe des Lebens, in
deſſen Seele aber doch ſtets eine ſtille Sehnſucht nach Be=
ſchaulichkeit und Ruhe wohnte, einen eigenen Reiz aus=
üben. Hier im Odenwald hoffte Einhard auch tatſächlich
ſeit dem Tage, da ihm die Huld Kaiſer Ludwigs den Ort
„Michlinſtat im Odonewalt" ſamt ſeiner großen Gemar=
kung zu eigen gegeben hatte, einmal die beſchauliche Ruhe

zu genießen, die er sich von seinem Lebensabend versprach. Am 11. Januar 815 war diese **Verleihung Michel-stadts an Einhard** erfolgt. Die Urkunde, durch welche sie der Kaiser bezeugt, wirft ein helles Licht auf die großen Dienste, welche schon bisher Einhard seinem kaiser-lichen Herrn geleistet hatte: „nicht unverdientermaßen" — so sagt hier Kaiser Ludwig — habe er seinem getreuen Einhard jene Verleihung zu machen sich entschlossen; denn Einhard habe sowohl durch seinen treuen Dienst wie auch durch seine Ergebenheit und seinen Gehorsam gegenüber dem Kaiser sich wohl verdient gemacht — „er, der mit ganzer Kraft bis zum heutigen Tage unserem Dienste und unseren Befehlen in Treuen zu gehorsamen trachtet". Im Hinblick hierauf verleiht Ludwig Einhard wie zugleich auch dessen Gemahlin Imma einen Ort in den rechtsrheinischen Gebieten des Frankenreiches, „welcher Michlinstat genannt wird", „in einem Walde, welcher Odonewalt heißt"; da-neben erhält Einhard in jener Urkunde von Ludwig auch noch das kaiserliche Gut Mulinheim im Maingau ver-liehen. —

Am Marktplatz zu Michelstadt, unmittelbar vor dem durch seine Front so originellen Rathaus, befindet sich heute der aus dem Ende des 16. Jahrhunderts stammende Marktbrunnen; auf der hohen Sandsteinsäule, die sich in-mitten des weiten Brunnenbeckens erhebt, steht eine etwas plumpe Figur; sie sollte ursprünglich den hl. Michael, den himmlischen Schutzherrn von Michelstadt, darstellen, zu dessen Füßen sich Luzifer krümmt. Eine spätere, „aufge-klärtere" Zeit, die vom hl. Michael nichts mehr wissen wollte, hat ihn zu einer Art von Göttin der Gerechtigkeit umzuwandeln gesucht; das ging denn auch einfach, indem man ihm den Speer aus der wehrhaften Rechten nahm und ihm dafür ein Schwert in die Hand drückte, das freilich nur allzu stark an den Säbel eines Kommandierenden, der

gerade die Parade abnimmt, erinnert; an die Linke aber
hängte man dem ehemaligen Heiligen eine Wage an —
das Symbol der hehren Gerechtigkeit! So war der Streiter
des Herrn zu einer Justitia, wie sie dem Geschmack des
„aufgeklärten Zeitalters" mehr entsprach, umgewandelt.

Heute können wir an solchen Metamorphosen nur
mehr wenig Freude finden und stimmen herzhaft in den
Wunsch ein, dem ein Michelstädter, Rudolf Marburg, in
seiner Geschichte und Beschreibung der Städte „Michelstadt und Erbach"[1]) Ausdruck gegeben hat: „Hoffentlich
finden wir mit der Zeit Mittel den vielhundertjährigen
Schutzpatron der Kirche wieder zu Ehren zu bringen." —

So freudig man auch eine solche Restitution des hl.
Michael in seine früheren Rechte begrüßen wird, so darf
doch der Historiker nicht verschweigen, daß Michelstadt den
Erzengel Michael zu seinem Namenspatron in dem Sinne,
daß es etwa von ihm seinen Namen empfangen hätte,
allerdings nicht hat. Der Name Michelstadt oder vielmehr
Michlinstat hat mit St. Michael gar nichts zu tun, mag
auch schon seit alter Zeit St. Michael als Schutzpatron
dieser Gegend verehrt worden sein und der Michaelstag
noch heute in den Dörfern, die zu Michelstadt und Erbach
gehören, als Bußtag gefeiert werden. Michelstadt kommt
vielmehr von michel = groß, bedeutet also soviel als
G r o ß s t a d t.[2]) Da der Ort schon im 8. Jahrhundert
unter dieser Bezeichnung vorkommt,[3]) so ergibt sich hieraus,
daß er schon in d i e s e r f r ü h e n Z e i t eine verhält-

---

1) Michelstadt, 1897, S. 30.

2) S. E. Förstemann, Altdeutsches Namenbuch II. (Orts-
Namen), II. Teil, 3. Auflage, herausgegeben von H. Jellinghaus
(Bonn 1916), 288.

3) S. Draudt, Das Kloster Michelstadt, Steinbach im Odenwald, im Archiv für hessische Geschichte und Altertumskunde
XIII (1874), 388.

nismäßig große Bedeutung gehabt haben muß.
Und das ist ja auch sehr begreiflich, wenn man sich vergegen-
wärtigt, daß nur etwa eine Stunde östlich von Michelstadt
der berühmte Pfahlgraben, der Limes, vorüberzog, der die
Schutzwehr des Römerreiches gegen die anstürmenden
Germanen bilden sollte. Nicht nur am Limes selbst entwickelte sich bekanntlich reges Leben, auch mit dem Innern
des Reiches, mit den Rheinlanden, mußte diese Grenzlinie
durch Straßenzüge und Etappenstationen in Verbindung
gesetzt werden, so daß es auch im Hinterlande des Limes
lebendig ward. Man kann daher sehr wohl begreifen,
wenn einzelne Orte des Odenwaldes bereits zur R ö m e r -
z e i t stark bevölkert waren, und wenn man heute noch in
diesen Gegenden überall Spuren von römischen Nieder-
lassungen und von alten Straßenzügen begegnet. In den
Stürmen der Völkerwanderung ging dann allerdings die
römische Kultur zum guten Teile unter. Aber die Mönche,
die vom Kloster Amorbach aus in die Täler des östlichen
Odenwaldes vordrangen und dort Christum, den Gekreu-
zigten, predigten, fanden hier doch sicher mehr als e i n e
Stätte vor, die schon allein durch die relativ große Zahl der
Bevölkerung, die hier ansässig war, zu einem Mittelpunkt
auch der neuerstehenden c h r i s t l i c h - d e u t s c h e n K u l -
t u r wie vorherbestimmt zu sein schien. Eine solche verhältnismäßig bedeutende Ansiedlung haben wir uns unter
dem „Michlinstat" vorzustellen, das i. J. 815 Ludwig d. Fr.
seinem Einhard und dessen Gemahlin schenkte.

Den Mittelpunkt des d a m a l i g e n M i c h e l -
s t a d t bildete ein Kirchlein, das, bescheiden gleich den
meisten anderen Gotteshäusern im Frankenreiche, aus Holz
erbaut war; es stand wohl ziemlich genau an der Stelle,
an der die heutige Pfarrkirche der Stadt, die in die zweite
Hälfte des 15. Jahrhunderts zurückreicht und durch die
wohlerhaltenen Grabdenkmäler der Grafen von Erbach in
ihrem Innern berühmt ist, sich erhebt.

Um die Kirche herum gruppierten sich die Gehöfte und Häuser der Einwohnerschaft des Ortes; aus einigen hundert Leuten mag diese bestanden haben; vierzehn Leibeigene des Kaisers mit ihren Frauen und Kindern, dazu vierzig andere Hörige, befanden sich darunter. Die Höfe des weithin sich erstreckenden Michelstadt sind einfach und schlicht hergestellt; Holz, das der benachbarte Wald in fast unbeschränktem Maße lieferte, und Lehm hatten das Baumaterial für sie geliefert;[1]) einzelne Bauern freilich mögen immerhin stattliche Holzbauten oder auch schon frühe jene Fachwerkhäuser ihr eigen genannt haben, die noch heute dem Fremden Michelstadt sogleich traulich und heimisch machen. An das Wohnhaus schließen sich die Wirtschaftsgebäude enge an. Ziemlich unregelmäßig, in Form des sog. Haufendorfes, ganz im Unterschiede zu den von einzelnen Grundherrn planmäßig gegründeten Reihendörfern, lagern sich die Häuser und Gehöfte Michelstadts weithin.

Was uns an dem Leben und Treiben in dem Orte in der Zeit Einhards besonders aufgefallen wäre, das sind die großen Schweineherden, denen wir hier begegnet wären, wenn sie im Herbst von den Wäldern, wo man sie den Sommer über mit den Eicheln und Bucheckern gemästet hatte, heimgetrieben wurden; diese Schweinezucht bildete eben einen Haupterwerbszweig des Bauern von damals. — Auch große Rinderherden können wir im Dorfbild jener Zeit häufig sehen. Die Höfe aber werden von Hühnern und Gänsen belebt, während Tauben auf den Dächern umherflattern und ihr Girren hören lassen. — Draußen vor dem Dorfe dehnen sich weithin die Ackerstreifen aus; längst schon sind sie in Einhards Zeiten ins Sondereigentum der einzelnen Bewohner des Ortes übergegangen; hier führte der Michelstädter Bauer seinen mit einem Rind

---

[1]) Zum folgenden s. G. Steinhausen, Geschichte der deutschen Kultur, 2. Aufl., Leipzig und Wien 1913.

14*

bespannten Pflug. — Wie anderwärts, so wird es auch
in der Mark Michelstadt die Grundherrschaft gewesen sein,
welcher die technischen Fortschritte in der Bodenbestel=
lung, vor allem der in der Karlingerzeit erfolgte Übergang
von der alten Feldgraswirtschaft zur Dreifelderwirtschaft,
d. h. zur Abwechselung zwischen Winterfrucht, Sommer=
frucht und Brache, und somit eine wesentliche Steigerung
des Körneranbaues zu verdanken ist. — Neben jenen in
Kultur genommenen Ländereien gehörten schließlich auch
noch ansehnliche Strecken von Weide und Waldland zur
Dorfmark.

Es war ein immerhin beträchtliches, den Umfang der
heutigen Kirchspiele Michelstadt und Erbach umfassendes
Gebiet, das Einhard und seine Gattin 815 vom Kaiser als
Grundherrschaft erhalten hatten. Im Zentrum des ganzen,
etwa sechs Meilen im Durchmesser betragenden Kreises
lag die erwähnte Holzkirche. Einhard selbst ließ durch
seinen Notar Luther eine Beschreibung der Gren=
zen dieses Territoriums anfertigen: Gebirgszüge und ein=
zelne besonders auffällige Bäume, Wasserläufe und
Straßen, Talgründe und Waldungen werden in diesem
Schriftstück, dessen Text uns erhalten ist, mit Genauigkeit
und Sorgfalt als Punkte, über welche die Grenze der
Mark Michelstadt lief, angegeben.[1]

Der Mark Michelstadt galt überhaupt mehrere Jahre
hindurch die Sorge Einhards. Zwar schenkte Ein=
hard mit seiner Gemahlin schon bald, nachdem er die=
ses Gebiet vom Kaiser bekommen hatte, dasselbe an das
Kloster Lorsch an der Bergstraße (819) in Erinnerung
an jene Bibelworte, auf welche seine Schenkungsurkunde
ausdrücklich Bezug nimmt: „Gebt . . . Almosen und siehe,
alles ist euch rein" (Luk. 11, 41) und: „Macht euch

---

[1] Vgl. Felix Schreiber, Die Mark Michelstadt, Schleusinger
Gymnasialprogramm 1896.

Freunde mittels des ungerechten Reichtums, damit sie
euch . . . in die ewigen Wohnungen aufnehmen" (Luk. 16,
9). Im Gedenken an diese Mahnung der hl. Schrift ent=
schlossen sich Einhard und Imma, die „Cella namens
Michelstadt, gelegen im Plumgau im Odenwald an der
Mümling", samt all ihrem Zubehör, den Gotteshäusern,
den Wohngebäuden und andern Baulichkeiten, den Länder=
reien, Wiesen, Feldern, Weiden und Wasserläufen, über=
haupt samt allen bebauten und unbebauten Stätten, samt
allen beweglichen und unbeweglichen sowie sich selbst be=
wegenden Dingen und samt den Hörigen beiderlei Ge=
schlechts und jeglichen Alters, die auf hundert angewachsen
waren, dem Kloster Lorsch zu schenken. Für ihre Lebens=
zeit behielten sich Einhard und Imma den Besitz der Mark
Michelstadt allerdings vor; auch den Söhnen, die ihrer
Ehe allenfalls noch entsprossen sollten, wurde das Nutz=
nießungsrecht an der fraglichen Besitzung reserviert.

Trotz dieser Schenkung Michelstadts an Lorsch n a h m,
wie gesagt, E i n h a r d doch längere Jahre hindurch s i c h
rege u m d a s G e d e i h e n s e i n e r G r u n d h e r r -
s c h a f t a n. Wenn heute Michelstadt ziemlich entfernt
vom Walde liegt und von weiten, zum Teil sehr frucht=
baren Fluren umgeben ist,[1]) wenn sich gewissermaßen der
Wald von Michelstadt auf die Höhen, die ringsum sich
ausdehnen, zurückgezogen hat und nur diese mehr bekränzt,
so hat an dieser Gestaltung des Landschaftsbildes von heute
Einhard gewiß seinen erheblichen Anteil; denn er hat an
der Umwandlung des Waldes in fruchtbares Ackerland
sicher in hervorragendem Maße mitgewirkt. Die Zurück=
drängung der Wälder und der Schutz der Fluren vor
einem neuen Überwuchern durch den nachbarlichen Wald
gehörte ja zu dem großzügigen Wirtschaftsprogramm, das

---

[1]) S. Kleinschmidt a. a. O, 48.

sein Herrscher, Karl d. Gr., aufgestellt hatte; in mehreren Erlassen hatte sich Karl mit den Rodungen, die in den kaiserlichen Wäldern in planmäßiger Weise vorgenommen werden sollten, befaßt; von außerordentlichem Einfluß auf die gesamte Bodenkultur und auf die Ausbreitung der menschlichen Siedelungen ist dieses Rodeprogramm Karls d. Gr. geworden.[1])

Einhard ließ es sich aber mit dem Niederlegen des Waldes und mit der Gewinnung neuen Ackerbodens und neuer Wiesengründe nicht genügen; er entwickelte vielmehr in seinem Michelstadt auch schon bald eine rege B a u - t ä t i g k e i t: in einer seiner Schriften erwähnt er selbst die Häuser und Wohnstätten, die er in Michelstadt erbaut habe und die für seinen dauernden Aufenthalt daselbst bestimmt waren. So entstand eine Art von Hofgut für den neuen Besitzer der Mark Michelstadt. Man nimmt an, daß dieses H o f g u t Einhards in Michelstadt selber gelegen gewesen sei, und zwar dort, wo später die sog. Kellerei der Grafen von Erbach-Fürstenau errichtet wurde,[2]) jener prächtige Gebäude-Komplex, dessen weiter, rechtwinkeliger Hof einen malerischen Anblick darbietet und dessen Hauptbau gar trutziglich aus der alten Stadtmauer in die Höhe ragt. Ich möchte es nun aber sehr bezweifeln, daß diese Annahme berechtigt ist und möchte glauben, daß E i n h a r d s H o f g u t am linken Mümling-Ufer nächst seiner Basilika stand, etwa a n d e r S t e l l e, a u f d e r s i c h h e u t e d a s glänzende S c h l o ß F ü r s t e n a u e r h e b t. Manches schien mir für diese letztere Auffassung zu sprechen.[3])

---

[1]) S. darüber K. Th. von Inama-Sternegg, Deutsche Wirtschaftsgeschichte I² (Leipzig 1909) 275.

[2]) So Marburg a. a. O. 22. Vgl. das von Th. Lorentzen herausgegebene prächtige Werk: Der Odenwald in Wort und Bild (Stuttgart 1900) 68.

[3]) Wie ich nachträglich sehe, hat diese Vermutung, die sich mir durch meinen Aufenthalt in Michelstadt ergab, schon der

Man hat ja früher auch d i e K i r ch e , welche Einhard
in der ihm vom Kaiser geschenkten Besitzung erbaute, im
heutigen Michelstadt selber statt auf dem linken Mümling=
ufer, in St e i n b a ch , gesucht. Mit Unrecht, wie die
neuere Forschung klar dargetan hat. Hören wir näher
davon!

Einhard selbst hat in einer seiner Schriften die von
ihm in Michlinstadt erbaute Kirche nicht ohne bescheidenen
Stolz als ein „für die Verrichtung des Gottesdienstes
genügendes“ Gotteshaus, das immerhin einen ganz an=
sehnlichen Bau dargestellt habe, charakterisiert. Die ältere
Forschung hatte nun durchwegs annehmen zu müssen ge=
meint, daß von diesem Kirchenbau Einhards zu Michel=
stadt keine 'Spur erhalten sei; denn man konnte sich diese
Michelstädter Einhardsbasilika nirgends anders denken als
eben im heutigen Michelstadt selber, dort, wo noch heute
die Michelstädter Pfarrkirche sich erhebt; deren Vorgän=
gerin, die alte Pfarrkirche Michelstadts, war aber, wie man
wußte, gegen Ausgang des 15. Jahrhunderts durch die
noch heute stehende spätgotische Hallenkirche ersetzt worden,
wobei von dem früheren Bau kein Stein auf dem andern
geblieben war.

So schien also nach dem Stande der Forschung noch
vor einem halben Jahrhundert der Bau Einhards und mit
ihm ein altehrwürdiges Denkmal längst vergangener Zeiten
spurlos verschwunden zu sein. Da hat im Sommer des
Jahres 1873 ein deutscher Forscher, Dr. G. S ch ä f e r ,
dem angeblich untergegangenen Kunstdenkmal sein Augen=
merk geschenkt und durch unbefangene Forschung den ge=

Mainzer Dompräbendar Fr. Schneider in seinem Aufsatz über
„Die karolinische Basilika zu Steinbach=Michelstadt,“ in den
Annalen des Vereins für nassauische Altertumskunde und Ge=
schichtsforschung XIII (1874) 127 ausgesprochen; s. auch unten
S. 230.

heimnisvollen Schleier gelüftet, der jahrhundertelang die
fälschlich für untergegangen gehaltene Einhardbasilika im
Odenwald den Blicken der Wissenschaft entzogen hatte:
Schäfer hat in einer m. E. lückenlosen Beweisführung dar=
getan, daß die von Einhard erbaute Basilika nicht im
Michelstadt von heute selber zu suchen ist, sondern vielmehr
kaum zehn Minuten davon entfernt nächst dem erwähnten
Schlosse Fürstenau und dem daran anstoßenden Dörfchen
Steinbach, wo sich eine bis zu Schäfers Entdeckung unter
dem Namen „Kloster Steinbach" bekannte Kirchenruine
erhebt: der Kern dieser Ruine aber ist nicht, wie man bis
dahin irrig gemeint hatte, romanisch, sondern vielmehr kar=
lingisch. Sie war eben die Kirche Einhards! — Nicht
ohne innere Befriedigung über das schöne Ergebnis seiner
Forschung mag Schäfer am Schlusse des Aufsatzes, den er
der „Einhard=Basilika bei Michelstadt im Odenwalde"[1])
gewidmet hat, die Worte geschrieben haben: „Das Karo=
lingerwerk, das auf dem stillen Wiesenplan bei Michel=
stadt in trümmerhaftem Zustande trauert und über dessen
Ruine der Geist Einhards und Immas schwebt, sei nach
seinem Hervortreten aus jahrhundertelanger Verschollen=
heit und Vergessenheit hiermit in die Kunstgeschichte ein=
geführt und nehme an der Spitze der Sacralmonumente
am Mittelrhein den ihm gebührenden Rang ein; denn die
Einhard=Basilika bei Michelstadt im Odenwald ist in der
Tat das älteste in ansehnlichen Resten erhaltene Denkmal
christlich=germanischer Kunst in den mittelrheinischen
Landen."

Es ist ein stiller, geruhsamer Platz, auf dem dieses
ehrwürdige „Denkmal christlich=germanischer Kunst" ge=
legen ist: nicht im Mittelpunkt des Ortes nächst der Dorf=
linde, wo die Bewohner sich zusammenfinden bei allen ge=

---

[1]) In Carl von Lützows Zeitschrift für bildende Kunst IX
(1874) 129 ff.

meinsamen Angelegenheiten, ist die Einhards-Basilika er=
baut, sondern weitab vom Mittelpunkt Michelstadts, und
nicht als stattliche Pfarrkirche ist sie entstanden, sondern
als Gotteshaus, in welchem Einhard mit seiner vertrauten
Umgebung sich den kirchlichen Andachtsübungen hinzugeben
gedachte — als „H o f m a r k s k i r ch e“, wenn ich so sagen
darf, vielleicht auch als Klosterkirche. Durch die still dahin=
rauschenden Wasser der Mümling ist sie vom eigentlichen
Michelstadt geschieden; keine große Straße führt hier vor=
über, sondern mitten auf grünem Wiesenplan ist unser
Gotteshaus gelegen; Apfelbäume stehen um dasselbe her=
um. Aber auch einzelnes Nadelgehölz hat sich hier im
Laufe der Zeit eingenistet und sagt dem Besucher dieser
Stätte, wie man hier alles wachsen ließ, wie es eben
wuchs. Das kündet ja auch der Efeu, der sich an der Ba=
silika emporrankt und deren außerordentlich schlichte äußere
Formen belebt. Ein friedlicher, heiterer Eindruck ist's,
den der Beschauer von der Einhards-Basilika und ihrer
Umgebung mitnimmt. Auch wenn man nachts, beim Mon=
denschein, vor sie hintritt, hat sie nicht wie so manche alte
Burg jenes „etwas“ an sich, das in uns ein Gefühl des
Gruselns wachrufen könnte; nicht unheimlich, nur verträumt
ragen dann die elf Jahrhunderte alten, vom fahlen Mond=
licht mild umgossenen Mauern in die Lüfte. Und unsere
Phantasie mag da leise die Gebete vernehmen, welche Ein=
hard und seine frommen Gefährten zu unserm Herrn und
Gott in solch nächtlichen Stunden emporgesendet haben,
wenn man etwa die Vigil da drinnen betete.

Mit einem außerordentlich ehrwürdigen, für die Er=
s:hließung der kunstgeschichtlichen Entwicklung h ö ch st be=
d e u t u n g s v o l l e n Überrest haben wir es bei
unserer Einhards-Basilika in Steinbach-Michelstadt zu tun.
Wohl ist auch dieses Kunstwerk vom Zahn der Zeit nicht
unberührt geblieben, in manchen Teilen ist es nur ver=

ſtümmelt uns überkommen. Aber immerhin bietet unſer
Kunſtwerk, wie kaum ein zweiter Überreſt aus karlingiſcher
Zeit, einen vollen Einblick in ſeine urſprüngliche Geſtal=
tung, da unſere Baſilika wenigſtens in der Hauptſache
nicht durch ſpätere Zutaten entſtellt worden iſt. Auf Grund
der Ausgrabungen, welche im Vorfrühling 1884 vorge=
nommen worden ſind, konnte R. Adamy[1]) das Bild, das
man ſich von dem urſprünglichen Zuſtande der
Einhards=Baſilika gemacht hatte, ergänzen.

Die beſondere Bedeutung der Einhards=
Baſilika zu Steinbach für die Kunſtgeſchichte be=
ruht darin, daß ſie „eine in ihren ſämtlichen Hauptteilen
noch erkennbare oder erhaltene baſilikale Anlage, in
welcher die germaniſche Auffaſſung der römiſchen Kunſt ſich
ſpiegelt“, wie ſie die Kunſtgeſchichte bis zu ihrer Entdeckung
noch nicht gekannt hatte, darſtellt; für die Zeit, da der
Schwerpunkt der Architekturgeſchichte vom Süden nach dem
Norden verrückt wurde, mußte ſich eine ſolche baſilikale An=
lage lehrreicher als eine Zentralanlage erweiſen. Unſer
Kunſtwerk ſteht in der Mitte zwiſchen der altchriſtlichen
und der romaniſchen Zeit und ſtellt im Rahmen der allge=
meinen kulturgeſchichtlichen Entwicklung ein bis dahin un=
bekanntes, aber durchaus als notwendig empfundenes Glied
dar[2]).

Drei Hauptteile muß man bei unſerer Einhards=
Baſilika unterſcheiden: den Vorhof oder das Atrium, dann
die Vorhalle und ſchließlich die eigentliche Kirche mit
ihrem Querſchiffe und mit den drei Apſiden, wo die Altäre
ſtanden und wo ſomit auch der heiligſte Raum des Gottes=
hauſes war.[3]) Dieſe Dreiteilung entſpricht, wie ich be=

---

[1]) Die Einhard=Baſilika zu Steinbach im Odenwald. Darm=
ſtadt 1885.

[2]) Ebd. 51 f.

[3]) Zum folgenden ſ. Adamy a. a. O. 19 ff. und Beilage 2
(Grundriſſe); Schäfer a. a. O. 131 ff.; Schneider a. a. O. 99 ff.,
105 ff.

merken möchte, auch ganz dem in Aachen nachgeahmten Vorbild des alttestamentlichen Heiligtums, dessen Einteilung in Vorhof, Heiliges und Allerheiligstes; auch bei den altchristlichen Basilikenbauten Italiens war ja diese Gliederung typisch geworden. Wie die Untersuchungen Adamys ergaben, ist die Steinbacher Basilika aber mehr als eine geistlose Wiederholung dieses altchristlichen Bauschemas, sie ist, „ein wohl durchdachtes und mit Überlegung gegliedertes Ganze, ein Werk, in dem die Arbeit eines gereisten, umsichtigen Architekten zu erkennen ist". Im „Studierzimmer" ist das System dieses Baues entstanden und sein Bauherr hat zweifellos mit dem Zirkel auf dem Pergament den einzelnen Teilen des Baues ihre Größe zugemessen, so daß schon hierdurch die Einhards-Basilika eine Mittelstellung einnimmt zwischen den freier komponierten Basiliken des altchristlichen Italien und dem im weiteren Verlauf der Entwicklung herrschenden System der romanischen Architektur in den germanischen Ländern, das an bestimmte Raumformen gebunden ist[1]).

Der gesamte V o r h o f der Einhards-Basilika hatte bis zum Portal der Vorhalle eine Tiefe von 17,14 m, gegenüber einer Breite von 14,15 m; die 3,09 m breiten Seitenhallen dieses Vorhofs umschlossen mit dem vorderen Teile desselben, mit dem zusammen sie offenbar überdacht waren, einen offenen Hofraum, in dessen Mitte vermutlich ein Brunnen plätscherte.

Dem Vorhof schloß sich die V o r h a l l e an, die in drei ziemlich gleich breite Teile zerfiel; der mittlere dieser Teile sprang gegenüber den andern etwas vor und charakterisierte so das Portal; er bildete ein Quadrat von 4,30 m im Lichten; bekanntlich war diese Vorhalle während des Gottesdienstes der Aufenthaltsort für die Büßenden;

---

[1]) Adamy a. a. O. 19.

die Seitenteile des Mittelraumes mögen als eine Art von
Sakristei gedient haben.

Das zum Gottesdienst bestimmte eigentliche
Heiligtum unserer Steinbacher Anlage hatte die Form
einer frühchristlichen Pfeiler-Basilika mit einem sog. T-
förmigen Grundriß, der die Vorstufe zu der eigentlichen
kreuzförmigen Basilika bilden sollte; er setzte sich aus dem
Mittelschiff und den beiden Seitenschiffen, welche dem
Aufenthalte der Gläubigen dienten, sowie aus einem Querschiff zusammen, das an der Süd- und an der Nordseite
der Kirche fast 1,50 m über die Seitenschiffe hinaus-
ragte, und an welches sich die Hauptapsis sowie die beiden
Seitenapsiden als die heiligsten Räume der Gesamtanlage
anschlossen. Die drei Schiffe hatten von der Vorhalle bis
zum Querschiff eine Länge von 12,05 m, während die
Gesamtbreite der Schiffe 14,48 m betrug; davon hatte
das Mittelschiff 7,28 m, die Seitenschiffe je 2,92 m,
so daß sich die Breite des Mittelschiffes zu der eines
Seitenschiffes wie 25 : 10 verhielt[1]). Die Breite des
Querschiffes betrug 4,31 m, seine Länge 17,21 m;
einschließlich der Vorhalle maß also die Länge des Schiffes
bis zur Apsis 21,91 m. Die Höhe des Mittelschiffes
betrug bis zur Unterkante der Sparren 8,34 m. Die
Längsschiffe wurden von dem Querschiff durch eine lettner-
artige Quermauer abgetrennt, welche ungefähr die Höhe
der Seitenschiffsmauern erreicht zu haben scheint und
welche das in drei Teile gegliederte Querschiff als ein zu-
sammengehöriges Ganzes, das von der übrigen Kirche sich
scharf abhob, charakterisierte.

---

1) S. Adamy a. a. O. 70, der zeigt, daß Einhard wahrscheinlich den römischen Fuß als Maß benutzt hat; ich bemerke,
daß dies ganz zu meinem Ergebnisse paßt, wonach beim Aachener
Münsterbau der Fuß (in der Länge von 25 cm) die Maßeinheit
bildete; s. Buchner, Einhard als Künstler 49f.

Ich will nicht näher auf die Größenverhältnisse der einzelnen Teile der Kirche zueinander eingehen, sondern nur in Kürze das von Adamy berichtete überraschende Ergebnis erwähnen, daß d e r k i r c h l i c h e R a u m im engsten Sinne des Wortes, d. h. die Mittelschiffe samt dem Querschiff, i n e i n Q u a d r a t h i n e i n k o m p o n i e r t ist, dessen Seiten so lang wie die Breite des Querschiffes sind; unter Zugrundelegung sehr einfacher Zahlverhältnisse ist der Grundriß der basilikalen Anlage Einhards komponiert; die Quadratform bildet einen wesentlichen Bestandteil dieses Grundrisses. Durch die quadratische Grundform des Hauptraumes gewinnt der Bau trotz der Längenrichtung, welche in der ganzen Anlage vorwiegt, doch einen Anklang an die Zentralbauten der Karlingerzeit[1]). Indem der berechnende Baumeister der Steinbacher Basilika Quadrat an Quadrat fügt, gibt er allen einzelnen Teilen seines Gotteshauses ihre wohlberechnete Größe. Er sieht in der Architektur eine Kunst der richtigen, gesetzmäßigen Verhältnisse, welche auch ohne besondere künstlerische Form ihre Wirkung erzielt.

Größte S c h l i c h t h e i t kennzeichnet vor allem den ä u ß e r e n A u f b a u der Einhard-Kirche. „Die edle Schlichtheit des Michelstädter Baues ist dessen besonderer Vorzug und sichert ihm einen Ehrenplatz vor manchem glänzenderen Denkmal."[2]) Nicht Großartigkeit der Verhältnisse, nicht äußerer Glanz ist es, was den Vorzug der Steinbacher Basilika ausmacht; mit den prächtigen altchristlichen Basilikenbauten in Rom kann dieses Gotteshaus nicht verglichen werden. Doch ist die Ehrfurcht vor dem Alter der seit fast elf Jahrhunderten aufeinander geschichteten Steine nicht der einzige Reiz unseres Bauwerkes. Es ist vielmehr auch die Idee, die sich in dem Bau ausspricht,

[1]) S. Adamy a. a. O. 22.
[2]) Schneider a. a. O. 109.

die Klarheit und Kraft in der Komposition, in der man nicht ohne Grund das Erwachen des germanischen Geistes gesehen hat, der „mit seinem Verstande auch die Probleme der Phantasie durchdenkt und nach Regel und Gesetz alles Tun und Schaffen beherrscht", zu rühmen. Trotz ihrer Schlichtheit mußte die Einhard=Basilika durch die rhyth= mische Gestaltung des Portalvorbaues, der Vorhalle und der Schiffe eine starke Anziehungskraft auf ihre Be= schauer ausüben.[1])

Von dem ursprünglichen Bau Einhards ist uns heute nur noch das Mittelschiff mit der Vierung, der Hauptapsis und der Apsis des nördlichen Seitenschiffes erhalten; an diese Seitenapsis schließt sich jetzt ein romanischer Flügel= bau an, der vermutlich als Winterchor diente.

Im Innern der Basilika tragen schlanke Pfeiler, die durch Archivolten miteinander verbunden sind und in Abständen von 1,39 m emporsteigen, die Ober= wände der Kirche; diese werden von schmalen, rundbogigen Fenstern durchbrochen, während in der Hauptapsis gleich= falls schmale und hohe Fenster Licht in das Innere fallen lassen. Heute wird die Kirche von einem Notdach über= spannt, das vermutlich die Stelle einer früheren Flachdecke ersetzt. Jene schlanken, säulenartigen Ziegelpfeiler aber samt ihren dichtgeordneten Archivolten sind neben anderen Einzelheiten die charakteristischen Merkmale für die Ent= stehungszeit unseres Baues; „die steinernen Annalen der Einhard=Kirche zu Michlinstadt im Odenwald" hat sie Schäfer genannt.

Sehr bemerkenswert ist die Mauertechnik, in welcher die Steinbacher Basilika aufgeführt ist. Sand= stein=, Ziegelstein= und Kalktuffmauerwerk sowie eine Mischung aus diesen drei Arten kam zur Anwendung. Die Fundamente und ebenso die Umfassungsmauern des Baues

---

[1]) Adamy a. a. O. 23, 31.

sind aus dem bei Steinbach gefundenen rötlichen Sand=
stein hergestellt, während die Pfeiler in Ziegelsteinen auf=
geführt und die Bögen über Fenstern und Pfeilern aus
Kalktuffstein gebildet sind; die Mauern und die Gewölbe
der Krypta endlich sind aus Kalkstein, Ziegelstein und Tuff
hergestellt.

Die Höhe der einzelnen Steinschichten beläuft sich
auf 12—15 cm, die Länge der Steine beträgt teils 15,
teils 37 cm. Die breiten Mörtelfugen betragen 2—3 cm;
sie bestehen aus einem sehr festen Mörtel, der mit
gelbem Kiessand und mit Bruchstücken von kleinen Ziegel=
scherben vermischt ist. Besonders interessant ist diese
Mauertechnik bei den fast quadratisch gestalteten Pfeilern.
Sie sind aus flachen Ziegelplatten, zwischen denen breite
Mörtelfugen liegen, aufgemauert. Die Ziegel selbst sind
dünn und breit und aus sehr gutem Ton gebrannt. Auf
einen Meter Höhe kommen etwa 16 Steinschichten. Mit
außerordentlicher Geschicklichkeit und Sorgfalt ist die
Mauertechnik ausgeführt. Dem Bauherrn unserer Ba=
silika scheinen wohlgeübte Handwerker zur Verfügung ge=
standen zu haben. Gerade hier können wir das Nachwirken
der Tradition der Römer, die ja bekanntlich bei der Her=
stellung der Ziegeln oder Backsteine sowohl in der Er=
zielung der Härte des Materials wie auch der prächtigen
roten Farbe zu hoher Vervollkommnung vorangeschritten
waren, verspüren. Bei der Michelstädter Basilika finden
wir im Aufbau der Arkadenpfeiler solche nach römischem
Vorbild gebrannte und geformte Ziegelsteine. Wie aus=
gezeichnet dem Architekten unseres Kirchenbaues und seinen
Handwerksleuten ihre Arbeit gelungen ist, zeigt die Tat=
sache, daß der ganze Stützenbau noch heute sowohl im
Steinmaterial wie in den Mörtelschichten sich so gut er=
halten hat, daß man meinen könnte, es sei das Werk
keineswegs noch von sehr hohem Alter. Ja, wenn man

diese ältesten Teile der Einhard=Basilika mit einzelnen
späteren Hinzufügungen vergleicht, so möchte man diese
letzteren Arbeiten wegen ihres verwitterten Aussehens für
die älteren Schöpfungen halten, während sie doch in Wahr=
heit wesentlich jünger sind als jene schlanken Karlinger=
Pfeiler, deren treffliches Gefüge dem Zahn der Zeit so
wunderbar standgehalten hat, und deren Farbenwirkung
namentlich im Lichte eines schönen Sommerabends noch
heute bezaubernd auf den Beschauer wirkt[1]).

Der Erbauer unserer Basilika hatte zweifellos
hohes künstlerisches Gefühl. Namentlich ein
feines Verständnis für die Raumbildung, ein starker Sinn
für das Ebenmaß der Bauglieder wohnte ihm inne; denn
trotz ihrer Schmucklosigkeit machen die Pfeilerreihen mit
ihren die Oberwände der Kirche tragenden Halbkreisbogen,
nicht minder die Höhenverhältnisse dieser Oberwände und
ihre Unterbrechung durch die schmalen Halbbogenfenster
einen sehr erfreulichen Eindruck. Unwillkürlich — so meint
Schneider[2]) — drängt sich uns der Gedanke auf, „daß dem
Auge des Baukünstlers die besten Gebilde altchristlicher
Kunst" bekannt gewesen sein mußten, „um ein solches Werk
zu schaffen, und doch dürfte sich kaum ein Beispiel finden,
das mit dem unsrigen in seiner vollendeten Einheit sich
messen könnte. Kein antikes Bauwerk bot hier seine präch=
tigen Säulen und Gliederungen; aber mehr als der Reich=
tum des Materials ist das Ebenmaß der Verhältnisse.
Nicht umgeben die Baustätte Einhards Vorbilder einer
großen Vergangenheit, hier galt es in mühevollem Ringen
mitten in einer Waldeinsamkeit, die noch voll barbarischer
Erinnerungen lebte, ein Heiligtum zu errichten, das wie
ein Markstein die Grenze einer neuen Zeit bezeichnete."

Auf die Entstehung und Gestaltung dieses Baues übte
zweifellos Einhard selber die größte Einwirkung aus.

[1]) S. Schäfer a. a. O. 138.
[2]) A. a. O. 108.

Allerdings: seine Stellung zur Steinbacher Basilika war zunächst nicht die des Architekten, sondern die des Bauherrn und Patrons[1]). Aber dieser Bauherr war doch selbst in der Architektur genugsam ausgebildet, um auch selber auf die Gestaltung seiner Kirche maßgebenden Einfluß ausüben zu können. Und daß er dies auch wirklich tat, das zeigt, wie ich denke, schon der Umstand, daß wir an unserer Basilika manche Frucht der Studien, welche Einhard durch seinen Aufenthalt in Rom zu machen Gelegenheit gehabt hatte, beobachten können.

Interessant ist da einmal die schon von Schneider[2]) gemachte Feststellung, daß ursprünglich der Chorraum, zu welchem bei der Steinbacher Basilika offenbar auch das ganze Transept zu rechnen ist, durch eine Mauer vom Schiff der Kirche abgetrennt war, wobei aber diese nicht bis zur ganzen Höhe der Kirche aufsteigende Schranke einen Durchblick nach dem Chor zu erlaubte. Diese Anordnung ist in archäologischer wie in liturgischer Hinsicht sehr beachtenswert; denn Spuren einer ähnlichen Einrichtung finden sich diesseits der Alpen nur ganz selten vor; dagegen bieten allerdings die altchristlichen Basiliken, besonders die alte Peterskirche in Rom, St. Nereus und Achilleus daselbst sowie andere, entsprechende Beispiele. Offenbar haben wir es also bei den erwähnten Eigentümlichkeiten der Steinbacher Basilika mit einer Nachwirkung dessen zu tun, was Einhard in Rom hatte schauen können.

Ganz besonders aber haben die römischen Katakomben auf ihn Eindruck gemacht. Auch das können wir an dem Steinbacher Gotteshause oder vielmehr an dessen höchst eigentümlicher Kryptenanlage erkennen.

---

[1]) P. Clemen, Der karolingische Kaiserpalast zu Ingelheim, in der Westdeutschen Zeitschrift, IX (1890) 137.

[2]) Annalen des Vereins für nassauische Altertumskunde XIII 109.

Glücklicherweise ist gerade dieser Teil des ganzen Bau=
werkes ausgezeichnet erhalten. In ihrer höchst eigentüm=
lichen Grundgestalt ist die Kryptenanlage unserer Kirche
ein originelles Werk ihres Schöpfers; sie legt gleich dem
Oberbau der Kirche für das architektonische Empfinden
ihres Erbauers Zeugnis ab.

Der fragliche Kryptenbau ist so tief unter den Boden
gelegt, daß er keine Erhöhung jenes Teiles der Oberkirche,
unter dem er sich befand, notwendig machte. Die ganze
Krypta wird nun durch zwei unter dem Vorchor der
Oberkirche sich kreuzende lange Galerien gebildet, die eine
Breite von nur 1 m und eine Höhe von 2,32 m haben. Die
Unterkirche erhält so die Gestalt eines lateinischen Kreuzes;
sie entspricht — dies ist ja auch bei anderen Krypten die
Regel — der räumlichen Ausdehnung der Vierung und
der Altarapsiden der Oberkirche; sie erstreckte sich aber
nach Westen auch noch weit in das Mittelschiff hinein
— etwa bis in die Mitte desselben. Besonders auffällig
ist an der Anlage die ungewöhnliche Behandlung und Aus=
gestaltung der vier Endstücke der beiden sich schneidenden
Korridore. Diese laufen nämlich in Räume aus, welche
kapellenartig erweitert sind und sowohl an kleine Gebets=
räume, an Oratorien, wie auch an die sog. Arkosolien der
römischen Katakomben erinnern. An den Endpunkten der
Ostseite der nach Norden, nach Osten und nach Süden
laufenden Kreuzarme sind drei Nischen angelegt, welche der
Hauptapsis und den beiden Nebenapsiden in der Oberkirche
entsprechen; gegen Westen zu aber haben die an der Nord=
und Südseite gelegenen Nischen rechtwinkelige Vertiefun=
gen; auf diese Weise entstehen, wie gesagt, kleine Ora=
torien, die für eine freilich recht beschränkte Zahl von
Betern Raum boten. Je ein Arkosolium ist auch am Fuße
der die Krypta bildenden Kreuzesgestalt zu beiden Seiten
des Korridors angeordnet; hier war wohl der Platz, auf

dem nach Einhards ursprünglicher Absicht einst die beiden
Steinsärge stehen sollten, die seine und seiner Gattin sterb=
liche Überreste zu bergen bestimmt waren; so gedachte er
auch nach dem Tode den Heiligen nahe zu sein, denen er
ein kindliches Vertrauen entgegenbrachte; nicht ohne Rüh=
rung beobachten wir übrigens auch bei diesem von Einhard
in Aussicht genommenen Begräbnisplatz die Demut und
die Bescheidenheit, die ihm zeitlebens eigen war: in dem
entlegensten Winkel der Krypta nur wollte er seine Be=
gräbnisstätte haben.[1])

Man hat, wie gesagt, längst erkannt, daß die ganze
Kryptenanlage in Steinbach deutlich den Charakter eines
Katakombenbegräbnisses an sich trägt, einer „Confessio"
im Sinne der alten christlichen Kirche, d. h. einer zur Auf=
stellung von Reliquien und Sarkophagen bestimmten Ört=
lichkeit. Unsere Steinbacher Krypta als ganzes ist aber
nicht bloß eine Ausgestaltung jener unter dem Hochaltar
gelegenen „Confessio", in welcher die Gebeine des Mär=
tyrers, der der Patron der Kirche war, aufbewahrt wur=
den; sie scheint, wie gesagt, überdies auch noch als Be=
gräbnisstätte Einhards und seiner Gattin vorgesehen ge=
wesen zu sein; für die Abhaltung von gottesdienstlichen
Feiern dagegen konnte unsere Krypta schon allein wegen
ihres geringen Raumes nicht dienen.

Die ganz ungewöhnliche Anlage, die sich nach dem
Gesagten bei der Einhard=Basilika zeigt, findet allein in
den römischen Katakomben verwandte Beispiele;[2])
denn auch hier stehen in einer ganz auffälligen Überein=
stimmung mit unserem Gotteshause schmale Korridore mit
kleinen Gebetsräumen in Verbindung, die gleichfalls
durch die Einschiebung von Nischen nach den Seiten hin
eine Erweiterung erfahren haben, wie auch entsprechende

---

[1]) S. Schneider a. a. O. 121; Schäfer a. a. O. 144.
[2]) S. Schneider a. a. O. 117.

Erweiterungen des Raumes nach rückwärts über die Breite des Ganges hinaus vorkommen. Schneider hat zum Vergleiche besonders auf die Pläne der Katakomben von S. Callistus, von St. Hermes an der Via Salaria und auf das Cömeterium „Ad duas Lauros" hingewiesen, das an der Via Labicana gelegen war und aus dem gerade Einhard die Heiligenleiber erhalten sollte, als deren Ruhe= platz seine Basilika gedacht war.

Unter diesen Umständen ist der Schluß durchaus be= rechtigt, daß die Katakomben Roms und ihre Teile, ihre Galerien und Cubicula, dem Erbauer der Steinbacher Basilika als unmittelbares Vorbild gedient hatten. Die aus dem Frankenreiche kommenden Pilger waren ja auch sonst nachweislich aufs eifrigste bestrebt die Sitten und Gebräuche der römischen Kirche zu studieren und sie dann zu Hause nachzuahmen.[1] Fraglich könnte nur sein, ob Einhard als Vorbild seiner Steinbacher Krypta die römi= schen Katakomben deshalb gewählt hat, weil er den von Rom entführten Heiligenleibern eine Ruhestätte bereiten wollte, die ihrem bisherigen Begräbnisplatze möglichst an= gepaßt war, oder ob er umgekehrt jene katakombenähnliche Krypta bereits gebaut hatte, noch ehe er wußte, welche Heiligen in ihr Aufnahme finden sollten, und ob er in diesem Falle vielleicht gerade angesichts der Nachbildung der römischen Katakomben in seiner Krypta dazu veranlaßt wurde nach dem Besitz römischer Reliquien zu trachten. Wenn man berücksichtigt, daß Einhard zwar noch vor der Weihe seiner Kirche, aber erst nach deren Vollendung an den Erwerb jener römischen Reliquien ging, dann möchte man sich wohl für diese letztere Annahme entscheiden. Aber es ist doch auch sehr gut denkbar, daß Einhard von Anfang an plante einen der römischen Märtyrer in seine Kirche

---

[1] Zettinger, Berichte über Rompilger 81.

bringen zu laffen, wenn er fich auch zunächft über die Per=
fon diefes Märtyrers noch nicht fchlüffig war. Zudem ift
es auch nicht ganz ausgefchloffen, daß Einhard jene Krypta
erft erbaut hat, nachdem er bereits feine Bafilika in der
Hauptfache vollendet hatte, und daß er zu diefem Krypten=
Bau fich erft infolge des Projektes Heiligenleiber aus den
Katakomben zu erhalten entfchloffen hat.[1])

Nur in aller Kürze möchte ich bemerken, daß zu der
Zeit, da Einhard der Grundherr Michelftadts war, auch
die dortige Pfarrkirche neu erbaut worden zu fein fcheint;
wenigftens berichten die Annalen von Fulda — voraus=
gefetzt, daß die betreffende, nur fchwierig zu entziffernde
Stelle der Handfchrift richtig gelefen ift — von einer
i. J. 821 erfolgten Weihe der Kirche zu Michelftadt. Da
die Einhardsbafilika zu Steinbach damals und noch fechs
Jahre fpäter ungeweiht war, kann es fich bei jener Kirche
nur um die Ortskirche von Michelftadt handeln, die fich
dafelbft ja fchon 815 befunden hatte und die damals noch
aus Holz gebaut war;[2]) vielleicht hat Einhard fchon bald,
nachdem er Grundherr von Michelftadt geworden war,
diefen Holzbau erfetzt durch das Gotteshaus aus Stein,
das dann 821 geweiht wurde; vermutlich war anfangs
diefes Michelftädter Kirchlein dem hl. Kilian geweiht,
während in fpäterer Zeit, als man den Namen Michlin=
ftat irrigerweife mit dem hl. Michael in Verbindung brin=
gen zu follen meinte, diefer letztere Heilige Patron des
Ortes und der Kirche wurde.[3])

---

[1]) Diefe Vermutung hegt Schneider in den Annalen XIII 120.
[2]) S. Schneider a. a. O. 101, 123; Kurze 41.
[3]) Im Unterbau des 1507 errichteten Turmes der Michel=
ftädter Pfarrkirche, deren völlige Wiederherftellung 1457 begonnen
und 1490 vollendet worden zu fein fcheint, werden als Patrone
der Kirche St. Michael und St. Kilian genannt; f. Schneider a.
a. O. 126.

Nicht allein der Kirchenbau zu Steinbach ragt als ein Überreft von Einhards Wirken als Hofherr von Michelstadt bis in unsere Tage aus längst entschwundener Vergangenheit herüber; noch andere Spuren hat die Tätigkeit Einhards auf den Fluren der lieblichen Mümling-Ufer hinterlassen.

Ich habe bereits erwähnt, daß Einhard schon bald, nachdem er Michelstadt von seinem Kaiser erhalten hatte, hier Häuser und Gebäude „zum Bleiben", wie er selbst sagt, erbaut hat. — „Zum Bleiben!" In der Tat gedachte Einhard Michelstadt sich so recht zu seinem Wohnsitz auszubauen, zu der Stätte, auf der er all das gepflegt wissen wollte, was seinen Geist lange Jahre hindurch beschäftigt hatte: warme Religiosität im Sinn seiner Kirche, Freude an der Kunst und deren praktischer Ausübung mit all der technischen Vervollkommnung und Ausgestaltung, die ihm möglich war, daneben wohl auch ernste Studien und unverdrossene wissenschaftliche Tätigkeit.

Mit Schneider[1]) möchte auch ich annehmen, daß jene von Einhard errichteten Wohngebäude sich nicht in der Nähe der Michelstädter Pfarrkirche befunden haben, sondern vielmehr nächst der Steinbacher Basilika; schon die Terrainverhältnisse daselbst waren wie dazu angetan, um einen größeren Gebäudekomplex erstehen zu lassen, einen Gebäudekomplex, der dank der faft gleichmäßigen Bodenerhebung ringsum einen wirksamen Schutz vor Überfällen erhielt. Hier befindet sich heutzutage das Schloß Fürstenau, welches der ältesten der drei heute bestehenden Linien der Grafen von Erbach als Residenz dient, jener herrliche Fürstensitz, der, unter den schattigen Bäumen des Schloßparkes verborgen, einen unvergeßlichen Eindruck bei seinem Besucher hinterläßt. Klar und leicht erkenntlich hebt sich der ursprüngliche gotische Kern der Burg von den späte-

---

[1]) S. oben S. 215 A.

ren Zubauten ab; etwa an der Wende des 12. zum
13. Jahrhundert wurde sie vom Erzbischof von Mainz er=
baut; in der Mitte des 14. Jahrhunderts wurde Fürstenau
den Grafen von Erbach zugesprochen, welche es dauernd
vom 15. Jahrhundert an bis 1803 als Lehnsleute der
Mainzer Erzbischöfe besaßen. Einen starken Eindruck
macht namentlich der kühne Prachtbogen, welcher mit einer
Spannweite von 14,6 m und in einer Höhe von
12,75 m die Obergeschosse der beiden älteren Flügel=
bauten miteinander verbindet. Dichter wilder Wein hängt
von den alten Steinen herab — ein entzückendes Bild an
einem schönen Herbstabend, dessen glutvolle Farbenpracht
leicht den Gegensatz von Gotik und Renaissance vergessen
läßt und den Beschauer ganz gefangen nimmt.[1]

Gerade auf der Stätte von Schloß Fürstenau mochte
das Hofgut Einhards selber gelegen sein; die unmittel=
bare Nähe seiner Privatkirche kann diese Annahme nur
bestätigen; denn wenn Einhards Hofgut wirklich, wie man
meist annimmt, in Michelstadt selber gelegen gewesen wäre,
so könnte man es nicht recht begreifen, warum er dann so
fern davon, auf dem jenseitigen Ufer der Mümling, seine
Hauskirche erbaut haben soll. — Schon Schneider ver=
mutete, wie gesagt, demgegenüber, daß möglicherweise Ein=
hards Wohnräume nächst der Basilika in Steinbach ge=
standen seien und daß Nachgrabungen vielleicht weitere
Anhaltspunkte ergeben dürften.

Ich wüßte nicht, daß seitdem solche Nachgrabungen
gemacht wurden.[2] Ich meine indes, daß man nicht einmal
unter den Boden zu schürfen braucht, um von Einhards

---

[1] S. Lorentzen, Odenwald 72 f.
[2] Denn die Nachgrabungen, welche 1884 in Steinbach ver=
anstaltet wurden, erstreckten sich nicht auch auf die Untersuchung
der zur Basilika gehörigen klösterlichen Gebäude, sondern nur
auf die Basilika selbst; s. Adamy, Die Einhard=Basilika 2 f.

Schalten gerade auf Steinbachs Fluren noch so manches zu erkennen.

Wenn man heute das kleine Steinbach betritt, dann wird man es auffällig finden, welch verhältnismäßig große industriellen Betriebe dieser unbedeutende Ort besitzt! Hunderte von Arbeitern finden ihr Brot noch heute in den industriellen Unternehmungen, welche sich in Steinbach=Michelstadt befinden. Neben dem „Hüttenwerk Michelstadt", in dem heute landwirtschaftliche Gebrauchsgegenstände hergestellt werden, gibt es dort noch zwei kleinere Fabriken, die sich mit der Herstellung ähnlicher Gerätschaften befassen. Der Vorläufer der genannten größeren Fabrik war ein Eisenhüttenwerk, während gleichzeitig die jetzt in Michelstadt bestehende Drahtzieherei ein Eisenhammerwerk zum Vorgänger gehabt hat; in einer vorzüglich der Herstellung von Eisenwaren dienenden Fabrik findet sich eine besondere Gießerei.[1] Sollten wir in diesem starken Hervortreten der Metallindustrie in Steinbach = Michelstadt nicht eine Nachwirkung der Tätigkeit finden, die Einhard als Gutsherr von Michelstadt ausgeübt hat, derselbe Einhard, der ja, wie wir jetzt wissen,[2] gerade auf dem Gebiete des Ergusses und der Metallplastik Meister war? — In der Tat scheint dem so zu sein;[3] denn die Eisenindustrie in Steinbach=Michelstadt ist nicht erst von gestern oder vorgestern; vielmehr sind die erwähnte Eisenhütte und das Hammerwerk, die den Grafen von Er=

---

[1] S. Marburg, Michelstadt und Erbach 11; Th. Beck, Gewerbe und Handel [im Odenwald], bei G. Volk, Der Odenwald, (Stuttgart 1900) 403 f.

[2] S. oben S. 60 ff., 77.

[3] Die Anlage eines kleinen Hüttenwerkes seitens eines Grundherrn auf seinem eigenen Grund und Boden zur Gewinnung des Eisens, das man brauchte, kam auch anderweitig vor; s. Sombart a. a. O. I² 86.

bach gehörten, schon sehr alt: bereits zu Beginn des
17. Jahrhunderts (1607) wird die gräflich Erbachsche
Eisenhütte als ein längst vorhandenes Werk erwähnt.
Während des 30jährigen Krieges hob dann der Verfall
der Michelstädter Hütte an; sie scheint während der langen
Kriegsjahre, obgleich sie 1623 von den Grafen Ludwig
Kasimir und Georg Albrecht I. von Erbach neu aufgebaut
worden war, nur schwächlich betrieben worden zu sein; im
Jahre 1650 entschlossen sich die Grafen von Erbach das
Werk an Frankfurter Industrielle auf zehn Jahre zu ver=
pachten. Noch in der Mitte des 19. Jahrhunderts war
das Eisenhüttenwerk und das Hammerwerk bei Michelstadt
für Holzkohlenbetrieb eingerichtet. Aber schließlich lichte=
ten sich die Wälder der Umgebung. Das Eisen, das jetzt
auf dem Schienenweg aus Westfalen und aus anderen
Gegenden in den Odenwald geführt ward, kam billiger
zu stehen als das daselbst fabrizierte Eisen, und so mußte
der Betrieb des Michelstädter Werkes in seiner bisheri=
gen Form schließlich eingestellt werden — man mußte auf=
hören im Hochofen Eisen zu schmelzen, wie man dies seit
Jahrhunderten in Michelstadt getan hatte. Bald auch
ruhte das alte Hammerwerk, nachdem es bis in die 70er
Jahre des 19. Jahrhunderts bestanden hatte; dem Vor=
dringen der großen Weltfirmen Krupp, Gruson, Stumm
fielen eben auch die alten Michelstädter Eisenwerke zum
Opfer.[1]

Wie jene Eisenwerkstätten, so gehörten wohl auch
manche andere Betriebe zu den gewerblichen Anlagen,
welche Einhard in Michelstadt schuf; so vermutlich auch
eine Ziegelei — auch anderwärts wurden auf großen
Grundherrschaften Ziegeleien errichtet —; wir besitzen noch
einen Brief Einhards, in welchem dieser einen seiner
Bekannten bittet einem gewissen Egmund (Egmunel) in

---

[1] Vgl. Marburg a. a. O. 11; Beck a. a. O. 404.

Einhards Namen den Auftrag zu geben 60 quadratische Ziegel von größerem und 200 von kleinerem Format anzufertigen. — Wohl mit Recht hat Schäfer jenen Egmund als einen Ziegelstein=Fabrikanten zu Michelstadt oder in der Nähe dieses Ortes betrachtet. In der Tat läßt jener Brief darauf schließen, daß wir es mit einer Ziegelstein= fabrik, die zur Grundherrschaft Einhards gehörte, zu tun haben; jener Egmund aber war offenbar einer seiner grundherrlichen Amtsleute.[1])

Noch einen andern Industriezweig, für welchen Einhard gleichfalls besonderes Interesse gehegt zu haben scheint, finden wir bis zum heutigen Tage in Michelstadt besonders gepflegt; ich meine die Schnitzerei, insbesondere die Elfenbeinschnitzerei; sie blühte in Michelstadt ganz besonders; hunderte von geschickten Händen waren ehedem hier mit dem Schnitzmesser tätig; und das Schnitz= werk, das aus Michelstädter Werkstätten hervorgegangen war, wurde auch weit im Auslande, besonders in Holland, in Frankreich, in Belgien, begehrt; noch heute arbeiten einige Dutzend Kleinmeister in dieser Schnitzindustrie. Mögen immerhin für die Entwicklung der jetzigen Elfenbein= schnitzerei in Michelstadt und im benachbarten Erbach die Lehrmeister von Bedeutung geworden sein, welche 1817 auf Veranlassung des Grafen von Erbach aus Geiblingen (in Württemberg) kamen[2]) — die Ansätze zu dieser In= dustrie waren hier sicher schon weit älter.

Bei der immerhin ansehnlichen Gutswirtschaft Ein= hards mit all ihren Wohn= und Wirtschaftsgebäuden im heutigen Steinbach war jedenfalls auch eine herrschaftliche

---

[1]) Vgl. Hampe im Neuen Archiv XXI 618 A. 2, der an= nimmt, daß Einhard sich die fraglichen Ziegel „von Hause" (zu Ausbesserungsarbeiten an seiner Aachener Wohnung) kommen habe lassen.

[2]) S. Beck a. a. O. 408.

Walkmühle, wo die Tücher, die man zur Anfertigung der Kleider aller zur Gutsherrschaft gehörigen Personen brauchte, gewallt wurden; hier befand sich vermutlich eine große Arbeitsstätte für Frauen, wo Dutzende von fleißigen Händen spannen und webten und so gleichfalls für Bekleidungszwecke sorgten; Frau Imma aber wird in diesem herrschaftlichen Gynäzeum die Aufsicht geführt und nicht bloß auf den Fleiß der hier dienenden Frauen und Mädchen, sondern auch auf die Hochhaltung von Zucht und Ordnung gesehen haben. — Auch dieser herrschaftliche Betrieb einer Art von „Textilindustrie" im kleinen dürfte noch für die weitere Entwicklung Steinbach-Michelstadts von Einfluß geworden sein: vielleicht ist er als Vorläufer und Ausgangspunkt der Tuch- und Kattunweberei, die sich heute in Michelstadt befindet,¹) anzusehen.

In diesem Zusammenhang möchte ich auch noch eines interessanten Schreibens gedenken. Es ist uns in einer heute der Pariser Nationalbibliothek angehörigen Handschrift, dem Codex Parisiensis latinus 2777 und zwar in jenem Teile dieser Handschrift überliefert, der eine Sammlung von Urkunden und von Formularien, von Mustern und Vorlagen zu solchen Urkunden und Briefen darstellt und der in der Regel als „Formularsammlung von St. Denis" bezeichnet wird;²) auch das erwähnte

---

¹) Marburg a. a. O. 11.
²) So auch von W. Levison, Das Formularbuch von St. Denis, im Neuen Archiv, XLI (1917), 283 ff. — Ich habe mich seit langem mit der Untersuchung der einzelnen Formulare, welche die Sammlung umfaßt, sowie mit der Datierung der ganzen Sammlung beschäftigt und bin hierbei zu dem Ergebnis gekommen, daß dieselbe allerdings durch einen Abt von St. Denis, nämlich durch den schon erwähnten Erzkaplan Ludwigs d. Fr., Hilduin, sowie durch einen anderen Hofwürdenträger, den kaiserlichen Kanzler Fridugis, Abt von St Martin in Tours, zwischen 819 und 830 angelegt wurde, und zwar am Kaiserhofe

Schreiben ist uns nicht in seinem vollen Wortlaut über=
kommen; die Eigennamen, die in demselben ursprünglich
vorkamen, sind nämlich vielfach durch unpersönliche Wen=
dungen ersetzt, so daß auf solche Weise der Wortlaut des
Briefes zu einem Formular zurechtgestutzt wurde. Der
fragliche Brief ist von einem ungenannten Abte an einen
gleichfalls im Texte des Formulars nicht mit seinem Na=
men genannten oder vielmehr nur durch eine unpersönliche
Wendung (ille) angedeuteten Empfänger gerichtet, das
Schreiben handelt u. a. von einem Kirchenbau, zu welchem
das nötige Blei und sonstiges Baumaterial[1]) von einem
bestimmten Orte (N. N.) aus „bis zu der Stelle, wo die
Signa (Seine) in das Meer mündet"[2]) geschafft werden
sollte. Und zwar sollte dieser Transport auf dem Wasser=
wege vor sich gehen. — Bei diesem Kirchenbau handelt es
sich — ich glaube das an einem andern Orte[3]) dargetan zu
haben — um den Erweiterungsbau der Klosterkirche von
Fontanelle (St. Wandrille) durch den später heilig ge=
sprochenen Abt Ansegis, dem wir als Gehilfen und Werk=

selbst, für dessen Gebrauch sie bestimmt war; ich hoffe diese
Datierung und diese Heimat der Sammlung bei Veröffentlichung
meiner Forschungen über mittelalterliche Fälschungen näher be=
gründen zu können; vorläufig s. die bei M. Buchner, Zum Brief=
wechsel Einhards und des hl Ansegis von Fontanelle (St. Wan=
drille), in der Hist. Vierteljahrsschrift XVIII (1916) 355 A. 4
angegebene Literatur. — S. auch im Nachtrag.

1) „plumbum et materiamen;" s. zu „materiamen" Du Cange,
Glossarium V 303.

2) „[de] loco illo usque ad Iocum, ubi Signa confluit in
mare;" so las wenigstens E. de Rozière bei der Herausgabe des
Briefes in seinem Recueil · général des formules usitées dans
l'empire des Francs du V e au X e siècle, II. partie (Paris 1859)
1033 f; Zeumer in den Mon. Germ. Formulae Merow. et Karolini
aevi (1886) 503 druckt statt „loco" „Sancto"; die Handschrift hat
nur die beiden Buchstaben „co" (Zeumer ebd. N. 1), so daß vom
paläographischen Gesichtspunkte aus beide Lesarten möglich sind.

3) In der Hist. Vierteljahrsschrift 1916 S. 361 ff.

meister Einhards ja schon begegnet sind. Ansegis selbst
ist der Schreiber der fraglichen Zeilen, die er vermutlich
an niemanden sonst als an Einhard gerichtet hat: wenn
er dem Adressaten seines Briefes berichtet, er sei in dessen
„Örtchen (H.) in dem Orte, der N. N. heiße",¹) gewesen
und habe hier das Gut des Adressaten sich besehen, wenn
er ferner in dem Briefe sagt, er sei sodann von hier aus
zu Schiffe nach einem anderen Hofgute (villa), das offen=
bar gleichfalls dem Adressaten unseres Briefes gehörte,
gefahren²) und habe sich hierbei mit Fischen die Zeit
verkürzt, so bezieht sich dies auf die beiden Besitzungen
Einhards in Steinbach und Obermulinheim; denn beide
Orte waren ja tatsächlich durch den Wasserweg der damals
noch schiffbaren und fischreichen Mümling und des Mai=
nes, in den die Mümling mündet, miteinander verbunden:
das „Örtchen H. in dem Orte, der N. N. heißt", ist eben
Steinbach,³) das gewissermaßen ein Teil von Michelstadt
war und das daher sehr gut als „locellus in loco qui
dicitur ill. [Michlinstat]" bezeichnet werden konnte; das
Landgut (villa) aber, zu dem Ansegis zu Schiffe fuhr, ist
die nächst Aschaffenburg gelegene „villa" Obermulinheim,
die Einhard gleichfalls 815 erhalten hatte; vermutlich kurz
vor dem 28. Juli 826 ist der fragliche Brief geschrieben.
Wenn in ihm nun die Rede ist von dem Transport von

---

1) „Fuimus namque ad locellum vestrum in loco qui dicitur ill."
2) „Inde navigio pisces capiendo ad villam ... pervenimus." —
Daß auch diese „villa" dem Adressaten des Briefes gehörte, scheint
aus dem Zusammenhang des folgenden hervorzugehen; denn hier
wird berichtet, daß der Absender — eben in der fraglichen villa —
die Kontrolle der Wirtschaftsführung eines gewissen Tassilo, der
als Getreuer des Adressaten bezeichnet wird, vorgenommen habe;
und eben dieser Tassilo wird dem Adressaten für ein Amt
empfohlen.
³) S. darüber den erwähnten Aufsatz in der Hist. Viertel=
jahrsschrift 1916 S. 353 ff.

Blei und anderweitigem Baumaterial, welcher von dem
fraglichen Orte, also von Michelstadt aus, zu Schiffe bis
in die Gegend der Seinemündung gebracht werden sollte,
so paßt dies recht gut zu dem Bilde, das wir uns von der
Bedeutung Michelstadts unter Einhard gemacht haben;
denn hier befand sich nicht bloß die Gußstätte und die
hierfür nötigen Bleivorräte, hier gab es auch eine Ziegel=
fabrik und ähnliche Werkstätten, in denen man jenes „Bau=
material", d. h. wohl insbesondere auch jene Ziegeln an=
fertigte, die Ansegis zu seinem Kirchenbau brauchte. Und
so bietet uns jener zunächst r ä t s e l h a f t e B r i e f eine
willkommene Ergänzung zu der Vorstellung, welche wir
uns schon bisher vom Leben und Treiben in Steinbach=
Michelstadt machten — ganz abgesehen davon, daß uns
diese Zeilen ein lebendiges Bild voll idyllischer Reize
vorzauberten; denn ein solches entrollt sich uns, wenn wir
hören, wie A b t A n s e g i s a u f E i n h a r d s H e r r e n=
h o f nach Steinbach kommt, wie er hier dann' a l l e s
i n s p i z i e r t, um sich schließlich gütlich zu tun — aus
seinem eigenen Hab und Gut, wie unser Briefschreiber
dem Adressaten treuherzig versichert, und um dann mit den
Leuten Einhards ein paar frohe Stunden zu verleben;
sodann aber besteigt er mit seiner Begleitung einen Nachen
und fährt auf den munter murmelnden Wassern der Müm=
ling zwischen lauschigem Erlengebüsch dem Maine zu,
während links und rechts die Haine des Odenwaldes an
dem Auge der Schiffer vorübergleiten und die Höhen und
Talgründe, die sich zwischen Michelstadt und Höchst hin=
ziehen und all die Reize dieses schönen Mittelgebirges in
sich vereinigen, den heiteren Schiffsinsassen prächtige
Landschaftsbilder erstehen lassen. Um die lange Fahrt
abzukürzen, wirft man die Angel aus und wohl manches
Fischlein in der ja heute noch so fischreichen Mümling
mag da gefangen worden sein. Die Insassen jenes Kahnes

aber mögen von einer ähnlichen Stimmung beseelt gewesen
sein, wie sie Karl Scriba, der liebenswürdige Sänger des
Odenwaldes, in die Worte gekleidet hat:

„Das Tal und den ahnungsdüsteren Hain
Und die rauschende Mümling, sie lieb ich allein!" —

Der ganze von Einhard im heutigen Steinbach an-
gelegte Gutskomplex wurde zu seiner Zeit noch zu Michelstadt gerechnet; daher begegnet er zunächst meist auch noch
nicht unter einem eigenen Namen.[1] Erst später ist der
Name Steinbach mehr und mehr in Übung gekommen,
so daß also S t e i n b a c h nichts anderes ist als e i n
T e i l d e s a l t e n M i c h e l s t a d t.[2] Die B e s i t z u n g
E i n h a r d s d a s e l b s t kam nach seinem Tode, entsprechend seinem Testament von 819, a n d a s K l o s t e r
L o r s c h; aber fast 2½ Jahrhunderte lang scheint Steinbach öd und verlassen geblieben zu sein, niemand kümmerte
sich so recht um das Werk Einhards. Erst unter dem Abte
Udalrich von Lorsch (1056—75) wurde eine Anzahl von
Lorscher Mönchen an die Gründung Einhards versetzt;
unter dem Abte Winter von Lorsch (1078—89) wurde die

---

[1] Immerhin dürfte anzunehmen sein, daß schon in Einhards
Tagen der Bachlauf, an dem der Ort Steinbach gelegen war und
der noch heute Steinbach heißt, einen Namen geführt habe, der
vielleicht schon damals auf die Wohnstätten bei diesem Bache
übertragen ward, so daß also der Name „Steinbache" auch für die
Niederlassung schon von Einhards Zeit an in Gebrauch war; im
Original des erwähnten Briefes des Ansegis scheint ja das Hofgut Einhards mit einer eigenen Bezeichnung innerhalb des
„Ortes, der Michelstadt heißt", gestanden zu sein, ein „lapideus
rivulus" („Steinbächlein") kommt auch in der oben S. 212 erwähnten
Grenzbeschreibung vor; s Buchner in der Histor. Vierteljahrsschrift 1916 S. 374 Anm. 1.

[2] Auch hier hat Schäfer a. a. O. 141 der Forschung den
richtigen Weg gewiesen, wie das dann namentlich durch die Studie
von Draudt im Archiv für hess. Gesch. und Altertumskunde XII
(1874) sich gezeigt hat; zur Identität von Steinbach und Michelstadt s. namentlich auch Adamy a. a. O. 8.

Erneuerung der Stiftung Einhards kräftig weiter geför=
dert; die Michelstädter Besitzungen des Klosters Lorsch,
welche noch gegen Ende des elften Jahrhunderts unter
einem besonderen Namen (Steinbeche) erscheinen, wurden
von einem vom Kloster Lorsch bestellten Propste (prae-
positus) verwaltet. Auf solche Weise wurde Steinbach
zum Sitze einer Propstei des Klosters Lorsch. Noch unter
dem letzten Abte, Konrad von Lorsch (1214—26), erscheint
ein besonderer Propst von Steinbach namens Adhelm.
Nach der Einverleibung des Klosters Lorsch in das Main=
zer Erzbistum ging dann anfangs des 13. Jahrhunderts
Steinbach an einen w e i b l i c h e n O r d e n , wahrschein=
lich an einen Benediktinerinnen=Konvent, über und wurde
so in ein Frauenkloster verwandelt.¹) Im 16. Jahrhundert
(1535) wurde dann von Graf Eberhard von Erbach das
Kloster aufgehoben. So gelangte die Einhard=Stiftung in
Steinbach an die G r a f e n v o n E r b a c h , welche in
Einhard und Imma — freilich ohne allen geschichtlichen
Grund — ihre Stammeltern sehen wollten, welche aber
tatsächlich schon in sehr früher Zeit (seit dem 12. Jahr=
hundert) in Beziehung zu dem Kloster Steinbach getreten
waren. Das Kloster Steinbach selbst wurde nun zunächst
zu einem Hospital umgewandelt, das während des dreißig=
jährigen Krieges einging. Die Kirche des Klosters Stein=
bach aber bildete vom Ausgang des 13. Jahrhunderts an
bis gegen Ende des Mittelalters die Begräbnisstätte von
zwei älteren Linien des Hauses Erbach, der Linien
Erbach=Reichenberg=Fürstenau und Erbach=Reichenberg=
Michelstadt; die teils noch sehr roh gearbeiteten Grabdenk=
mäler der Grafen von Erbach, welche hier aufgestellt wor=

---

¹) Diese Geschichte Steinbachs hat Draudt in seinem Aufsatz
„Das Kloster Michelstadt, Steinbach im Odenwalde" a. a. O.
358 ff, 398 ff. behandelt; vgl. Schneider in den Annalen XIII.
108 ff, 133 f.; Adamy 8.

den waren, wurden am Anfang des 19. Jahrhunderts in das Museum zu Erbach verbracht, wo sie sich noch heute befinden. — Die Nebengebäude des Steinbacher Klosters, das Gebäude der Äbtissin, die Dechanei und das Haus des Pförtners wurden später niedergelegt; an ihrer Stelle wurden im Jahre 1711 dort, wo ehemals der Klostergarten sich erstreckt hatte,[1]) Privathäuser angelegt.

---

[1]) S. Draudt a. a. O. 408; Adamy 9.

XV

Die Übertragung von St. Marzellin und St. Peter von Rom nach Michelstadt.

Als Einhard seine Steinbacher Kirche vollendet hatte, trat an ihn die Frage heran, welchem Heiligen zu Ehren sie eingeweiht werden sollte. Und diese Frage beschäftigte ihn nicht wenig. Wie schon gesagt,[1]) scheint Einhard bereits beim Bau seiner Kirche die Absicht gehabt zu haben den Leib eines der zahlreichen in Rom bestatteten Märtyrer in sein Gotteshaus übertragen und ihm hier eine würdige Verehrung zuteil werden zu lassen. Schon damals war er also entschlossen, sein Steinbach auch durch einen besonderen kirchlichen Vorzug, durch die Anwesenheit eines römischen Märtyrers, auszuzeichnen.

Ich werde später, wenn ich von Einhards Schrift über die Translatio SS. Marcellini et Petri berichte, auch auf die Heiligen- und Reliquienverehrung seiner Zeit und auf seine eigene Stellung hierzu einzugehen haben. Hier möchte ich zunächst nur in aller Kürze darauf hinweisen, daß für die intensive Reliquienverehrung, von der wir Einhard beseelt finden, schon seine Jugendjahre im Kloster Fulda von Einfluß gewesen sein dürften. Hier in Fulda verehrte man damals ja den Leib des großen Heidenbekehrers, des hl. Bonifatius; dessen sterbliche Überreste waren nach seinem Martyrium

---

1) Oben S. 228 f.

zuerst nach Mainz gebracht worden, aber Abt Sturmius
von Fulda hatte es bei Erzbischof Lull von Mainz durch-
gesetzt, daß sie nach Fulda überführt wurden; damals also
setzte die Bedeutung Fuldas als Wallfahrtsort, die bald
durch Wunderfälle gesteigert wurde, ein; und neben dem
hl. Bonifatius selbst war hier in Fulda auch seine Schü-
lerin Lioba bestattet worden. So war Fulda zur Jugendzeit Einhards wohl der berühmteste Wallfahrtsort des östlichen Frankenreiches, zu dem Tausende frommer Pilger
zogen. Das konnte sicher nicht ohne Wirkung auf den
jugendlichen Einhard bleiben. Überhaupt darf man ja
nicht vergessen, daß schon gegen Ende des achten Jahrhunderts das Verlangen nach Reliquien außerordentlich
groß war. Die Heiligen- und Reliquienverehrung schien
den christlichen Glaubensboten namentlich mit Rücksicht
auf die neubekehrten Germanen segensreich, ja notwendig
zu sein; denn es war die Gefahr nur allzu groß, daß,
wenn kein greifbarer Heiligenleib die neuen Christen in die
Kirche zog, sie nur allzu leicht wieder zu ihren heidnischen
Göttern zurückkehren möchten. Bald freilich nahm das
Interesse für die Überreste der Heiligen Formen an, die
nur als ungesunde Auswüchse eines berechtigten Re-
liquienkultus gelten können. Wie in unseren Tagen die
Sammelwut und die Leidenschaft für den Erwerb von
Altertümern zuweilen unglaubliche Formen angenommen
hat, so war es damals mit der Sucht nach dem Erwerb
von Reliquien. Kein hoher Preis schien mehr eine Rolle
zu spielen, und unbedenklich setzte man sich auch über
manche Schranken, die von Recht und Sitte gezogen
waren, hinweg.[1])

---

[1]) Zu all dem s. Beissel, Verehrung der Heiligen (47. Ergänzungsheft zu den Stimmen aus Maria-Laach 1890) 44 ff., 89;
J. Guiraud, Le commerce des reliques au commencement du IXe

16*

Faſt unmittelbar bevor Einhard die Überreſte der Heiligen Marzellin und Peter erhielt, war im fränkiſchen Reich ein anderes Ereignis erfolgt, das in der Geſchichte der Reliquienverehrung von weittragender Bedeutung werden ſollte: die Gebeine des hl. S e b a ſ t i a n , des in der chriſtlichen Welt berühmten Märtyrers, waren damals von Rom i n d a s F r a n k e n r e i ch ü b e r t r a g e n worden. Hilduin, Kaiſer Ludwigs Erzkaplan, der neben St. Denis auch noch eine Mehrzahl anderer Klöſter, dar= unter St. Medard in Soiſſons, beſaß, hatte die guten Beziehungen, in welchen er zu dem damaligen Papſt Eugen II. ſtand, dazu benützt, um von dieſem die Erlaubnis zur Überführung des hl. Sebaſtian von Rom nach St. Medard zu erhalten; das war im Jahre 826 geweſen. Seitdem ruhten alſo die Gebeine des berühmten Heiligen in Soiſſons; infolge der Wunder, von denen man hier ſchon bald zu berichten mußte, ſtrömten in kurzem große Scharen von Gläubigen nach Soiſſons. Lange Zeit bildete dieſe Überführung des hl. Sebaſtian das Tagesgeſpräch in weiten Kreiſen.

Nun war damals gerade ein römiſcher Diakon namens D e u s d o n a[1]) am Kaiſerhof zu Aachen, wo auch Ein= hard in jenen Tagen weilte; Deusdona gedachte in ſeinen eigenen Angelegenheiten am Hofe vorſtellig zu werden; Einhard wurde mit ihm bekannt. Als Deusdona den Zweck ſeines Aachener Aufenthalts erledigt hatte und daran dachte wieder nach Rom zurückzukehren lud ihn

---

siècle, in den Mélanges G. B. de Rossi (Supplément aux Mélanges archéologie et d'histoire publiés par l'école Française de Rome XII, Paris et Rome 1892) 76.

[1]) Vgl. über ihn die Ausführungen von Guiraud a. a. O. 81 ff., der Deusdona als den Typ eines Reliquienhändlers, wie ſolche am Beginn des neunten Jahrhunderts aufgekommen ſeien, dartun will.

Einhard noch zu sich zum Frühstück ein — aus reiner Men=
schenfreundlichkeit, wie Einhard selbst uns versichert, bei=
leibe nicht etwa aus Berechnung, zu selbstsüchtigen
Zwecken! Bei Tisch spricht man über dieses und jenes,
man redet schließlich auch über den hl. Sebastian und seine
Überführung in das Frankenreich, von der ja damals alle
Welt sprach.. Was lag da näher, als daß man auch auf
die Märtyrergräber in Rom zu reden kommt, die dort in
so ungeheuer großer Zahl und — leider! — auch in so
schlimmem Zustand sich befanden! Fast kein Mensch
kümmerte sich so, wie sich's gebührt hätte, um die heiligen
Stätten, wenn man von rühmenswerten Ausnahmen ein=
zelner, namentlich einiger Päpste, absah. Einhard hatte
bei seinem Aufenthalt in Rom wohl genug Gelegen=
heit gehabt diese Zustände zu beobachten. Und der
römische Diakon kannte diesen traurigen Verfall der Kata=
komben sicher nicht minder gut.

So ist man in der besten Unterhaltung über diese
Dinge. — Da gibt Einhard der Konversation eine kleine
Wendung, indem er auf die bevorstehende Weihe seiner
Steinbacher Basilika zu sprechen kommt. Wie er es doch
wohl anfangen müsse, so rückt er jetzt heraus, daß er in
den Besitz von einigen echten Überresten von Heiligen,
wie man sie in Rom habe, käme? Für seine neue Stein=
bacher Kirche möchte er halt gar zu gerne solche Reliquien
bekommen. Der Römer zuckt die Achseln: da sei guter
Rat teuer, meint er. Aber Einhard läßt nicht sogleich
locker. Deusdona merkt bald, welch großes Interesse Ein=
hard an der Sache habe, wieviel ihm am Besitz echter
römischer Reliquien liege; schließlich verspricht er Ein=
hard, er wolle ihm am nächsten Tage eine Antwort auf
seine Anfrage geben. Das bringt ihm seitens Einhards
eine zweite Einladung zu Tische ein. Deusdona läßt am
andern Tage auch nicht auf sich warten: er kommt wieder

in Einhards Haus und zieht da aus seinem Gewande eine
kleine Schrift hervor. Er übergibt sie Einhard — aber
mit dem Siegel strengster Verschwiegenheit: Einhard solle
sie lesen, wenn er sich ganz allein in seinem Kämmerlein be-
finde; und dann solle er ihm sagen, was er zum Inhalt
der Zeilen meine. Einhard nimmt die Schrift voll In-
teresses entgegen. Wie sehr ihn auch seine Neugierde gebrannt haben mag — er bemeisterte sie und erst, als er
ganz allein ist, entfaltet er das Schriftstück und liest die
Zeilen. Je weiter er liest, desto mehr erhellt sich wohl seine
Miene; denn da drinnen steht es ja, was sein sehnlichster
Wunsch gewesen ist: Deusdona, der Gute, will ihm wirklich seine hilfreiche Hand bieten, um ihm zum Besitz
römischer Reliquien zu verhelfen. Auf sehr einfache Weise
konnte dies noch dazu geschehen: Deusdona besaß ja selbst,
wie er jetzt bekannte, zu Hause in Rom viele Reliquien
von Heiligen — der Glückliche! Und er sei auch entschlossen, so schreibt er, Einhard diesen Reliquienschatz ab-
zutreten — freilich unter einer Bedingung: Einhard solle
ihm zu seiner Rückkehr nach Rom behilflich sein. Er habe
nämlich erfahren, daß Einhard zwei Maultiere besäße —
das eine davon wird vielleicht jenes gewesen sein, das er
aus dem Nachlaß des Bischofs Bernhari von Worms erhalten hatte[1]) —; eines dieser beiden Tiere solle nun
Einhard Deusdona zu seiner Rückreise überlassen; auf
dem andern Maultier aber könnte Einhard einen seiner
Leute mit Deusdona nach Rom schicken, um hier jene Reliquien in Empfang zu nehmen und sie Einhard zu überbringen; sogleich, so versprach Deusdona, werde er in
Rom die Reliquien an Einhard absenden.

Solches las Einhard damals in den Zeilen Deusdonas; mit dessen Vorschlag konnte er sich doch wohl zu-

---

[1]) S. oben S. 128.

frieden erklären. Eine Gefälligkeit erfordert die andere
— es war also wohl recht und billig, wenn er sich dazu
verstand das eine seiner beiden Maultiere dem Römer
abzulassen. So beschloß also Einhard auf den Vor=
schlag Deusdonas einzugehen, obgleich er sich wohl be=
wußt war, daß er für die Erfüllung des von Deusdona
ihm gemachten Versprechens keine Sicherheit hatte. Ein=
hard ließ nun Deusdona das von diesem begehrte Maul=
tier übergeben und fügte diesem Geschenk, großmütig wie
er war, auch noch eine Geldsumme als „Viatikum" hinzu.
Nun konnte sich Deusdona auf die Heimreise machen. Ein=
hard mußte nur noch einen seiner Leute zur Begleitung
Deusdonas auswählen, der dann die Vertrauensaufgabe
die Reliquien ihm zu überbringen übernehmen sollte.
Die Wahl Einhards fiel auf einen gewissen Ratleik, der
bei ihm die Stellung eines Sekretärs innehatte; der
Grund, weshalb Einhard gerade ihn auswählte, war der,
daß Ratleik eine Wallfahrt nach Rom gelobt hatte; so
konnte man die beiden Zwecke gleichzeitig erledigen.

Von diesen Vorgängen hat Einhard selber in einer
seiner Schriften, der Translatio Sanctorum Marcellini
et Petri, uns Bericht erstattet; wenn ich auch erst später
auf dieses Büchlein und seine Eigenart eingehe, so möchte
ich doch schon hier in aller Kürze bemerken, daß es vor
allem die Quelle ist, der wir die Kunde von diesen Ge=
schehnissen entnehmen.

Doch folgen wir auf Grund dieses eigenen Berichtes
Einhards seinem Sekretarius R a t l e i k und dessen Be=
gleitern n a c h d e r E w i g e n S t a d t !

Aus drei Personen bestand zunächst die Reisegesell=
schaft: aus Deusdona, aus Ratleik und aus dessen Diener
Reginbald. Deusdona mußte von Aachen aus zuerst noch
einen Abstecher nach Soissons machen: er mußte nämlich
zuerst noch in das dortige Kloster des hl. Medardus, mit

deſſen Abt Hilduin er ein ähnliches Abkommen wie mit
Einhard getroffen hatte; er hatte Hilduin das Verſprechen
gegeben, ihm den Leib des hl. Tiburtius zu verſchaffen;
ſo ſchien der Reliquienſchatz, den der Abt von St. Medard ſeit dem kurz vorher erfolgten Erwerb des hl. Sebaſtian beſaß, noch vermehrt zu werden. Hilduin gab nun
dem Deusdona und deſſen Begleiter Ratleik einen gewiſſen Hun mit, den Einhard als einen abgefeimten Menſchen, an einer andern Stelle als verſchmitzt und von be-
denklicher Vertrauenswürdigkeit, wieder ein andermal ſo-
gar als Taugenichts und Windbeutel bezeichnet.

So brachen alſo die Reiſegefährten von Soiſſons nach
Rom auf; man ſuchte die Reiſe möglichſt zu beſchleunigen.
Als man ſchon die Grenze Italiens überſchritten hatte,
erkrankte der Diener Ratleiks Reginbald. Ein drei-
tägiges Fieber hatte ihn ergriffen; in den Stunden,
da die Fieberhitze den Kranken quälte, konnte man an eine
Fortſetzung des Marſches natürlich nicht denken. So ver-
zögerte ſich die Reiſe ſehr. Da, als man noch drei volle
Tagereiſen von Rom entfernt war, hatte Reginbald angeblich eine Viſion — der Gewährsmann Einhards
für dieſen Fall wie für ſo manches andere war offenbar
Ratleik, dem Reginbald die Erſcheinung erzählt haben
ſoll —: Reginbald erhielt in dieſer Viſion durch die ihm
erſchienene Geſtalt eines Diakons die Enttäuſchung, welche
Ratleik durch Deusdona bevorſtand, vorausgeſagt; Reginbald ward dann in jener Viſion auf einen hohen Berg
geführt, wo man ihm die Umriſſe einer weitausgedehnten
Stadt — Roms, wie ihm geoffenbart wurde — zeigte;
und nun tritt ihm in der Viſion eine beſtimmte Kirche vor
Augen, in der man das finden ſollte, was man zu Einhard
heimbringen ſollte. Durch ſeine plötzliche Heilung vom
Fieber, die Reginbald gleichfalls verheißen wird und die
nun auch ſofort tatſächlich eintritt, wird die Glaubwürdig-

keit der Kunde, die Reginbald zu berichten weiß, dem
Ratleik und dem Hun dargetan.

Einige Tage hernach kommt man nun in der Ewigen
Stadt an; gleich in der Nähe der Kirche San Pietro in
Vincoli, die wenige Jahrzehnte vorher von Hadrian I.
wieder erneuert worden war, war die Wohnung Deus=
donas gelegen; hier stieg die Reisegesellschaft ab; Deus=
dona spielte den Hauswirt — aber von einer Übergabe
von Reliquien, um derentwillen man doch gekommen war,
ließ er nichts hören. So vergeht Tag um Tag. Als man
nun Deusdona an sein Versprechen zu erinnern begann,
vertröstete er seine Gäste immer auf den kommenden Tag.
Ratleik und Hun wurden schließlich ungeduldig. Sie be=
ginnen mit Vorwürfen gegenüber Deusdona und meinen,
er solle sie nicht zum besten haben; wenigstens möchte er
sie nicht noch länger in Rom hinhalten, sondern solle sie
zurück ins Frankenreich ziehen lassen. Deusdona sieht,
daß sein hinterhältiges Tun seinen Reisegefährten doch
nicht mehr lange verborgen bleiben könne. Da nimmt er
denn zuerst Ratleik beiseite und gesteht ihm, daß er die
Einhard versprochenen Reliquien ihm nicht aushändigen
könne; denn als er von Rom ins Frankenreich gezogen
sei, da habe er sein Haus und sein ganzes Besitztum
seinem Bruder übergeben; der aber sei inzwischen nach
Benevent in geschäftlicher Angelegenheit gezogen. Wann
er zurückkommen werde, sei ihm unbekannt. Er wisse leider
gar nicht, was sein Bruder mit den Reliquien und mit all
den andern Schätzen, die er ihm übergeben hatte, ange=
fangen habe; jedenfalls habe er sie nirgends im gan=
zen Hause finden können. Er wolle also sehen, was
man in der Sache tun könne; von seiner Seite aus sollte
nichts unversucht bleiben. — So sprach Deusdona zu
Ratleik, ohne daß dieser sich der Überzeugung ver=
schließen konnte, es hätte ihn Deusdona eigentlich doch nur

zum besten gehabt; mit denselben nichtssagenden Worten macht sich Deusdona dann zu Hun und sucht ihm — ohne Erfolg — gleichfalls Vertrauen einzuflößen.

Am nächsten Tage waren Ratleik und Hun gar traurig darüber, daß man sie so hinters Licht geführt hatte und daß sie nun mit leeren Händen zu ihren Herren heimkehren sollten. Deusdona blieb diese Verstimmung seiner Gäste nicht verborgen. Er richtete an sie die Aufforderung mit ihm hinaus zu den Grabstätten der Heiligen, zu den Katakomben, zu wandern; dort könne man, hoffe er, doch etwas von dem finden, was sie wünschten; sie brauchten also noch keineswegs den Kopf hängen lassen und besorgen ohne Reliquien heimkehren zu müssen. Ratleik und Hun sind mit solchen Worten einverstanden und wollen sich mit Feuereifer auf den Plan einlassen. Aber da tritt nun wieder Deusdona dazwischen und meint, so schnell ginge die Sache nicht, denn für den Augenblick habe er ein dringendes Geschäft zu erledigen. — Im ganzen Verhalten des Römers lag offenbar System! Das merken Hun und Ratleik nur zu gut; sie wollen ganz mutlos werden; ja sie fassen schon den Beschluß sich nicht weiter um Deusdona zu kümmern und lieber mit leeren Händen nach Hause zurückzukehren.

Da aber erinnert sich Ratleik der Vision seines Dieners: man solle doch zu den Katakomben gehen; man brauche ja auf Deusdona selber nicht erst zu warten, meint Ratleik. Hun ist damit einverstanden. Man schaut sich nach einem ortskundigen Führer um, dingt sich dessen Dienst und zieht nun hinaus zur Kirche des hl. Tiburtius an der Via Labicana; 3000 Schritte hat man von der Stadt aus zurückzulegen. Als man hier angekommen ist und den Sarg des Märtyrers Tiburtius[1]) zu Gesicht

---

1) Vgl. nun J. P. Kirsch, Die Märtyrer der Katakombe ‚ad duas lauros‘ in Rom, in der Ehrengabe deutscher Wissenschaft

bekommen hat, betrachtet man ihn von allen Seiten und
überlegt eingehend, ob er, ohne daß es hernach jemand
merke, geöffnet werden könne. Dann steigt man in das
Cömeterium, das an die Kirche des hl. Tiburtius anstößt
und in welchem die Heiligen Marzellin und Peter be-
graben liegen, hinunter;[1]) auch die Beschaffenheit dieses
Grabmals studierte man genau, um bei der beabsichtigten
Ausführung des Planes über die topographischen Verhältnisse und alles andere gut unterrichtet zu sein. Bei all
dem war man in dem Glauben, daß Deusdona von diesem Tun keine Kunde habe; denn ohne seine Mitwirkung
wollte man sich in den Besitz der gewünschten Reliquien
setzen. — Aber es sollte anders kommen. Deusdona erfuhr sehr bald auf einem Wege, der Ratleik und Hun
unbekannt blieb, von deren Besuch des genannten Grabes;
er, der seinen beiden Gästen die genaueste Ortskenntnis
voraushatte, mußte nun mit süßen Worten ihnen zuzu-
reden, daß man gemeinsam ans Werk gehen solle. Man
gibt ihm nach und bestimmt eine Zeit zur Ausführung des
Planes.

Drei Tage bereitet man sich durch Fasten auf das
nach unseren heutigen Begriffen wenig erbauliche Vorhaben vor. Dann, als die Stunde zur Ausführung des
Planes gekommen war und sich schon die Schatten der
Nacht über den Gassen Roms gelagert hatten, schleichen

---

von katholischen Gelehrten, herausgegeben von F. Feßler (Freiburg 1920) 548 f.

[1]) Die historische Krypta der hl. Marzellin und Peter sowie
die von Papst Hadrian I. erbaute Treppe, welche direkt von dem
Oratorium des hl. Tiburtius in diese Krypta führte, wurde durch
die Nachgrabung wieder entdeckt, welche seitens Stevensons 1896
angestellt wurde; man fand auch die Inschriften wieder, welche
auf die Begräbnisstätte der heiligen Marzellin und Peter hinwiesen; s. Bondois, Translation 38 Anm., nun auch Kirsch a. a.
O. 578 ff.

die drei hinaus zur Via Labicana; kein Mensch in ganz
Rom merkt etwas von ihrem Vorhaben. So gelangen sie
unbelauscht in die Kirche des hl. Tiburtius. Und
nun geht es hurtig ans Werk: man versucht den Altar auf=
zusprengen, unter dem man den Leib des hl. Tiburtius
vermutet. Aber das gelingt nicht; denn die Härte des
Marmorsteins hält den Versuchen, welche die drei mit
bloßen Händen, ohne Werkzeuge, anstellen, natürlich leicht
stand. So läßt man schließlich von dem Beginnen ab
und steigt wieder hinunter in das Cömeterium der
heiligen Marzellin und Peter; hier versucht
man den Stein wegzuschieben, mit dem die Oberfläche des
Grabes bedeckt war. Dies gelingt auch; nun schauen sie
den heiligsten Leib des hl. Marzellinus im oberen Teil
des Grabes und finden zu seinen Häupten eine Marmor=
tafel, deren Inschrift den evidenten Beweis dafür bietet,
daß die hier liegenden Gebeine die Überreste des
hl. Marzellinus sind. Sie nehmen nun den Leib
des Heiligen mit größter Verehrung, erheben ihn und
wickeln ihn dann in ein reines Tuch, um ihn dem Deus=
dona zu übergeben, der ihn nach Hause tragen und hier
verwahren sollte. Dann rückt man den Stein wieder an
seinen Ort zurück, auf daß keine Spur die hier geschehene
Tat verraten würde. Nachdem auch das geschehen war,
konnte man sich wieder auf den Heimweg machen. Deus=
dona versicherte nun, er wolle den Leichnam, den man ihm
übergeben hatte, in seinem nächst San Pietro in Vincolis
gelegenen Hause verwahren; tatsächlich aber übergab er
dann einem seiner Brüder namens Luniso den hl. Leib
zur Bewachung; nun könne Ratleik, meinte er, zufrieden
sein; er begann daher auf ihn in dem Sinne einzuwirken,
er möchte, nachdem ihm jetzt der Leib des hl. Marzellin
gesichert sei, nach Hause zurückkehren.

Aber Ratleik dachte bald anders: ob es denn wirklich

recht sei, daß er mit dem hl. Marzellin allein ins Franken=
reich zurückkehre, ohne den Leib des seligen Märtyrers
Petrus[1]) mitzubringen? Ist es nicht eine Sünde, diese bei=
den Heiligen, die im Martyrium Genossen gewesen waren
— beide waren in der diokletianischen Christenverfolgung
ins Gefängnis geworfen und um 304 hingerichtet worden
— und welche 500 Jahre und noch länger in demselben
Grabe geruht hatten, nun voneinander zu trennen? —
Nachdem solche Gedanken und Gewissensbedenken
Ratleik einmal in den Sinn gekommen waren, ließen
sie ihn nicht mehr los — so wenigstens wußte es später
Ratleik seinem Herrn darzustellen; keine Speise hätte ihm
mehr munden gekonnt, kein Schlaf hätte ihm mehr Er=
quickung zu bringen vermocht, wenn er nicht die Leiber der
beiden Heiligen, gleichwie sie im Martyrium und im
Grabe bisher zusammen gewesen waren, so auch für die
Zukunft beieinander wissen würde. Da Ratleik aber nicht
etwa daran dachte St. Marzellins Leib wieder an seine
alte Begräbnisstätte zurückzubringen, so konnte es sich nur
darum handeln auch des hl. Petrus sich zu bemächtigen
und ihn mitzunehmen. Aber wie sollte sich dies ermög=
lichen lassen? Darüber mußte sich ja Ratleik klar sein,
daß sich in ganz Rom kein Mensch finden würde, der ihm
bei seinem geplanten Beginnen behilflich sein wollte; ja
Ratleik konnte nicht einmal wagen sein Herzensgeheimnis
irgend jemand anzuvertrauen. Und doch drängte es ihn
dazu. Endlich vertraute er sein Vorhaben einem griechi=
schen Mönche namens Basilius an; zwei Jahre vorher
war dieser aus Konstantinopel nach Rom gekommen und
hatte sich hier samt vier Schülern bei andern griechischen
Mönchen auf dem Palatin niedergelassen. An ihn wandte
sich nun Ratleik voll Vertrauen. Und er schöpfte aus

---

[1]) Natürlich handelt es sich bei ihm nicht um den Apostel=
Fürsten dieses Namens sondern um Petrus den Exorzisten.

dieſer Ausſprache wirklich neue Zuverſicht: er beſchloß ſein
großes Vorhaben auszuführen, wiewohl er ſich deſſen be=
wußt war, daß, wenn man ihn hierbei ertappen würde, es
ihm nach Umſtänden ſeinen Kopf koſtete. Er eröffnete
nun zunächſt Hun ſeinen Plan und beriet mit ihm darüber,
wie ſie insgeheim neuerdings zur Kirche des hl. Tiburtius
gehen wollten — ganz ſo, wie man es ſchon beim erſten=
mal gemacht hatte, und wie man dann das Grab, in dem
man den Leichnam des hl. Petrus vermutete, wiederum zu
öffnen verſuchen ſollte. Hun war für das Projekt zu
haben; beide nahmen ihre fränkiſchen Diener mit ſich,
ſagten aber ihrem römiſchen Gaſtwirt Deusdona kein
Wort von ihrem Vorhaben, ſondern ſchlichen ſich in dunk=
ler Nacht ganz heimlich davon. Als ſie an der fraglichen
Stätte wieder angekommen waren und hier für das Ge=
lingen ihres „löblichen" Vorhabens gebetet hatten, teilten
Ratleik und Hun ihre Begleiter miteinander; Hun bleibt
mit einigen in der Kirche des hl. Tiburtius, um hier deſſen
Leib zu ſuchen, Ratleik ſteigt mit den übrigen hinunter in
die Krypta dieſer Kirche zum Leib des ſeligen Pe=
trus. Die Offnung von deſſen Grab macht keine Schwie=
rigkeit; Ratleik erhebt die Gebeine des genannten
Heiligen und verſchließt ſie mit Sorgfalt in einem ſeidenen
Säckchen, das er zu dieſem Zwecke mitgenommen hatte.

Nicht ſo glücklich war Hun bei der Suche nach dem
Leib des hl. Tiburtius; vergebens mühte er ſich damit ab
den Altar aufzuſprengen; als er endlich von dem frucht=
loſen Beginnen abließ und hinab in die Krypta zu Rat=
leik geſtiegen kam, um dieſen um Rat in ſeiner Not zu
fragen, da vernahm er die erſtaunliche Kunde, daß Ratleik
auch die Überreſte des hl. Tiburtius gefunden zu haben
glaubte; in der Tat hatte Ratleik unmittelbar, bevor Hun
bei ihm erſchien, im ſelben Grabe, in dem die Leiber von
St. Marzellin und Peter gelegen hatten, ein rundes Loch

gefunden, das nach innen ungefähr in der Länge von drei
Fuß ausgehöhlt war und das im Umfang von einem Fuße
offen stand; in dieser Öffnung fand man einen immerhin
beträchtlichen Teil von Staub liegen. Ratleif und Hun
wollte es nun so scheinen, als ob dieser Staub vom Leib
des seligen Tiburtius, dessen Gebeine allerdings wegge=
nommen worden waren, habe liegen bleiben können und
als ob er, um nicht so leicht aufgefunden zu werden, mitten
zwischen den heiligen Marzellinus und Petrus im selben
Grabe beigesetzt worden sei. —

Nach diesem Verlauf des Unternehmens, das für
Ratleif wenigstens mit einem vollen Erfolg geendet hatte,
kehrten dieser und Hun samt ihrem Fund in das Haus
des Deusdona zurück. Hier hatte Ratleif mit seinem
Hauswirt eine Unterredung, in deren Verlaufe er Deus=
dona mitteilte, er wolle nun sogleich in die Heimat ziehen;
Deusdona möchte ihm daher sofort die Reliquien des hl.
Marzellin, die er ihm jüngst zur Aufbewahrung übergeben
hatte, zurückstellen. Deusdona tut dies auch unverzüglich;
und er übergibt Ratleif dazu noch eine beträchtliche Menge
von Heiligenüberresten — sie waren in einem Päckchen zu=
sammengelegt — mit dem Auftrag diese Einhard zu über=
bringen. Neugierig frägt Ratleif, von welchen Heiligen
denn diese Reliquien seien. Deusdona gibt ihm keine
Auskunft auf diese Frage. Er sagt nur, er werde dies
Einhard mitteilen, wenn er selber erst wieder zu diesem
gekommen sei; er ermahnt aber Ratleif den letzterwähn=
ten Reliquien keine geringere Ehrerbietung zuteil werden
zu lassen als den anderen. Denn nicht kleinere Verdienste
hätten diese Heiligen bei Gott. Einhard werde sich da=
von überzeugen, so fügt Deusdona mit geheimnisvoller
Miene bei, wenn er erst durch ihn die Namen der be=
treffenden Heiligen erfahren hätte. — So nimmt denn
Ratleif auch diese Gabe entgegen und gesellt sie, wie ihm

geraten worden war, seinen andern Reliquien bei. So=
dann berät er sich mit seinem römischen Wirte über die
Heimreise und über die Beförderung der Reliquien;
man beschließt, daß der kostbare Reliquienschatz, in Schrei=
nen wohl verwahrt und bezeichnet, durch Luniso, den Bru=
der Deusdonas, und durch Hun, den Abgesandten Hil=
duins, nach Pavia gebracht werden sollte. Ratleik selbst
bleibt zunächst mit Deusdona noch in Rom; eine Woche
lang horcht man hier gespannt, ob etwas von dem großen
Reliquiendiebstahl den verehrten Römern zu Ohren ge=
kommen sei. Aber man kann sich davon überzeugen, daß
von niemandem eine Erwähnung des Vorfalls gemacht
wird; man glaubt also, daß alles verborgen geblieben ist.
So reisen schließlich nun auch Ratleik und Deusdona ab.

Inzwischen hatten Hun und Luniso in Pavia in
der Kirche des hl. Johannes des Täufers, welche meist als
Domnanä (Dominarum) bezeichnet wurde und damals
Einhard als Lehn gehörte,[1] auf die beiden Nachzügler
gewartet; gemeinsam verbleibt man jetzt hier noch einige
Tage; denn die Reittiere, auf welchen Deusdona und
Ratleik nachgekommen waren, waren von diesem Ritte
stark mitgenommen worden; und die Reiter selber wollten
auch der Rast pflegen, um so für die Weiterreise neue
Kräfte zu sammeln. — Während dieses Aufenthaltes in
Pavia kam nun plötzlich die Kunde, daß nächstens Ge=
sandte des päpstlichen Stuhles, welche an den Hof des
Kaisers gingen — es handelte sich hierbei um die Mission,
welche die Anzeige vom Regierungsantritt des neuen
Papstes, Gregors IV., Kaiser Ludwig überbringen sollte —,
auf der Durchreise Pavia berühren würden. Diese Nach=
richt erregte begreiflicherweise bei unserer Reisegesellschaft
keinen gelinden Schrecken: man weiß ja nicht, welch unan=

---

[1] S. oben S. 104, 137.

genehme Weiterungen sich daraus ergeben können, wenn die Römer, die inzwischen vielleicht doch etwas von der Grabschändung und dem Reliquiendiebstahl erfahren hatten, des einen oder des anderen von ihnen — ihre Gewissen waren ja alles weniger als so ganz ruhig! — habhaft werden würden! Man beschließt daher einen Teil der Reisegefährten sogleich weiterziehen zu lassen, um so den römischen Gesandten zuvorzukommen, während die übrigen in Pavia warten sollen, um hier zunächst noch zu erkunden, ob die Römer von dem Vorfall etwas gehört hätten; erst dann, wenn die römische Mission Pavia wieder verlassen habe, sollten sie gleichfalls weiterreisen und den Reisegefährten nacheilen.

Diesem Beschluß gemäß reist nun Deusdona mit dem Getreuen Hilduins, Hun, von Pavia ab, ehe noch die Gesandten des Papstes hier eingetroffen sind, und zieht möglichst rasch nach Soissons, da man hier die Anwesenheit Hilduins vermutet. Ratleik aber bleibt mit seinem Reliquienschatz in Pavia und wartet hier die Durchreise der römischen Mission ab, um, wenn diese erst einmal die Alpen hinter sich hätte, umso sicherer seines Weges ziehen zu können. Nun fürchtet aber Ratleik, daß ihm durch Hun, in dessen Diskretion er nicht viel Vertrauen setzt, und der doch den Hergang des ganzen Reliquienraubes in Rom lückenlos kannte, irgendein Hemmnis in den geplanten Weg gelegt werden könnte. So änderte Ratleik sein ursprüngliches Reiseprojekt und hielt es für besser schon am nächsten Tag nach der Abreise Deusdonas und Huns gleichfalls von Pavia aufzubrechen; er schickte nun den Diener Askolfs, des Verwalters Einhards in Pavia, zu diesem und gab ihm brieflich Kunde von seiner bevorstehenden Rückkehr und von dem Schatze, den er in Rom erlangt hatte.

Ratleik selber aber langte, nachdem die römische Gesandtschaft die Alpen überschritten haben mußte, wie er auf Grund der für sie in Aussicht genommenen Aufenthalts=stationen vermuten konnte, in Saint Maurice an; sechs Tage nur hatte er von Pavia hierher gebraucht; das war allerdings eine starke Leistung, wenn man bedenkt, daß die Entfernung von Pavia bis Saint Maurice allein in der Luftlinie etwa 32 Meilen beträgt und daß die beiden Orte und die Täler, in denen sie gelegen sind, das Potal und das Rhonetal, durch die hochragenden Alpen ge=trennt sind; man mußte den Großen Sankt=Bernhard=Paß, der eine Höhe von 7670 Fuß, also mehr als 2400 m hat, überschreiten;[1]) trotz dieser das Reisen erschwerenden Um=stände legte man die erwähnte Strecke in der kurzen Zeit von weniger als einer Woche zurück.

Mit der Ankunft Ratleiks in Saint Maurice war der schwierigste Teil des Marsches überwunden; bis=her, solange man in Italien war, hatte man nur mit Sorge daran denken können, daß der Reliquiendiebstahl in Rom doch noch durch irgendwelchen Zufall entdeckt werden könnte; jetzt aber war man diesseits der Alpen angekom=men und man fühlte sich nun befreit von der drohenden Gefahr. Die Folge hiervon war, daß man erst von jetzt an die Überführung der Heiligen=Leiber vor aller Öffent=lichkeit und mit großer Feierlichkeit vollzog: man legte in St. Maurice die in einem Schreine eingeschlossenen heili=gen Leiber auf eine Bahre und traf die sonstigen Vorbe=reitungen zur Weiterreise. Dann setzte man diese auch wirklich fort und trug den Reliquienschatz weiter; manche Leute aus dem Volke, die man begegnete, waren hierbei behilflich. — Man zog von Saint Maurice aus an den

---

[1]) S. W. Matthäi, Einhards Translatio SS. Marcellini et Petri in kulturgeschichtlicher Beziehung. I. Teil (Laubacher Progr. 1884) 22.

G e n f e r S e e und kam an deſſen Spitze, wo heute Ville-
neuve gelegen iſt, vorbei. Als man zu dem Scheidepunkt
der beiden wichtigen in das Frankenreich führenden
Straßenzüge[1]) gelangt war, ſchlug Ratleik den Weg zur
Rechten ein, der durch alemanniſches Gebiet nach Solothurn führte. Hier in S o l o t h u r n traf Ratleik die
Leute, welche ihm Einhard aus Maaſtricht auf die Kunde
hin, die er ihm von Pavia aus hatte zukommen laſſen,
entgegengeſandt hatte. Einhard hatte nämlich von St.
Bavo in Gent aus — hier hatte ihn Ratleiks Botſchaft
erreicht — einen ſeiner Getreuen nach ſeinem Kloſter in
Maaſtricht mit der Weiſung geſchickt von hier ſogleich
Prieſter ſamt anderen Leuten geiſtlichen und weltlichen
Standes mit ſich zu nehmen und mit dieſer Begleitung
dem von Italien kommenden Zuge mit dem Reliquien-
ſchatze entgegenzueilen; ſo geſchah es denn auch. Schon
wenige Tage hernach kam die Schar von Maaſtricht aus
in Solothurn an und traf hier auf Ratleik und die Seinen.
Nun vereinigt man ſich hier und zieht weiter der nordiſchen
Heimat zu; auch Volksſcharen finden ſich jetzt ein; man
ſtimmt fromme Geſänge an und gelangt ſo raſch und in
freudvoller Stimmung in das alte Argentoratum, das jetzt,
wie Einhard in ſeinem Berichte bemerkt, Stratburgus —
es handelt ſich natürlich um unſer altes deutſches S t r a ß -
b u r g — heißt. Hier beſteigt man ein Schiff. Die
R h e i n f a h r t geht gut von ſtatten. Man fährt alſo
rheinabwärts bis zu einem Orte namens „Haſen“
(„Portus“).[2]) Hier verläßt man das Schiff, landet auf

---

[1]) Vgl. P. H. Scheffel, Verkehrsgeſchichte der Alpen II (Das
Mittelalter), Berlin 1919, S. 68 ff., 71; R. Kretſchmer, Hiſtoriſche
Geographie von Mitteleuropa (München und Berlin 1904) 160, 212.

[2]) Wo dieſer Ort gelegen iſt, hält Waitz, der Herausgeber
von Einhards Translatio Sanctorum Marcellini et Petri in den
Mon. Germ. SS. XV 243 N. 2, für nicht feſtſtehend; man hat an

dem rechten Rheinufer und hat von hier aus noch fünf
Tagereisen bis nach M i ch e l ſt a d t; den Zug dorthin geleitet eine ſtattliche Menſchenmenge, welche zu Gottes
Ehre fromme Lieder ſingt; ſo wallt man von der Rhein-
ebene hinauf in den Odenwald; ſtill und verträumt liegt
dieſer in ſeinem ſpätherbſtlichen¹) Schmucke da — der richtige, ſtimmungsvolle Hintergrund für den Zug, der jetzt
durch ſeine Laubgänge ſchreitet und in dem man die
Leiber von zwei Heiligen trägt, deren Seelen ſchon mehr
als ein halbes Jahrtauſend vorher dieſe Körper verlaſſen
hatten und zu ihrem Schöpfer zurückgekehrt waren. Es
war ein mühevolles, langſames Vorwärtskommen auf den
wenig begangenen und wenig gangbaren Wegen des
Odenwaldes. Faſt volle fünf Tage brauchte man, bis
man in Michelſtadt anlangte. Man brachte die Reliquien
in die neue, von Einhard erbaute Kirche, die bisher noch
nicht geweiht worden war; hier wurden die beiden Heiligenleiber niedergelegt.

Sandhofer-Fahrt nördlich der Neckarmündung gedacht. — Wie
mir ſcheint, geht aus dem Wortlaut („ . . . per Rhenum secunda
aqua navigantes, cum ad locum qui Portus vocatur venissent, in
orientalem fluminis ripam egressi . . .“) hervor, daß der fragliche Ort nicht auf dem Ufer auf dem man landete, ſondern auf
dem weſtlichen Rheinufer gelegen war.

¹) Die Ankunft der Reliquien wird von der einen Quelle
in den Oktober, von der andern in den November (827) verlegt;
mit dem erſten Zeitpunkt iſt wohl die Ankunft des Boten, der
das Eintreffen der Reliquien im Frankenreiche ankündigte, mit
dem ſpäteren Zeitpunkt die Ankunft der Reliquien ſelber in
Michelſtadt gemeint; ſ. Kurze, Einhard 43 Anm. 1.

XVI

Von Michelstadt nach Obermulinheim.

Der Gutsherr von Michelstadt war damals, als die Überreste der hl. Marzellin und Peter dort eintrafen, nicht zu Hause. Als er aber die Kunde hiervon erhalten hatte, litt es ihn nicht mehr lange an einem andern Orte; mit größter Eile kam er nach Michelstadt gezogen. Nachdem er drei Tage daselbst verweilt hatte, wurde ihm eine Nachricht hinterbracht, die geeignet war, Einhards Gewissen zu beunruhigen; der, der ihm diese Kunde machte, war Ratleik. Dessen Diener war auf seinen Befehl — so mußte jetzt, gleich am Tage nach dem fraglichen Ereignis, Ratleik Einhard zu erzählen, sobald er nur diesen zu Gesicht hatte bekommen können — nach der Verrichtung des abendlichen Gebetes, als sich die anderen schon entfernt hatten, allein in der Kirche zurückgeblieben. Schon waren die Kirchenpforten gesperrt und der Bursche hatte sich in dem oben[1]) erwähnten Oratorium der Krypta[2])

---

[1]) S. S. 226 f.

[2]) Die Lesart Teulets, Oeuvres complètes II 204, „in parva cellula", welcher die schon von den Bollandisten (in den Acta Sanctorum Junii I 185) gebrachte und auch von Watz (in den Mon. Germ. SS. XV 243) aufgenommene Lesart: „in parva sellula" entschieden vorzuziehen sein wird, hat Schneider in den Annalen XIII 119 f. zu der Meinung veranlaßt, jener Vorgang habe sich in der Krypta abgespielt; daß die hl. Leiber in der Tat hier ruhten, geht aus einem andern Grunde hervor; s. Adamy, Einhard-Basilika 7 Anm. 3.

neben den Leibern der Heiligen niedergeſetzt mit dem
Vorhaben hier zu wachen; plötzlich aber wurde er vom
Schlafe befallen; da ſah er, wie zwei Tauben durch das
rechte Fenſter in der Apſis der Kirche hereinkamen und
ſich auf dem Baldachin über dem Sarge der Heiligen[1])
niederließen. Die eine der beiden Tauben war ſchnee=
weiß, die andere von einer Miſchfarbe aus Weiß und
Grau. Die beiden Tiere trippelten auf und ab und ließen,
gleich als ob ſie miteinander ſprächen, ihr Girren hören.
Dann verſchwanden ſie wieder durch dasſelbe Fenſter,
durch das ſie gekommen waren. Hierauf erſcholl über dem
Haupte des ſchlafenden Dieners Ratleiks eine Stimme:
„Steh' auf — ſo ſprach ſie — und ſage Ratleik, er ſolle ſei=
nem Herrn künden, daß dieſe hl. Märtyrer nicht damit ein=
verſtanden ſind, daß ihre Leiber an dieſer Stätte ruhen;
denn ſie haben eine andere ausgewählt, an welche ſie in
Eile zu ziehen ſich entſchloſſen haben.“ — Den, der ſo
ſprach, konnte man nicht ſehen; nach dieſer Rede erwachte
der Schläfer. Als Ratleik wieder in die Kirche gekommen
war, erzählte ihm ſein Diener ſein Erlebnis; Ratleik hin=
wiederum berichtete es Einhard; dieſer aber glaubte, ob=
gleich er den Vorfall nicht auf die leichte Achſel nahm, zu=
nächſt das weitere abwarten zu ſollen und erhoffte ſich ein
Zeichen, durch welches noch unzweideutiger der Wille der
Heiligen kund wurde.

Indes ließ Einhard die Gebeine der Heiligen von den
linnenen Kiſſen, in welchen man ſie aus Italien überbracht
hatte, herausnehmen und ſie in neue, ſeidene Kiſſen ein=
nähen. Dabei fiel ihm, als er die Überreſte der beiden
Heiligen ſo nebeneinander ſah, die Tatſache auf, daß die
Reliquien des hl. Marzellinus von geringerer Quantität

---

1) Offenbar handelt es ſich um ein Gezelt, das über der
Ruheſtätte der Heiligen angebracht war, alſo um eine Art Bal=
dachin; ſ. auch Schneider in den Annalen XIII 132.

waren als die des hl. Petrus. Er glaubte sich dies da=
mit erklären zu können, daß St. Marzellin von weniger
stattlicher Körpergröße als St. Peter gewesen sei. Aber
bald sollte sich zeigen, daß der beobachtete Unterschied mit
etwas anderem zusammenhing.

Inzwischen spielte sich indes eine n e u e E r s c h e i =
n u n g ab, die Einhard aufs schwerste zu denken gab.

Als Einhard sich wieder einmal den Reliquienschatz
betrachtete, da wollte ihm der Schrein, in welchem die hl.
Gebeine lagen, wegen der Geringfügigkeit des Materials,
aus dem er zusammengefügt war und das so wenig zu der
Kostbarkeit seines Inhalts zu passen schien, gar nicht recht
gefallen. Barg doch dieser Schrein einen Schatz, der Ein=
hard wertvoller als Gold zu sein. dünkte! Daher schien es
ihm eine Ehrenpflicht gegenüber seinen Heiligen zu sein,
daß seine kunstfertige Hand einen neuen Reliquienschrein,
für den Gold oder Elfenbein als gerade gut genug erschei=
nen mochten, anfertigte! — Durch solche Gedanken wurde
Einhard bestimmt an die Herstellung eines Reliquiars für
seine beiden Heiligen zu gehen. Eines Abends, als man
schon das Nachtgebet gesprochen hatte, beauftragte er einen
von den Küstern der Basilika, er solle sich die Maße des
alten Schreines nehmen und sie ihm (Einhard) geben. Der
Küster wollte tun, wie ihn Einhard geheißen hatte; er
zündete sich in dem Gotteshause, um besser zu sehen, eine
Wachskerze an, schlug die Decken, mit denen der Reli=
quienschrein umhangen war, zurück und sah nun zu seiner
größten Überraschung, ja zu seinem Entsetzen, daß vom
Reliquienschrein wunderbarerweise eine blutartige Flüssig=
keit herabtröpfelte. Sogleich ließ er Einhard von dieser
Erscheinung wissen. Einhard kam darauf mit den an=
wesenden Priestern selber an Ort und Stelle und schaute
hier nun jenes staunenswerte und höchst auffällige Wun=
der. Der Reliquienschrein triefte förmlich von wirklichem

Blute und lief davon von allen Seiten über — gerade so,
wie Säulen und Prunktische und marmorne Statuen,
wenn schlechtes Wetter eintritt, zu schwitzen pflegen.
Auf Einhard übte diese Art von Wunder,[1]) die, wie er
behauptete, gänzlich neu und noch niemals vorher vorgekommen war, keinen geringen Schrecken aus. Was sollte
er jetzt tun? Wie sollte er es erkunden, was Gottes Wille
mit diesem außergewöhnlichen Zeichen andeu-
ten wollte? Um dies festzustellen, beschloß man ein drei-
tägiges Fasten mit besonderen Gebetsübungen. Am Ende
dieses Fastens begann gegen Abend jene blutartige Flüssigkeit plötzlich einzutrocknen; und — wunderbar! — die
Flüssigkeit, die eine volle Woche lang gleich einer laufenden Wasserquelle ohne Unterbrechung geflossen war, ver-
siegte jetzt so vollständig, daß schon in jener Nacht, als
Einhard — es war gerade ein Sonntag — mit seinen
Klosterbrüdern zur Kirche ging, um hier den nächtlichen
Gottesdienst zu feiern, bereits gar keine Spur mehr von
jener Flüssigkeit an dem Reliquienschrein zu sehen war.
Dagegen waren die Linnen, welche um diesen Schrein
hingen, allerdings von der blutartigen Flüssigkeit besprengt;
Einhard gab die Weisung sie in diesem Zustand, also
mit den blutigen Flecken, aufzubewahren. Für ihn war
es ausgemacht, daß man in diesen Tüchern einen starken
Beweis für die Tatsache jenes Wunders erblicken dürfe.
Jene Flüssigkeit — so bezeugt er uns — habe sich durch
einen salzigen Geschmack, wie den von Tränen, charakterisiert. Sie sei so dünn wie Wasser, aber hinsichtlich ihrer
Farbe wie wahres Blut gewesen.

In derselben Nacht, in welcher jenes angebliche
Wunder zu wirken aufgehört hatte, sollte aber auch einer

---

[1]) Adamy a. a. O. 7 sucht das angebliche Wunder natürlich zu erklären, ohne daß indes seine Erklärung genügte.

der Diener Einhards, Hruodlang mit Namen, eine Vision haben: im Schlafe schaute er zwei junge Männer; sie machten ihm — so bezeugte wenigstens dieser Hruodlang später Einhard — eine Reihe von Angaben hinsichtlich der Übertragung der heiligen Leiber; Hruodlang sollte nach ihrem Geheiß Einhard diese Angaben mitteilen; auch der Ort, an den die Heiligen überführt werden sollten, und die Weise der gewünschten Überführung ward dem Hruodlang kundgemacht; er sollte unverweilt — so ward ihm unter Androhung schrecklicher Strafen anbefohlen — Einhard von dem Gehörten benachrichtigen. Hruodlang suchte denn auch Einhard, sobald sich dies nur machen ließ, auf, um ihm all das zu erzählen und ihm seine Vision zu bezeugen. Durch diese Botschaft wurde Einhard nicht wenig beunruhigt; sorgenvolle Fragen und Gedanken, Bedenken über Bedenken stiegen in seinem arglosen Gemüte auf. Was sollte er tun? Er überlegte hin und her. Sollte er wiederum ein Fasten und besondere Gebetsübungen veranstalten, um noch einmal Gott um Aufklärung über das, was er wissen wollte, zu bitten? Oder sollte er einen Vertrauensmann aufsuchen, einen wahren Gottesmann, dem er seine Herzensangst mitteilen und die Sorgenlast, die ihn drückte, vorbehaltlos eröffnen konnte? Ein solcher Diener Christi mochte es dann in seinem Gebete erbitten, daß Gott ihm (Einhard) seinen Willen kund tue. — Aber wo konnte man doch gleich einen solch wirklich Frommen finden, einen Menschen, der in aller Einfalt und in Vollkommenheit nur seinem Herrn und Gott lebte? — An solchen Gottesmännern war ja die Welt auch zu Einhards Zeiten nicht überreich! Und zumal mitten drinnen im Odenwald! Allerdings gab's ja auch hier ein paar Klöster, die nicht allzu weit von Michelstadt entfernt lagen: Amorbach war hier, dessen „Münster der hl. Maria im Odenwald" da-

mals auf ein schon etwa hundertjähriges Bestehen zurückblicken konnte.[1]) Westlich von Michelstadt aber lag Lorsch,
die Ruhestätte der Reliquien des hl. Nazarius, wo in
Einhards Jugendzeit der unglückliche Bayernherzog
Taffilo III. seine Tage beschlossen hatte. — Aber gab es in
diesen Klöstern auch einen solch heiligen Mann, wie ihn
Einhard suchte? Wohl nur von wenigen oder sogar von
gar keinem wußte Einhard; das hing allerdings mit den
besonders mißgünstigen Verhältnissen im Odenwald zusammen, die einen persönlichen Verkehr sehr erschwerten
und die es daher mit sich brachten, daß man von einander
wenig erfuhr.

Es waren wirklich bange Tage, die Einhard damals
durchlebte, T a g e   d e s   Z w e i f e l n s, der inneren Unruhe und der Unschlüssigkeit, was er tun und lassen wollte
und sollte. Vielleicht — wir haben freilich keinen Anhalts-
punkt für diese Annahme — stieg ihm auch vorübergehend
der Argwohn auf, die Erscheinungen, die ihm berichtet
worden waren und welche er selber beobachtet hatte, könnten am Ende gar Erfindungen und Täuschungen seitens
seiner eigenen Umgebung sein, seine Leute, insbesondere
sein Vertrauter Ratleik, könnten ein persönliches Interesse
daran gehabt haben, daß man die Reliquien an einen
andern Ort überführe.

In der Tat scheint dem so gewesen zu sein. Kurze[2])
hat mit Recht darauf aufmerksam gemacht, daß Einhard
und Imma ja schon i. J. 819 ihr Besitztum in Michelstadt
dem Kloster Lorsch vermacht und sich bloß noch für
ihre Lebenszeit den Genuß ihrer dortigen Güter ausbe-
dungen hatten. So konnte also später, nach dem Ableben des schon sehr alternden Einhard und seiner Gattin,

---

[1]) S. Stamminger in Wetzer und Weltes Kirchenlexikon
I² 753.)

[2]) Einhard S. 43.

einzig und allein das Kloster Lorsch und seine Äbte als
Gebieter über Michelstadt in Frage kommen. Wenn dagegen der ganze vorerst hier ruhende Reliquienschatz nach
Obermulinheim gebracht wurde, das Einhard ja auch besaß und über das er noch nicht verfügt hatte, so konnte
hier in Obermulinheim ein eigenes selbständiges Kloster
errichtet werden; zum künftigen Abt desselben aber schien
in diesem Fall der Vertraute Einhards, Ratleik, gewissermaßen vorherbestimmt zu sein; er hatte ja die Überführung
der hl. Gebeine von Rom geleitet, er ist später auch tatsächlich Abt des neuen, in Obermulinheim errichteten
Klosters geworden; Ratleik scheint somit schon aus diesem
Grunde an der Übertragung der Reliquien nach Obermulinheim interessiert gewesen zu sein. Dazu kam noch,
daß die Lage dieses letzteren Ortes am sonnigen Ufer des
Mains Ratleik und seinen Gefährten Obermulinheim
viel anziehender erscheinen lassen mußte als das im unwirtlichen Odenwald gelegene Michelstadt, das zudem
auch für die Entstehung eines Wallfahrtsortes nicht entfernt die guten Aussichten bot, wie das durch die Wasser-
straße des Mains viel leichter erreichbare Obermulinheim.

Einhards arglose Seele dürfte diese allzu menschlichen Erwägungen kaum so recht berücksichtigt haben. Ihm
scheint es vielmehr recht schwer geworden zu sein mit
seinen Heiligen Michelstadt zu verlassen, sein liebes
Michelstadt, wo er ja schon seit langem seinen Lebensabend
zu verbringen gehofft hatte. Noch schwankte er immer, ob
er jene Zeichen wirklich im Sinne einer Übersiedelung
nach Obermulinheim auffassen müsse, ob nicht jene Erscheinungen am Ende auf Täuschungen des Teufels be-
ruhen könnten. Wieder nahm er zum Gebete seine Zuflucht, wieder flehte er um die Hilfe der heiligen Märtyrer; und nicht nur er selbst: er vertraute sein Anliegen
auch seiner Umgebung an und ermahnte sie unaufhörlich

gleichfalls sich an die Heiligen mit derselben Bitte zu
wenden. — Da begannen wieder B i s i o n e n über Bi-
sionen sich einzustellen: zwölf Nächte lang wurde nicht
bloß e i n e m , sondern zweien, ja sogar dreien seiner Gefährten Nacht für Nacht die Offenbarung zuteil, es sollten
die Heiligen an einen andern Ort überführt werden. Den
Ausschlag bei der Entscheidung Einhards gab eine Bision,
welche ein seiner Umgebung angehöriger Priester namens
Hiltfrid hatte: dieser wollte einen mit priesterlichen Gewändern bekleideten Mann mit weißem Haar, gar ver-
ehrungswürdig zu schauen, in ein weißes Kleid gehüllt,
gesehen haben, der zu ihm sprach: „Warum ist Einhard
von so hartnäckigem Sinn und von so großer Halsstarrig-
keit, daß er so vielen Offenbarungen keinen Glauben schenkt
und meint, er dürfe so viele Mahnungen, die ihm auf
überirdische Weise zuteil geworden sind, verachten? Steh'
auf und sag' ihm, daß er das erfüllen müsse, was die seligen Märtyrer hinsichtlich ihrer Leiber verrichtet wissen
wollen, wenn er auch bisher es aufgeschoben hat ihren
Willen hierin zu tun. Noch jetzt soll er eilen den Befehl
derselben auszuführen und die Übertragung ihrer Leiber
an den Ort, den sie selbst ausgewählt haben, nicht versäumen, wenn anders er es vermeiden will, daß das Verdienst von einem solchen Beginnen an einen andern
komme."

Auf solche Auslassungen hin glaubte Einhard allerdings nicht lange mehr zögern zu dürfen: jetzt ist es ihm
klar, daß die H e i l i g e n ihren Willen erfüllt erhalten
sollen und daß man sie v o n M i c h e l s t a d t n a c h
O b e r m u l i n h e i m überführen müsse. Er berät sich
also mit seinen Getreuen über die bevorstehende Übertragung und man verabredet, daß diese möglichst rasch ins
Werk gesetzt werden solle. Voll Eifer trifft man die
Vorbereitungen hierzu. Am 16. Januar 828 macht man

sich dann wirklich von Michelstadt nach Obermulinheim mit dem Reliquienschatze auf. Einhards eigene Feder hat uns auch diesen Zug lebhaft und klar dargestellt, und ich will mich in der Hauptsache an seine Worte halten, wenn ich meine Leser zum Geleit dieses Zuges einladen möchte.

Es war ein unfreundlicher, trüber Wintermorgen mit einer Schirokkostimmung, wie sie in diese Jahreszeit gar nicht paßte, als man sich am 16. Januar von Michelstadt aufmachte, um mit dem Reliquienschatze nach Obermulin= heim zu ziehen; die ganze vorhergehende Nacht hatte es in Strömen geregnet; schmutzig=graue Wolken hingen auch jetzt noch schwer vom winterlichen Himmel herab — es war so recht eine Stimmung zum Scheiden und Abschiedneh= men. Gleich in der frühesten Morgenstunde, als man kaum den Morgengottesdienst beendet hatte und nun die heiligen Reliquien aus der Kirche heraustrug, hatte sich die Bewohnerschaft Michelstadts in gar trauriger und schmerzlicher Stimmung zusammengefunden. Es waren wohl bei vielen aufrichtige religiöse Gefühle, die es ihnen schwer machten, die Reliquien der lieben Heiligen nicht mehr wie bisher in ihrem Heimatsorte zu wissen; daneben gab es vielleicht auch genug Leute, die aus mehr materi= ellen und selbstischen Interessen heraus die Wegführung des Reliquienschatzes von Michelstadt bedauerten; hatte doch dieser Schatz weite Kreise von Fremden dorthin zu lenken versprochen — Michelstadt hatte die beste Aussicht gehabt zu einem vielbesuchten Wallfahrtsort zu werden. Das aber hätte für die Bewohner Michelstadts natürlich nur Vorteil und Gewinn im Gefolge gehabt! Nun aber war es mit diesen Zukunftsträumen mit einem Schlage zu Ende! So ist es leicht begreiflich, wenn die guten Michel= städter nicht bloß aus frommen Gefühlen, sondern auch aus wirtschaftlichen Interessen den Wegzug der Reliquien mit schmerzlichem Bedauern mitansahen. — Eine andere

Schar, die gleichfalls an dem Aufenthaltsorte der Heiligenleiber aufs regste interessiert war, bestand aus einer Anzahl von Armen und Bettlern. Sie hatten sich in Michelstadt gleich nach der Ankunft der Reliquien eingefunden,
weil sie hier aus den Taschen der frommen Pilger, die
man an dem neuen Wallfahrtsort erwarten durfte, reichlich Almosen zu erhalten hofften. Von weither waren
diese Bettler schon gekommen; so treffen wir unter der
Bettlerschar, welche Einhard nach Obermulinheim begleitete, auch einen 15jährigen Sohn der Champagne,¹) einen
gewissen Daniel aus dem Gebiet von Porcien, der sich
mit anderen Armen und Kranken schlecht und recht bis in
den Maingau durchgeschlagen hatte; er war so verkrümmt,
daß er den Himmel nur sehen konnte, wenn er mit dem
Rücken am Boden dalag; dazu quälte ihn ein schweres
Nierenleiden. Er wie auch die anderen Bettler, die sich
in Michelstadt eingestellt hatten, machten die Übertragung
der Reliquien nach Obermulinheim mit.

So ging ein immerhin ansehnlicher Zug von Menschen an jenem 16. Januar durch den winterlichen Odenwald. Einhard sah gewiß so manchmal hinauf zu den
schweren Wolken und sorgte sich wegen des Regens, der
von ihnen drohte und der seinen Zug noch wesentlich zu
erschweren schien; aber er vertraute doch auf Gottes Hilfe
und hoffte auf günstige Witterung. Freilich: durch die
Wolkengüsse, welche schon in der vorhergehenden Nacht
eingetreten waren, mußte das Gebirgsterrain noch schwieriger, als es dies sonst schon war, zu passieren geworden sein;
und die Waldbäche, welche zu überqueren waren, mußten
so stark angeschwollen sein, daß man bei ihrem Überschrei-

¹) Nicht einen Italiener, wie Kurze, Einhard 45, hierzu wohl
durch die irrige Deutung der in die Mon Germ. SS. XV 245
N. 2 genannten Campania auf die Campagna statt auf die Champagne veranlaßt, schreibt.

ten Schwierigkeiten über Schwierigkeiten besorgte; angesichts dieser mißlichen Verhältnisse meinte man fast auf den Antritt des Marsches verzichten zu sollen. Aber bald schon konnte sich Einhard sagen, daß all diese Erwägungen so ganz nichtig gewesen und daß sie nur aus einem beklagenswerten Mangel an Gottvertrauen hervorgequollen seien; denn man fand tatsächlich den Weg, den der Zug einschlug, in einer so ganz anderen, weit besseren Verfassung, als man es gedacht hatte. Und wenn man sich wegen der Sümpfe, die man überqueren mußte, gesorgt hatte, so war man auch in dieser Hinsicht insofern angenehm überrascht, als man nur wenige morastige Stellen antraf; und die Bäche, die man doch bei einem so gewaltigen und andauernden Regen, wie er vorhergegangen war, stark angewachsen glaubte, zeigten sich fast gar nicht angeschwollen.

So ging alles glücklich und schon konnte man erleichtert aufatmen, als man die Wälder des Gebirges hinter sich hatte und ins freie Land hinaus kam, wo menschliche Siedelungen dichter beieinander gelegen waren. Jetzt fanden sich auch gar häufig Scharen von Leuten ein, welche der Prozession entgegengezogen waren, und nun zu Ehren Gottes fromme Loblieder sangen. Diese Leute begleiteten den Zug fast acht Meilen weit und halfen Einhard und den Seinen beim Tragen der Reliquien.

Als sich der kurze Wintertag schon seinem Ende zuneigte, und man sich sagen mußte, daß es ausgeschlossen sei, noch bis nach Obermulinheim zu kommen, da lenkte man seine Schritte in die Siedelung Ostheim bei Aschaffenburg; sie war nicht allzu weit von dem von Michelstadt nach Mulinheim führenden Weg entfernt. Hier in Ostheim war ein dem hl. Martin geweihtes Kirchlein gelegen. Bereits dunkelte es, als man die hl. Reliquien in dieses Heiligtum hineintrug, um sie während der Nacht hier zu

laffen; mehrere feiner Leute ließ hier Einhard zur Wache
bei den Reliquien zurück, während er felbft mit ein paar
andern der Seinen am felben Tage nach Obermulinheim
eilte und hier noch in der Nacht alles zum Empfange der
hl. Leiber vorbereitete.

Am nächften Morgen erhob er fich denn fchon bei
Tagesgrauen und brach mit einer anfehnlichen Zahl feiner
in Obermulinheim anfäffigen Leute auf, um die Reliquien
einzuholen; diefe Leute Einhards hatten fich, nachdem
ihnen die Kunde von der bevorftehenden Ankunft der Reliquien zu Ohren gekommen war, fchon in der Morgen-
dämmerung vor feinem Haufe in der Abficht mit ihm dem
frommen Zuge entgegen zu wallen eingefunden.

Indes hatte fich im Martinskirchlein zu Oftheim ein
Wunder abgefpielt: eine gichtbrüchige Nonne aus Klo-
fter Mosbach, das nur eine Meile von Oftheim entfernt
gelegen war, hatte fich von ihren Verwandten und Bekannten in einem Karren nach Oftheim fchaffen laffen und
hier die Nacht in der Kirche neben dem Reliquienfchrein
in Wachen und Gebeten zugebracht; und fie erlangte die
Gefundheit all ihrer Glieder wieder, fo daß fie auf eigenen
Füßen, ohne daß fie irgend jemand führte oder ihr fonft-
wie behilflich war, am nächften Tage nach Mosbach zurückgehen konnte.

So war der Ruhm der Heiligen noch gewachfen; mit
Freude und Dankbarkeit wird Einhard, als er famt feiner
Begleitung mit der von Oftheim kommenden Prozeffion
zufammentraf, hiervon Kenntnis erhalten haben; dort, wo
die Gerfprenz in den Main fich ergießt, erfolgte jene Begegnung. Von hier aus zog nun alles mit dem Reliquien-
fchatze nach Obermulinheim, Gottes Barmherzigkeit prei-
fend und voll gehobener, freudiger Stimmung, der man in
lautem Frohlocken Ausdruck gab. Als man nun in Obermulinheim ankam, hatte fich hier eine fo große Menge

Volkes eingefunden und die kleine Kirche bereits so stark
angefüllt, daß es gar nicht mehr möglich war, in den Raum
des Gotteshauses hineinzukommen oder auch nur die Reliquien dorthin zu bringen. So entschloß sich denn Einhard auf einem angrenzenden Felde droben auf einer
kleinen Anhöhe einen Altar unter freiem Himmel zu errichten; hinter diesen stellte man den Reliquienschrein. Hier
hielt man nun einen feierlichen Gottesdienst
ab. Als dieser zu Ende war und die Volksmenge sich zerstreut hatte, trug man die Heiligenleiber in die Kirche
hinein, wie dies die seligen Märtyrer selber ehedem in
jener Vision angegeben hatten. Man stellte hier den
Heiligenschrein nächst dem Altare auf und ließ noch einen
zweiten Gottesdienst abhalten. Da ereignete sich nun
ein neues Wunder: der schon erwähnte Bettler aus der
Champagne, Daniel, brach mit einemmal, als er gerade zu
dem Reliquienschrein herantrat und sich niederknien wollte,
zusammen, wie wenn ihn einer zurückgehalten oder vielmehr
zurückgezogen hätte. So lag er nun lange bewußtlos vor
aller Augen hier; als er dann aus seiner Ohnmacht erwachte, setzte er sich auf und erhob sich schließlich vollständig
ohne von jemandem gestützt zu werden; er hatte seine gesunden Glieder und seine Nervenkraft wieder völlig erlangt.

Am Tage nach der Überführung der hl. Reliquien
barg Einhard dieselben in seinem neuen Schrein und stellte
diesen in der Apsis der Kirche auf. Dann setzte er, wie
solches im Frankenreiche üblich war, einen hölzernen
Deckel[1]) darauf und bedeckte ihn mit linnenen und seidenen
Decken zum Schmuck. Er fügte dann einen Altar und jene

---

[1]) „culmen". — Ich möchte nicht mit Beissel, Verehrung 91,
„culmen" als Thron auffassen; eher scheint mir dabei an ein
baldachinartiges Holzgerüst, das zum Schmuck mit leinenen und
seidenen Stoffen behangen wurde, zu denken zu sein, wie das
Schneider in den Annalen des Vereins f. nass. Altertumskunde
XIII 132 tut.

zwei Kreuzfahnen bei[1]), die man bei der Überführung von Michelstadt her dem Reliquienschrein vorangetragen hatte; so suchte Einhard, wie er treuherzig versichert, die jetzige Ruhestätte seiner Heiligen in einer seinen ärmlichen Verhältnissen entsprechenden Weise zu gestalten und sie geeignet zur Abhaltung von Gottesdiensten zu machen. Den Schlußstein dieser seiner Tätigkeit bildete, daß er eine Vereinigung von Geistlichen einrichtete, welche ihren ständigen Sitz in Obermulinheim haben, hier die Wache bei den Reliquien führen und Sorge für das Lob Gottes tragen sollte.

Einhard selbst freilich konnte, so leid es ihm auch tat, zunächst nicht auf dauernd in Obermulinheim verbleiben: nicht freiwillig, sondern bloß auf Grund eines königlichen Schreibens, das ihm schon auf dem Wege nach Mulinheim ausgehändigt worden war, machte er sich auf, um wieder nach der Königspfalz zu Aachen zu ziehen. Sein eigentliches Hofamt daselbst, die oberste Leitung der Aachener Kunstinstitute sowie der Hofbücherei, hatte Einhard zwar schon vor der Zeit, da die Überführung der Reliquien von St. Marzellin und Peter von Rom ins Frankenreich erfolgt war, niedergelegt; Gerward war sein Nachfolger in dieser Stellung. Aber deshalb war Einhard noch nicht aller Pflichten dem Hofe und dem Kaiser gegenüber ledig. Er mußte nach wie vor auf längere oder kürzere Zeit in Aachen verweilen, wenn man ihn dort brauchte; das aber war oft genug der Fall. Einhard unterstand jetzt naturgemäß Gerward, da er sich in dessen Ressort ja auch bisher betätigt hatte; daher war es auch Gerward, der Einhard nach Aachen laden mußte, so oft er

---

[1]) „duo vexilla dominicae passionis" I cap. 15, in den Mon. Germ. SS. XV 245; ich glaube nicht, daß darunter „Banner mit den Abzeichen vom Leiden Christi" (so Schneider a. a. O. 132), sondern Banner in Kreuzesform zu verstehen sein werden.

dorthin kommen sollte. An ihn hat Einhard daher auch
wohl manche temperamentvolle Rückäußerung gerichtet,[1])
wie uns eine solche in den Zeilen überkommen ist, in denen
sich Einhard — ich werde noch darauf zurückkommen —
bitter darüber beklagt, daß er von Gerward wiederholt nach
Aachen befohlen wurde. Bald suchte dann aber Einhard
seinen vollständigen Rücktritt vom Hofe zu erreichen. Seit=
dem sollte immer mehr Obermulinheim zu seinem eigent=
lichen Wohnsitz werden.

Wir können es Einhard gewiß nachfühlen, wenn er
seinem Bericht von der Überführung seiner Heiligen nach
Obermulinheim und von dem Wunder, das sie hier sogleich
wirkten, voll Befriedigung die Bemerkung beifügt, daß der

---

[1]) Wie ich in meinem Buche „Einhard als Künstler"
47ff. zu zeigen suchte, ist nicht bloß Brief Nr. 52 (in den Ep. V
135) von Einhard an Gerward gerichtet, sondern auch Nr. 18
(ebb. 119) und wahrscheinlich auch Nr. 14 (ebb. 117); als „comes
atque optimas" wie in Nr. 18 ist der Adressat von Nr. 52 zwar
nicht bezeichnet, wie überhaupt in diesem letzteren ein vertrau=
licherer Ton seitens Einhards gegenüber dem Empfänger ange=
schlagen wird: der letztere wird mit „Du" statt mit „Ihr" (so
in Nr. 18) angesprochen, worauf mich (neben andern freundlichen
Hinweisen) Herr Geheimrat Hampe aufmerksam machte. Allein
dieser verschiedene Ton in den beiden Briefen kann sich wohl
auch durch eine Änderung in den Beziehungen Einhards und
Gerwards, durch ihre im Laufe der Zeit stärker hervortretende
Vertraulichkeit erklären, wie es ja auch in unserer Zeit gang und
gäbe ist, daß zwei Männer, die sich ehedem mit „Sie" anredeten,
später das freundschaftliche „Du" gebrauchen und in ihren Briefen
darauf verzichten, ein Standesprädikat (wie „gloriosus comes atque
optimas") zu verwenden. Es kann also diese Verschiedenheit in
Nr. 52 gegenüber Nr. 18 nicht beweisen, daß die beiden Schreiben
an verschiedene Empfänger gerichtet sind; bei der Gleichheit des
Gegenstandes und besonders angesichts der Empfehlung eines Ma=
lers in Nr 18 an G., dessen „devotus junior" dieser Maler ge=
nannt wird, was sehr wohl auf Gerward als den Leiter der Aachener
Kunstwerkstätten paßt, dürfte m. E. dieser eben doch als Adressat
auch von Nr. 18 gelten. — S. auch im Nachtrag zu S. 275.

Tag, da all dies geschah, der 17. Januar — er wurde sort=
an an dem Orte als besonderer Festtag begangen — voll
Heiterkeit und Klarheit gewesen sei, und zwar in so hohem
Grade, daß er dem Glanze der Sommersonne schon gleich=
kam; und die Luft war schon so milde und schön und ruhig,
daß sie, wie es dem glückseligen Einhard wenigstens vor=
kam, mit ihrem schmeichlerischen Sonnenschein dem Früh=
ling voranzugehen schien.

XVII.

Der Begründer Seligenstadts.

Johannes Weinckens hat seinem zu Frankfurt
a. M. 1714 erschienenen Werke: „Navarchia Seligenstadiana" oder „Fundatio antiquissimae et regalis abbatiae Seligenstadiensis", einen Kupferstich
Joh. Salvers vom Jahre 1707 beigegeben: rechts im
Hintergrunde des Bildes schauen wir die Türme und
Kirchen Seligenstadts, während vorn der Main in stattlicher Breite vorüberströmt, belebt von dem auf einem
Delphin einherreitenden Neptun und seinem aus Tri-
tonen und Nereiden bestehenden Gefolge wie auch von
einer Reihe von Schiffchen und Kähnen. Vor allem aber
nimmt den Vordergrund ein stattliches Schiff ein, dessen
geschwelltes Segel der doppelköpfige Reichsadler schmückt;
Mönche des Seligenstädter Klosters sind seine Insassen:
das Schiff selbst stellt Seligenstadt, die „königliche Abtei",
dar. Sieben Frauengestalten, als Rudererinnen dienend,
erscheinen als die Symbole von Hoffnung, Glaube, Liebe,
Stärke, Mäßigkeit, Gerechtigkeit und Klugheit. Am Kiel
des Schiffes aber sitzt eine ehrwürdige Greisengestalt, den
Abtstab in der Rechten und ein Buch in der Linken: als
„abbas primus et fundator Eginhardus" bezeichnen sie
die Buchstaben an der Schiffswand. Vom Himmel herab
sieht die Gottesmutter mit dem Jesuskind auf dem Schoße
und von Engeln begleitet gar zufrieden auf diese „Na-

varchia Seligenstadiana", auf diese Fahrt der Seligen=
städter Klostergemeinde; lichte Heiligengestalten, die natür=
lich St. Marzellin und St. Peter darstellen, werden sicht=
bar, in deren Mitte sich wieder jener würdevolle Greis
im schwarzen Benediktinerhabit — Einhard — befindet.

Einhard — der Schöpfer des Klosters
Seligenstadt und der Begründer der Be=
deutung dieses Ortes! Dieser Ruhmestitel ge=
bührt ihm in der Tat zweifellos; denn ohne Einhard wäre
dort, wo der Main nicht mehr allzu weit von seiner Mün=
dung, von der Gebirgslandschaft des Vorspessarts kom=
mend, in die oberrheinische Tiefebene eintritt, kein Kloster
entstanden, von dem aus sich die Kultur in der Folgezeit
nach Osten hin ausbreiten sollte; und das alte Mulin=
heim, das hier in Einhards Tagen gelegen war, hätte sich
ohne sein Wirken wohl niemals zu einem Markt und
schließlich zu einer Stadt weiter entwickelt; es hätte ohne
Einhards Eingreifen nie eine solche Bedeutung erlangt,
daß es schon bald zur Versammlungsstätte von Fürsten und
Großen wurde, und daß sich hier das staufische Geschlecht
sein Palatium erbaute, dessen Trümmer noch heute den
Schiffer grüßen, der auf dem Main vorüberfährt. Und
selbst der neue Name, den das alte Mulinheim schon bald
erhielt, der Name Seligenstadt, geht auf Einhards Tat,
auf seine Überführung der Gebeine der hl. Marzellin und
Peter dorthin, zurück.

Freilich war es ein altes Kulturland, auf dem Se=
ligenstadt erwuchs: die Inschriften heidnischer Altäre und
Leichensteine, die der Forscher hier fand, und so manche
andere Überreste aus alter Zeit sind redselig genug, um
uns noch von der Römer Aufenthalt in dieser Ge=
gend zu erzählen, von den Tagen, da der Schritt der XXII.
römischen Legion durch das alte Kastrum, das hier gelegen

war, hallte.[1]) Aber die Wogen der Völkerwanderung gin=
gen auch über dieses Gebiet hinweg und zerstörten das
reiche, üppige Leben, das hier in den Jahrhunderten nach
Christus emporgekommen war. Die römische Militärstadt
verschwindet im Dunkel der Überlieferung und an ihrer
Stelle steht am Beginn des neunten Jahrhunderts ein
u n s c h e i n b a r e s D o r f, das zunächst dem fränkischen
Kaiser gehörte. Zum Maingau, also zu jenem großen Ver-
waltungsdistrikt, in dem auch die Heimat Einhards gelegen
war, wurde Mulinheim gerechnet; als „villa", als
G u t s h e r r s c h a f t K a i s e r L u d w i g s, die in
früherer Zeit ein Graf namens Drogo besessen hatte, er=
scheint es in der oben[2]) erwähnten Urkunde vom 11. Ja=
nuar 815, durch welche Einhard neben Michelstadt auch
dieses Mulinheim erhielt; es ward zur Unterscheidung von
dem gleichnamigen etwas mainabwärts gelegenen Orte,
dem Mulinheim inferior,[3]) als Mulinheim superior, Ober=
mühlheim, bezeichnet. In diesem Obermulinheim waren
neunzehn Hofgüter gelegen und befanden sich dreizehn
kaiserliche Leibeigene samt Frauen und Kindern, während
man in Untermulinheim, das seinerseits zu dem Gutshof
Obermulinheim gehörte, vier Hofgüter und vier Leibeigene
samt Weib und Kind zählte. Auch eine Kirche, freilich
von geringer Größe, aber immerhin schon aus Stein gebaut, befand sich bereits 815 in Obermulinheim; die
Kenntnis des bei den Römern üblichen Steinbaues hatte
hier — im Gegensatz zu dem regelmäßigen, namentlich

---

[1]) S. J. W. Ch. Steiner, Geschichte und Beschreibung der
Stadt und ehemaligen Abtei Seligenstadt (Aschaffenburg 1820.
1 ff. und K. Kihn, Führer durch das Freigericht und seine Um=
gebung. 2. Aufl. [1886] 108.

[2]) S. 208.

[3]) Heute Mühlheim am Main in Hessen, Prov. Starkenburg,
Kreis Offenbach.

in Innergermanien herkömmlichen Holz= oder Fachwerkbau
— schon frühzeitig zur Nachahmung angereizt; aber gleich=
wohl war Obermulinheim zunächst, als es im Jahre 815
Einhard erhielt, ein wenig bemerkenswerter Ort. Für
Einhard selbst bedeutete derselbe, wie es scheint, anfäng=
lich nur eine Wirtschaftsstelle in seiner allgemeinen
Gutsverwaltung; darauf weist m. E. jener kurz vor dem
28. Juli vermutlich des Jahres 826 geschriebene Brief des
Abtes Ansegis von Fontanelle hin, von dem wir schon ge=
hört haben,¹) und in welchem der Absender u. a. sagt, daß
er auch diese „villa" (Mulinheim) inspiziert und den ge=
treuen Tassilo, der Einhard für ein Amt — vermutlich
für den Dienst eines Wirtschaftsbeamten, eines „Propstes"
— empfohlen wird, über alles gefragt habe, worauf Tassilo,
wie sichs gehörte, Rede und Antwort gestellt hätte.

Als nun Einhard im Jahre 828 den Reliquienschatz
nach Obermulinheim brachte, begann eine ganz neue
Zeit für das bisher unscheinbare Dorf. Durch seine
Lage am schiffbaren Main war es ja zum Wallfahrts=
ort wie geschaffen — weit besser jedenfalls geschaffen
als Michelstadt mitten drinnen in den dunklen Hainen des
Odenwaldes. Da entwickelte sich denn schon bald ein
starker Verkehr in Mulinheim: von weither kamen Kranke
und Sieche gezogen, um hier durch die Fürbitte der hl.
Marzellin und Peter ihre Gesundheit wieder zu erlangen:
von Köln und von Lüttich, aus der Schweiz, aus verschie=
denen Gegenden Frankreichs und selbst aus dem fernen
England wallten sie in den stillen Flecken am Main. Da
hören wir z. B. von einem jungen Mädchen, das aus dem
Gau von Bourges stammte; es war von Geburt an taub=
stumm — ein rechtes Sorgenkind der Seinen; sein Vater
und sein Bruder waren mit ihm in der weiten Welt her=

---

¹) Oben S. 235ff.

umgezogen; an viele Wallfahrtsorte war man schon ge=
kommen, ehe man sich schließlich nach Mulinheim wandte.
— Ein anderer Kranker, der an Muskelschwund litt, war
bis von Lüttich her nach Mulinheim gekommen oder viel=
mehr elend dahin gekrochen. Wieder ein andermal hören
wir von einem alten Mann, der, ein Alemanne von Ge=
burt, vollständig verkrümmt gewesen und bis vom Aargau
an unsern Ort gezogen war. Auch einen jungen eng=
lischen Geistlichen, dessen Mutter eine Wallfahrt nach Rom
angetreten hatte, treffen wir in Mulinheim. Er war jeden=
falls den Rhein und den Main herauf dorthin gefahren. Von
einem andern aus Aquitanien stammenden Bettler namens
Alberich hören wir, daß er zu Schiff mit Mainzer Kauf=
leuten nach Mulinheim gekommen war. Ebenso wird uns
von einer geborenen Kölnerin, die an Muskelschwäche der=
art litt, daß ihr jeglicher Gebrauch von Beinen und Füßen
versagt war, erzählt, daß die Arme, die nur mehr im Sitzen,
die Füße nach vorn gestreckt und auf die Hände gestützt, sich
vorwärts bewegen konnte, auf die Kunde von den in Mu=
linheim erfolgten Wundern dorthin in einem Schiff ge=
bracht wurde; dieses Schiff gehörte Kaufleuten, welche zum
Gedächtnistag der Heiligen Marzellin und Peter — es
war dies der 2. Juni — nach Mulinheim kamen; von
Kaufleuten wollte sie auch im August wieder nach Köln
zurückgebracht werden.

Alle diese Einzelheiten, die wir aus Einhards Trans=
latio SS. Marcellini et Petri entnehmen, weisen schon
darauf hin, wie stark der W a l l f a h r t s v e r k e h r u n d
d e r F r e m d e n z u z u g in Mulinheim in kurzem wurde;
er lockte natürlich wieder eine Menge von Leuten an,
welche um ihres Erwerbes willen an dem emporblühenden
Wallfahrtsort vorübergehend oder auch auf die Dauer sich
niederließen. Da kamen einmal Krämer und Kaufleute, um
den Pilgern gewerbliche Erzeugnisse aus der Fremde anzu=

bieten. Da mochte man dann vor den Kirchenpforten die
großen, bis oben angefüllten Kramkörbe und die dicht be-
legten Stände und Bänke in den Marktbuden („Sta-
tiones") der Händler stehen sehen, von denen man gar
manches erhalten konnte, was man im täglichen Leben so
brauchte: Nadeln und Knöpfe, Gürteln und Spangen,
Tücher und Gewebe und Pelzwaren.¹) Namentlich an
hohen Kirchenfesten spielte sich zweifellos ein gar lebhafter
Handelsverkehr in dem sich entwickelnden Örtchen am Main
ab; vor allem am 2. Juni, wenn man den Gedächtnistag
der beiden Schutzheiligen Obermulinheims beging, und
ebenso am Tage ihrer Überführung nach Obermulinheim,
am 17. Januar, wird ein großer Jahrmarkt in dem kürzlich
noch so stillen Dorfe stattgefunden haben. Aber auch
das Alltagsleben brachte Abwechselung genug. Auf dem
Main zogen die Frachtschiffe der Kaufleute vorüber, wie
etwa die Schiffe jener Kaufleute aus Mainz, die nach
Einhards Darstellung im Ostfrankenlande Getreide einge-
kauft hatten und dieses nun den Main hinab nach Mainz
brachten. Auch hohe Herren, weltliche und geistliche Fürsten, ja der Kaiser selbst, werden so manchesmal zu Schiff
an dem erstehenden Wallfahrtsort vorbeigezogen sein und
hierbei den bald weithin berühmten Reliquien ihren Besuch abgestattet haben, nicht ohne hierbei auch den treuesten
Diener und Verehrer dieser Heiligen, Einhard, den Herrn
von Obermulinheim, aufzusuchen. So mußte beispielsweise
Kaiser Ludwig und seine Gemahlin Judith im Jahre 832
an Obermulinheim vorüberkommen, als der Kaiser von

---

¹) S. G. Grupp, Kulturgeschichte des Mittelalters II. 2. Aufl.
(Paderborn 1908) 154 f; Sombart, Der moderne Kapitalismus I
2. Aufl. (München und Leipzig 1916) 167 ff; vgl. 101; M. Heyne,
Fünf Bücher deutscher Hausaltertümer Bd. III (Leipzig 1903)
218 f., 245, 280 f., 331 f.

Salz an der fränkischen Saale aus mit Judith zu Schiff mainabwärts bis Frankfurt fuhr.[1])

Nachdem Einhard mit seinen Reliquien am 17. Januar 828 nach Obermulinheim gezogen war und diesen Ort zum dauernden Ruheplatz seiner Heiligen erwählt hatte, da galt es vor allem für ihn eine Art von mönchischer Vereinigung zu organisieren, welche den kirchlichen und seelsorgerischen Bedürfnissen des jungen Wallfahrtsortes Genüge tat. Einhard scheint sich, wie schon kurz erwähnt,[2]) auch sogleich daran gemacht zu haben, eine solche Klerikergenossenschaft, welche ständig bei den hl. Gebeinen Wache halten und die einzelnen kirchlichen Tagzeiten verrichten sollte, zu organisieren; damit war auch schon der Grund zur späteren Abtei Seligenstadt gelegt.[3]) Zwar mußten jetzt erst die Klostergebäude errichtet werden; für die Unterkunft der zahlreichen Wallfahrer, die aus nah und fern, zu Schiffe und zu Lande nach Obermulinheim gezogen kamen, mußte gleichfalls gesorgt werden. Und vor allem galt es schon bald auch ein neues Gotteshaus zu bauen; ich werde hierauf später, bei der Betrachtung der verschiedenen Kirchenbauten Einhards in Seligenstadt, noch zurückkommen.

Hier möchte ich zunächst versuchen, einzelne Bilder aus dem Alltagsleben, wie es Einhard in Obermulinheim führte, dem Leser vorzuführen. Und da darf denn zunächst zusammenfassend bemerkt werden, daß Einhard das Leben des Hofmannes von ehedem immer mehr vertauschte mit dem Leben des schlichten Ordensmannes. Diese seine mönchische Lebensweise kam einmal darin zum Ausdruck, daß er alle die einzelnen kirch

---

[1]) Boehmer-Mühlbacher, Regesta imperii Nr. 899e ff; Kurze, Einhard 71.

[2]) S. oben S. 274.

[3]) So mit Recht Kurze ebb. 45 A. 1.

lichen Stundengebete mitmachte, gleich den Mönchen und
im Gegensatz zum Volke beim Gottesdienst auf erhöhtem
Platze, auf der Empore seiner Kirche, saß, das schlichte
Kleid der Söhne des hl. Benediktus trug, kurz — sich mehr
und mehr als Mönch fühlte und gab, nicht als Weltmann.
Priester hingegen ist Einhard nie geworden; und er
hat daher auch nie selber das hl. Meßopfer gefeiert. Wohl
aber hat er gleich den anderen Ordensbrüdern zu Ober=
mulinheim die Mönchsgelübde abgelegt; und er hat zu die=
sem Zwecke auch — und gerade darin spricht sich seine Zu=
gehörigkeit zum Mönchsstande in seinen späteren Lebens=
jahren am klarsten aus — seine ehelichen Beziehungen zu
Imma gelöst und mit ihr nur mehr in einem Verhältnis
wie Bruder und Schwester gelebt;[1]) auf solche Art erhielt
sowohl Einhard selber die Möglichkeit sich als Mönch zu
fühlen wie auch Imma hierdurch in die Lage versetzt wurde
in den Stand der gottgeweihten Frauen, der Nonnen,
überzutreten. Zwar blieb auch jetzt Imma ihrem früheren
Gatten noch örtlich nahe; auch sie führte fortan zu Mulin=
heim ihr Leben, das Leben einer Kanonissin; in der
dortigen Stiftung Einhards hat auch sie ihren Wirkungs=
kreis gesucht und gefunden. Tag für Tag war sie hier
tätig in all den kleinen Verrichtungen und Geschäften,
welche das Leben eben erforderte, in der Führung des
ganzen Haushalts und in der Betreuung der jungen
Klostergemeinde; allem, was für die Kirche und für den
Gottesdienst, aber auch für die leiblichen Bedürfnisse der
Seligenstädter Mönche nötig war, galt Immas Sorge.
Überall sah man sie als den guten Geist Seligenstadts am

---

[1]) Das geht m. E. aus einem Briefe hervor, den Einhard an
Lupus von Ferrières schrieb und in welchem er ganz deutlich
Imma als seine „einstige getreueste Ehefrau (coniunx)" gegen=
überstellt der Imma, die ihm „nunmehr Schwester und Gefährtin"
geworden war. S. Buchner, Einhard als Künstler 102. S. auch
im Nachtrag zu S. 284.

Werke. Auf solche Weise nahm sie auch jetzt noch teil an den Sorgen und Geschäften ihres früheren Gatten.

Diese aber waren nicht gering. Und an Abwechselung, ja sogar an aufregenden Vorfällen war in den ersten Zeiten von Einhards Gründung in Mulinheim schon gar kein Mangel. Denn wundervolle Erscheinungen, über die Einhard in seiner noch näher zu besprechenden Schrift De Translatione SS. Marcellini et Petri genau berichtet, sollen in dem neuen Wallfahrtsorte in großer Zahl vorgekommen sein. Eine Vielzahl von L e i d e n d e n soll g e h e i l t worden sein, besonders Sinnesstörungen wie Blindheit und Taubheit bzw. Taubstummheit, Lähmungen, Verkrümmungen, Muskelzusammenziehungen, aber auch Geisteskrankheiten, Besessenheit, allgemeine Schwäche, u. s. f., Fälle von starkem, nervösem Zittern.[1]) Es waren wenig heitere, ja geradezu schmerzvolle Bilder, welche die vielen Kranken und Notleidenden, die Armen und die Bettler darboten, die sich in Mulinheim eingefunden hatten, teils um hier Heilung oder doch Linderung ihrer körperlichen Gebreste zu erfahren, teils um an dem vielbesuchten Wallfahrtsort ihren Unterhalt zu erwerben: da wird z. B. von jenem gliederkranken alten Schweizer berichtet, der da auf den Knien dahergerutscht kommt und sich auf seine beiden Stöcke stützt; vor der Türe der Seligenstädter Kirche liegt eine gichtbrüchige Frau, welche fast keines ihrer Glieder mehr bewegen kann, und ruft flehentlich zu den Märtyrern um Hilfe in ihrer Not. Im Küsterhäuschen bei der Seligenstädter Basilika sehen wir den blinden Alberich auf seiner Lagerstätte, zuweilen auch vor der Kirche selber, auf einem Steine sitzen, ihn, der neben seiner Blindheit auch noch ein großes Nervenübel, ein ner-

---

[1]) S. E. von Sommerfeld, Eine Heilanstalt zur Zeit Ludwigs des Frommen, in Nord und Süd CVI (1903) 382; Bondois, Translation 62.

böses Zittern hat, und zwar in einem solchen Grade, daß er nicht einmal sein Essen mit eigenen Händen zum Munde führen kann! Überhaupt sind Bettler und Kranke, welche dieses große Zittern haben und mit unsicherem Schritte zur Kirche schwanken, kein seltener Anblick in Mulinheim. — Als Einhard einmal nachts zum Gotteshause geht, um hier sein Stundengebet zu verrichten, da sieht er vor den Toren der Kirche einen 15jährigen Knaben, der so furchtbar verwachsen ist, daß seine Kniee mit dem Kinn zusammenstoßen! Und vom nahen Höchst hat man eine Besessene hergebracht.

In einer kleinen Zelle aber, die ganz nahe bei der Kirche gelegen ist, kann man eine Nonne aus- und eingehen sehen, die auch mit schwerem Gebrest beladen nach Mulinheim gekommen war: es ist die fromme M a r k t r u d , die aus dem Gau Wetereiba hergekommen war; ihre Eltern hatten sie, mit schwerer Gichtbrüchigkeit behaftet, einstens nach Mulinheim gebracht, nachdem man zuerst bereits an allen möglichen anderen Wallfahrtsorten Heilung des Leidens gesucht hatte; zehn Jahre schon hatte sie damals an dem Übel gelitten und war zu nichts mehr nütze gewesen; auf einer Tragbahre hatte man sie nach Mulinheim schleppen müssen. Hier aber war sie so vollkommen geheilt worden, daß sie zu Fuß ihre Heimreise antreten konnte. Aber freilich: noch auf dem Heimweg war sie wieder von dem alten Übel befallen worden; das war ein rechtes Mißgeschick für die arme Kranke und ein kaum geringeres für ihre alten Eltern; man wußte sich nicht anders zu helfen, als daß man sie wieder nach Mulinheim zurückbrachte; in der Tat erlangte sie auch hier sogleich neuerdings ihre Gesundheit. Und jetzt machte sie hier das Gelübde, daß sie künftig ihre ganze Tätigkeit dem Dienste St. Marzellins und St. Peters weihen und sich nicht mehr vom lieben Mulinheim trennen wolle; auf solche Art war also die fromme Marktrud zur Nonne in Mulinheim geworden.

Auch ein junger Mensch, der jetzt dauernd dort seinen
Wohnsitz hat, war einst als armer Kranker hierher ge=
kommen; als Türschließer an der Mulinheimer Wallfahrts=
kirche verdient er sich jetzt sein Brot und hat beim dortigen
Pförtner seine Unterkunft; P r o s p e r pflegt man ihn zu
rufen und Einhard selber hatte diesen Namen für ihn vorge=
schlagen; eine ganze Geschichte knüpft sich an diese Namens=
gebung, die Einhard voll Behaglichkeit uns erzählt hat: als
der Junge, der taubstumm nach Mulinheim gekommen war,
bereits drei Jahre hier verweilte, saß er eines Abends —
es war gerade der 2. Juni, der Festtag der heiligen Mar=
zellin und Peter —, als man schon das Nachtgebet gespro=
chen hatte, wie so manchesmal neben der Kirchentür; da
geht er in die Kirche und stürzt hier zur Rechten des Altars
zusammen. So findet ihn der Küster, als dieser in der
Kirche noch eine Besorgung machen und einen Leuchter
mit einer Kerze vor den Altar stellen will. Der Küster
eilt gleich zu Einhard selber; dieser ist gerade mit den Klo=
sterbrüdern beisammen und kommt mit ihnen sofort zur
Kirche, als er die Nachricht vernimmt. Da findet er denn
tatsächlich vor, was ihm der Küster in zusammenhangslosen
Sätzen berichtet haben wird: der arme Junge liegt wie
tot vor dem Altar; man sucht ihn aufzuheben, ohne daß er
hierbei aus seiner tiefen Ohnmacht erwacht wäre. Endlich
kommt er zu sich, erblickt Einhard und die anderen um ihn
herum; und er redet — o Wunder! — in lateinischer
Sprache die ihm zunächst Stehenden an! Jetzt wollen sich
einige der Augenzeugen daran erinnern, daß derselbe
Junge ungefähr ein halbes Jahr vorher zur Nachtzeit, als
er im Hause eines Dieners Einhards schlief, auch schon
zwei Worte im Schlafe gesprochen habe; seit dieser Nacht
hätte er, so erzählt man, sein Gehör, nicht aber seine
Sprache wieder besessen; denn daß er seit jenem Vorfall
vor einem halben Jahre gehört haben müsse, das könne

man daraus schließen, daß der Junge seitdem alle Befehle, die man ihm gab, ausgeführt habe, sie also offenbar auch verstanden haben mußte. Dabei hielt Einhard nun vor allem einen Umstand für besonders merkwürdig und wunderbar: die Leute, welche jene Befehle dem Jungen gegeben hatten und von denen derselbe auch richtig verstanden worden war, hatten nicht in Latein, sondern in „barbarischer" Sprache — das war für Einhard natürlich die „lingua theodisca", die „Volkssprache", also unsere deutsche Sprache — geredet. Der Junge hatte somit deutsch verstanden. Und nun sprach er nach dem Wunder am 2. Juni in Latein! Er wußte jetzt nach seiner Heilung zu erzählen, daß er die Heiligen Marzellin und Peter geschaut habe, daß diese zu ihm gesprochen und ihm manches gesagt hätten, was er seiner Umgebung berichten sollte. Am nächsten Tage habe er auch davon Mitteilung machen wollen; aber da seien die Reden der Heiligen, welche er sich wiederzugeben bemühte, seinem Gedächtnisse schon entfallen gewesen. Natürlich konnte der Junge auch nicht angeben, wie sein Name sei, er hatte ihn ja selber noch nie gehört! So war er namenlos. Aber Einhard war um einen Namen nicht verlegen: wegen des günstigen Ausganges dieses Wunders (propter prosperum virtutis effectum) — so sagt er — habe er den Jungen „Prosper" benannt.

Am Tage vor der Heilung dieses Prosper war ein anderer junger Taubstummer gesundet; aber dieser redete, nachdem er die Sprache wiedererlangt hatte, nicht lateinisch, sondern in seiner Muttersprache; und Einhard gab dem bisher natürlich gleichfalls Namenlosen auch einen deutschen Namen: „Godeskalk" — „Gottes Knecht" ward er geheißen.

Eines schönen Tages nahte ein Einwohner Mulinheims selber, ein wohlsituierter Mann namens Willibert, der ein Haus in dem Wallfahrtsort sein eigen

nannte, dem Reliquienschrein im Kirchlein zu Mulinheim;
und er opferte vierzig Denare — also eine immerhin recht
stattliche Gabe! Einhard sieht's; er tritt zu Willibert, den
er noch nicht kennt, heran und erkundigt sich nach seinem
Namen; welches Anliegen er denn auf dem Herzen habe?
Und da bekommt nun Einhard von Willibert eine Geschichte zu hören, die Einhard selber recht nahe ans Herz
gegangen sein wird: vor ein paar Monaten war Willibert
von einer außerordentlich großen Schwäche befallen worden; sie war schon so groß, daß alle, die ihn sahen, mein-
ten, daß da nichts mehr zu hoffen sei. So habe man ihm
denn den Rat gegeben, er solle, rasch entschlossen, all sein
Hab' und Gut verschenken. Der brave Willibert zauderte
auch nicht, sondern raffte sich zu diesem Entschluß auf: er
gab seinen letzten Willen kund und verfügte im einzelnen
darüber, wie alle seine Habe an verschiedene fromme Stätten verteilt werden sollte. Als das geschehen war, fällt
plötzlich einem seiner Leute noch ein, daß man ja die Heiligen Marzellin und Peter ganz vergessen habe! Ihre
Leiber waren eben erst kürzlich von Rom gekommen und
ruhten damals noch in Michelstadt, nicht in Mulinheim.
Daher sind sie in den meisten Kreisen daselbst auch noch
nicht recht populär, so daß jenes Übersehen allerdings unterlaufen hatte können. Aber ein großer Jammer war es
halt doch, daß so etwas hatte passieren müssen! Willibert
suchte dieser Not abzuhelfen: ob denn von seinem großen
Vermögen gar nichts mehr vorhanden sei, das er den beiden Heiligen überschicken könnte, frägt er seine Umgebung.
— Da antwortet ihm einer, daß allerdings ein Stück von
seiner Habe noch übrig sei: ein Schweinchen sei es, über
das Willibert noch nicht verfügt habe. Willibert befiehlt,
daß man es verkaufe und den Erlös nach seinem Tode dem
Gute der genannten beiden Heiligen überbringe. Das war
doch ein rührend frommer Zug des guten Willibert! Der

Lohn ließ auch nicht auf sich warten: denn kaum hatte er diese Weisung gegeben, als er plötzlich eine Besserung seines Zustandes wahrnimmt. Die Schmerzen, die ihn gequält hatten, lassen nach, der Appetit, der ganz ausgeblieben war, hebt sich wieder, er ißt auch wacker und kommt rasch wieder zu Kräften, so daß er schon am nächsten Tage einige Hausarbeit ohne Schwierigkeit hätte verrichten können. — So habe man denn jenes Schwein verkauft, schließt Willibert seinen Bericht, und diese vierzig Denare hier seien der Erlös dafür, den er den Heiligen Marzellin und Peter seinem Gelübde gemäß überbringe.

Einhard wird, wie gesagt, dieses Geschichtchen aus dem Munde Williberts nicht ohne Rührung vernommen haben; und auch der nüchterne Geschichtsschreiber darf wohl ohne allzu große Phantasie behaupten, daß fortan zwischen dem wackeren, den Heiligen Marzellin und Peter so ergebenen Willibert und ihrem allzeit getreuen Einhard ein freundschaftliches Verhältnis bestanden hat. —

Ein andermal sehen wir im Geiste Einhard bei einer B a u e r s f r a u stehen, die a u s dem nur wenige Meilen von Obermulinheim entfernt gelegenen U r s e l bei Homburg im Niddagau gekommen war. Sie erzählt ihm gerade treuherzig und bieder, wie es so ihre Art war, die Geschichte, die ihr jüngst passiert war, erzählt sie ihm mit der ganzen Ausführlichkeit, wie sie das Landvolk liebt: sie schildert ihm, wie sie da neulich am Morgen aufgewacht sei und sich in ihrem Bett aufgesetzt habe; wie sie dann ihre Arme gestreckt und ein über das andere Mal gegähnt und dabei den Mund aufgerissen habe — wie man's halt so tue, wenn man aufwache und noch müde sei. Bei dieser Prozedur habe sie nun aber einmal den Mund noch weiter aufgemacht, als dies gut gewesen sei, und habe so die Kinnbacken-Fugen bis zu den Ohren auseinander gerissen und sich so — o Schreck! — die Mundsperre zugezogen! Das

ſei wahrhaftig eine böſe Sache geweſen! Ganz ſchrecklich
habe ſie da ausgeſehen, mehr einer Larve als einem Men=
ſchen gleichend. Und das alles wegen des dummen Gäh=
nens! — Der Fall verbreitete ſich in Urſel gleich einem
Lauffeuer. Für die Weiber des Ortes bedeutete er vor
allem ein Ereignis; man läuft zuſammen und erörtert das
tragikomiſche Geſchehnis. An gutem Rat fehlt es unſe=
rer braven Bäuerin ſelbſtverſtändlich nicht. Die einen
wiſſen dieſes, die anderen ein anderes Heilmittel. Hier=
bei ſpielen Heilkräuter eine große Rolle. Aber auch mit
Zauberſprüchlein, die Einhard recht abgeſchmackt vorkamen,
wollte man der Armen Hilfe bringen. Doch nichts von
allem hatte Erfolg; es war eben doch bloß eine eitle und
abergläubiſche Hoffnung, die man auf ſolche Dinge ſetzte.
Und die Operationen, welche unkundige Hände, wenn
auch mit dem beſten Willen Heilung zu bringen vorzu=
nehmen ſuchten, bedeuteten für die Arme nur eine neue
Qual. Heilung fand ſie keine. Als ſo gar nichts zu hel=
fen ſchien, kam auch der Schwager der Frau — es war der
Bruder ihres Mannes, ſagte ſie Einhard erläuternd —
herbei und wußte einen neuen Rat: man ſolle nur gleich
nach Obermulinheim eilen; wenn irgendwo, ſo würde
hier ihr Gebrechen geheilt werden. Geſagt — getan.
Man hebt die Bäuerin auf ein Saumtier und fort geht's
gen Obermulinheim. Als man ſchon in deſſen Nähe ge=
kommen iſt, ſteigt die Bäuerin von ihrem Tiere ab und will
den Reſt des Weges zu Fuß gehen. Schon iſt man ſo
nahe dem Ort, daß man in der Ferne das kleine Türm=
chen der Kirche des Dorfes auftauchen ſehen kann, wenn
man nur genau hinſieht. Die Begleitung unſerer Bau=
ersfrau macht dieſe darauf aufmerkſam und meint, ſie ſolle
nur den Kopf etwas ſtrecken, dann ſähe ſie den Turm ſchon.
Sie tut es auch. ſieht die Kirche und — wird in dieſem
Augenblick geſund. Alle Anweſenden ſtaunen dieſes Wun=

der an, fallen auf die Kniee nieder und danken Gott. Dann
steht man auf und zieht weiter nach Obermulinheim, betet
hier vor den Heiligen und erfüllt nach Kräften die Ge-
lübbe, die man getan hatte, um hierauf froh nach Hause
zurückzukehren.

Zuweilen waren es auch recht aufregende Szenen, die
sich in Obermulinheim abspielten: manche Besessene und
Wahnsinnige wurden in den Wallfahrtsort gebracht: so
war ein geistesgestörter Priester, der aus
einem Dorf Suntilinga im Nibdagau — es ist wohl das
heutige Singling bei Höchst — gekommen war und
welcher der dortigen Kirche vorgestanden hatte; seine drei
Brüder, von denen einer gleichfalls Priester und zwei
Laien waren, und ein Mönch des Klosters Hornbach, der
mit dem Kranken auch verwandt war, hatten ihn nach Mulinheim geführt; als er hier zu Einhard gebracht wurde,
erkundigte sich dieser nach der Krankheitsgeschichte des
Geistesgestörten: ob man schon einen Arzt beigezogen und
eine Arznei angewendet habe? frägt er. Man erzählt ihm
darauf, daß man den Unglücklichen, sogleich nachdem man
Kunde von seinem Wahnsinnsausbruch erhalten hatte, nach
dem Kloster Hornbach, in welchem er erzogen worden sei,
gebracht habe; die Ärzte hätten sich hier auch sofort des
Kranken angenommen; aber ihre Kunst habe versagt. Da
habe man nun von befreundeter Seite den Rat erhalten,
man solle doch zu den Heiligen Marzellin und Peter in
Obermulinheim seine Zuflucht nehmen. Man habe denn
darauf sein Vertrauen auf die Hilfe dieser Heiligen gesetzt,
wie man ja auch schon von vielen anderen gehört habe, daß
sie hier gesund geworden seien. — So sagten damals die
Verwandten jenes geistesgestörten Priesters zu Einhard.
Dieser wird sie in ihrem gläubigen Vertrauen gewiß nur
noch bestärkt haben; dann aber ließ man sie in das Un-
terkunftshaus von Obermulinheim führen; hier blieben sie

vier Tage lang; tagtäglich führten sie den Kranken in die
Kirche und ließen ihn hier vor den hl. Reliquien sich niederwerfen. Am fünften Tage muß der eine Bruder des
Geisteskranken, der Priester war, und ebenso sein Verwandter, der Mönch von Hornbach, vorübergehend ver-
reisen; in drei Tagen aber wollen sie wieder zurück sein.
Sie bitten Einhard, er möchte doch inzwischen den Kranken samt den beiden Brüdern bei sich im Klostergebäude
aufnehmen. Einhard schlägt dies nicht ab und vertraut die
Sorge für den Irren seinem Priester Hiltfrid an. Dieser
übernimmt seinen Schutzbefohlenen und führt ihn in seine
Zelle. Gegen Abend desselben Tages erfolgt nun plötzlich ein Wahnsinnsausbruch bei dem Kranken; zufällig ist
ihm ein Messer in die Hand gekommen und er will nun
mit diesem einen seiner Brüder, die ihn bewachen, nieder-
stechen. Dieser aber entflieht und erzählt den aufregenden
Vorgang den Leuten Einhards. Hiltfrid selbst eilt zu diesem und berichtet ihm, was sich ereignet hat; er bittet Einhard um die Erlaubnis den Wahnsinnigen in Fesseln
legen zu lassen. Einhard gestattet dies und der Arme wird
mit eisernen Ketten festgebunden, auf das Bett geschnallt
und die Türe des Gemaches, in das man ihn legt, wird
verschlossen. Vor dieser Türe wachen seine Brüder und
sind für den Fall, daß er ausbrechen sollte, gerüstet. Freilich schien ein Ausbrechen ausgeschlossen zu sein; denn die
Fesseln, die man dem Irren angelegt hat, sind derart, daß
sie ihm gar keine Bewegungsfreiheit lassen: nicht auf die
rechte noch auf die linke Seite kann er sich drehen, nur auf
dem Rücken kann er liegen. So schläft er schließlich ein.
Als er frühmorgens beim ersten Hahnenschrei erwacht, da
ist ein Wunder geschehen: er ist nicht nur frei von den
Banden, in die man ihn gelegt hatte, er ist auch frei von
der Krankheit, in welcher sein Geist gefesselt war. Er bricht
nun in eine Lobpreisung Gottes aus vollem Herzen aus,

singt — ganz allein in seiner Zelle — klar und deutlich
Psalmen und Hymnen und weckt dadurch alle auf, welche in
der Nachbarschaft seiner Zelle noch ruhen. Als er dann
zur Türe tritt und seine Brüder, die draußen wachen, ersucht ihn zur Verrichtung seiner Notdurft hinauszulassen,
da meinen diese, er versuche auf solche Art bloß hinauszu-
kommen; sie wagen daher nicht dem Begehr Folge zu
leisten; sie rufen vielmehr Hiltfrid herbei, der sich aber
durch die vernünftigen Antworten, die er von dem Eingeschlossenen erhält, davon überzeugt, daß dieser geheilt sei;
so läßt man ihn schließlich aus seiner Zelle hinaus. Auf
Hiltfrids Frage, was denn mit den Fesseln geschehen sei,
mit denen man den Irren gebunden gehabt hatte, zündet
man ein Licht an, sucht die Ketten und findet sie vor dem
Bette, in dem der Unglückliche gelegen hatte; und zwar
waren sie noch genau so zusammengeschlungen, wie man sie
dem Armen angelegt hatte. — Wer sonst — so ruft Einhard bei der Darstellung dieses Hergangs aus — hätte
solches tun können, als allein der, „welcher das All aus
dem Nichts geschaffen hat und der in seinen Geschöpfen
solches vollbringen kann, was nicht mit dem Verstande begriffen und nicht mit menschlichen Worten erklärt werden"
könne. Und Einhard führt im Anschluß hieran dann weiter aus, daß es ganz unmöglich gewesen sei, daß ein
Mensch die Ketten, mit denen jener Kranke gefesselt war,
hätte abstreifen können; er versichert schließlich uns ausdrücklich, daß er dieses Wunder nicht etwa durch den Bericht von Zeugen erfahren habe, sondern daß er es persönlich beobachtet habe, weil er an Ort und Stelle anwesend gewesen sei, als es sich ereignete.

Das besondere Interesse Einhards fand auch ein anderes Wunder, das sich gleichfalls in Mulinheim abspielte,
nachdem — wir werden davon später noch hören — auch
die Gebeine der Heiligen Protus und Hyazinth — es

waren dies zwei römische Märtyrer unter Kaiser Dio=
kletian gewesen — dorthin gebracht worden waren: es
handelte sich da um eine Besessene, welche aus
Baldradestat gekommen war; zugleich mit dem übri=
gen Volke war sie in die Kirche gegangen. Hier machte
der böse Geist seine Anwesenheit allen kund, indem er zu
knurren und die zu Boden geworfene Frau zu quälen be=
gann. Als der Priester, der die Beschwörung vornehmen
sollte, den Geist fragte, woher er denn komme, wann und
warum er von dieser Frau Besitz ergriffen habe, da ant=
wortete der böse Geist, er sei nicht bloß ein einfacher Teu=
fel, sondern der schlimmste von allen lebenden Teufeln.
Und als der Priester darauf weiter fragte, was denn der
Grund dieser seiner großen Schlechtigkeit sei, da bekannte
er, daß er selber sich diesen schlechten Willen eingefleischt
habe; daraufhin wurde der böse Geist gefragt, ob er einst
im Himmel gewesen sei; er antwortete, daß dem allerdings
so sei, daß er wegen seines Hochmutes aber von dort
herabgeschleudert worden sei. Nun wurde an ihn die
Frage gerichtet, ob er Christus, den Herrn, gesehen hätte;
da erklärte er, er habe damals, als Christus zur Erlösung
der Menschen auferstanden sei und in die Hölle hinabfah=
ren habe wollen, den Erlöser hier gesehen. Darauf wurde
an jenen Teufel die Frage gestellt, ob er die Namen der
Märtyrer kenne, deren Überreste am Tage vorher in die
Kirche von Obermulinheim gebracht worden seien — es
waren dies, wie gesagt, die Heiligen Protus und Hyacin=
thus. Da antwortete er, gewiß seien sie ihm wohlbe=
kannt; denn als sie ihr Martyrium erlitten hätten, da sei
er dabei gestanden und habe sich in ungeheurem Neid ver=
zehrt wegen ihrer ewigen Herrlichkeit. Unter den genann=
ten Heiligen habe er auch jetzt gerade sehr zu leiden. Denn
sie würden ihn gar furchtbar peinigen und ihn aus dem
Gefäße treiben, in welchem er schon seit langem verborgen

sei — eben aus jener besessenen Frau. Der Priester frägt,
wohin er sich wenden werde, wenn er die Frau verlassen
habe. Der Teufel sagt, er werde auf einen sehr schlim=
men Pfad gehen und in ferne und verlassene Gegenden.
— Als er hernach sowohl den Anlaß wie auch die Art und
Weise, wie er von jenem Weibe Besitz genommen habe,
dem Priester auf dessen Fragen auseinandergesetzt hatte,
meinte der Teufel dieser Frau, er werde ihr, bevor er aus
ihr herausfahre, ihre Knochen zusammenschlagen und zer=
brechen, sie elend machen und ihr einen Denkzettel an ihre
Gemeinschaft mit ihm mitgeben. Als nun die Frau, gleich
als ob sie sich ihrer Schwachheit bewußt wäre, mit flehen=
der Stimme die Hilfe der Heiligen erbat, befahl der
Teufel sogleich mit der größten Wildheit durch den Mund
derselben Frau eben diesem Weib, das sprechen wollte,
unter Knurren und Schimpfen zu schweigen. Für Einhard,
der nach seinem Zeugnis persönlich diesem Vorgang bei=
wohnte, war es höchst verwunderlich zu hören, wie durch
den Mund desselben Weibleins in so verschiedenartiger
Weise gesprochen wurde, bald mit der Stimme eines
Mannes, bald mit der einer Frau, so daß nicht e i n e ,
sondern zwei Personen es zu sein schienen, die sich in lau=
tem Wortwechsel miteinander abstritten. In der Tat
waren es ja auch zwei Personen, sagt Einhard, die mit=
einander uneins waren und nicht den gleichen Willen hat=
ten: die eine Person war der Teufel, der den von ihm be=
sessenen Körper zusammenhauen wollte, die andere war
das Weib, das von dem Feinde, der von ihm Besitz er=
griffen hatte, befreit zu sein wünschte. Die Verschiedenheit
der beiden Willen gab sich kund in der Verschiedenheit
der beiden Stimmen und der Worte, welche das Weib
und der Teufel bei diesem Wortwechsel einander zuschleu=
derten. — Als dann der Gottesdienst beendigt war, wollte
Einhard die Kirche verlassen und zu Rekreation gehen. Er

befahl, die Frau solle samt den Kirchendienern in der
Kirche warten; hierbei hatte er, wie er uns sagt, das Ver=
trauen, daß durch die Kraft Christi und durch die Ver=
dienste der seligen Märtyrer der böse Geist die Besessene
bald verlassen würde; und so war es auch. Denn als Ein=
hard bald hernach in die Kirche zurückkehrte, fand er die
Frau gesund, ihres Sinnes völlig mächtig und voll Lobes
für Gott vor. —

Von dergleichen Wundern weiß Einhard in großer
Zahl zu berichten. In der Regel ging hierbei die Hei=
lung der Kranken in folgender Weise vor sich: der Kranke
stürzte — zuweilen nach einem krampfhaften Sprunge in
die Höhe — ohnmächtig auf die Erde. Schweiß bedeckte
dann seinen Körper, Blut floß aus Mund und Nase.
Gleichzeitig hatte er die Erscheinung, es würde an ihm
von überirdischen Gestalten eine Operation vorgenommen;
bei Verkrümmten oder Lahmen wurden die Schultern aus
dem verkrümmten Körper gerissen oder die Füße gereckt und
gestreckt. Während dieser Prozedur wurde der Kranke von
tiefem Schlafe befallen. Man goß nun Wasser über ihn
und brachte ihn allmählich wieder zum Bewußtsein, wäh=
rend jetzt die Heilung in Erscheinung trat.[1])

So hören wir von einem jungen englischen
Geistlichen, wie dieser während eines Gottesdienstes,
dem auch Einhard beiwohnte, plötzlich ohnmächtig zusam=
menbrach und lange Zeit wie tot auf dem Estrich lag. Als
er dann schnarchende Töne von sich gab, versuchten einige
herumstehende Leute ihn aufzuheben und emporzurichten.
Da strömte ihm aber so viel Blut aus Nase und Mund,
daß die ganze Vorderseite seines Körpers von diesem Blut=
strom benetzt wurde. Man brachte Wasser herbei und
suchte den Ohnmächtigen wieder zu sich zu bringen. Als
dieser nun wirklich seine Besinnung wiedererlangt hatte,

---

[1]) Vgl. Sommerfeld in Nord und Süd CVI (1903) 384.

war die Taubstummheit, mit der er von seiner Kindheit an
behaftet gewesen war, von ihm geschwunden. Er sprach
ganz deutlich mit Einhard und erzählte ihm seine Leidens-
geschichte, ohne freilich seinen Namen angeben zu können,
den er, da er ja bereits als Kind taub geworden war, nicht
mehr wissen konnte.

Ähnlich verlief die Heilung jenes taubstummen
Mädchens aus der Gegend von Bourges:
eines Tages, als es in der Kirche steht, schlägt es die
Teller, die es bei sich trägt, um mit deren Geklapper die
Leute auf sich aufmerksam zu machen und Almosen von
ihnen zu empfangen, wie wenn es von einem Wahnsinnsausbruch befallen wäre, mit aller Gewalt zusammen und
wirft sie dann auf die vor ihr stehenden Leute. Dann eilt
es zur linken Wand des Kirchenschiffes und tut, als ob es
da hinaufklettern wolle, macht einen Sprung von mehr
als drei Fuß in die Höhe und stürzt schließlich zusammen.
Da liegt es nun da, einer Toten mehr gleichend als einer
Schlafenden. Blut strömt auch ihm aus Mund und Nase
und befleckt das Mädchen über und über. Die Leute, die
dabei stehen, tragen es in die Mitte der Kirche. Da läßt
man es eine Weile liegen. Endlich richtet es sich auf,
schaut um sich gleich als ob es aus einem schweren Traum
erwacht wäre; dann faßt es die Hände der Leute, die bei
ihm stehen, und drückt ihnen mit Gebärden die Bitte aus
es aufzurichten; das geschieht und man führt es zum Altar.
Dort erblickt es unter den andern Geistlichen auch Ratleik,
den wir als Sekretär Einhards und als dessen Abgesandten
bei der Überführung der hl. Marzellin und Peter von
Rom schon kennen gelernt haben. Wie das Mädchen
ihn sieht und er wiederum es anschaut, stößt es sogleich die
Worte aus: „Du bist Ratleik, du wirst mit diesem Namen
genannt; du bist der Diener dieser Heiligen." Ratleik
weiß nun nicht, woher der Kranken sein Name bekannt ge-

worden sein könne; als er darnach frägt, antwortet sie, die
Heiligen Marzellin und Peter hätten ihr, während sie wie
im Schlummer dagelegen sei, ihre Finger in ihr Ohr hinein-
gelegt und zu ihr die Worte gesprochen: „Wenn du aufgestanden und an den Altar herangetreten bist, so wisse,
daß der junge Geistliche, welchen du vor dir stehen und
dich anblicken siehst, Ratleik heißt, und daß er unser Diener ist. Denn er selber ist es, der unsere Leiber an diesen
Ort überliefert hat." — Damit war auch an dieser Kranken, die, wie ihr Vater und ihr Bruder Einhard bezeugten,
von Geburt an taub und stumm gewesen war, der Hei-
lungsprozeß vollzogen.

Recht lange mußte jene K ö l n e r i n in Obermulinheim auf ihre Heilung warten, die an jenen schlimmen
Nervenkrämpfen litt und die nicht mehr stehen und gehen
konnte. Sie war schon einmal in Mulinheim gewesen; als
sich gar keine Besserung gezeigt hatte, wandte sie sich nach
Mainz. Aber dort hatte sie eine Erscheinung, von der
ihr befohlen ward nach Mulinheim zurückzukehren; sie tat
es, allein auch jetzt dauerte es noch zwei Monate lang, bis
ihr Hilfe ward: gerade war Ratleik wieder einmal in
Rom gewesen und hatte von dort eine Reliquie, ein Fingerglied des hl. Hermes, mitgebracht, als die Frau, an
ihrer Gesundung verzweifelnd, am kommenden Sonntag —
es war der Tag des hl. Hermes, der 28. Juli 830 —
wieder in ihre Heimat zurückkehren wollte. Da ereignete
sich in der Nacht vorher, als eben Einhard nach dem
Abendgebet die Kirche verlassen hatte und mit seinen
Ordensbrüdern zum Schlaf zurückkehren wollte, folgendes
Wunder: die Kölnerin wurde plötzlich von einer Ohnmacht befallen; etwas Blut floß aus allen Nägeln ihrer
Füße; als sie wieder zu sich kam, reichte sie den Umstehen-
den ihre Hand und erhob sich; und sie, die sich früher nur
mit Hilfe der Hände hatte fortbewegen können, ging jetzt

zum Grabe der Märtyrer in der Kirche und warf sich vor
diesem zur Erde nieder. Die Menge sieht das Wunder
und stimmt einen Hymnus an; nach seiner Beendigung
steht die Kölnerin ganz geheilt von der Erde auf und
will gar nicht mehr in ihre Heimat zurückkehren.

An mehreren Wundern war auch der schon genannte
Bettler Alberich aus Aquitanien beteiligt; wie
gesagt, war er nicht bloß blind, sondern litt auch an hef=
tigstem Zittern. Als er an einem Vormittage in seinem
Unterkunftsraum lag und schlief, hatte er eine Erscheinung,
die ihm befahl gleich aufzustehen und sich zur Kirche zu be=
geben; denn es sei die Zeit gekommen, da er geheilt wer=
den sollte; Alberich gehorchte und ließ sich zur Kirche
führen; dort fand gerade feierlicher Gottesdienst statt;
Alberich setzte sich auf einem Stein vor der Kirche nieder;
als man nun während jenes Gottesdienstes eben die dem
Evangelium vorausgehenden Gebete vollendet und gerade
zwei Verse des Evangeliums selber gelesen hatte, ertönt
von draußen plötzlich eine Stimme herein: „Hilf' mir,
heiliger Marzellin!" Die Beter in der Kirche erschrecken
nicht wenig. Die meisten wissen sich zwar zu fassen und
bleiben ruhig in der Kirche und hören das Evangelium
weiter an. Aber manchen läßt doch die Neugier keine
Ruhe; sie eilen hinaus und finden nun hier den Alberich
an der Stelle, wo er gesessen hatte, hingestreckt — Kinn und
Brust mit Blut befleckt, das ihm aus der Nase läuft. Man
richtet ihn auf, gibt ihm frisches Wasser und erquickt ihn
so einigermaßen. Jetzt erzählt er, was ihm widerfahren
sei und warum er einen so markerschütternden Schrei aus=
gestoßen habe: er sei von einem wie im Streite in den
Nacken geschlagen worden, sagt er; da habe er eben die
Hilfe von St. Marzellin erfleht. Aber jener Schlag sollte
ihm zum Heile werden; denn von dieser Stunde an sei
er von seiner Zitterkrankheit geheilt gewesen. Auch Al=

berich ließ sich nun auf dauernd in Mulinheim nieder; als
Einhard über diesen Vorfall seinen Bericht schrieb, war
Alberich schon fast zwei Jahre lang dort ansässig; und in
diesen zwei Jahren war keine Nacht vergangen, ohne daß
nicht die heiligen Märtyrer dem Alberich im Traume erschienen wären und er von ihnen manches gehört hätte,
was er andern zur Kenntnis bringen sollte. So wenigstens
erzählt uns Einhard, der sich freilich hier wieder auf das
verlassen mußte, was ihm durch Alberich mitgeteilt worden
war. Einhard glaubte allerdings die Voraussagungen, die
Alberich auf Grund der ihm zuteil gewordenen Weis-
sagungen gemacht hatte, großenteils erfüllt zu sehen, wie
er seinem Bericht hinzufügt.

Durch solche wunderbare Vorgänge und die Erzählungen, zu denen sie in aller Welt Anlaß gaben, verbreitete
sich der Ruf Mulinheims bald weithin. Doch nicht bloß
Kranke und Arme waren es, die hierdurch angezogen
wurden. Denn auch Leute, die irgendeine Schuld auf sich
geladen hatten, kamen bald in großer Zahl nach Mulinheim und hofften in der Kirche der berühmten Märtyrer
und bei deren mildem, menschenfreundlichem Diener Einhard ein Asyl zu finden. Sie täuschten sich nicht;
die Briefe Einhards legen genugsam hiervon Zeugnis ab:
da erscheint bei ihm Hunno, der Mann jenes Grafen
Hatto, und erzählt ihm von der schweren Schuld, die er
durch seine Heirat mit einer Leibeigenen seines Herrn
auf sich geladen habe. Und die beiden Wilddiebe, die vom
Grafen Poppo zu einer gar hohen Geldstrafe verurteilt
worden sind, nehmen ihre Zuflucht auch zu St. Marzellin
und Peter. Einhard weiß daraufhin bei dem Grafen gar
inständig und flehentlich für die beiden Wilderer sich zu
verwenden und ihn zu bitten „aus Liebe zu den Märtyrern Christi" ihnen gnädig zu sein, auf daß es den beiden
zum Bewußtsein komme, daß sie sich selber durch nichts

anderes beim Grafen einen Stein ins Brett gesetzt hätten
als durch ihre Zuflucht zur Stätte der heiligen Marzellin
und Peter. Auch der Knecht, der einen andern erschlagen
hat, hofft in Mulinheim bei Einhard ein Asyl zu finden
und täuscht sich nicht; und Williram und Otbert wissen
auch nicht, wo sonst sie ihre Zuflucht nehmen sollten in
ihren Herzensanliegen als bei Einhard in Obermulinheim.[1])

Doch genug von all den Wundern, deren Augenzeuge
Einhard in manchen Fällen selber war, genug auch von den
Hilfesuchenden, welche sich in Obermulinheim einfanden.
Diese Einzelheiten veranschaulichen es, denke ich, genugsam, welch hohen Ruhmes sich Mulinheim als Wallfahrts-
und Zufluchtsort schon bald erfreuen konnte, und wie die
von Rom gekommenen Überreste der hl. Marzellin und
Peter gewissermaßen der Mittelpunkt wurden, um den sich
das ganze, frisch aufblühende Leben Mulinheims und des
christlich gewordenen Maingaues gruppierte. Es ist daher
auch begreiflich, wenn Mulinheim selbst seinen
bisherigen Namen abstreifte zugunsten einer
neuen, von eben diesen bedeutungsvollen Heiligenleibern
ausgehenden Bezeichnung: man nannte die Stätte, wo
diese Leiber nunmehr ruhten, „Saligenstad" = Seligenstadt.[2]) Nicht als einzige derartige Ortsbezeichnung ist
für Obermulinheim dieser Name aufgekommen. Auch in
einer Reihe von andern Gegenden Deutschlands findet er
sich — übrigens ähnlich wie auch „Heiligenstadt".[3]) In

[1]) S. zu all dem oben S. 162.

[2]) Sehr fraglich scheint es mir zu sein, ob man hierbei wirklich an den Namen des alten Römerortes, der an derselben Stelle
sich befunden hatte, d. h. des „castrum Selgum" anknüpfte und
diesen alten Namen volksethymologisch umgestaltete zu Seligenstadt; s. E. Förstemann, Altdeutsches Namenbuch II 3. Aufl. herausgegeben von H. Jellinghaus (Bonn 1916) 668 f.

[3]) So findet sich ein Seligenstadt als Bezeichnung für die
Stadt Osterwieck im Kreise Halberstadt, Regierungsbez. Magde-

der Regel — und so auch bei unserem Seligenstadt — weist er wohl auf Orte hin, die durch Heiligenleiber, die dorthin gebracht worden waren, zu ihrer Bedeutung gelangt waren.¹)

burg, Prov. Sachsen; ebenso Seligenstadt als Name für ein früheres Kloster Seck, Kreis Westerburg, in der preußischen Provinz Hessen-Nassau (Förstemann a. a. O.); auch im Fränkischen kommen mehrere Orte dieses Namens vor; eine Gemeinde Seligenstadt liegt im Bezirksamte Kitzingen in Unterfranken (Bayern), eine andere Gemeinde in Mittelfranken im Bezirksamt Hilpoltstein (Bayern). — Eine Kreisstadt Heiligenstadt liegt im Eichsfeld (Regierungsbezirk Erfurt in der preußischen Provinz Sachsen); daneben ein Markt Heiligenstadt im bayrischen, oberfränkischen Bezirksamt Ebermannstadt. Ein Dorf dieses Namens auch in Oberösterreich, Bezirkshauptmannschaft Braunau, Gemeinde Lemgau, sowie ein anderes in Steiermark, Bezirkshauptmannschaft Murau, Gemeinde St. Lambrecht.

¹) Denn daß Seligenstadt von sêlic im Sinne von besonders glücklich, also in der Bedeutung „beglückter Ort" kommt, scheint mir nicht richtig zu sein.

XVIII.

Am Vorabend der Palastrevolution — Einhard und Hilduin, zwei Hofleute Ludwigs des Frommen.

Jener 17. Januar 828 mit seinen kosenden Frühlings= lüften am Main, an dem die Überführung der Reliquien St. Marzellins und St. Peters nach Obermulinheim er= folgt und der Einhard gleich einem schönen Lenzestag er= schienen war,[1] bedeutete in dessen eigenem Lebenslauf den Anbruch einer neuen Periode, den B e g i n n   s e i n e s L e b e n s h e r b s t e s.   Die Zeit nimmermüden Schaffens am Aachener Hofe gehörte für ihn immer mehr der Ver= gangenheit an; seine Bestrebungen und Interessen liefen jetzt mehr und mehr in e i n e m Brennpunkt zusammen. Und dieser Brennpunkt war Mulinheim und seine Hei= ligen.

Zwar mußte, wie wir wissen,[2] Einhard auch noch zu einer Zeit, da er sein eigentliches Hofamt in Aachen nieder= gelegt hatte und da hier Gerward sein Nachfolger ge= worden war, ab und zu am Aachener Hofe erscheinen; denn ohne seinen bewährten Rat schien es hier nicht mehr so recht zu gehen; aber Einhard empfand diesen Aachener Aufenthalt sicher meist als einen unangenehmen Zwang; wiederholt suchte er sich bei Hofe zu entschuldigen. Beson=

---

[1] S. oben S. 276.
[2] S. oben S. 274.

ders köstlich ist der schon gestreifte Brief an seinen Amts=
nachfolger. Gerward zu lesen; es ist ein geharnischtes
Schreiben, das Einhard, offenbar in recht schlechter Stim=
mung, damals an Gerward losgelassen hat. Er wisse nicht,
so beginnt er seine Epistel, was er von Gerward denken
solle: entweder müsse dieser die Zeilen, die Einhard ihm
kurz vorher geschickt hatte, nicht verstanden haben; oder er
müsse sich über die Gefahr, in der Einhard schwebe, nicht
klar geworden sein. Wie nämlich Einhard schon in jenem
früheren Schreiben auf die Weisung Gerwards nach
Aachen zu kommen diesem mitgeteilt hatte, war Einhard
durch eine Erscheinung geheißen worden ununterbrochen
in Seligenstadt zu bleiben und jedenfalls nicht eine ganze
Woche lang von dort abwesend zu sein. Gerward habe
sich also, wenn er trotzdem den besagten Befehl an Ein=
hard wiederholte, so meinte dieser, entweder die prekäre
Lage, in welche er durch jenes Gebot gekommen sei, nicht
genügend vergegenwärtigen können, oder er scheine Einhards
früheren Brief nicht recht verstanden zu haben. Und da
wolle er lieber annehmen, er sei so sehr beschäftigt gewesen,
daß er die erhaltenen Zeilen nur flüchtig gelesen und ver=
standen habe, als daß er glaube, Gerward kümmere sich ein=
fach um das Unglück, das ihm (Einhard) bevorstehe, nicht.
Denn wenn keine der beiden Annahmen zuträfe, so hätte
Gerward unmöglich ihn ermahnen, ja ihm sogar die Wei=
sung geben können, er solle seinen Aufenthalt in Seligen=
stadt unterbrechen und nach Aachen kommen. Das ginge
doch in einer Woche nicht; denn schon die Hinreise — ganz
abgesehen von dem Aufenthalt daselbst — koste ihn sieben
Tage, zumal bei den schwierigen Wegeverhältnissen und
bei seinem derzeitigen schlechten Gesundheitszustand ein
schnelleres Reisen nicht möglich sei. Und so bitte Ein=
hard denn den geschätzten Adressaten, er solle seinen ersten
Brief an ihn noch einmal durchlesen und seinen Inhalt zu

erfaſſen ſuchen; dann möge er ihm eine Antwort geben, wie er ſie ſchon längſt ſchriftlich erbeten habe; er möge ihm mitteilen, was ihm von jener Offenbarung und von der ſtrengen Weiſung in Seligenſtadt zu bleiben gut ſchiene. An Boten werde kein Mangel ſein, wenn Gerward ſeine Antwort Bonotto, Einhards Biztum (in Maaſtricht), überſchicken wolle. —

So ſuchte alſo Einhard, ſoweit dies ſich machen ließ, ſeine Aufenthaltspflicht bei Hofe zu umgehen. So manchesmal mußte er ſich zwar doch v o n S e l i g e n ſ t a d t n a ch A a ch e n aufmachen; namentlich die Wintermonate pflegte er dort zu verbringen. Im November trat er dann meiſt die Reiſe an; dabei benützte er die alte Römerſtraße und zog von Obermulinheim nach Aachen in ſchnurgerader Richtung.[1]) Nicht immer verlief dieſe Reiſe ohne Z w i - ſ ch e n f a l l. So hören wir einmal davon, wie er mit einigen Reliquien ſeiner Heiligen an einem Novembertage eben wieder den Weg nach Aachen angetreten hatte und nun bereits den Rheinübergang hinter ſich liegen hat; in S i n z i g, der königlichen Pfalz nächſt Bonn, iſt Einhard angekommen und will hier übernachten; man ißt hier zu Abend und ſchon hat ſich die früh hereinbrechende Dämmerung über die rheiniſchen Fluren herabgeſenkt; als ſich Einhard mit ſeinen Vertrauten in ſein Schlafzimmer zurückzieht, iſt es ſchon ſpät geworden; er wartet hier noch auf den Diener, der ihm den Nachttrunk zu reichen pflegt; als dieſer hereintritt, ſieht es ihm Einhard ſogleich an, daß er etwas Beſonderes auf dem Herzen haben muß. „Was gibt es denn zu berichten?“ frägt er ihn. „Denn, wie ich merke, haſt du etwas, was du mir erzählen willſt!“ — Der Diener bejaht das und ſagt, daß ſich ſoeben zwei Wunder ereignet hätten: ſogleich, nachdem man vom Tiſche aufge-

---

[1]) S. Matthaei, Einhards Translatio SS. Marcellini et Petri 16.

ſtanden ſei und Einhard ſich in ſein Schlafzimmer zurückgezogen habe, ſei er, ſo erzählt der wackere Schenke, mit
ſeinen Genoſſen in den Keller hinuntergeſtiegen, der unter
dem Speiſezimmer gelegen ſei. Dort habe man noch ein
kleines Gelage veranſtaltet: eben habe man den Knechten
Bier ausgeſchenkt, da ſei ein Junge mit einer Flaſche er-
ſchienen, den ein anderer Knecht geſchickt hatte; er habe gebeten die mitgebrachte Flaſche ihm zu füllen. Das tat
man denn auch; nun bat der Burſche, man möchte auch
ihm ſelber etwas von dem Bier geben. Man erfüllte
ihm auch dieſe Bitte und ſchenkte ihm in ein Gefäß,
das auf dem Bierfaß geſtanden hatte, Bier ein. Als der
Junge nun aber dies Gefäß zum Munde führte und trinken wollte, da rief er höchſt verwundert aus, das ſei ja
Wein, nicht Bier! Das ſei nicht wahr, meint der, welcher
ſowohl die Flaſche wie auch das Gefäß des Jungen von
demſelben Spunde gefüllt hatte! Der Bube entgegnet, er
ſolle ſich doch nur ſelbſt davon überzeugen, daß es ſo ſei,
wie er geſagt. Jener nimmt und koſtet: in der Tat, es
ſcheint auch ihm wie Wein zu ſchmecken! Ein dritter und
ein vierter, ja ſchließlich alle, die da ſind, probieren's und
leeren ſchließlich den Krug. Und alle kommen zu demſelben
Ergebnis: ganz nach reinem Wein, nicht nach Bier ſchmecke
die Flüſſigkeit! Man beſtaunt das Wunder, das ſich da
ereignet hat. — Da fällt plötzlich die Kerze, die zur Beleuch-
tung in dem dunkeln Keller gedient hatte und an der Wand
befeſtigt geweſen war, herunter, ohne daß jemand hin-
geſtoßen wäre; ſie fällt auf den naſſen Boden und erliſcht
hier natürlich, ſo daß gar kein Lichtſchimmer mehr zu ſehen
iſt. Einer der Leute packt die Kerze und rennt im Finſtern
dem Ausgang zu. In ſeinem Schrecken ruft er, noch ehe
er hinaustritt, aus: „Heiliger Marzellin und Petrus, helft
uns!" Und auf dieſen Ruf hin brannte die Kerze, die er
in der Hand hielt, und die doch zuerſt völlig erloſchen war,

20*

wieder an. — So erzählte in jener Nacht Einhards
Diener seinem Herrn in dessen Schlafkämmerlein in der
Königspfalz zu Sinzig. Einhard aber lobte, wie er selber
uns sagt, den allmächtigen Gott, „der seine Heiligen immer
und überall verherrlicht, und uns, seine Diener, die wir
damals heilige Reliquien von diesen mit uns hatten, mit
solchen Wundern zu erfreuen sich gewürdigt hat." Dann
ließ Einhard den Diener, der ihm diesen Bericht erstattet
hatte, in seine Wohnung gehen. Und auch er selber ging
zu Bette. — Auch wenn Einhard es uns nicht eigens
aufgeschrieben hätte, könnten wir es uns denken: noch lange
lag er in jener Nacht wach auf seinem Lager und dachte
hin und her: immer wieder wollte er eine Antwort suchen
auf die Frage, was denn jene Verwandlung des Bieres
in Wein, also die Verwandlung eines minderen Stoffes
in einen kostbareren, zu bedeuten hätte. Und auch darüber
glaubte sich Einhard Rechenschaft geben zu sollen, warum
dieses Wunder gerade in der Königspfalz zu Sinzig sich
begeben hätte, nicht in Obermulinheim, wo doch die Leiber
jener Heiligen selber lagen, welche durch Christi Kraft es
gewirkt hatten. — Es wird, meine ich, nicht allzu oft dem
Historiker vergönnt sein, so klar und so sicher in den Ge-
dankengang einer geschichtlichen Persönlichkeit dank der
eigenen Angaben derselben Einblick zu erhalten, wie dies
uns hier gestattet ist; denn was ich hier berichtet habe, ist
nicht etwa das Produkt eigener Phantasie, sondern Einhard selbst ist es, der uns in seiner Translatio SS. Marcellini et Petri von allen diesen Gedanken und Erwägungen,
welche in jener Nacht durch seine Seele zogen, Kunde gibt;
und er hat auch nicht verfehlt uns zu sagen, daß er trotz
langen und sorgfältigen Nachdenkens über diese Dinge zu
keinem sicheren Ergebnis kommen konnte. „Gleichwohl —
so schließt er — hielt ich es für gewiß und werde es auch
immer für gewiß halten, daß jene göttliche und überirdische

Kraft, durch welche diese und andere Wunder dieser Art nach unserem Glauben geschehen, niemals etwas ohne Grund tue oder an den Geschöpfen, welche zu den Plänen ihrer Vorsehung und ihrer Weltenlenkung zweifellos gehören, geschehen lasse." —

Nicht viel weniger anschaulich schildert uns Einhard einen andern Vorfall, der sich gleichfalls auf einer seiner Reisen nach Aachen abspielte. Es war diesmal schon der 1. Dezember herangerückt, als Einhard von Seligenstadt aufbrach. Am 2. Dezember war er in das alte Römerkastell gekommen, das, wie er sagt, in der „heutigen Zeit" Wisibada — Wiesbaden ist dies natürlich — genannt wird. Die Überquerung der Höhen des Taunus stand bevor. Die Diener Einhards, welche sein Gepäck transportierten, waren ihm vorausgezogen; sie hatten nun im Gebirge recht große Schwierigkeiten mit dem Wege. Ein dichter Nebel, schwarz wie die Nacht, umgab mit einemmal die Leute Einhards. Sie wußten gar nicht mehr, wohin man sich wenden sollte. Zudem war es bitter kalt; der Boden war ganz weiß von Schnee, so daß es unmöglich war, die Straße zu finden. Die Joche des Gebirges selber, über welche man ziehen mußte, waren von schwerem Wolkenschleier behangen, so daß man nicht sehen konnte, wie weit oder wie nahe sie noch entfernt lagen. Dazu kam, daß auch auf den Tälern ein Nebel lag, der durch seine Dichtigkeit den Blick behinderte und die Reisenden aufhielt. Als die Leute Einhards mit solchen Schwierigkeiten zu kämpfen hatten und nicht wußten, was man tun sollte, da sprangen sie schließlich von den Pferden herunter und suchten den Weg, den sie nicht mehr sehen konnten, durch Greifen festzustellen. Aber auch das will nicht recht gelingen. Sie steigen wieder auf's Pferd. Lieber will man in die Irre reiten als sich so verzögern. Als sie darauf ein wenig durch die Dunkelheit gezogen sind, kommen sie

zu einem Kreuz. Es war nicht lange vorher zum Gedächtnis St. Marzellins von den Bewohnern eines Ortes ge-
ſetzt worden, welche Einhard entgegengegangen waren, damals, als dieſer — wir werden darauf erſt noch einzugehen haben[1]) — von Aachen mit den Überreſten dieſes
Heiligen nach Obermulinheim gezogen kam; gerade an
dieſer Stelle, wo jetzt das Kreuz ſtand, waren damals jene
Dorfleute auf Einhard getroffen. — Als nun die Diener
Einhards an dieſe Stelle mehr zufällig als abſichtlich gekommen waren, beſchloſſen ſie hier auf ihre Kameraden,
die folgten, zu warten und dieſe, um ſie vor Irregehen zu
ſchützen, mit einem Hörnerruf herbeizuholen. Wenn auch
ſie ſich eingefunden hätten, wollte man die Heiligen anrufen und ein dreimaliges „Kyrie eleïſon!“ anſtimmen.
So denken eben die Diener Einhards — da zucken plötzlich
ſo zahlreiche Blitze vom Himmel, daß ihr Schein der Helle
des Tages gleichkommt. So wird den Leuten das Finden
des Weges erleichtert. Der Nebel ſchwindet, die Dunkelheit vergeht, man kann die Straße, die man ziehen muß,
klar ſehen und den Weg, obgleich er durch Wälder und über
Berge, die durch Haine beſchattet ſind, führt, ohne Irren
bis zum Morgen wandeln. Am Morgen wird es dann ſo
warm, daß man — ſo ſagt Einhard freilich mit etwas
ſtarker Übertreibung — eine Hitze wie in einer Schmiede
verſpürt. Da ſchwindet nicht bloß der Nebel, ſondern auch
der Schnee ſchmilzt dahin, der die Berge und den ganzen
Wald bedeckt hatte. —

Als Einhard nach jenem wundervollen Vorfall zu
Sinzig, der ihm ſoviel zu denken gegeben hatte, am Aachener
Hofe anlangte, da hatte ſich hier ſo manches nicht zum
beſſern verändert gegenüber den Tagen Kaiſer Karls: wir
haben von dieſen Wandlungen ja ſchon oben[2]) gehört.

---

[1]) Am Ende dieſes Abſchnittes.
[2]) S. 116f.

Und wie sah es erst im weiten Frankenreiche aus!
Die Verhältnisse, welche hier herrschten, schienen allerdings einer stärkeren und festeren Hand, als sie Kaiser
Ludwig besaß, zu bedürfen. Der Zustand des Reiches
wurde in mancher Hinsicht immer schlimmer. Überall über-
wucherten Eigennutz und Selbstsucht die Interessen der All-
gemeinheit.[1]) Was halfen Gesetze und Verordnungen,
wenn kein Arm da war, der für ihre Durchführung sorgte,
und wenn die staatlichen Organe selber, die Amtsleute des
Kaisers, das Volk nur auszubeuten schienen? Von allen
Seiten hörte man Klagen und Anschuldigungen gegen die
Reichsregierung. Wenn schon in der Zeit Ludwigs d. Fr.
die öffentliche Meinung annehmen zu sollen glaubte, daß
Recht und Gerechtigkeit noch niemals so tief darnieder-
gelegen sei als in der Gegenwart, so war das insofern begreiflich, als im Verhältnis zu der kurz verflossenen „guten
alten Zeit“, da Kaiser Karl noch das Zepter geführt hatte,
tatsächlich alles weit zurückgegangen war. Freilich: in der
Zeit nach Ludwig d. Fr. sollte sich zeigen, daß der Verfall der öffentlichen Ordnung in Ludwigs Tagen noch lange
nicht einmal seinen Tiefstand erreicht hatte, daß die
Verwirrung immer noch weiter greifen und immer noch
schlimmere Formen annehmen konnte. Für die Zeitgenossen
Ludwigs d. Fr. aber schien es, als habe bereits jetzt das
Staatswesen einen Tiefstand erfahren, wie man ihn schlim-
mer gar nicht mehr sich ausmalen zu können glaubte. Am
Hofe sah man Ränke und Intriguen, Neid und gegenseitige
Rivalität zwischen den einzelnen Hofwürdenträgern. Die
Grafen, welche draußen der Verwaltung dienen sollten,
zeigten sich nur allzu sehr der Bestechung zugänglich. Die
Lasten, welche der Staat verlangte, wurden immer
drückender.

---

[1]) Vgl. zum folgenden E. Mühlbacher, Deutsche Geschichte
unter den Karolingern, in der Bibliothek deutscher Geschichte,
herausgeg. von Zwiedineck-Südenhorst (Stuttgart 1896) 262ff.

Und ähnlich wie im Staate stand es auch in der
fränkischen Kirche. Mit der zunehmenden Bedeutung, welcher sich die fränkischen Kirchenfürsten nach außen
hin erfreuten, hatte die innere Kraft und Güte des fränkischen Klerus' nicht gleichen Schritt gehalten. Weltliche
Interessen traten nur allzu stark hervor. Der Verfall der
alten, strengen kirchlichen Zucht machte sich unheimlich breit.
Die Vernachlässigung kirchlicher Verpflichtungen, die Lax-
heit in der Seelsorge gaben mehr als genug Anlaß zu
Klagen. Hatte der niedere Klerus teilweise eine entwür-
digende soziale Stellung inne, so konnte man anderseits
der Hofgeistlichkeit Buhlen um die Gunst der Großen, ein
unwürdiges Streben nach ertragreichen Pfründen und Äm-
tern, das oft genug in Simonie ausartete, zum Vorwurf machen.

Die Mißstände hatten natürlich auch ihre Rück-
wirkung auf die breiten Massen. Eine Verwilderung
der unteren Volksschichten hatte eingesetzt.
Statt daß die Reste des Heidentums endlich vor christlicher
Sitte dahingeschwunden wären, wucherten sie und mit
ihnen alter heidnischer Aberglaube und Zauberei, Wahr-
sagerei und Traumdeuterei im Verborgenen immer noch
fort; die geheimen Mittelchen und Künste, die man vom
Ahn überkommen hatte, das Brauen von Zaubersäften und
von besonderen Tränken, die vermeintliche Kunst Hagel-
wetter zu erzeugen, die Feldfrüchte dem Feinde verderben
und dem Freunde gedeihen zu lassen, die angebliche Fähigkeit den Kühen ihre Milch zu entziehen — alle diese Dinge
mußten von kirchlicher Seite immer wieder gerügt werden.

Und alle die andern Schwächen und Sünden der
Menschen, die sich nicht selten zu Lastern und Verbrechen
steigerten! Die Heiligung des Sonntags achtete man gering. Die kirchlichen Zehnten wurden nur unregelmäßig
abgeliefert. So manchem schienen Jagd und Würfelspiel

ftatt ernster Arbeit unentbehrlich. Meineid kam nicht
minder häufig als Unmäßigkeit und Unzucht vor, Raub und
Diebstahl, ja selbst Totschlag und Mord waren an der
Tagesordnung. Die Blutrache kam wieder mehr in
Übung. Und anderseits wurden die Beziehungen derselben
Sippenmitglieder immer stärker gelockert. Gerade Bluts=
verwandte trennte zuweilen Haß und Neid; die Greuel,
welche die heraufziehenden Jahrzehnte der Bruderkriege
in der großen Politik bringen sollten, waren somit in den
Kreisen des fränkischen Volkes schon damals in furchtbarem
Maße verbreitet.

Neben diesen Übelständen, die von der Verderbtheit
der Menschen herrührten, kamen damals unglückliche
und widrige Verhältnisse in der Natur:
fast Jahr für Jahr klagte man über Mißwachs und Hun=
gersnot, über Pestilenz unter den Menschen und über
Seuchen unter dem Vieh. Furchtbare Gewitter verbreite=
ten Angst und Schrecken, und entsetzliche Brände vernichte=
ten des Volkes Wohlstand. Das Frankenvolk, wenige
Jahrzehnte vorher noch glücklich und reich, begann auch
materiell arm und ärmer zu werden.

Auch in Einhards Leben und gerade bei seinem
oben vermerkten Aufenthalt zu Aachen sollte die trübselige
Stimmung, welche über dem fränkischen Volke und über
den fränkischen Großen angesichts der Zerrüttung des
Reiches lagerte, zum Ausdruck kommen.[1]) Auch er nahm
an dem Reformreichstag teil, der damals
gegen Ende des Jahres 828, mitten im Winter, in
Aachen abgehalten wurde; sein Herz freilich war auch
jetzt in Seligenstadt. Dorthin sandte er nach seiner An=
kunft in Aachen einen seiner Leute, einen gewissen Ellen=
hard; er sollte die Seligenstädter Brüder besuchen und

---

[1]) S. unten S. 318ff.

die Verhältnisse daselbst einer Besichtigung unterziehen,
um dann Einhard hierüber Bericht zu erstatten. — Ellenhard leistete dem Gebot seines Herrn Folge und wollte,
wie ihm geheißen, möglichst schnell wieder zu Einhard zurückkehren; als er aber nach einem Aufenthalt von drei
Tagen Seligenstadt wieder verlassen will, da wird er durch
Alberich, den wiederholt schon erwähnten[1]) Seligenstädter
Bettler, der dort durch seine Visionen berühmt geworden
war, zurückgehalten. Ellenhard, so meint Alberich, müßte
in Seligenstadt vor seiner Abreise noch ein Erlebnis haben,
über dessen Schilderung sich Herr Einhard gar sehr freuen
würde. Alberich weiß nämlich von einem Gesicht zu berichten, das er in der letzten Nacht gehabt haben will:
St. Marzellin und St. Peter seien ihm da im Traum erschienen und hätten ihm befohlen, einen anderen Armen
namens Gisalbert zu suchen, der einen schrecklich großen
Höcker hatte und der so stark verkrümmt war, daß er sich
beim Gehen auf kurze Stecken stützen mußte; wenn Alberich diesen Gisalbert gefunden habe, solle er ihn zur Zeit
des Morgengottesdienstes auf die Empore, welche über dem
Portikus der Kirche zu Seligenstadt gelegen war, zu
den hier befindlichen Reliquien bringen; durch die Verdienste und die Kraft der Heiligen, von denen diese Überreste herrührten, werde Gisalbert von seinem Höcker und
von seiner Verkrümmung geheilt werden. — Durch diese
Angaben Alberichs ließ sich Ellenhard bestimmen seine
Rückreise zu Einhard aufzuschieben. Und in der Tat fand
Alberich jenen Bettler und brachte ihn zur angegebenen
Stunde an den fraglichen Ort; die hier aufbewahrten Reliquien waren seinerzeit mit denen der Heiligen Marzellin
und Peter von Rom ins Frankenreich gekommen. Aber
man wußte damals noch nicht, von welchen Heiligen sie

---

[1]) Oben S. 285, 300.

seien, da Deusdona, der sie Einhard geschickt hatte, ihm hatte sagen lassen, er werde später, wenn er einmal Einhard persönlich träfe, diesem die Namen der betreffenden Heiligen angeben. Später erfuhr dann Einhard auch tatsächlich von Deusdona, daß es die Reliquien des Märtyrers Marius und seiner Gattin Martha sowie seiner Söhne Audifax und Habakuk — sie hatten den Märtyrertod unter Kaiser Aurelian Ende des dritten Jahrhunderts erlitten — seien. — Als nun jener Gisalbert neben die Reliquien dieser Heiligen gebracht worden war, schrie er während der zweiten Lesung bei der Matutin gar laut auf, so daß die, die es hörten, sehr erschraken. Einige Geistliche wie auch Alberich kamen herbeigeeilt und fanden Gisalbert neben dem in jenem Raume befindlichen Altar am Boden liegen; dieser war von dem Blute ganz naß, das ihm aus dem Munde floß. Man hob Gisalbert auf und erfrischte ihn mit Wasser. Als er wieder zu sich kam, war sein Höcker verschwunden; voll Dankbarkeit gegen Gott führte man den Geheilten in das untere Geschoß der Wallfahrtskirche. —

Diesen Bericht hörte Einhard voll freudigen Herzens aus dem Munde Ellenhards, der ihn haarklein seinem Herrn wird vorgetragen haben. Aber schon bald sollte Einhard während jenes Aufenthaltes zu Aachen eine noch staunenswertere Kunde aus seinem geliebten Seligenstadt erhalten, eine Kunde, die im engsten Zusammenhange stand mit den zerrütteten Verhältnissen des Reiches, von denen ich gesprochen habe, und mit dem Reformreichstage, der gerade damals in Aachen abgehalten werden sollte.

Ratleik, der uns schon wohlbekannte, erschien vor Einhard in Aachen; er kam von Seligenstadt und brachte von dort eine kleine Schrift, eingeteilt in mehrere Kapitel, mit sich; und Ratleik wußte Einhard eine Mär zu berichten, bei der es diesem vermutlich gar schauerlich zu

Mute geworden ist; denn also erzählt ihm Ratleik: „Vor
ein paar Tagen, als wir uns, wie üblich, zur Verrichtung
des nächtlichen Gottesdienstes in der Kirche versammelt
hatten, trat auf mich jener Blinde (Alberich) herzu, den
du kennst, und ersuchte mich, ich sollte mit ihm an einen
etwas entlegenen Ort gehen." Ratleik habe diesem
Wunsch entsprochen und sei mit dem Alberich in seine Zelle
gegangen. Da habe ihm Alberich nun erzählt, daß in
dieser Nacht — es war kurz, ehe die Stimme der Glocken
die Schläfer zum Gebete weckte — ihm in einer Erscheinung
ein Mann vor Augen getreten sei, der durch sein weißes
Haar einen ehrwürdigen Eindruck gemacht habe und der
mit einem weißen Gewand bekleidet gewesen sei, während
seine Hand einen goldenen Stab hielt. Der Alte habe
ihn nun angesprochen und habe ihm befohlen, auf all das,
was er ihm jetzt sage, wohl zu merken und nichts zu vergessen, damit er es auch anderen klarlegen könne, die es
dann aufschreiben würden. „Denn ich wünsche," so sagte
die Erscheinung, „daß es aufgeschrieben und durch eueren
Herrn dem Kaiser Ludwig zur Lektüre vorgelegt werde.
Denn es ist sehr notwendig, daß der Fürst, in dessen Reich
jene Märtyrer durch Gottes Befehl gekommen sind, diese
Dinge nicht allein kennen lerne, sondern daß er sie auch
ausführe." Und nun habe die Erscheinung dem Alberich
zwölf oder noch mehr Absätze der Reihe nach verkündet
und Alberich angewiesen, diese Punkte im einzelnen dem
Ratleik und vier anderen, wie sie Alberich dem Ratleik
angeben werde, aufzuzählen und klarzulegen; hernach sollte
Ratleik dies alles schriftlich festhalten und es Einhard
samt der Weisung, er solle diese Aufzeichnung möglichst
bald dem Kaiser unterbreiten, überbringen. Die Erscheinung habe dann noch beigefügt: „Weißt du nicht, wer ich
bin, der ich dir dies befehle?" Alberich habe frischweg geantwortet, es sei St. Marzellin. Die Erscheinung aber

sprach): „Es ist nicht so, wie du denkst, sondern ich bin der
Erzengel Gabriel, und ich habe die Gestalt und die Hülle
des Marzellin deshalb angenommen, weil Gott der Herr
mir die Sorge für alle Dinge und Ursachen übertragen hat,
welche sich auf jene Heiligen beziehen; und nun bin ich
gekommen, um dir anzugeben, was man meinem Befehl ge=
mäß aufschreiben soll, da es Sache des göttlichen Willens ist,
daß dies auf Grund ihrer Autorität unverzüglich zur
Kenntnis des Königs komme. Du aber melde, wie ich
dir befohlen habe, beim ersten Tagesgrauen nach Vollen=
dung des Morgengottesdienstes, was du gehört hast, denen,
denen du nach meinem Geheiß das melden sollst." — Albe=
rich habe daraufhin seine Zweifel darüber geäußert, ob
man ihm Glauben schenken werde: wie sollte man es ihm
glauben, daß der Engel mit ihm gesprochen und diese
Dinge kundzutun ihn geheißen habe? — Aber der Engel
habe ihn beruhigt und ihm ein Zeichen verheißen, auf
Grund dessen man ihm glauben werde: er solle sich von
Ratleik zwei neue Kerzen, die noch nie angebrannt wor=
den seien, geben lassen und solle, die eine von ihnen in der
Rechten, die andere in der Linken haltend, vor den Altar
treten. So solle er alles erzählen, was ihm St. Gabriel
gesagt habe. Und wenn er damit zu Ende gekommen sei,
so solle er seinen Zuhörern sagen, sie sollten an die Wahr=
heit seiner Darstellung glauben, wenn die beiden Kerzen
ohne irdisches Feuer vor allen Zuschauern anbrennen wür=
den. So sei es denn auch wirklich geschehen. Daraufhin
wurde von Ratleik jene Schrift abgefaßt,
die dieser Einhard nach Aachen brachte.

All das berichtete damals Ratleik Einhard: Alberich
habe also, so kündete er diesem, ihm (Ratleik) auf Veran=
lassung des Erzengels Gabriel geboten diese Kapitel auf=
zuzeichnen und sie Einhard zu überbringen mit der Wei=
sung, dieser solle sie dem Kaiser zur Einsichtnahme dar=

reichen. — Einhard nahm nun die Schrift entgegen und
las sie durch. Aber er glaubte sie so, wie sie war, dem
Kaiser doch nicht übergeben zu können. Dagegen sträubte
sich der klassische Philologe in Einhard! Er meinte, die
Schrift zunächst einer Korrektur unterziehen zu müssen.
Und schließlich war eine neue Abschrift nötig. So machte
sich denn Einhard auch wirklich daran die Schrift stilistisch
zu verbessern und sie dann nochmals sein säuberlich abzuschreiben. Erst jetzt glaubte er sie — dem ihm übermittel-
ten Befehle gemäß — dem Kaiser darreichen zu dürfen.
Der alte Hofmann in ihm kam eben da trotz aller Tünche,
welche sein mönchisches Leben darüber gegossen hatte, doch
wieder zum Vorschein. Ludwig der Fromme nahm die Blätter, die ihm sein alter Vertrauter darreichte, entgegen und
las sie durch. Aber der Erfolg, den diese Lektüre hatte,
war herzlich gering: „Nur ganz wenig von dem, was der
Kaiser in jener Schrift zu tun geheißen und gemahnt worden war, ließ er ausführen," sagt Einhard resigniert.

In jener Schrift Ratleiks, die durch Einhard dem
Kaiser überreicht wurde, hatte die Stimmung der Allge-
meinheit und die Forderungen an die Regierung, die sie
auslöste, einen Niederschlag gefunden. Schade, daß uns
ihr Inhalt nicht überliefert ist! Er wird indes nicht allzu
stark abgewichen sein vom Inhalt eines andern Büchleins,
das Einhard bald hernach — Ratleik war bereits wieder
nach Obermulinheim heimgekehrt — von hier nach Aachen
überschickt bekam.

Die Kunde, welche dies Büchlein enthielt, war merkwürdig genug. Sein Inhalt bestand, wie man wenigstens
Einhard zu berichten wußte, aus den Worten und Gedanken eines bösen Geistes, der sich Wiggo genannt habe und
der nach seiner eigenen Aussage ein Gefolgsmann und
Schüler Satans selber und lange Zeit hindurch in der
Hölle Pförtner gewesen war; vor einigen Jahren aber

habe er mit noch elf seiner Genossen die Hölle verlassen und sei in das Frankenreich gezogen, um dieses zu verwüsten. Getreide und Wein und alle sonstigen Früchte, welche die liebe Erde zum Gebrauch der Menschen gegeben habe, habe die böse Schar gemäß der Weisung, die sie bekommen hatte, ruiniert; die Herden habe jener Wiggo samt seinen Genossen mit Seuchen geschlagen, die Menschen selber mit Krankheiten und Pestilenz heimgesucht. Alles Übel und alles Elend hätten sie über die Menschen, die solche Heimsuchung schon seit langer Zeit verdient hätten, gebracht. — So erklärte Wiggo in Obermulinheim durch den Mund eines 16jährigen Mädchens, das aus Höchst im Niddagau stammte; die arme Besessene war von ihren Eltern an den Wallfahrtsort gebracht worden, um hier Befreiung von ihrer Besessenheit zu erlangen. Als man sie vor den Reliquienschrein geführt hatte und der Priester über ihrem Haupte die Teufelsbeschwörung in der üblichen Weise vorgenommen und an den bösen Geist die Frage gerichtet hatte, seit wann und wie er in das Mädchen gekommen sei, da habe der Teufel nicht in der Sprache der Barbaren,[1]) sondern in Latein geantwortet; und dies, trotzdem doch das Mädchen nur der deutschen, nicht auch der lateinischen Sprache kundig gewesen sei! Der Priester sei deswegen in Staunen geraten und habe gefragt, wie es denn nur zu erklären sei, daß das Kind Latein redete, da doch seine Eltern von dieser Sprache keine Ahnung hätten. Der böse Geist, der aus dem Mädchen sprach, habe nun den schon wiedergegebenen Aufschluß über sich gegeben. Als der Priester dann von dem Geist erfahren wollte, warum ihm und seinen Gefährten eine solche Macht im Frankenreiche Böses zu verüben gegeben worden sei, habe Wiggo auf den priesterlichen Beschwörungsbefehl das Mäd-

---

1) S. oben S. 288.

chen zu verlaſſen ausdrücklich erklärt, er tue ſolches nicht der
Beſchwörung wegen, ſondern vielmehr wegen der Macht der
Heiligen Marzellin und Peter, welche ihn nicht mehr länger im Beſitze ſeines Opfers ließen; nach dieſen Worten
habe Wiggo das Mädchen zu Boden geſtoßen, wo es eine
Weile wie im Schlafe dagelegen ſei. Dann aber ſei das
Kind, als der Teufel es verließ, wie vom Schlafe erwacht
und ſei nun durch die Kraft Chriſti und durch die Ver-
dienſte der hl. Märtyrer vor aller Augen und zum Er-
ſtaunen aller Anweſenden geſund aufgeſtanden. Und nun,
nach der Austreibung des Teufels, habe es auch nicht mehr
lateiniſch gekonnt. Daraus zog Einhard den Schluß, daß
das Mädchen jene lateiniſche Ausſage nicht aus ſich ſelber
heraus gemacht habe, ſondern daß der Teufel durch den
Mund des Mädchens geſprochen habe. Und mit einem
Seufzer fügt er bei: „O Jammer! O Elend! Zu welchem
Unglück haben es doch unſere Tage gebracht, da nicht mehr
gute Menſchen, ſondern böſe Geiſter als Lehrmeiſter auftreten und uns von unſern Laſtern reinigen und von unſern
Verbrechen überzeugen müſſen, um uns zu unſerer Beſſe-
rung zu ermahnen."

Ein charakteriſtiſches Bild des begonnenen
Verfalls im fränkiſchen Volke gibt jene
Strafpredigt. — Einen nicht minder intereſſanten Aus-
ſchnitt aus dem gleichfalls wenig erfreulichen Hofleben
unter Ludwig d. Fr. erhalten wir in einer Szene, welche
ſich zwiſchen zwei Höflingen eines Morgens in der
kaiſerlichen Pfalz zu Aachen im Vorzimmer des Kaiſers abſpielte; Einhards Feder hat ſie
uns meiſterhaft und nicht ohne innere Leidenſchaft gezeichnet; dieſe perſönliche Anteilnahme des Autors iſt ja auch
ganz begreiflich. Denn der eine der beiden Hofleute war
niemand anders als Einhard ſelbſt; der andere aber
war Hilduin, der oberſte geiſtliche Würdenträger am

Aachener Hofe, der Erzkaplan des Kaisers, der selbstbewußte Abt von St. Denis, von St. Medard in Soiffons und von anderen großen Klöstern.

Der Vorfall, um den es sich handelt, berührte, wie gesagt, allerdings Einhards persönlichstes Interesse und war daher nur allzu sehr dazu angetan ihn aus seinem seelischen Gleichgewicht zu bringen: es war kurz nach der schon berichteten Überführung der Reliquien seiner Heiligen nach Mulinheim,[1]) als Einhard, gerade in Aachen weilend, eines schönen Tages in aller Morgenfrühe in den Palast tritt und hier an der Türe des kaiserlichen Schlafgemaches Hilduin sitzen sieht, um beim Lever des Kaisers sogleich zur Stelle zu sein. Einhard grüßt den Erzkaplan, wie sich's geziemt, und bittet ihn zu ihm an ein Fenster zu treten, von wo aus man hinab in den Pfalzhof sieht; da stehen nun die beiden Würdenträger, lässig an die Fensterbrüstung gelehnt, und plaudern miteinander von dem, was Einhards Herz vor allem bewegt: von den Heiligen Marzellin und Petrus und von dem wunderbaren Blute, das sich in Michelstadt sieben Tage lang am Reliquienschrein gezeigt hatte. Im Verlauf dieses Gespräches kommt man auch auf die Gewänder zu reden, welche zugleich mit den Heiligenleibern gefunden worden waren; und Einhard bemerkt hierbei, es sei das Gewand, in das der hl. Marzellin gehüllt gewesen war, von wunderbarer Feinheit; das bestätigt ihm Hilduin mit einer Miene, als habe auch er diese Kleidung gesehen. Einhard stutzt: wie kann denn eigentlich Hilduin von dem Gewande des Heiligen etwas wissen, er, der doch niemals die Reliquien selber gesehen hat? — Hilduin schaut Einhard an, merkt offenbar dessen Überraschung und — schweigt. Dann aber meint er, es sei doch wohl besser,

---

1) Oben S. 261ff., 274.

wenn Einhard durch ihn von einer Sache Kenntnis erhalte, die er auch andernfalls schon bald durch andere Leute hören müßte. „Und ich" — so erklärt Hilduin mit der unschuldvollsten Miene der Welt dem auf jedes Wort gespannt lauschenden Einhard — „mache dir diese Sache in Einfalt kund, während sie vielleicht ein anderer, wenn er dir davon Bericht gibt, nicht schlicht darstellen wird." Ganz naturgemäß, so fährt Hilduin fort, könne jemand nur eine Sache, die er durch eigenes Wissen und nicht bloß durch den Bericht anderer Leute kenne, in ihrer vollen Wahrheit wiedergeben; er verlasse sich denn auf seine guten Beziehungen zu Einhard, die auch dann keine Trübung erleiden sollten, wenn Einhard durch seinen Bericht die nackte Wahrheit des Vorfalls erfahren habe. — Einhard dauert diese phrasenvolle und dunkle Einleitung seines Gegenüber viel zu lange. Allerdings werde er nicht anders handeln, als wie man übereingekommen sei, antwortet er kurz. — Und nun beginnt Hilduin mit seiner Erzählung; Einhard wußte zuerst nicht, ab er in ihr einen Schauerroman oder eine klug gesponnene Intrigue sehen sollte.[1]) Sein Abgesandter Hun, so beginnt Hilduin seinen Bericht, der auf seinen Befehl Ratleik nach Rom begleitet habe, um die Reliquien des hl. Tiburtius zu holen, habe, als sich dieses Vorhaben als undurchführbar erwiesen und als Ratleik die Reliquien von St. Marzellin und Peter bekommen hatte und nun nach Hause zurückkehren

---

[1]) Bondois, Translation 41 scheint mir den Hergang nicht richtig aufgefaßt zu haben, wenn die Verfasserin annimmt, Einhard habe bereits von Anfang an von dem Diebstahl gewußt und seine Unwissenheit nur fingiert, um Hilduin so ins Garn zu locken und zu einem Bekenntnis zu veranlassen. — Allerdings hatte Einhard das Gerücht von dem Diebstahl schon auf seiner Reise nach Aachen gehört; aber er hatte ihm bisher keine Bedeutung beigelegt und wurde also durch Hilduins Erzählung tatsächlich überrascht.

habe wollen, mit Ratleik ſich dahin vereinbart, daß dieſer
noch etwas in Rom bleiben ſollte, während Hun ſelber mit
Luniſo, dem Bruder des Deusbona, und mit deſſen Leu=
ten, die als Träger der Reliquien dienen ſollten, bis
Pavia vorangehen und hier die Ankunft des Deusbona
erwarten wollten; Ratleik ſei mit dieſem Vorſchlag Huns
einverſtanden geweſen; und ſo habe man ihn denn ausge=
führt. — Als nun Hun mit Luniſo und mit den Knechten
nach Pavia gekommen ſei, habe man hier den Reliquien=
ſchrein in Einhards Kirche¹) nächſt dem Altar nieder=
geſtellt; hier wurde der Schrein mit Sorgfalt und Klugheit
von den in jener Kirche wachenden Geiſtlichen und Laien
behütet. In einer Nacht, da Hun ſelber mit anderen in
der Kirche die Wache hatte, traf es ſich nun, wie Hun bei
ſeiner Rückkehr Hilduin verſichert hätte, daß ungefähr um
die mitternächtige Stunde alle Veter von einer großen
Schlafſucht befallen worden und ſämtliche mit alleiniger
Ausnahme Huns eingeſchlafen ſeien. Da ſei nun dem Hun
der Gedanke durch den Kopf geſchoſſen, es müſſe doch wohl
einen ganz beſonderen Grund haben, daß ſo plötzlich der
Schlaf ſo viele Menſchen befallen habe. Und der gute
Hun habe ſich nun auch dieſe beſondere Urſache zurecht=
zulegen gewußt: er dachte, er müſſe die Gelegenheit, die ſo
günſtig ſei, benützen; er ſei daher aufgeſtanden, habe ein
Licht angezündet und ſei ſtille zu dem Reliquienſchrein
hinzugeſchlichen. Hier nun habe er mit ſeinem Lichte die
Schnüre der Siegel, mit denen der Schrein ob ſeines koſt=
baren Inhaltes natürlich verſehen war, weggebrannt, habe
dann den Schrein ohne Schlüſſel raſch aufgeſprengt und
einen Teil von jedem der beiden Heiligenleiber herausge=
nommen; ſodann habe er die Siegel, die ja bei dieſer
Prozedur nicht verletzt worden waren, wieder an den

---

¹) S. oben S. 104.

Enden der Schnüre befestigt, um schließlich, ohne daß ein Mensch von dem ganzen Vorgang etwas bemerkte, wieder auf seinen Platz zurückzukehren. So habe Hun — so erzählte Hilduin Einhard, vermutlich ohne hierbei allzu verlegen zu werden — sich durch einen Diebstahl die fraglichen Teile der Reliquien von St. Marzellin und St. Peter angeeignet und sei mit diesen zu ihm nach St. Medard gekommen. Hier habe er ihm zuerst die Versicherung gegeben, die mitgebrachten Heiligenüberreste seien von St. Tiburtius; dann aber habe Hun — Hilduin wisse eigentlich selbst nicht warum — unter vier Augen mit ihm gesprochen und ihm geoffenbart, von welchen Heiligen die mitgebrachten Reliquien tatsächlich seien, sowie auf welchem Wege er in ihren Besitz gelangt sei. „Wir haben — so schloß Hilduin seinen langen Bericht — diese Reliquien in St. Medard an berühmter Stätte aufgestellt, wo sie von allem Volk mit großer Ehrfurcht verehrt werden; ob es recht ist, daß wir sie besitzen, das liegt in deinem Urteil." —

So sagte an jenem Morgen Hilduin zu Einhard in der Aachener Pfalz vor dem Schlafgemach Kaiser Ludwigs. — Während dieser langen Rede Hilduins ist nun Einhard ganz plötzlich die Erinnerung an ein Gespräch gekommen, das er kürzlich, als er von Obermulinheim nach Aachen gezogen war, mit seinem Herbergsvater geführt hatte. Dieser hatte im Laufe seiner Unterhaltung mit Einhard u. a. an diesen die Frage gerichtet: „Weißt du — hatte er gesagt — was für ein Gerücht von den Heiligen Peter und Marzellin in dieser Gegend umläuft?" Als Einhard diese Frage verneint hatte, hatte ihm der Herbergsvater folgendes wenig erbauliche Geschichtchen vorgetragen: Wallfahrer, die von St. Medard in Soissons kamen, brachten von hier die Kunde mit, daß jener Abgesandte des Abtes Hilduin, der mit Einhards Notar

nach Rom gezogen sei, auf der Heimreise während des
Aufenthaltes der Reisegesellschaft in einem Wirtshause,
wo sich die Leute Einhards betrunken hätten und nun im
Schlafe dagelegen seien und nichts mehr gesehen und ge=
hört hätten, die Schreine, in denen die Heiligenleiber
lagen, geöffnet und diese von dort herausgenommen und
dann Hilduin gebracht habe; jetzt seien diese Heiligenleiber
denn auch in St. Medard; in Einhards Schreinen aber
sei nur ein wenig etwas von heiliger Asche geblieben;
dies sei dann Einhard durch seinen Notar überbracht wor=
den. — So hatte damals Einhard von seinem Gastwirt ge=
hört. Jetzt erinnerte er sich dessen und verglich dieses
bitterböse Gerücht mit dem, was ihm soeben Hilduin er=
zählt hatte. „Da wurde ich" — so gesteht Einhard uns
selber — „von einer großen Aufregung in meinem Sinn
ergriffen." Nicht zwar, als ob Einhard selbst nun geglaubt
hätte, daß er wirklich dem eben geschilderten Betrug zum
Opfer gefallen wäre und daher soviel als nichts von den
Heiligenleibern in seinem Besitz habe! Wohl aber er=
schreckte ihn die Frage, wie denn ein solch verabscheuens=
wertes Gerücht, das doch nur auf besonderes Zutun des
Teufels unter die Leute gekommen sein könne, wieder ver=
stummen möchte, und wie man es am besten aus dem
Herzen der irregeleiteten Menge reißen könnte. Es er=
schien ihm am tunlichsten Hilduin zu ersuchen, er möchte
ihm doch das zurückgeben, was man ihm aus seinen Schrei=
nen genommen habe und was — Hilduin selbst habe dies
ja freiwillig bekannt! — zu ihm nach Soissons verbracht
und von ihm auch angenommen worden sei. Und Einhard
ließ mit diesem Ersuchen nicht nach, sondern bat und be=
schwor Hilduin mit aller Inständigkeit so zu handeln. Aber
Hilduin wollte nichts davon wissen. Er zeigte sich weit
härter und schwieriger als es Einhard lieb war; „endlich
wurde er doch durch mein eifriges Bitten besiegt," ruft Ein=

hard wie triumphierend aus. Und halb bescheiden, halb
überlegen lächelnd setzt er hinzu: „Und er gab meiner Un-
verschämtheit nach — er, der kurz vorher erklärt hatte, er
werde — zumal in dieser Frage — dem Befehl keines
Menschen weichen.

Es ist ein Meisterstück, wie Einhards
eigene Feder uns diese Palastszene dargestellt hat; voll von dramatischem Leben ist sie.
Margarethe Bondois hat mit Recht darauf hingewiesen,
daß sich Einhard gerade in der Schilderung derartiger
Szenen, die er durch die Wiedergabe von Rede und Ge-
genrede höchst anschaulich zu gestalten versteht, besonders
stark zeigt. Seiner prächtigen Schilderung verdanken wir
es, daß wir noch heute Hilduin, den stolzen, hochstrebenden
Erzkaplan Ludwigs des Frommen, den Inhaber reicher
und hochberühmter Abteien mit unserem geistigen Auge in
dem Vorzimmer des kaiserlichen Schlafgemachs zu Aachen
stehen sehen, hoheitsvoll, zurückhaltend und doch mit dem
Schein von Wohlwollen und Entgegenkommen, mit lächeln-
der Miene, aalglatt in Worten und Gebärden — der voll-
endete Typ des Hofmanns jener Tage; und vor ihm steht
unser Einhard, voll Gereiztheit und Ungeduld, gar ärgerlich
über das, was er soeben aus dem Munde Hilduins vernimmt; die langen Reden, die dieser ihm hält, um den zu
seinen Gunsten vorgenommenen Diebstahl einzugestehen
und zu erklären, beantwortet er nur mit kurzen, trockenen
und gemessenen Worten.

Doch hören wir, wie die für Einhard so peinliche Angelegenheit weiter verlief! — Natürlich hatte Einhard
nichts Eiligeres zu tun als die in den Handel vor allem
verstrickten Persönlichkeiten, seinen vertrauten Ratleik
und den Römer Luniso, welche damals fern von
Aachen in Obermulinheim weilten, von der ganzen Sache
zu benachrichtigen: er schrieb ihnen, welch ungeheuerliches

Gerücht über die beiden Heiligen „faſt durch das ganze
Frankenreich" verbreitet ſei und verband hiermit die Weiſung ſich zu beſinnen und kundzutun, ob ihrer Erinnerung
nach etwas, wie es Hilduin über die Handlung ſeines
Hun behauptete, auf der Romreiſe vorgekommen ſei. Ratleik und Luniſo hielten es fürs beſte in dieſer Sache mündlich Einhard Bericht zu erſtatten und zogen daher ſchleu-
nigſt nach Aachen; ihre Darſtellung des Sachverhaltes wich
ganz weſentlich von den Angaben Hilduins ab. Denn
einmal konnten ſie beſchwören, daß all das, was nach dieſer
letzteren Verſion jener Hun Hilduin berichtet hatte, un-
wahr ſei. Nachdem man Rom einmal verlaſſen hätte,
habe ſich überhaupt für keinen Menſchen, weder für
Hun noch für ſonſt jemanden, eine Möglichkeit zur Ver-
übung eines ſolchen Verbrechens ergeben. Allerdings aber
war mit den hl. Reliquien etwas vorgekommen, was nicht
hätte vorkommen dürfen: noch in Rom war ſolches zu jener
Zeit, da der Leib des ſeligen Marzellin von ſeinem Grabe
erhoben worden war und da er noch im Haus des Deusdona
verwahrt wurde, geſchehen; die Habſucht des Luniſo und
die Verſchmitztheit Huns waren ſchuld daran geweſen:
Hun habe, als er ſah, daß er den Leib des hl. Tiburtius
nicht erhalten habe, den Verſuch gemacht, durch Betrug
das zu erreichen, was er auf redlichem Wege nicht hatte
erlangen können, um doch nicht ganz mit leeren Händen
zu ſeinem Herrn heimkehren zu müſſen. Er habe ſich alſo
an Luniſo, der, wie er wußte, ein armer Schlucker war und
daher einen Nerv für den böſen Mammon hatte, gewandt;
ihm habe er vier Goldſtücke und fünf Silberſchillinge ange-
boten als Preis für das Schelmenſtück, zu dem er ihn nun
verleitete. Luniſo habe den Judaslohn entgegengenommen;
er habe den Laden, in welchem von Deusdona der L e i b
d e s hl. M a r z e l l i n gelegt und verſchloſſen worden
war, geöffnet und ſo dem Taugenichts und Windbeutel

von einem Hun in die Möglichkeit versetzt sich zu nehmen,
soviel ihm beliebte. Und Hun habe dann auch gar nicht
schüchtern zugegriffen; denn er habe von den Überresten des
seligen Märtyrers eine solche Menge, wie sie in ein Gefäß
von der Größe eines Sertarius[1]) gehe, h e r a u s g e -
n o m m e n. Luniso, der selber mit Hun dieses Buben=
stück ausgeführt hatte, gestand solches unter Tränen und,
indem er sich Einhard zu Füßen warf, ein. — So hatte
also Einhard nun reinen Wein eingeschenkt erhalten; jetzt
konnte er, wie er trocken bemerkt, Ratleik und Luniso
wieder dahin ziehen lassen, woher sie gekommen waren.

Einhard aber suchte — der Gang wird ihm nicht leicht
geworden sein — neuerdings wieder Hilduin auf, um mit
ihm die näheren V e r e i n b a r u n g e n ü b e r d i e
R ü c k g a b e der ihm gestohlenen R e l i q u i e n zu treffen.
Man kam dahin überein, daß Einhard zwei Geistliche —
Ratleik war nicht unter ihnen, sie hießen vielmehr Hilt=
frid und Filimar, der eine von ihnen war Priester, der
andere Subdiakon — nach Soissons senden solle, um die
Reliquien in Empfang zu nehmen; als die beiden dorthin
abgingen, mußte ihnen Einhard die sehr erkleckliche Summe
von hundert Goldstücken mitgeben, die als eine Gegengabe
für die Zurückstellung der gestohlenen Reliquien gedacht
waren. Am Palmsonntag des Jahres 828 trafen die
beiden Geistlichen Einhards in Soissons ein; drei Tage
blieben sie dort; dann, nachdem sie den „unvergleichlichen
Schatz" erhalten hatten, kehrten sie, begleitet von zwei Mön=
chen von St. Medard, nach A a c h e n zu Einhard zurück.
Geschah es auf deren Veranlassung, daß man nach dem
Eintreffen in Aachen die aus Soissons gebrachten Reli=
quien nicht, wie man doch hätte erwarten dürfen, Einhard
aushändigte, sondern sie vielmehr Hilduin übergab? So

---

[1]) ⅙ eines Scheffels.

erhielt dieser neuerdings die Möglichkeit — Einhards
Geduld auf eine harte Probe zu stellen; denn Hilduin
nahm auch die Reliquien ruhig und wie wenn ihre Über=
gabe an ihn nur selbstverständlich wäre, entgegen und ließ
sie in seine Hauskapelle bringen und hier bewachen; denn
für den Augenblick, so meinte er, habe er keine Zeit, um
die Herausgabe der Reliquien an Einhard zu betätigen;
Ostern stand ja vor der Türe. In diesen Ostertagen aber
hatte er, der Erzkaplan des Kaisers, mit seinen kirchlichen
Obliegenheiten und mit der Abhaltung der gottesdienstlichen
Feiern am Kaiserhofe natürlich genug zu tun. Da konnte
man von ihm doch nicht verlangen, daß er sogleich mit der
Übergabe der Reliquien an Einhard sich befasse! Das
mußte Einhard schon einsehen! Erst nach Ostern käme
er dazu ihm die Reliquien, bevor sie ihm ausgehändigt
würden, zu zeigen. — Einhard wartete und wartete. Acht
Tage oder noch mehr vergingen nach Ostern. Der Kaiser
befand sich jetzt auf der Jagd fern von Aachen. Hilduin
hatte die Reliquien, entsprechend seiner mit Einhard ge=
troffenen Vereinbarung, von seinem Privatoratorium ins
Aachener Münster bringen lassen; dort waren sie auf dem
Altar des Münsters aufgestellt. Nun ließ er endlich Ein=
hard rufen, um sie ihm zu übergeben. Hilduin öffnete —
wie Einhard absichtlich bemerkt, um so dem lieben Leser
darzutun, daß er nicht etwa neuerdings einem Betrug zum
Opfer gefallen sei — die Lade, in welcher sich die R e l i =
q u i e n befanden, zeigte sie Einhard, „auf daß ich säbe,
was er mir zurückgab und was ich in Empfang nahm."
Sodann nahm er die Lade vom Altar und g a b s i e E i n =
h a r d in die Hand; dabei verrichtete er ein passendes Ge=
bet und stimmte als Vorsänger eine zum Lobe der Mär=
tyrer geeignete Antiphon an, während die anderen nach=
sangen. Einhard aber trug in seinen Händen, die ihm
wohl vor freudiger Erregung gezittert haben mögen, jenes

Reliquienkäſtchen mit dem Schatze, den er ſo hoch bewer=
tete; ſo ſchritt Einhard dem Ausgang des Aachener Mün=
ſters zu, während Hilduin ihn bis zu dem großen Tor, das
vermutlich durch Einhards Kunſt ſo herrlich geſtaltet wor=
den war,[1]) begleitete. Und nun ging der Zug, von Geiſt=
lichen begleitet und von Lichterträgern gefolgt, unter lauten
Lobliedern zu Gottes Ehre und unter frommen Lobprei=
ſungen der Erbarmungen des Allgütigen über den Pfalzhof·
hin gegen Weſten zu dem eigenen H ä u s c h e n E i n =
h a r d s. Eine beſondere, wenn auch recht beſcheidene
K a p e l l e hatte ſich hier der fromme, kindliche Sinn des
Hausherrn eingerichtet. In dieſe Hauskapelle brachte Ein=
hard die Reliquien, die er eben wieder erhalten hatte.

Während ſich jene Prozeſſion nun von dem Münſter
zu Einhards Hauskapelle bewegte, habe — ſo berichtet
Einhard — das ganze Aachener Viertel, durch das man
zog, ein ſo ſtarker Wohlgeruch erfüllt, daß faſt alle Be=
wohner dieſes Teiles von Aachen ſowie alle Leute, die in
dieſem Viertel gerade aus irgendeinem Grunde zu tun
hatten, alles, womit ſie im Augenblick beſchäftigt waren,
liegen und ſtehen ließen, und aufs ſchnellſte zuerſt zum
Münſter liefen, um dann von dort den Weg entlang, den
die Prozeſſion eingeſchlagen hatte, zu Einhards Oratorium
zu ziehen, wohin man, wie bekannt geworden war, die Re=
liquien gebracht hatte. So kam es, daß ein ganzer Volks=
auflauf in Einhards Haus ſtattfand. Die meiſten wußten
gar nicht, worum es ſich eigentlich handelte; dennoch freuten
ſich alle und ſtimmten in die Lobpreiſung des Allmächtigen
mit ein. Der kindliche Sinn Einhards trug kein Beden=
ken auch hierin eine übernatürliche Einwirkung Gottes,
ein Wunder, zu ſehen.

So hatte alſo Einhard nun auch die ihm abhanden ge=
kommenen Reliquien des hl. Marzellin wieder ungeteilt

---

[1]) S. oben S. 71.

in seinen Händen. Freilich: fast könnte es scheinen, als hätte Hilduin in St. Medard gewisse Reliquien der Heiligen Einhards zurückbehalten; wenigstens dauerte es nicht lange, da hörte man neuerdings die Kunde, daß in St. Medard sich Reliquien von St. Marzellin und Peter befänden. Schon in der Geschichte Nithards, des illegitimen Enkels Karls d. Gr., der uns den Streit der Söhne Ludwigs d. Fr. anschaulich und wahrheitsgetreu geschildert hat, werden die Reliquien der Heiligen Marzellin und Peter als im Besitze des Klosters St. Medard befindlich erwähnt; doch ist die Stelle, die dies besagt, als eine spätere Einschaltung in den ursprünglichen Text Nithards, die im Kloster St. Medard gemacht wurde und die in einer Handschrift des endenden zehnten Jahrhunderts vorkommt,[1]) anzusehen. Man hat eben doch wohl erst in späterer Zeit in St. Medard den Anspruch hier Reliquien St. Marzellins und St. Peters zu besitzen[2]) neuerdings erhoben; Hilduin hatte also wahrscheinlich keine neue Täuschung Einhards begangen, sondern diesem damals in Aachen seine Reliquien auch wirklich restlos zurückerstattet.

Allmählich drang nun die Kunde, daß in Einhards Hauskapelle die Reliquien des hl. Marzellin untergebracht seien, in weitere Kreise. Bald zeigte sich dies durch immer größeren Zulauf: nicht bloß die Bewohner Aachens selbst, auch die in benachbarten und zu Aachen gehörigen Ansiedlungen seßhaften Leute, ja bald auch Menschen aus weiter entfernten Gegenden und Gauen fanden sich ein, um in Einhards Hauskapelle vor den Reliquien des hl. Marzellin zu beten. Der Zudrang daselbst wurde so stark, daß man kaum mehr zur Abhaltung

---

[1]) Den Nachweis hierfür hat Ernst Müller, Die Nithard-Interpretation . . . im St. Medarduskloster in Soissons, im Neuen Archiv XXXIV (1909) 686ff. erbracht.

[2]) S. darüber unten S. 352.

des Gottesdienstes — abgesehen natürlich von dem abend=
lichen und nächtlichen Gebete, während deſſen das Gottes=
haus begreiflicherweiſe wenig beſucht war — in die Ka=
pelle gehen konnte. Kranke über Kranke nahten ſich be=
reits: Lahme führte man herbei und Leute mit allen mög=
lichen Gebrechen wurden von ihren Verwandten und
Freunden in Einhards Hauskapelle geſchleppt. Und Ein=
hard verſichert uns, man habe da ſehen können, daß
faſt alle Arten von Krankheiten an Jung und Alt, an
Männern und Frauen durch die Kraft unſeres Herrn und
durch das Verdienſt des hl. Marzellin geheilt worden ſeien;
Blinde erlangten ihr Augenlicht wieder, Lahme ihre Be=
wegung, Taube ihr Gehör, Stumme ihre Sprache, Gicht=
brüchige und Leute, welche von all ihren Leibeskräften ver=
laſſen und nur durch die Hand des lieben Nächſten herbei=
geſchafft werden konnten, wurden wieder geſund und
vermochten auf eigenen Füßen in ihr Heim zurückzukehren.

Welche Freude wird da Einhard empfunden haben,
als er ſolches ſah! Wie wird er ſelber ſeinem Herrgott
gedankt und ſeinen hl. Marzellin verehrt haben in Anbe=
tracht all des Großen, das durch deſſen Fürbitte in ſeinem
eigenen Hauſe gewirkt wurde!

Bald ſollte d e r K a i ſ e r ſelbſt ſein Intereſſe f ü r
d e n hl. M a r z e l l i n kundtun — die Kenntnis von den
Vorgängen zu Aachen konnte auch ihm nicht mehr ver=
borgen bleiben. Hilduin ſelbſt, der auf Grund ſeiner
Würde als Erzkaplan dem Kaiser namentlich über alle
kirchlichen Angelegenheiten Vortrag zu halten hatte, brachte
die Nachricht von den Wundern, die ſich in Einhards
Hauskapelle abgeſpielt hätten, vor den Kaiser. Ludwig
d. Fr. intereſſierte die Kunde, die er vernahm, ſehr. Er
war entſchloſſen, ſobald er nach Aachen zurückgekehrt ſein
würde, Einhards Hauskapelle aufzuſuchen und hier dem
hl. Marzellin ſeine Verehrung zu zollen. Welche Freude

für Einhard, daß die kaiserliche Majestät selber in sein
Häuschen und in seine Hauskapelle zu kommen versprach!
Fieberhaft mag er da alles zurechtgerichtet haben, auf daß
man den hohen Herrn auch gebührlich empfangen könnte!
Aber eine schwere Enttäuschung sollte ihm beschieden sein;
nicht ohne Gereiztheit erzählt Einhard von ihr: Hilduin,
sein alter „Freund", wußte den Kaiser zu bestimmen, von
seinem Vorhaben Abstand zu nehmen und den Befehl zu
geben die Reliquien wieder in das Münster zu bringen;
denn hier wollte der Kaiser die Reliquien verehren, wie
solches dann auch geschehen ist. Wir können unschwer ver=
muten, mit welchen Beweggründen Hilduin den Kaiser
zu dieser Abänderung seines anfänglichen Vorhabens be=
stimmt haben mag, wie er ihm gesagt haben wird, daß es
doch nicht wohl angehe, daß er, der erhabenste Kaiser, in
die mehr als bescheidene Hauskapelle des Nardelchen sich
begebe, sondern daß es weit besser seiner Würde entspräche,
wenn er in der Hof= und Staatskirche des fränkischen
Reiches, im Aachener Münster, seine Andacht vor
St. Marzellin verrichte. Und Ludwig, unselbständig und
schwach wie meist, hat dieser Stimme eines Mannes, der
schon kurz hernach unter den Empörern stand, nachgegeben
und so seinem treuen Einhard eine Herzensfreude verdor=
ben. — Aber immerhin: die Reliquien St. Marzellins
hat Kaiser Ludwig damals verehrt, wenn auch nicht in
Einhards Hauskapelle. Als der feierliche Gottesdienst, der
bei dieser Gelegenheit im Münster abgehalten ward, zu
Ende war, machte der Kaiser den beiden Heiligen Mar=
zellin und Peter und somit auch deren Diener Einhard
eine Schenkung: sie bestand in einem zwar nicht großen
Landgut; immerhin umfaßte es 15 Hufen und 9 Morgen
Weinberge; an der Ahr war es gelegen und hieß Ludwigs=
dorf; es ist das heutige Lohrsdorf im Kreise Ahrweiler
(Regierungsbezirk Koblenz); so wurde   um
Weinbergbesitzer im Ahrtal.

Auch des Kaisers Gemahlin Judith zollte dem hl. Marzellin den Tribut ihrer Anerkennung; in einem Schmuckstück der schönen Frau bestand er: ihren Gürtel, der aus Gold und Edelsteinen gefertigt war und drei Pfund wog, hatte die Kaiserin zur Ehrengabe ausgewählt.

Nach jener Feier im Aachener Münster brachte man die Reliquien des hl. Marzellin wieder in Einhards Hauskapelle zurück; hier verblieben sie vierzig Tage oder noch länger, so lange eben, als Einhard in Aachen sich aufhalten mußte; als schließlich der Kaiser seine Residenz verließ und wieder seinen Jagden nachging, konnte auch Einhard endlich daran denken von Aachen zu scheiden und sich wieder nach seinem Obermulinheim zu begeben.

Unmittelbar vor seinem Aufbruch von Aachen, als man hier noch einen feierlichen Gottesdienst abhielt, konnte Einhard Zeuge eines Wunders sein, das an einem alten Weiblein, das in Aachen jeder Mensch kannte und das schon ungefähr seine achtzig Jahre auf dem Rücken hatte, vollzogen ward. Die Alte litt an Nervenschrumpf (contractio nervorum), und zwar, wie sie Einhard selber erzählte, schon seit fünfzig Jahren; wie ein Tier hatte sie bisher auf allen Vieren daherkriechen müssen; jetzt aber wurde sie im Angesicht Einhards geheilt.

Als man hernach wirklich von Aachen aufbrach, glich der Zug, der sich nach Obermulinheim bewegte, einem Triumphzug des hl. Marzellin. Denn überall, wohin man auf dem Marsche kam, zeigten sich die Leute voll Freude und Jubel über die Ankunft der Reliquien. Einhard kann dies gar nicht genug schildern. Einiges wenige von all dem, was er auf dieser Reise gesehen und erlebt hatte, schrieb er später auf: da erinnert er sich zunächst jener Szene, die sich schon 2000 Schritt von der Aachener Pfalz entfernt an der Wurm, einem Nebenfluß der Roer, dort, wo über sie eine Brücke ging, abspielte. Als man auf diese Brücke gekommen war, machte man hier angesichts der Volksmenge, welche den Zug von Aachen her bisher begleitet hatte, die aber nun heimkehren wollte und der man noch eine Gelegenheit zu einem Gebetsakte geben wollte, Halt. Einer von den Vetern nähert sich den Reliquien gleichzeitig mit einem andern, schaut hier diesem seinem Gefährten in die Augen und spricht: „Aus Liebe und aus Verehrung für diesen Heiligen spreche ich dich los von der Schuld, die du mir gegenüber, wie du wohl weißt, hast." In der Tat hatte jener, wie er selbst bekannte, diesem ein halbes Pfund Silber geschuldet. — Ein anderer ergriff seinen Nächsten bei der Hand und zog ihn zu den Reliquien: „Meinen Vater hast du erschlagen" — so sprach er — „und seitdem waren wir miteinander Feinde; nun aber ist es aus Liebe und zur Ehre Gottes und dieses Heiligen mein Wunsch die Feindschaft zu beendigen und mich mit dir in Freundschaft zu verbinden und zu vereinen, auf daß fortan in Zukunft zwischen uns immerdar freund= schaftliche Beziehungen obwalten. Der Heilige hier soll Zeuge unserer gegenseitig verabredeten Liebe und Rächer gegenüber dem sein, der diesen Frieden zuerst zu brechen unternehmen sollte."

So wirkten die Gebeine des hl. Marzellin und der Eindruck, den ihr Anblick auf das Volk machte, in der Tat viel Segen. Ich zweifle nicht daran, daß es ganz wörtlich zu nehmen ist und völlig der Wahrheit entspricht, wenn uns Einhard erzählt, daß das Volk, das von Aachen aus seinen Zug begleitet hatte und nun, nachdem es den Re= liquien noch einmal seine Verehrung dargebracht und sie geküßt hatte, „mit vielen Tränen, denen es vor allzu großer Freude nicht Einhalt gebieten konnte", nach Hause zurückkehrte; Vorkommnisse wie die erwähnten, der frei= willige Verzicht des Gläubigers auf alle Ansprüche, die er

gegenüber seinem Schuldner hatte, oder gar die Been=
digung einer Familienfehde, bei der der Sohn des Erschla=
genen in getreuem Gehorsam gegen Christi Gebot der
Feindesliebe selbst dem Mörder des eigenen Vaters ver=
zieh, mußten in der Tat einen starken Eindruck auf die
einfachen Leute machen.

Die Aachener, welche bei jener Brücke über die
Wurm wieder umgekehrt waren, wurden sogleich von ande=
ren Scharen abgelöst, die sich aus der Gegend, die man
jetzt durchquerte, eingefunden hatten; und so ging es wei=
ter vom frühen Morgen bis zum späten Abend. Überall
folgten dichtgedrängte Züge den Reliquien und ließen ihr
„Herr erbarme dich unser!" vertrauensvoll zum Himmel
erschallen. Die Reise ging gut von statten. Am sechsten
Tage, nachdem man von Aachen aufgebrochen war, langte
man in Seligenstadt an. Hier trug man die Reliquien
in die Kirche und stellte sie in einem mit Edelsteinen ge=
schmückten Gefäß auf den Altar, hinter dem der Schrein
stand, der die übrigen Gebeine der hl. Märtyrer enthielt.
Dieser Standplatz hatte natürlich nur einen vorläufigen
Charakter. Erst in der Folgezeit sollte ihre dauernde Auf=
stellung wie überhaupt der Ausbau Seligenstadts als Wall=
fahrtsort erfolgen.

XIX

Der Ausbau Seligenstadts als Wallfahrts=ort und Einhards Kirchenbauten daselbst.

Ehe Einhard im Spätherbst des Jahres 828 neuer=
dings Seligenstadt verließ und an den Aachener Hof zu=
rückzukehren sich anschickte, vereinigte er jene Überreste des
hl. Marzellin, welche Hilduin besessen, aber dann in
Aachen Einhard ausgehändigt hatte, mit den übrigen Re=
liquien dieses Heiligen; wir würden nicht daran zweifeln,
daß er dies Geschäft „mit der größten Sorgfalt" ausge=
führt habe, auch wenn er uns solches nicht erst ausdrücklich
versichert hätte. Schon die Liebe und Verehrung für seine
Heiligen hieß ihn so handeln. Dazu aber war noch
ein besonderer Vorfall gekommen, eine „Offen=
barung", welche zwar nicht Einhard selbst, wohl aber
einer seiner Geistlichen, die mit der Kirchenwache betraut
waren, ein gewisser L a n d u l f, gehabt haben soll. Ein=
hard bemerkt, daß diese Offenbarung ihm deshalb höchst
merkwürdig und erwähnenswert vorkomme, weil es sich
nicht bloß um eine Erscheinung im Schlafe, wie solche ja
nicht ungewöhnlich seien, sondern auch um Zeichen und
um gar schreckliche Dinge, die einem W a c h e n d e n be=
gegneten, gehandelt habe.

Dieser Landulf mußte auch zur Nachtzeit im Kirch=
lein zu Seligenstadt verbleiben, denn er hatte die Pflicht,
das Glöckchen des Gotteshauses zu läuten, wenn die ver=
schiedenen Gebetsstunden gekommen waren; neben dem

Tor der Kirche hatte er seine Lagerstätte. Als er nun
wie immer beim nächtlichen und morgendlichen Gebete auf-
stand und die Glocke läutete, um sodann nach Beendigung
dieses Gebetes noch vor Tagesanbruch wieder zu schlafen,
da warf er sich zuvor noch vor den hl. Reliquien zum
Gebete nieder. Eben hatte er nach seiner eigenen Angabe damit begonnen den Anfang des 50. Psalmes: „In
te Domine speravi, non confundar in aeternum . . ." zu
sprechen, als er — alle Kirchentüren waren verschlossen —
auf dem Estrich ein Geräusch vernahm, wie wenn dort
jemand auf und ab ginge. Landulf erschrak nicht wenig;
er richtete sich von seiner liegenden Stellung unwillkürlich
in die Knie auf und blickte um sich in der Meinung, einer
von den Bettlern habe sich beim Schließen der Türen in
einem der Winkel der Kirche versteckt. Aber kein Mensch
war in dem ganzen Raum zu sehen. So warf sich denn Landulf neuerdings zur Erde und begann wieder mit seinem
Psalm. Aber noch ehe er den ersten Vers zu Ende gesprochen hatte, gab das Gefäß, das auf dem Altar stand
und das die von Aachen gekommenen Reliquien St. Marzellins enthielt, mit einemmal einen so lauten Schall von
sich, daß man hätte meinen können, es sei durch einen
Hammerschlag auseinandergesprungen. Und auch zwei von
den schon geschlossenen Kirchentüren — die westliche und
die östliche waren es — krachten; es klang, wie wenn
jemand anklopfen und daran stoßen würde; Landulf ist vor
Schrecken bleich wie Kreide geworden; er steht vom Altare
auf, weiß nicht, was er machen soll und wirft sich schließlich
auf sein Lager. Die Furcht aber läßt ihn nicht los. Plötzlich verfällt er in einen tiefen Schlaf und schaut da nun
die Züge eines Mannes, den er nicht kennt, und der an
ihn die Frage richtet, ob es denn wirklich wahr sei, daß
Einhard zur Aachener Pfalz zurückkehren wolle, noch ehe
er die Reliquien des hl. Marzellin, die er von Aachen

hierher gebracht habe, dorthin getan hätte, wohin sie ge=
hörten und woher man sie genommen habe? Landulf kann
beteuern, daß er davon nichts wiffe. Nun gibt ihm die
Erscheinung die Weisung gleich bei Morgengrauen zu
Einhard zu gehen und diesem nach dem ausdrücklichen
Willen der hl. Märtyrer den Befehl zu überbringen ja
nicht Mulinheim zu verlaffen, ehe er nicht die fraglichen
Reliquien an den für sie bestimmten Ort gelegt habe.
Als Landulf erwachte, führte er den Auftrag sogleich aus.
Und auch Einhard zögerte keinen Augenblick der ihm auf
solchem Wege zugegangenen Weisung Folge zu leisten.
Noch am selben Tage ließ er die Vorbereitungen dazu
treffen die jüngst von Aachen hergebrachten Reliquien mit
den übrigen Überresten St. Marzellins zu vereinen; schon
am nächsten Tage geschah solches wirklich. Wie richtig
man hiermit gehandelt hatte, das wurde, wie Einhard
meinte, durch ein am folgenden Tage sich abspielendes
Wunder sogleich bestätigt: als Einhard und die übrigen
Angehörigen der Seligenstädter Klostergemeinde in der
Kirche beim Morgengebet beisammen saßen da nahte sich
ein alter Mann, der nicht mehr gehen konnte, sondern auf
Händen und Füßen herbeikriechen mußte, zum Gebet. Er
ward im Angesicht aller Anwesenden zur selben Stunde
durch Gottes Kraft und durch die Verdienste der Heiligen
so vollständig geheilt, daß er beim Gehen nicht einmal
mehr durch einen Arm gestützt werden mußte; derselbe
Greis war aber, wie er bezeugen konnte, fünf Jahre lang
ununterbrochen taub gewesen und erlangte nun zugleich mit
der Beweglichkeit seiner Glieder auch sein Gehör wieder.

Erst jetzt, nachdem in Seligenstadt alles wohl geord=
net zu sein schien, konnte Einhard wieder nach Aachen auf=
brechen, wo er die Wintermonate über zu verweilen ge=
dachte. Aber sein Herz war, wie ich schon früher angedeu=

22*

tet habe,[1]) doch wohl auch in dieser Zeit bei seinen Heiligen Marzellin und Peter, und sobald es nur anging, suchte er auch selbst wieder dorthin zurückzukehren. Denn hier in Seligenstadt warteten allerdings genug A u f g a b e n E i n h a r d s, wenn der Ort, wie dies seinem innigen Wunsche entsprach, in seinem Aufschwung gefördert werden sollte.

In gar bewegten Worten ſ c h r i e b E i n h a r d einmal a n K a i ſ e r L u d w i g um deſſen tatkräftige Unterſtützung bei seinem Ausbau Seligenstadts zu erhalten; eine Vermehrung der Güter seiner Kirche erbittet er und auch Steuerfreiheit will er beim Kaiser durchsetzen. Die Heiligen Marzellin und Peter, so erklärt er in diesem Briefe, hätten Rom verlassen und seien ins Frankenreich gekommen „zur Erhöhung und zum Schutze" des fränkischen Kaiserreiches. Unter diesen Umständen mußte es allerdings nur als recht und billig erscheinen, daß der Kaiser das Unternehmen Einhards nach jeder Richtung hin unterſtützte; gar eindringlich weiß Einhard es dem Herrſcher vor Augen zu führen, welch großen Lohn Gottes eine ſolche Förderung seiner Gründung Ludwig bringen werde und wie stark zugleich des Kaisers Ruhm bei der Nachwelt wachſe, wenn er durch Unterſtützung der Bauten, die man unternehmen wollte, wie auch in anderen Dingen seine Gunſt Seligenstadt ſchenken wolle.

In der Tat nahm Seligenstadt den Charakter eines beliebten Wallfahrtsortes an;[2]) immer mehr Scharen von frommen Pilgern, aber auch von Bettlern, die durch ihre zur Schau getragenen körperlichen Gebrechen das Mitleid der Frommen zu erregen ſuchten, ſtrömten zuſammen, so daß nicht nur die Errichtung von Fremdenherbergen, ſondern vor allem auch die E r b a u u n g e i n e s n e u e n

---

[1]) Oben S. 313.
[2]) S. oben S. 280ff.

Gotteshauses nötig wurde. Als im Jahre 815
Einhard Obermulinheim von seinem Kaiser erhalten
hatte, da hatte sich in dem Orte bereits eine Kirche aus
Stein befunden. Bald hernach scheint Einhard selbst etwas
östlich davon eine neue Kirche, größer als die ältere, errichtet zu haben; aber auch diese Kirche genügte schon in
wenigen Jahren nicht mehr den wachsenden religiösen Bedürfnissen des aufblühenden Wallfahrtsortes. Dieses
neue von Einhard errichtete Kirchlein stand bis in das
19. Jahrhundert hinein; es war, wie Hampe[1]) klargestellt
hat, identisch mit der noch im Jahre 1707 wiederhergestell-
ten, im Laufe des nächsten Jahrhunderts aber wegen Bau-
fälligkeit niedergelegten Laurentiuskirche, die sich
östlich von der späteren Abteikirche befand, dort, wo heute
der Friedhof des Städtchens gelegen ist. Durch einige
Abbildungen ist uns das Aussehen dieser von Einhard zwischen 815 und 827 erbauten Kirche überkommen; sie erscheint hier als romanische Basilika mit einem einzigen
Turm an der Westseite, nicht ganz so hoch wie die Abteikirche; zur Zeit der Überführung der Reliquien von Michelstadt nach Obermulinheim hatte diese Kirche bereits gestanden; sie war also nicht von Anfang an zur Wallfahrtskirche bestimmt; in sie waren 828 die hl. Reliquien überbracht worden; und hier ruhten sie auch mehrere Jahre;
am Ostrande des Dorfes gelegen, stand sie auf einem
Grund und Boden, der ursprünglich gar nicht Einhard
gehört hatte, sondern der im Besitze des Erzbischofs von
Mainz gestanden hatte. Das aber war bei Geltung des
„Eigenkirchenprinzips" von schwerwiegenden kirchenrecht-
lichen Folgen. Denn der Besitzer des Grundes und Bo-
dens, auf dem der Altar einer Kirche und mithin diese
selbst stand, galt nach diesem Eigenkirchenprinzip, dessen

---

[1]) Im Neuen Archiv XXI 613 f.

weitreichende Bedeutung erst in unseren Tagen durch die
umfassenden Forschungen des verdienten Kirchenrechtlers
Ulrich S t u tz gewürdigt worden ist, auch als Herr der
Kirche selbst, der über ihre Einkünfte frei verfügen konnte.
Leicht erklärlich also, wenn Einhard viel daran gelegen
war den Grund und Boden, auf dem sich seine Wallfahrts=
kirche erhob, in sein Eigentum zu bekommen.   Der Kaiser
scheint ihm hierbei behilflich gewesen zu sein, indem er,
wohl schon ehe Einhard seinen Kirchenbau begann, das
fragliche Grundstück für sich selber durch Tausch von Mainz
erwarb und Einhard das Versprechen gab diesen Grund
ihm bzw. seinen Heiligen zu eigen zu schenken.   Aber die
Einlösung dieses Wortes ließ auf sich warten; im Jahre
830 wandte sich Einhard mit einer Erinnerung an diese
Zusage an den Kaiser; gar dringend glaubt er diesen an
die Erfüllung seiner Versprechungen ermahnen zu sollen;
freilich ist er immer noch genug Hofmann, um sein Drän=
gen auch sogleich zu entschuldigen: er selbst werde hierzu
ja förmlich gezwungen,   da er durch Nachlässigkeit im
Dienste seiner Märtyrer deren König, unsern Herrn Jesus
Christus, zu beleidigen fürchten müsse, wenn ihm auch seine
Märtyrer selber, die sogar ihre Mörder verschont hätten,
gnädig sein würden. — Die Vorgänge in der großen Po=
litik — ich werde im nächsten Abschnitt auf sie eingehen
— scheinen die Erfüllung des kaiserlichen Versprechens
neuerdings verzögert zu haben.

Zu Beginn der dreißiger Jahre nahm Einhard einen
n e u e n K i r c h e n b a u in Seligenstadt in großzügigem
Umfang in Angriff: es ist dies jenes Gotteshaus, welches
dann zur A b t e i k i r c h e des hier entstandenen Klosters
werden sollte und das noch heute, zwar stark umgebaut,
als derzeitige P f a r r k i r c h e S e l i g e n s t a d t s sich
erhebt.   So geht also auch dieser Überrest einer längst ent=
schwundenen Kulturperiode in seinem Kern auf Einhard
und sein unermüdliches Wirken zurück.

Es war für Einhard wahrhaftig keine Kleinigkeit diesen ansehnlichen Kirchenbau auszuführen. Auf
dem Grund und Boden, auf dem jene schon vor 815 ent-
standene Steinkirche sich erhoben hatte, baute Einhard sein
neues Gotteshaus. Kaiser Ludwig scheint das Unternehmen, Einhards Wünschen entsprechend, gefördert zu
haben; im Sommer des Jahres 832 war der Kaiser, begleitet von seiner Gemahlin, vermutlich nach Seligenstadt
gekommen, als er von Salz aus, zu Schiffe den Main
hinab bis nach Frankfurt fuhr; hierbei mußte er auch Seligenstadt passieren.¹) Und da wird er hier wohl Halt gemacht und die neu erstandene klösterliche Anlage seines
Einhard besichtigt haben; bei dieser Gelegenheit mochte
Einhard das Interesse seines Kaisers wieder auf den
großen Kirchenplan gelenkt haben; und Ludwig ließ sich
gewiß herbei dieses Unternehmen möglichst zu fördern.²)

In den Briefen Einhards, die diesen Bau betreffen, spiegeln sich auch die Sorgen wieder, die ihn
bei seinem Unternehmen begleiteten. Da hören wir einmal von einer Besprechung, die er in der Aachener Kaiserpfalz — vermutlich kurz vor den turbulenten Ereignissen
des Jahres 833¹) — mit einem Abt gehabt hat: vorsorg-
lich, wie Einhard war, hatte er bereits damals an die Bedachung seiner neuen Seligenstädter Basilika gedacht und
mit jenem Abt einen Lieferungsvertrag abgeschlossen, auf
Grund dessen ihm dieser für den Preis von fünfzig Pfund
das zur Bedachung nötige Blei besorgen sollte. Einhard
vergaß dieses Vertrages auch im Gedränge der darauffol-
genden Wirren nicht; in dem Brief an den erwähnten
Abt erinnert er diesen an jenes Abkommen, obgleich er
selbst gestehen muß, daß sein Kirchenbau noch lange nicht

---

¹) S. oben S. 282f.
²) So Kurze, Einhard 71.
³) Darüber unten im Abschnitt XXI S. 382.

so weit fortgeschritten sei, daß man schon an die Bedachung denken könne; aber man wisse' halt nicht, meint
Einhard, wann das Leben sein Ende hätte und darum
möchte er doch noch das löbliche Beginnen, das für ihn der
Abschluß jenes Lieferungsvertrages bedeutet, auch zu Ende
geführt sehen; der geschätzte Adressat werde also die Güte
haben ihn über den Stand der Sache zu unterrichten; ob
er schon die nötigen Schritte zum Einkauf des Bleies
getan habe? wenn nicht, wann er dann solches tun würde?
— All das möchte Einhard wissen.

Mehrere Bischöfe — vielleicht die von Mainz und
Worms — sollten Einhard bei seinem Kirchenbau unterstützen; denn für die Kräfte eines einzelnen schien das
Unternehmen doch zu schwer zu sein; wenn auch dem Gutsherrn jener Zeit, der einen Bau unternehmen wollte,
manche Rohstoffe und Arbeitskräfte in seiner Gutswirtschaft
zu Gebote standen wie etwa Holz aus seinem Walde, Sand
und Steine aus seinen eigenen Sand= und Steingruben,
vor allem auch „ungelernte" Arbeitskräfte aus seinem Hof-
gesinde oder aus seinen Gutstaglöhnern, vielleicht auch zuweilen gelernte Maurer und Zimmerleute,[1] — so war
trotz all dieser Erleichterungen ein Bauunternehmer wie
Einhard doch auch stark auf fremde Hilfe angewiesen; und
darum hatte Ludwig d. Fr. jene Kirchenfürsten angewiesen
ihm behilflich zu sein. Aber seit dem Juni 833 galt das
Wort des alten Kaisers in den östlichen Gebieten seines
Reiches, zu denen ja Seligenstadt wie auch jene Bistümer
gehörten, nur mehr wenig; Ludwig der Deutsche führte
jetzt hier an Stelle des Vaters das eigentliche Regiment.
An ihn wandte sich daher auch Einhard und bat ihn doch
dem Gebot seines Vaters Geltung zu verschaffen.

---

[1] Sombart, Entstehung des modernen Kapitalismus I
2. Aufl. 81.

Nach all dem kann es uns wahrhaftig nicht wunder=
nehmen, wenn Einhard gelegentlich die großen Mühen,
mit denen er bei seinem Bau zu kämpfen hat — auch die
technische Ausführung wird ihm nicht gerade leicht ge=
fallen sein — hervorhebt und gesteht, daß der Bau seiner
Seligenstädter Kirche nur „mit großen Schwierigkeiten"
vor sich gehe.

Wie gesagt, ist uns der Kern dieses Kirchenbaues
Einhards in der heutigen Pfarrkirche zu Seligenstadt über=
kommen. Die baulichen Veränderungen, welche in der
zweiten Hälfte des 19. Jahrhunderts an diesem Gottes=
hause vorgenommen wurden und durch welche dasselbe sei=
nes altertümlichen Charakters gänzlich beraubt, ein ganz
neuzeitliches Aussehen erhielt, trugen wenigstens das Gute
an sich, daß sie das Interesse der kunstverständigen Kreise
diesem Bauwerke zulenkten; durch Entfernung der dekora=
tiven Zutaten aus dem Zeitalter des Rokoko im Innern
des Langhauses wurde die Möglichkeit geboten den Kern
des Gotteshauses hinsichtlich seiner S t r u k t u r zu unter=
suchen. Dabei zeigte sich, daß die heutige Pfarrkirche,
also die ehemalige Abteikirche, in ihren westlichen Teilen
des Mittelschiffes aus der Karlingerzeit herrührt: die anti=
kisierenden Profilierungen der Basamente und Kämpfer
an den schlanken Pfeilern, anderseits auch die Struktur
dieser Pfeiler und der sie verbindenden Archivolten, die
aus hellgebrannten Ziegelsteinen und aus breiten, weißen
und feinkörnigen Mörtelschichten besteht, können als Be=
lege für die Herkunft unserer Basilika aus karlingischer
Zeit, für ihre Identität mit der von Einhard erbauten
großen Wallfahrtskirche gelten.[1] Der Geist der antiken

---

[1] S. Schäfer in C. von Lützows Zeitschrift für bildende
Kunst IX (1874) 129; Schäfer in den Annalen des Vereins für
nass. Altertumskunde XII 298.

Architektur kam in Einhards Bau noch in mancher Hinsicht zum Ausdruck.

Auch bei der Seligenstädter Basilika trat der Transept durch eine starke Ausladung über die Breite der Seitenschiffe hinaus, so daß der Grundriß eine ausgesprochene Kreuzform hatte.[1]) Man konnte bei jenen baulichen Untersuchungen auch Spuren eines ehemaligen Atriums samt einer Brunnen=Anlage vor der Westfront der Kirche feststellen. Vor den Eingangstoren zog sich eine Vorhalle hin, welche mit den Wohngebäuden, die Einhard hier errichtete, unmittelbar verbunden war; über dem westlichen Eingang der Basilika aber befand sich eine im Anschluß an die alt=christliche Tradition errichtete Empore, ein Gebetsraum, der vielleicht als Winterchor benutzt wurde, und in dem jedenfalls gleichfalls ein Altar aufgestellt war; von dieser erhöhten Stätte aus und somit von den eigentlichen Kirchenräumen getrennt, pflegte Einhard dem Gottesdienste beizuwohnen; er nahm dabei einen Platz ein, der ganz der Kaiserloge im Aachener Münster entsprach; er wollte in seiner Seligenstädter Kirche, deren Patron er in ähnlicher Weise war wie sein Kaiser Karl der des Aachener Münsters, offenbar dies auch nach außen in Erscheinung treten lassen.[2]) — Auch einen besonderen Glockenturm hatte Einhards Basilika in Seligenstadt, der wahrscheinlich im Osten der Kirche, östlich von Apsis und Transept, gestanden hat.[3])

In unserer Seligenstädter Kirche beträgt die B r e i t e eines Seitenschiffes 4,63 m, während das Mittelschiff gerade doppelt so breit ist. Schon insofern zeigt die Seligenstädter Basilika bereits einen bedeutenden systematischen

---

1) Schneider ebd. XIII 124.

2) Vgl Dohme, Einhard 18 f.

3) Zu all dem f. Schneider in den Annalen XIII 301 f.; zum folgenden auch Adamy 27 ff.

Fortſchritt gegenüber der Steinbacher Kirche. Was man in der neuen Seligenſtädter Kirche, die von Anfang an als Wallfahrtskirche gedacht war, beſonders erſtrebte, war möglichſte Weiträumigkeit für die Scharen der Beter, welche hierher kommen ſollten. Im Gegenſatz zur Stein=bacher Baſilika ſuchte man bei der Seligenſtädter Kirche dieſe Weiträumigkeit dadurch zu erreichen, daß man den Schiffen eine größere Tiefe gab und das Querſchiff weiter vorſpringen ließ; dadurch, daß das Querſchiff genau die=ſelbe Breite wie das Mittelſchiff erhielt, entſtand eine quadratiſche Vierung. Über das Querſchiff hinaus iſt das Mittelſchiff um ein Quadrat verlängert, dem ſich dann die halbkreisförmige Apſis anſchließt.

Die Vollendung ſeines Kirchenbaues in Seligenſtadt ſollte Einhard nicht mehr ſehen; denn erſt unter Ratleik, ſeinem ehemaligen Sekretarius, der nach ihm die Leitung des Seligenſtädter Kloſters übernahm, kam die Ausführung der Seligenſtädter Wallfahrtskirche ganz zum Abſchluß; gleichwohl wird Einhard noch mit Befriedigung auf ſein letztes bauliches Unternehmen geſchaut haben; daß es dem Ruhme ſeiner Heiligen Marzellin und Petrus gewidmet war, wird ihm dieſes Werk ganz beſonders lieb und teuer gemacht haben.

XX

Die Abfassung der Translatio Sanctorum Marcellini et Petri und Einhards Reliquienverehrung und Wunderglaube im Lichte seiner Zeit.

Doch nicht bloß mit dem Zirkel, auch mit der Feder suchte der alternde Einhard den Interessen und Bedürfnissen seiner Seligenstädter Gründung und dem Preise seiner Heiligen zu dienen. Denn für sein Seligenstadt und im Interesse seines Emporblühens faßte er auch jene Schrift ab, deren Eigenart wir uns nun zuwenden wollen: die „Übertragung der Heiligen Marzellinus und Petrus."[1])

Ich möchte dieses Büchlein zu den eigenartigsten und interessantesten literarischen Produkten des früheren

---

[1]) Die Abfassungszeit dieser Schrift wird meist in das Jahr 830 angesetzt (so von Manitius, Gesch. d. lat. Literatur 640 in den Winter dieses Jahres); demgegenüber suchte Bondois, La translation des Saints Marcellin et Pierre 20 ff., 24 ff. zu zeigen, daß das dritte und vierte Buch der Translatio wesentlich später als das erste und zweite Buch geschrieben sei. Die Abfassung der beiden ersten Bücher setzte Bondois nämlich schon in den Sommer bezw. in das Ende des Jahres 828, während sie das dritte und vierte Buch in der Hauptsache gegen 830/31 geschrieben und das Ende des vierten Buches gegen 834 hinzugefügt sein läßt. Freilich ist dabei Bondois ein Irrtum unterlaufen und diese letztere Ansetzung ist nicht haltbar, wie Holder-Egger im Neuen Archiv XXXIII 233 gezeigt hat; die zeitliche Trennung der beiden ersten Bücher von den beiden letzten aber ist m. E. berechtigt.

Mittelalters rechnen. Gewissermaßen im Stile von „Me=
moiren" verfaßt,[1]) ist es so ganz verschieden von Einhards
Hauptwerk, seiner Karlsbiographie. In der Vita Karoli
findet man nichts oder doch nur wenig von der kindlichen,
um nicht zu sagen kindischen Unbesangenheit und Unbe=
holfenheit, von jener Wärme und Einfalt, welche mancher
mittelalterlichen Chronik, manchem Annalenwerk und man=
cher biographischen Schrift aus dieser Zeit eignen und die
an die naive, treuherzige und innige Auffassung erinnern,
die uns auch bei den alten Meistern auf dem Gebiete der
bildenden Kunst so anziehend entgegentritt. Wer die
Eigenart mittelalterlicher Geschichtschreibung kennen ler=
nen will, der sollte nicht zu Einhards klassischer Vita Karoli
greifen.[2]) Dagegen ist die Translatio ganz in dem Geiste,
ganz im Denken und Fühlen des mittelalterlichen Menschen
verankert; und hat doch wieder viel voraus vor der sonstigen
Literatur dieser Zeit.

Auch für seine Translatio hat Einhard klassische Vor=
bilder benützt; aber gegenüber der außerordentlich starken
Anlehnung an antikeSchriftsteller in der Vita Karoli sowohl
wie auch in dem von Einhard herrührenden Teil der
Reichsannalen tritt dieser Anschluß an das Altertum in der
Translatio doch sehr zurück. Das volkstümliche, das
„deutsche" Denken des Autors kommt hier so stark zum
Durchbruch daß sie gewissermaßen einen „deutsch=lateini=
schen Stil" aufweist.

Einhards Translatio war nicht in gleicher Weise wie
seine Vita Karoli als Lektüre auch noch der fernsten
Nachwelt gedacht; aber immerhin mußte schon — so möchte
man meinen — der Gegenstand seines Werkes, die Er=

---

¹) Ebert, Allg Gesch. der Literatur des Mittelalters im
Abendlande II (Leipzig 1880) 100.

²) O. Abel, Kaiser Karls Leben von Einhard [Die Geschicht=
schreiber der deutschen Vorzeit IX. Jahrh., I. Bd., Berlin 1850] 18.

zählung von den Heiligen Marzellin und Peter, die ihm
sicher nicht weniger als der Ruhm seines alten Kaisers
am Herzen lag, den Verfasser veranlassen auch auf die
sprachliche Form gebührend Mühe und Sorgfalt
zu verwenden; und das hat er — ganz im Gegensatz zur
Abfassung seiner zuweilen recht lässig hingeworfenen Briefe
— auch reichlich getan; wenn trotzdem der Stil der
Translatio im Vergleich zu dem der Vita Karoli nicht sehr
gut ist, so erklärt sich dies daraus, daß Einhards eigene
Feder eben doch der formellen Stilfertigkeit entbehrt; sein
persönlicher, natürlicher Stil hatte sich zu jener Reinheit,
welche wir an seiner Vita Karoli und an seinem Anteil
an den Annalen bewundern, hier nur dadurch durchge=
rungen, daß er für die Abfassung dieser historischen Werke
eine besonders intensive Lektüre und Benützung der latei=
nischen Klassiker betätigt und deren Stil mit heißem Be=
mühen genau nachzuahmen gesucht hatte;[1]) das tat er bei der
Abfassung seiner Translatio nicht im selben Maße.

Nicht in sprachlichen Vorzügen beruht eben der be=
sondere Wert der Translatio, sondern die Art ihrer
Erzählung macht ihren Reiz aus; so mitten aus dem
vollen Leben seiner Zeit heraus hat Einhard seine
Translatio geschrieben, und sie gibt gerade dadurch so an=
schauliche, abgerundete Bilder von jenen Tagen, wie sie eben
nur ein Künstler zu zeichnen vermochte; die Unsumme von
Einzelheiten, die uns hier aufgezählt werden, erreicht es
vorzüglich, daß die Dinge, von denen wir hören, uns noch
heute, nach 1100 Jahren, mit unverblaßten Farben vor
Augen gerückt werden, so, als wären sie erst jüngst passiert;
die Proben, die ich hiervon in früheren Abschnitten durch
Erzählungen aus der Translatio gegeben habe, dürften
dies zur Genüge erweisen.

---

[1]) Zu all dem s. Manitius im Neuen Archiv VII 548.

Ich kann an dieser Schrift auch keine „ermüdende Weitläufigkeit"[1]) finden. Allerdings erinnert die Ausführlichkeit, mit der Einhard hier alle möglichen Einzelheiten bringt, die weder vom Standpunkte des frommen Verehrers seiner Heiligen aus. noch auch unter dem Gesichtswinkel des Historikers ein größeres Interesse beanspruchen können, etwas an die Redseligkeit eines Alten, der gerne aus den Erinnerungen an vergangene Tage auskramt; es ist ja die von Matthäi[2]) hervorgehobene Tatsache sehr bezeichnend, daß das Hauptwerk Einhards, die Schilderung der von großen Geschehnissen gesättigten Regierung eines Karls d. Gr., die sich zeitlich fast über ein halbes Jahrhundert erstreckt, etwa nur den halben Raum der Translatio umfaßt, obgleich die Geschehnisse, von denen diese Schrift berichtet, nur einige Jahre umspannen; die behagliche Breite, mit welcher hier der alte Einhard zu seinem Hörerkreis von seinem Lieblingsthema redet, erinnert mich in mehr als einer Hinsicht an die Reiseschilderung, die reichlich 600 Jahre später ein Abt aus altbayrischem Stamme in Form eines Dialoges zwischen einem Jüngling und einem alten Manne, dessen Rolle jener Abt selber übernommen hat, abfaßte: ich meine das sog. „Senatorium" des Abtes Martin von den Wiener Schotten, das seinen Titel in Anbetracht der Greisenhaftigkeit und Anekdotensucht, von der die Schrift beseelt ist, nicht zu Unrecht führt.[3])

Aber trotz dieser Breite, welche Einhards Translatio charakterisiert, ist ihr doch eine volle Unverwelktheit und Frische eigen, und wir können es uns wohl vorstellen, daß sie von manchem Pilgersmann, der nach Seligenstadt gezogen kam und hier gastfreundliche Aufnahme im Hospitium

---

[1]) So Abel a. a. O. 14.
[2]) A. a. O. 10.
[3]) S. Riezler, Geschichte Baierns III (Gotha 1889) 833.

des dortigen Klösterleins gefunden hatte, mit gar lebhaftem
Interesse studiert ward; und mit gespannter Aufmerksamkeit und mit großen Augen wird der Wallfahrer die in
diesen Blättern dargestellten Wunder gelesen haben. Auch
außerhalb Seligenstadts hat man Einhards Translatio vielfach gekannt. Als ein Kuriosum darf
ich hierbei wohl auf die mehr als eigenartige „Benützung"
dieser Schrift, die man sich im elften Jahrhundert im
Kloster St. Medard in Soissons erlaubte und die nichts
anderes als eine Fälschung ist, hinweisen. Man scheint
hier nicht darauf vergessen zu haben, daß auch St. Medard
zeitweise auf den Besitz eines Teiles der seinerzeit von Rom
ins Frankenreich überführten Reliquien Anspruch erhob
und daß es diese teilweise auch wirklich eine Zeitlang besessen
hatte.[1]) Um nun den angeblichen Besitz der tatsächlich im
elften Jahrhundert in Seligenstadt befindlichen Reliquien
nachweisen zu können, entschloß man sich in St. Medard
Einhards Translatio ebenso einfach wie ausgiebig dadurch
zu verfälschen, daß man jetzt hier in einem neuen Büchlein,
der Translatio Sanctorum Tiburtii, Marcellini et Petri
ad S. Medardum,[2]) unter gründlicher Verwertung der
Schrift Einhards die Behauptung aufstellte, daß jene
Heiligenleiber nach St. Medard (statt nach Seligenstadt)
gebracht worden seien. Vermutlich hat der Verfasser dieser
Translatio den angeblichen Besitz der fraglichen Reliquien
seitens des Klosters St. Medard auch noch dadurch zu „beweisen" gesucht, daß er in die schon erwähnte Geschichte
Nithards ein entsprechendes Einschiebsel machte.[3])

---

[1]) S. oben S. 324ff.

[2]) Mon. Germ. SS. XV 391 ff.; vgl. Wattenbach, Deutschlands Geschichtsquellen I⁷ 209; Bondois, Translation 42; Ernst
Müller, Die Nithard-Interpolation, im Neuen Archiv XXXIV
(1909) 715.

[3]) S. oben S. 331; vgl. Müller a. a. O. 716.

Nach den Absichten ihres Verfassers sollte Einhards Translatio[1] einmal dieselben Z w e c k e verfolgen, die ja allen hagiographischen Schriften dieser Zeit eigen sind: neben dem Preis der Allmacht Gottes und der Kraft seiner Heiligen sollte sie eine sittliche Wirkung auf die Lebensführung ihrer Leser ausstrahlen. Daneben hatte Einhard aber doch noch besondere Zwecke im Auge: im ersten Buche seiner Translatio kam es ihm darauf an seine Leser davon zu überzeugen, daß die Überführung der Reliquien seiner beiden Heiligen von Rom nach Michelstadt und von da nach Seligenstadt auf besondere Veranlassung Gottes erfolgt war; vor allem aber war es Einhards Absicht durch seine Schrift die Echtheit seiner Reliquien darzutun; denn durch den im Interesse von St. Medard ausgeführten Diebstahl mag der Glaube an die Authentizität der Seligenstädter Heiligenleiber für weite Kreise erschüttert worden sein. Demgegenüber zeigt nun Einhard im zweiten Buch seiner Translatio, daß die ihm entwendeten Reliquien schon bald wieder an ihn zurückgegeben worden seien, ja daß ihm überhaupt nur der eine der beiden Heiligen, St. Marzellin, und auch von ihm nur Teile, keinesfalls aber auch St. Peter, abhanden gekommen war.

War es somit Einhard vor allem um den Nachweis der Echtheit seiner Seligenstädter Reliquien zu tun, so wollte er in seiner Schrift zugleich auch für die Reliquienverehrung überhaupt eine Lanze brechen. Man muß auch hier wieder Einhards Schrift im Rahmen der damaligen Verhältnisse im allgemeinen ins Auge fassen. Die Entstehung der Translatio SS. Marcellini et Petri gehört einer Zeit an, in der innerhalb der Kirche die F r a g e der H e i l i g e n v e r e h r u n g nicht unumstritten war. Ein Teil des fränkischen Klerus stand der Reliquienverehrung

---

[1] Vgl. zu all dem die Darlegungen von Bondois 34.

und dem hiermit, zusammenhängenden Wunderglauben
mißgünstig gegenüber; es wies ja auch die Reliquienverehrung jener Zeit manche Auswüchse auf. — Ursprünglich
war der innerste Grund zur Verehrung der Überreste von
Märtyrern der feste Glaube an die Verdienste dieser Heiligen bei Gott und das kräftige Vorbild ihres Mar-
tyriums. Dabei stellte man sich schon früh eine Art von
moralischer Verbindung zwischen den verstorbenen Heiligen
und ihren auf Erden zurückgebliebenen körperlichen Überresten vor. Man ging hierbei davon aus, daß in jedem
einzelnen Teile des Leibes die Seele des Menschen vollständig und ungeteilt wohnt; auch nach dem Tode bleibt
trotz der eingetretenen Scheidung der Seele vom Leibe
eine gewisse Zusammengehörigkeit zwischen Seele und Leib
bestehen. Denn die leiblichen Reste gehörten gleichsam der
Seele, die sie bei der Auferstehung des Fleisches wieder
erhalten sollte; zudem glaubte man, daß die Seelen der
Heiligen über das Schicksal ihrer Leiber unterrichtet seien,
daß sie für die Verehrer ihrer Reliquien beteten.[1] —
Durch diese Gedankengänge gelangte man also zu einer
nachhaltigen Verehrung der L e i b e r der Heiligen, ja es
wurde auf diese ein besonderer Nachdruck gelegt. Dadurch konnte sich nun freilich eine gewisse Veräußerlichung
der Heiligenverehrung einstellen. Hierzu kam, daß aus
äußeren Gründen es den christlichen Glaubensboten geraten erscheinen mußte gerade in den ostfränkischen Gebieten die Reliquienverehrung zu fördern.[2]

Nach dem Gesagten kam also den Zeitgenossen Einhards auf den m a t e r i e l l e n B e s i t z e i n e s H e i -
l i g e n l e i b e s oder eines Teiles eines solchen alles an;
in ihm glaubte man die V o r b e d i n g u n g zum Vorkommen v o n W u n d e r n sehen zu dürfen; denn solche

---

[1] S. Beissel, Verehrung der Heiligen 19 f.
[2] S. oben S. 243.

ereigneten sich in der Regel nur dort, wo sich ein Heiligen=
leib befand. Daher sagt uns auch Einhard ausdrücklich,
daß in Aachen vor der Verbringung seiner Reliquien
dorthin noch keine Wunder vorgekommen seien. Und
wie schwer wurde es ihm zu begreifen, daß bei seiner An=
wesenheit in der Königspfalz zu Sinzig ein Wunder ge=
schehen konnte in einer Zeit, da er seine Heiligenleiber in
Seligenstadt wußte, während er auf jener Reise in Sinzig
nur einige Reliquien bei sich hatte![1])

Nur die leidenschaftliche Begierde nach dem Besitze
von Reliquien, von der Einhard gleich vielen seiner
Zeitgenossen beseelt war, macht es erklärlich, daß er keinen
Anstoß daran nahm die immerhin sehr bedenkliche Art, mit
der seine Heiligenleiber in Rom erworben worden waren
und die einem Kirchendiebstahl samt Grabschändung nur
allzu sehr glich, rückhaltlos zu erzählen. Die Sucht
nach Reliquien war eben größer geworden als die
natürliche, dem Menschenherzen innewohnende Ehrfurcht
vor der Grabesruhe der Verstorbenen; die Zeit eines
Gregors d. Gr. (590—604), der sich höchlichst darüber ver=
wundert hatte, daß man an ihn das Ansinnen Überreste
der Apostel zu empfangen zu stellen wagte, und da es als
ein schwer zu ahndendes Verbrechen galt, die Gräber der
Märtyrer zu erbrechen, war in den Tagen Einhards vor=
über. Je mehr die Märtyrergräber Roms in Verfall ge=
rieten und je mehr sich dafür auch die Notwendigkeit ergab
die Heiligenleiber in die Kirchen innerhalb der Ewigen
Stadt zu übertragen, desto mehr wuchs auch das Interesse
für die Überreste der Heiligen in den kirchlichen Kreisen
innerhalb und außerhalb Roms. Im Jahr 817 hatte
Papst Paschal I. von den altchristlichen Begräbnisstätten
in der Umgebung Roms 2300 Heiligenleiber in das Innere

---

[1]) Oben S. 308.

der Stadt überführen und sie hier unter verschiedene römische Kirchen verteilen lassen; seitdem suchten immer mehr Äbte und Bischöfe römische Reliquien zu erwerben; Händler traten auf, die sich mehr oder minder berufsmäßig mit dem Erwerb und dem Verkauf von Reliquien befaßten; vielleicht darf Deusdona als Typ eines solchen Reliquienhändlers gelten. Rom und seine Päpste wachten freilich streng darüber, daß die Ewige Stadt nicht ihres Reliquienschatzes entblößt, und daß ohne besondere päpstliche Erlaubnis — eine solche hatte 827 Hilduin zur Überführung des hl. Sebastian erhalten — kein Heiligenleib aus Rom gebracht würde; daher ja auch die Furcht Ratleiks und seiner Begleiter vor dem Zusammentreffen mit den päpstlichen Gesandten in Pavia.[1])

Trotz dieser starken und allgemeinen Verbreitung der Reliquienverehrung zu Einhards Zeiten schien es doch nicht überflüssig zu sein eine Lanze für den Heiligen- und Reliquienkult zu brechen, wie das Einhard in seiner Translatio tut; denn Kirchenfürsten von hohem Ansehen, wie Agobard, der als Judengegner bekannte Erzbischof von Lyon, oder wie Claudius von Turin, standen der üblichen Heiligenverehrung mehr als skeptisch gegenüber. Bei seinem Kampf gegen die Bilderverehrung verwarf Agobard auch das Aufstellen von Heiligenbildern, und Bischof Claudius von Turin schalt nicht bloß die Bilderverehrer geradezu Götzendiener, sondern er rückte auch in leidenschaftlicher Weise gegen Wallfahrten und Reliquien, besonders auch gegen die Verehrung des hl. Kreuzes, zu Felde.

Gerade in der Zeit, da Einhard seine Translatio abfaßte, war dieser Streit um die Reliquienverehrung und um die Berechtigung der Wallfahrten akut:

---

[1]) S. oben S. 256f.

in einem zwischen 827 und 830 an den Erzbischof Bartho=
lomäus von Narbonne geschriebenen Brief empfahl Ago=
bard diesem seinem Amtsbruder gegenüber angeblichen
Wundern, deren Möglichkeit er grundsätzlich allerdings
keineswegs in Abrede stellte, Vorsicht und Zurückhaltung,
und wies hierbei auf gewisse Fälle aus der jüngsten Ver=
gangenheit hin. Besonders in der Kirche des hl. Firmin
zu Uzes in der Diözese Lyon waren damals Betrügereien
vorgekommen. Noch der Nachfolger Agobards, Erzbischof
Amulo von Lyon, wußte in einem zu Beginn der vierziger
Jahre abgefaßten Schreiben an den Bischof von Langres
davon zu berichten. Er erwähnt hier verdächtige Reli=
quien, die man zu seiner Zeit aus Italien nach Dijon ge=
bracht hatte, und gab die Weisung, diese Reliquien nicht
öffentlich darzustellen, sondern sie an einem verborgenen
Orte beizusetzen. In diesem Zusammenhang spricht Amulo
auch von den Täuschungen, die sich schlechte Menschen er=
laubten, und von den Blendwerken böser Geister; dumme
und glaubenslose Leute, die voll ungesunder Sucht Neues
zu hören seien, würden sich durch derlei Dinge nur allzu
stark beeinflussen lassen. Auch an heiligen Stätten und bei
Märtyrergräbern, sagt Amulo, käme es vor, daß man um
des schnöden Mammons willen dem Tun solcher Menschen
keinen Damm entgegensetze und es noch begünstige, statt
daß man das Volk zur aufrichtigen und reinen Ausübung
seiner Religion anleite. Als Beleg hierfür weist Amulo
auf jene Vorgänge in Uzes hin. Und er spricht von Leu=
ten, die Besessenheit fingiert und welche dann, als man
ihnen tüchtige Hiebe verabfolgt habe, sich sogleich als
normal erwiesen und ihren Betrug eingestanden hätten.
Bei den Vorkommnissen in Uzes aber hätten sich Male,
wie mit Schwefel ausgebrannt, auf den Gliedern von
Kranken gezeigt; auf den Rat Agobards habe Erzbischof
Bartholomäus von Narbonne die Weisung gegeben, man

sollte die Wallfahrten hierher aufstecken und das Geld, das man dadurch erübrige, zum Besten von Armen und Notleidenden verwenden.

Der erwähnte Bischof Claudius von Turin hatte schon bald, nachdem er sein Bistum erhalten hatte (820), hier mit Wort und Schrift und Tat einen Bildersturm begonnen. Umsonst legte Abt Theodemir von Psalmody die Irrtümer des Claudius einer Synode vor und mahnte Claudius i. J. 828 zum Verlassen seines eingeschlagenen Weges; Claudius antwortete in einer Verteidigungsschrift, Theodemir wieder verfaßte eine Replik, das Buch des Bischof Claudius kam vor den Kaiser und ward hier am Hofe geprüft und verurteilt.[1]

Mitten in diesen Streitigkeiten um die Heiligen= und Reliquienverehrung hat Einhard seine Translatio geschrieben. Sie stellt eine entschiedene Absage an die gegen den Heiligen= und Reliquienkult gerichtete rationalistische Strömung innerhalb der fränkischen Kirche dar. Aber auch dem anderen Extrem in dieser Hinsicht, einem übertriebenen, blinden Heiligenkult war Einhard nicht rückhaltlos ergeben; seine Haltung war auch auf diesem Gebiete das Einschlagen jenes Mittelweges, den auch andere angesehene Männer seiner Zeit, ein Bischof Jonas von Orleans und ein Meister Dungal, gewählt hattten. Mit Überlegung und vollem Bewußtsein suchte sich Einhard von Übertreibungen des Heiligenkultes fern zu halten; einer Schmälerung der Allmacht Gottes durch allzu starkes Betonen der durch Heilige vollzogenen Wunder will er keinesfalls das Wort reden.

Wenn auch der Heilige, vor dessen Reliquien ein Wunder geschieht, im Sinne Einhards der unmittelbare Wundertäter zu sein scheint und wenn auch für Einhard die

---

[1] Pohle in Wetzer und Weltes Kirchenlexikon III 435.

Anwesenheit dieses Heiligen in Gestalt seiner Gebeine als Voraussetzung für das fragliche Wunder gilt, so ist es doch letzten Endes der allmächtige Gott, auf den er die Wundertat und damit die Durchbrechung der natürlichen Gesetze zurückführt. Diese Anschauung Einhards geht aus seiner Translatio aufs klarste hervor: wiederholt äußert er, daß der Herr es war, der durch diesen oder jenen Heiligen die Zeichen und Wunder geschehen lasse zum Heile der Gläubigen, und daß die Verdienste und die Fürbitten der Heiligen es sind, die Gott zum Vollzug der Wunder bestimmen.

An die Tatsächlichkeit dieser Wunder aber glaubt Einhard unbedingt; sie dem Leser zu bezeugen ist nicht der letzte Zweck seiner Schrift. Den Liebhabern Christi und den Verehrern seiner Märtyrer, so meint er einmal, werden die Wunder seiner Heiligen sicher eine angenehme Lektüre sein; ihnen werde nichts von dem, was nach dem Willen der Allmacht Gottes geschehen sollte, als unmöglich gelten. Den Ungläubigen aber sowie Leuten, welche den Ruhm der Heiligen verkleinern, müßten seine Berichte allerdings zum Ekel sein; solchen Menschen rate er sie überhaupt nicht zu lesen.

Einhard selbst ist jedenfalls von der Wahrheit aller und jeglicher Wunder, die er erzählt, zu tiefst überzeugt. Und es ist richtig, daß der Leser, der Einhards Translatio ganz und vorurteilslos studiert hat, dem Schreiber dieser Zeilen nicht gram sein wird.[1]) Die Ehrlichkeit der Gesinnung Einhards bei der Abfassung seiner Schrift geht aus nichts besser hervor als daraus, daß er wiederholt auch von Fällen spricht, in denen die Hilfe seiner Heiligen versagt hatte: so vor allem, wie wir noch hören werden, bei der tötlichen Erkrankung seiner lieben Imma;

---

[1]) Vgl. Beissel, Verehrung 100.

nach deren Ableben schildert er es Lupus von Ferrières
in ergreifenden Worten, wie er in seinem Vertrauen
auf die Hilfe seiner Heiligen so bitter enttäuscht worden
sei. Und bei der Heilung des Reimsers Gerlaicus wird
wahrheitsgetreu berichtet, daß diese Heilung nur teilweise
erfolgreich war, da auch hernach der Arme am Kreuz und
am linken Fuße litt und zwar so stark, daß er beim Gehen
immer einen Stock haben mußte; rückhaltlos und offen gibt
das Einhard zu; freilich will er in dieser nur teilweisen
Heilung nicht ein Versagen der Macht der Fürbitte seiner
Heiligen sehen; er erklärt sich die Mangelhaftigkeit der
Genesung des Genannten lediglich daraus, daß er annimmt, es sei zu dessen Seelenheil nötig gewesen, daß ihm
auch weiter gewisse Spuren seines Leidens noch anhafteten.

Einhard ist bestrebt dem skeptischen Leser den Nachweis der Glaubwürdigkeit seiner Wunder-
berichte zu erbringen; derartige Skeptiker, die solches
nötig machten, gab es genug; Einhard nahm auf sie
eingehend Rücksicht. Als stringenter Beweis für die
Glaubwürdigkeit eines Wunders gilt ihm die Augenzeug-
schaft; in den Fällen, da er persönlich die von ihm berichteten Wunder gesehen hat, hebt er dies denn auch stark
hervor. Dagegen gilt ihm die Glaubwürdigkeit der Wunder, die er nur auf Grund eines Berichtes von anderen
Leuten kennt, als hiermit nicht ebenbürtig; und Einhard
gibt zu, daß der größere Teil der Wunder, die er in seiner
Translatio zur Darstellung bringen will, ihm durch die
Erzählung anderer Leute zu Ohren gekommen sei; daß
aber auch diese Berichte glaubwürdig seien, will er daraus
ableiten, daß sie ja gar nichts Unwahrscheinliches enthiel-
ten, da er doch mit eigenen Augen ähnliche wunderbare
Vorkommnisse habe beobachten können; hieraus will er,
ohne jedes „Zweifelsbedenken" auf die Glaubwürdigkeit
der ihm gemachten Angaben schließen, auch wenn er die

Perſon ſeiner Gewährsleute nicht oder nur wenig kennt. Dagegen ſucht Einhard die genaueſten perſönlichen Verhältniſſe der Geheilten anzugeben: ihren Namen, ihr Lebensalter, ihre Herkunft und Heimat, ihren Beruf — all dieſe Dinge ſucht er in ſeiner Translatio feſtzuhalten um ſo ſeine Leſer zur Überprüfung ſeiner Angaben in Stand zu ſetzen.

Bei ſeinen Wundererzählungen glaubt Einhard auch den Umſtand wiederholt betonen zu müſſen, daß dieſelben Kranken, welche durch ſeine Heiligen Marzellin und Peter geheilt worden waren, an anderen Wallfahrtsorten keine Geneſung gefunden hätten. Eine gewiſſe R i v a l i t ä t z w i ſ c h e n den aufkeimenden W a l l f a h r t s ſ t ä t t e n tritt ſo in Einhards Schrift in Erſcheinung; er will die Wundertätigkeit ſeiner Heiligen gewiſſermaßen als größer und wirkungsvoller dartun als die anderer Heiligen: bei einem Kranken, der nach Seligenſtadt gezogen war und hier geheilt wurde, berichtet er, daß dieſer von Lüttich gekommen und unterläßt vielleicht abſichtlich nicht dem beizufügen, daß dort in Lüttich der Leib des hl. Lambert ruhe; der Leſer mochte dann ſelber daraus den Schluß ziehen, daß die Wunderkraft der Seligenſtädter Heiligen doch noch größer ſein müſſe als die des hl. Lambert. Oder er berichtet ein andermal von jenem Mädchen aus Bourges, das in Seligenſtadt geheilt wurde, es ſei vorher ſchon mit Vater und Bruder „an vielen Stätten von Heiligen" herumgezogen; auch daraus ergab ſich für den lieben Leſer der Einhard erwünſchte Schluß von ſelbſt. Noch deutlicher ſagt Einhard von jener ſpäteren Seligenſtädter Nonne Marktrud, daß ſie vor ihrer Heilung zu Seligenſtadt von ihren Eltern ſchon „an alle Stätten von Heiligen, an welche ſie hatte kommen können", gebracht worden war ohne indes hier Hilfe zu erlangen, ſo daß man bereits die Hoffnung aufgegeben hatte ſie wieder geſund zu ſehen.

Namentlich schienen die Wallfahrtsorte, an denen sich Reliquien der Heiligen Einhards befanden, mit dem Medarduskloster in Soissons in Konkurrenz zu treten, mit dessen Abt Hilduin Einhard ohnehin, wie wir wissen, zeitweise auf recht gespanntem Fuße stand: auch Soissons und sein Medarduskloster war ja erst kürzlich zu einer berühmten Wallfahrt geworden;[1]) auch jener Taubstumme aus Tournai war zuerst nach Soissons gezogen und hatte auch — Einhard gesteht das gerne zu — hier zu hören und zu sprechen begonnen. Aber doch noch in recht unvollkommener Weise! Wenn er redete, verstand man ihn nicht, und wenn andere zu ihm sprachen, fehlte es ihm am richtigen Verstehen. Erst vor einigen Reliquien vor St. Marzellin und Peter, die in St. Servatius in Maastricht ruhten — auch dorthin ließ Einhard, wie wir noch hören werden, Teile seines Reliquienschatzes bringen — verloren sich auch diese Mängel.

Interessant ist, wie Einhard zuweilen festzustellen suchte, ob ein Wunder wirklich seinen Heiligen Marzellin und Peter oder einem andern Heiligen zugeschrieben werden könnte: die Wunder, die sich in seiner Aachener Hauskapelle abspielen, dürfen nach seiner Überzeugung sicher niemandem sonst als St. Marzellin zugeteilt werden; denn Reliquien von anderen Heiligen befanden sich in dem erwähnten Raume überhaupt nicht. Dagegen konnte man bei Wundern, die sich in Kirchen, welche anderen Heiligen geweiht waren, die aber auch Reliquien St. Marzellins und St. Peters bargen, allerdings geneigt sein den Schutzherrn der betreffenden Kirche als Wundertäter anzusehen. Doch fiel es auch hier für Einhards Auffassung entscheidend ins Gewicht, wenn vor der Ankunft seiner Heiligen in der fraglichen Kirche noch keine Wunder vor-

---

[1]) S. oben S. 244.

gekommen waren. — Auch die Schickſale jener Kölnerin,
welche anfangs in Seligenſtadt keine Heilung gefunden,
dann — gleichfalls vergeblich — zum hl. Albanus in
Mainz wallfahrtete, hier durch eine Erſcheinung wieder
nach Seligenſtadt verwieſen ward und hier auch wirklich
— freilich erſt nach neuem Warten — Heilung fand,
konnte Einhard im Gefühl einer gewiſſen Überlegenheit
ſeiner Heiligen gegenüber dem hl. Alban von Mainz vortragen; zwar glaubt er die wunderbare Heilung dieſer
Frau nicht den Heiligen Marzellin und Peter zuteilen zu
dürfen. Denn dieſe Heilung war erſt erfolgt, als man den
Seligenſtädter Reliquienſchatz durch ein Fingerglied des
ſeligen Hermes vermehrt hatte; an deſſen Feſttag hatte ſich
auch das Wunder mit der Kölnerin abgeſpielt. Aber
gleichwohl meint Einhard, auch St. Marzellin und St.
Peter ſeien am Vollzug dieſes Wunders nicht unbeteiligt
geweſen; denn nicht nur, daß es ſich in deren Kirche ereignete — die kranke Frau hatte auch die Fürbitte
der genannten Heiligen auf ihrer ganzen Wanderſchaft
angefleht. — In ähnlicher Weiſe wird von Einhard ein
anderes Wunder mit dem Bemerken berichtet, daß es bei
der Ankunft der Reliquien von St. Protus und Hyacinthus
in Seligenſtadt geſchehen ſei.

Im Laufe der Zeit ſuchte nämlich Einhard zu den
Leibern ſeiner beiden Lieblingsheiligen auch noch andere Reliquien für ſein Seligenſtadt zu erwerben.
Da war es einmal das ſchon erwähnte Fingerglied des
hl. Hermes, das Einhard im Auguſt des Jahres 830 erhielt
— freilich, wie er mit einem leiſen Seufzer ſagt, um einen
ungewöhnlich hohen Kaufpreis; der Händler war auch jetzt
wieder Deusdona, der damals neuerdings von Rom gekommen war. Es waren gerade die Tage geweſen, da in
der Ewigen Stadt Papſt Gregor IV. für ſeine Titelkirche
San Marco in den Katakomben und in den weiter außer-

halb der Stadt gelegenen Kirchen nach Reliquien suchen und die Funde von solchen in die erwähnte Titelkirche übertragen hatte lassen. Als nun damals auch das Grab des seligsten Hermes geöffnet und dessen Leib erhoben werden sollte, war eben einer von Einhards Leuten aus Seligenstadt in Rom auf einer Wallfahrt; er wollte hier seine Bußgebete verrichten. Während dieses Aufenthaltes in Rom kam nun der Gute mit anderen Pilgern mitten in die Volksmenge, die bei der Kirche des hl. Hermes gelegentlich der Erhebung von dessen Gebeinen beieinander stand. Er erfährt, was da gerade vor sich geht und schöpft nun, wie Einhard entschuldigend schreibt, in seiner Einfalt — tatsächlich sollte freilich dieser Optimismus doch recht behalten! — die Hoffnung, es möchte ihm gelingen Reliquien dieses Heiligen zu erhalten und sie nach Hause zu bringen. An wen anders sollte er sich da wenden als an Deusdona? So ging er denn zu diesem und trug ihm freimütig sein Anliegen vor: er möchte halt gar zu gerne seinem Herrn Einhard Reliquien des neu erhobenen Heiligen mitbringen! Die Freude, die er diesem damit machen würde, brauchte er Deusdona gar nicht erst zu schildern! Ob ihm denn Deusdona nicht behilflich sein möchte in dieser Angelegenheit? Dieser schien auch wirklich nicht „Nein!" sagen zu können, wenn man sich an ihn mit derlei Bitten wandte — vorausgesetzt wahrscheinlich, daß ein Gewinnchen für ihn selber abfiel. So erhalten denn die Wachen von St. Hermes ein Trinkgeld und drückten nun, wie es scheint, nicht nur e i n Auge, sondern die beiden Augen zu. So gelingt es, daß man nicht nur Reliquien vom hl. Hermes, sondern auch solche von Protus und Hyacinthus erwirbt, deren Leiber in derselben Kirche bestattet lagen.[1]) Diese letzteren Reliquien sendet dann Deusdona durch einen seiner Vertrauten namens Sabba-

---

[1]) Vgl. Bondois, Translation 35 A. 1.

tinus sowie durch jenen Angehörigen Einhards an diesen, während er später selber die vom hl. Hermes herrührende Reliquie Einhard überbringt.

Einhard wußte auch diesmal die ihm ausgehändigten Reliquien mit gebührender Ehrfurcht zu empfangen: als er die Nachricht von der bevorstehenden Ankunft der Reliquien von St. Protus und Hyacinthus erhalten hatte, ging er ihnen entgegen, übernahm sie in seierlicher Weise und geleitete sie unter Hymnen und Gebeten in die Seligenstädter Kirche. Hier wurden sie in demselben Schrein, in dem sie angekommen waren, neben den Leibern von St. Marzellin und St. Peter beigesetzt; schon am Tage nach ihrer Ankunft spielte sich dann die oben[1]) erwähnte Teufelsaustreibung ab. Die Reliquien des hl. Hermes aber barg Einhard in einem kleinen Behälter und stellte diesen in der Empore der Seligenstädter Basilika über deren westlichen Eingang auf.

Alles das erzählt uns Einhard selbst; er war ja auch felsenfest davon überzeugt, daß er die Überreste der genannten Heiligen besitze. Doch scheint die Echtheit der Reliquien, die als Reliquien des hl. Hyacinthus ihm von Deusdona übersandt worden waren, nicht über alle Bedenken erhaben zu sein, und es ist nicht ausgeschlossen, daß Deusdona die Gier Einhards nach Reliquien und seine Leichtgläubigkeit mißbraucht hat.[2])

---

[1]) S. 244ff.
[2]) S. Bondois a. a. O. 35 A. 1.

XXI

Einhards trübste Lebensjahre und seine Haltung während des karlingischen Familienzwistes.

Ich habe bereits oben auf die schlimme Lage des frän=
kischen Reiches in den zwanziger Jahren des neunten
Jahrhunderts hingewiesen und von den Offenbarungen
erzählt, von denen Einhard zur Zeit des Aachener Reform=
Reichstages von 828/9 seinem Kaiser zu berichten wußte
und in welchen die gedrückte Stimmung, von der auch
er gleich vielen seiner Zeitgenossen ergriffen war, deut=
lich zum Ausdruck kam. In der Tat hatte damals wohl
die trübste Periode in Einhards Leben begonnen. Denn
nicht bloß die unseligen politischen Verhältnisse des Reiches
machten den treuen Diener Kaiser Karls besorgt, nicht
bloß unter den Umtrieben und Machenschaften am Hofe
hatte er zu leiden — auch körperliche Gebrechen und Krank=
heiten zeigten sich im Alter Einhards in allzu gehäuftem
Maße.

Denn wiederholt wurde E i n h a r d in jener Zeit
von s c h w e r e r K r a n k h e i t heimgesucht. So vor
allem in den ersten Monaten des Jahres 829 kurze Zeit
nach dem Reichstag zu Aachen, an welchem er voll see=
lischer Depression teilgenommen hatte.¹) In jener Krank=
heit glaubte er schon dem Tode nahe zu sein; es ehrt Kaiser
Ludwig, daß er damals an das Krankenlager seines treuen

---

¹) S. oben S. 313ff.

Dieners geeilt kam; und es ehrt Einhard nicht minder, daß
er in dieser Stunde seinen Kaiser inständigst für d i e
Gründung bat, die ihm vor allem am Herzen lag, für seine
Stiftung zu Seligenstadt; der Kaiser mußte Einhard das
Versprechen geben nach Einhards Tod des Klosters zu
Seligenstadt und seiner Söhne nicht zu vergessen; auf die
Seligenstädter Abtei sollte ein Teil der Lehn Einhards
übertragen werden.   Man erkennt aus diesem Anliegen,
das Einhard angesichts des Todes seinem Kaiser vorge=
tragen hat, wie sehr ihm seine Gründung zu Seligenstadt
wirklich eine Herzenssache war; nicht selbstsüchtige Eigen=
interessen waren es gewesen, die ihn veranlaßt hatten ihr
die Sorge seines Alters zuzuwenden.

Von seiner damaligen schweren Krankheit ist Einhard
zwar wieder genesen, aber seine volle Gesundheit war doch
dahin.   Auch im Jahre 830 klagt er in schmerzlichen Wor=
ten über seinen körperlichen Zustand: der rechte Ober=
schenkel ist seit der letzten Krankheit dauernd angeschwollen,
die Milzschmerzen, unter denen er leidet, wechseln mit
starkem Darmkatarrh, heftige Nierenschmerzen quälen ihn;
bei seinem leidenden Zustand kommt er auf einer Reise
kaum in zehn Tagen von Maastricht bis Valenciennes!
Hier vermochte er sich überhaupt nicht mehr zur Weiter=
reise aufs Pferd zu schwingen, sondern mußte, um seine
Reise fortsetzen zu können, ein Schiff besteigen; so gelangte
er nach Gent in seine Abtei St. Bavo.   Da lag er nun
wieder krank danieder und schrieb an seinen Kaiser und
an einen ihm bekannten Hofwürdenträger jammervolle
Briefe.   „Ein gar trauriges Leben, leer von fast jeglicher
Freude,"   — so versichert er —   „ist's, das ich führe; be=
sonders aus dem Grunde, weil ich fürchten muß, daß ich
anderswo, als ich möchte, und mit andern Dingen be=
schäftigt als mit dem Dienst der heiligen Märtyrer Christi
(Marzellinus und Petrus) sterben werde."   Nur ein

Wunſch iſt's, der ihn beſeelt: zurück zu ſeinen Heiligen an das Uſer des Mains — zurück nach Seligenſtadt!

Als Einhard ſolche Worte ſchrieb, war bereits das Gewitter losgebrochen, das ſchon ſo lange drohend am politiſchen Himmel des fränkiſchen Reiches geſtanden hatte: die geheimen Widerſtände gegen den Kaiſer und ſeine Regierung waren damals bereits zu o f f e n e r E m p ö r u n g emporgelodert. Auf einem Reichstag, der im alten, ſagenumwobenen Worms im Auguſt 829 abgehalten wurde, ſchien zunächſt der geiſtliche Einfluß, wie er namentlich durch Erzkaplan Hilduin auf Ludwig d. Fr. ausgeübt worden war, gebrochen zu werden; Ludwigs zweite Gemahlin Judith ergriff nun mit Hilfe ihres Günſtlings, des Grafen Bernhard von Barcelona, die Zügel der Regierung; ſie erſtrebte im Gegenſatz zur hohen Geiſtlichkeit, der natürlichen Verſechterin der Reichseinheit, die Beſeitigung des Reichserbfolgegeſetzes vom Jahre 817, durch das ihr Stiefſohn Lothar, der älteſte Sohn aus der erſten Ehe Ludwigs, zum Nachfolger des Kaiſers beſtimmt worden war, während man Lothars Brüder Pippin und Ludwig (den Deutſchen) mit Teilgebieten und Unterkönigreichen abgefunden hatte. Im Widerſpruch hiermit ſuchte Judith für ihren erſt 823 geborenen Sohn Karl (d. Kahlen) gleichfalls noch ein Reich zu ſchaffen. Dadurch kommt es zu Streit und Zwiſt in der karlingiſchen Familie und unter den Großen des Reiches; die geſtürzte Regierungspartei wird die natürliche Verbündete der Söhne Ludwigs aus deſſen erſter Ehe, die ein Intereſſe daran hatten, die Bildung eines neuen Reiches für ihren Stiefbruder hintanzuhalten; insbeſondere mit Lothar, der vom Kaiſer und ſeiner Gemahlin nach Italien, das ihm als beſonderes Erbe zugedacht war, „entlaſſen" ward, ſtanden dieſe Kreiſe im Einvernehmen. Über Nacht brach der Sturm los. Eine Heerfahrt, welche der alte Kaiſer gegen die aufſtändiſche

Bretagne in der Faſtenzeit des Jahres 830 unternommen
hatte, bildete den äußeren Anſtoß: man erklärte dieſe Heerfahrt als Entweihung der heiligen Zeit und ſchlug gegen
den Kaiſer los, ohne dabei freilich den Schein der Loyali-
tät gegen den Herrſcher preiszugeben: den Kaiſer von dem
unheilvollen Einfluß der Kaiſerin und ihres Günſtlings
Bernhard zu befreien ward die Parole der Empörer; die
Erſten der geſtürzten früheren Regierung ſtanden an ihrer
Spitze; ihr ideelles Haupt aber ſollte Lothar, der älteſte
Kaiſerſohn, ſein.

Unmittelbar vor dem Ausbruch dieſer Wirren, vermutlich im März des Jahres 830, ſcheint E i n h a r d jenen
Brief an den Kaiſer geſchrieben zu haben, welcher ſeine
B i t t e u m ſ e i n e g ä n z l i c h e V e r a b ſ c h i e d u n g
v o m H o f d i e n ſt und um die völlige Entbindung von
allen ſeinen Pflichten enthält. — Nicht ohne Rührung
kann man dieſes Bittgeſuch leſen: ganz am Schluſſe
des Briefes und am Ende der verſchiedenen Bitten, welche
er damals an Kaiſer Ludwig richtete, rückt Einhard noch
mit dem Anliegen heraus, das doch ſicher am ſchwerſten
auf ſeinem Herzen laſtete: ſein Herrſcher möchte auf ihn,
den armen Sünder, der nunmehr ſchon ein alter Mann
und gar ſiech geworden ſei, in Barmherzigkeit ſchauen und
ihn frei machen von allen Sorgen dieſer Welt; in Frieden
und Ruhe möchte Einhard unter Ludwigs Schutz bei den
Reliquien der ſeligen Märtyrer Chriſti, hingegeben dem
Gehorſam gegenüber dieſen Heiligen und dem Dienſte des
Erlöſers, ſeinen Lebensabend verbringen, auf daß jener
letzte Tag, vor dem es kein Entrinnen gäbe und der für
ihn bei dem hohen Alter, in dem er jetzt ſtehe, bald kommen
müſſe, nicht über ihn zu einer Zeit hereinbräche, da er noch
mit eitlen und überflüſſigen Kümmerniſſen belaſtet ſei; vielmehr wolle er zur Vorbereitung auf dieſen Tag Muße haben für Gebet und fromme Leſung und ſich üben ſeine

Gedanken auf die Betrachtung des Gesetzes Gottes zu sammeln.

Es ist in Einhards Lebensgang ein tragisches Geschick, daß genau in der Zeit, da er so innig nach Ruhe und Frieden sich sehnte, die heftigsten Stürme über sein Vaterland, seinen kaiserlichen Herrn und ihn selber hereinbrachen. Die Tage des Streites der Söhne gegen den Vater und die Periode der Bruderkriege im Frankenreiche nahmen ihren Anfang. Einhard hatte diese Entwickelung vorausgesehen. Seine Haltung auf jenem Aachener Reichstag an der Wende von 828 zu 829 beweist dies. Jetzt konnte er nicht ohne Groll darauf hinweisen, daß man den Ratschlägen, die er auf Grund besonderer Offenbarungen seiner Heiligen damals schon vorgebracht hatte,[1] nur allzu wenig Beachtung geschenkt habe. „All das, was nun in diesem Reiche vor sich geht" — so schreibt er an einen ihn befreundeten Kirchenfürsten — „wurde durch die Offenbarung der Märtyrer Christi (St. Marzellin und St. Peter) vor zwei Jahren vorhergesagt." — Und noch später, im Jahre 837, konnte es sich Einhard nicht versagen, in einem Brief, der an den Kaiser gerichtet war und in welchem er sich über die Bedeutung eines damals erschienenen Kometen aussprach, auf jene Enthüllungen anzuspielen, welche seinerzeit der Erzengel Gabriel jenem Bettler zu Seligenstadt gemacht habe.[2] Die Erinnerung an diese Enthüllungen blieb noch über Einhards Leben hinaus unvergessen. Denn noch 34 Jahre nach seinem Tode wußte man in Kloster Fulda von der Schuld zu erzählen, welche Kaiser Ludwig durch jene Nichtbeachtung der ihm durch St. Marzellin und St. Peter zuteil gewordenen Offenbarungen auf sich geladen habe und die

---

[1] S. oben S. 316 ff.

[2] S. nächsten Abschnitt unten S. 420 und oben S. 316 f.

er noch im Fegfeuer zu verbüßen hätte. Nach den Fuldaer Jahrbüchern erschien nämlich Kaiser Ludwig seinem
Sohne Ludwig d. D. in einer Vision und beschwor ihn,
er möchte ihn durch Christi Fürbitte aus den Peinen des
Fegefeuers befreien und ihm den Zutritt zur ewigen
Seligkeit verschaffen. Der Fuldaer Annalist fügt seinem
Berichte hierüber die Bemerkung bei, man könne hieraus
ersehen, daß, obschon Kaiser Ludwig gar viel Löb-
liches getan, er doch auch manches Unrecht begangen
habe; und unter diesem Unrecht des verstorbenen Kaisers
nennt der Annalist auch die Tatsache, daß Ludwig „die
Mahnungen des Erzengels Gabriel, welche ihm Abt Einhard in zwölf Kapiteln zusammengefaßt zur Lektüre und
zur Beobachtung übergeben" hatte, nicht genügend beach-
tet hätte.[1])

Auch Einhard stand i. J. 830 nicht ohne Unzufriedenheit dem alten Kaiser und seiner Umgebung gegenüber; auch er wird reichlich zu klagen gehabt haben über
verfehlte und verspätete Maßnahmen der kaiserlichen Regierung; dennoch gesellte er sich offenbar nicht den Fron-
deuren bei, die seit dem Regierungswechsel von 829 dem
Kaiser und dessen Gemahlin Judith gegenüberstanden
und nun offen die Fahne der Empörung entrollten. Zu
dieser Gruppe der fränkischen Großen zählte Einhard m.
E. nicht. Vielmehr war er in den kritischen Tagen, da
die Revolution zum Ausbruch kam, am Kaiserhofe zu
Aachen unter der persönlichen Umgebung
der Kaiserin Judith; sie, gegen die sich der Groll
der Empörer vor allem richtete, weilte in der Krisis im
Zentrum des Reiches; vom Kaiser war Einhard zu ihrem
persönlichen Begleiter bestimmt worden.

Einhard und Kaiserin Judith! Zwei
polare Gegensätze umfassen diese Namen: der alte, körper-

---

[1]) Mon. Germ. SS. I 387 f.

lich gebrochene, geiſtig aufgearbeitete Gelehrte und die
noch jugendliche, ſchöne, herrſchgewaltige Kaiſerin aus
welfiſchem Geſchlechte, um deren Krone und Einfluß es
jetzt ging! In dieſen entſcheidungsvollen Tagen wog
jeder einzelne, der ihr und ihrem kaiſerlichen Gemahle die
Treue hielt, ſchwer; ganz beſonders aber ein Mann, der
ſeit einem vollen Menſchenalter ſeine Erfahrungen am
Hofe hatte ſammeln können, der die Menſchen, die jetzt in
den Vordergrund der Ereigniſſe getreten waren, kannte
und ihren Wert und Unwert richtig einzuſchätzen wußte,
der hierhin und dorthin die ſtarken Fäden perſönlicher Beziehungen hatte und gerade hierdurch auf weite Kreiſe Einfluß beſaß. Einhard bemühte ſich auch redlich ſeine Perſon in den Dienſt der kaiſerlichen Sache zu ſtellen und
durch ſeinen Einfluß dem Unheil die Spitze abzubrechen:
er wandte ſich in e i n e m S c h r e i b e n an den Erkore-
nen der Verſchwörer, an L o t h a r. Als im Jahre 817
Ludwig d. Fr. Lothar zum Mitherrſcher gemacht hatte,
war Einhard, wie wir wiſſen,[1]) der Auftrag zuteil geworden ſich des jugendlichen Fürſten in väterlicher Weiſe
anzunehmen; Einhard hatte ſich dann wohl auch mehrere
Jahre hindurch als getreuen Mentor des Erſtgeborenen
Ludwigs gefühlt. An dieſe ſeine Miſſion vom Jahre 817
glaubte Einhard jetzt ſchicklicherweiſe anknüpfen zu können.
„Wie groß die Sorge und Kümmernis um Euere Hoheit
iſt“ — ſo heißt es zu Beginn jenes Schreibens Einhards
an Lothar —, „die mich erfüllt, das kann ich mit Worten
gar nicht leicht zum Ausdruck bringen.“ In gleicher
Weiſe habe er, ſeitdem ihm jene Miſſion übertragen
worden ſei, Lothar ſowohl wie den alten Kaiſer geliebt
und das Beſte beider Fürſten erſehnt; die Sorge um
Lothar ſei es auch jetzt, die ihn nicht ſchweigen laſſe. Sie
zwinge ihn Lothar hinſichtlich ſeines Heiles zu ermahnen

---

[1]) S. oben S. 131.

und ihm wohlgemeinte Ratschläge über die Haltung, die
er einnehmen solle, zu geben.

Es sind sowohl für Einhards Charakterbild wie auch
für die Beurteilung der damaligen politischen Lage im
Frankenreich interessante Ausführungen, in denen sich Einhard nun dem jungen Kaiser gegenüber ergeht. Er
schildert, wie es ihm zu Ohren gekommen sei, daß gewisse
Leute Lothar zu bestricken und zu überreden suchten den
Rat seines Vaters und die diesem geschuldete Ehrfurcht
hintanzusetzen, Italien, das ihm von Kaiser Ludwig zur
Regierung übertragen worden sei, zu verlassen und sich
zum alten Kaiser zu begeben, obgleich er hierzu von diesem
gar nicht aufgefordert worden war und ein solches Vorgehen nicht dem Willen des Vaters entspräche. In dring-
lichen Worten warnt Einhard Lothar vor jenen Leuten,
die mehr ihr eigenes Interesse als sein Bestes im Auge
hätten. Und freimütig führt Einhard dem jungen Fürsten
vor Augen, wie verkehrt und unziemlich solche Pläne
wären, wieviel Übel sie in sich bergen würden. An Gottes
Gebot erinnert er den aufrührerischen Kaisersohn, an die
Verheißung eines langen Lebens, die als Lohn an treue
Pflichterfüllung gegenüber den Eltern geknüpft worden
sei; und er sucht Lothar im einzelnen darzulegen, wie er
sich, falls er auf dem betretenen Wege weiterschreite,
gegen seinen Vater durch Verletzung der diesem schuldigen
Ehrerbietung, des Gehorsams und der Liebe versündige;
er schildert ihm, wie solchermaßen bloß Zwietracht zwischen denen, die nur Liebe miteinander verbinden müßte,
erwachsen könnte. Es könne Lothar nicht verborgen sein,
welch ein Greuel in Gottes Auge ein verstockter und ungehorsamer Sohn sei; habe doch Gott durch Moses befohlen, daß ein solcher Sohn gesteinigt würde. Und dieses
Gebot Gottes sei auch im Neuen Bunde nicht aufgehoben
worden.

Es sind in der Tat freimütige Worte, diese Zeilen
des greisen Einhard an den herrschbegierigen jungen
Lothar, der eben im Begriffe stand, zum Aufrührer gegen
seinen Vater zu werden und diesem Krone und Szepter
zu entreißen. Die ernsten Ermahnungen und Hinweise
auf die Sohnespflicht, die gleich Geißelhieben auf das
Beginnen des Kaisersohnes erscheinen mußten, wurden
allerdings gemildert durch die warme Liebe, die — trotz
allem — aus den Zeilen des alten, treuen Beraters
sprach: „Ich habe Euch lieb," so sagt er am Schlusse seines
Briefes einfach und schlicht, „— Gott weiß es — und
eben darum ermahne ich Euch in so treuer Weise; Ihr aber
müßt nicht auf die Geringfügigkeit der Person des Mah-
ners, sondern auf die Heilsamkeit des Rates schauen."

Es ist eine vollständige Verkennung der Sachlage,
wenn man meinte, daß Einhard diesen Brief nur in
höherem Auftrag, auf Befehl der Kaiserin Judith und
bloß mit innerem Widerstreben geschrieben habe; das ist
sicher unrichtig. Es war Einhard vielmehr durchaus ernst
mit dem Bestreben den Frieden im Kaiserhause aufrecht
zu erhalten; in den Dienst der friedlichen Vermittlung zwischen Vater und Sohn stellte er
sein Wort und seine Feder.

Erfolg war seinen Mahnungen allerdings nicht
beschieden. Lothar ließ sich von seinem geplanten
Einmarsch ins Frankenreich von Italien aus nicht mehr
zurückhalten — er war bereits auf dem Wege nach Compiègne, wo dann auf einem Reichstag im Mai des
Jahres 830 seine erneute Anerkennung als Mitregent
seines Vaters oder vielmehr, besser gesagt, die tatsächliche
Ersetzung des alten Kaisers durch seinen
Erstgeborenen erfolgen sollte. Einige Wochen vor
diesem Reichstage hatte sich die Kaiserin veranlaßt gesehen Aachen zu verlassen und gleichfalls gegen Com-

piègne zu eilen, um hier mit ihrem Gatten zusammenzu=
treffen; freilich sollte sie dann tatsächlich nicht mehr
Compiègne erreichen, da ihr der Weg dorthin bereits
durch die Anhänger Lothars abgeschnitten war. Einhard
aber hatte von Judith die Weisung empfangen ihr nach
Compiègne zu folgen.

Nur zögernd und mit innerem Wider=
streben, wie es scheint, schickte sich Einhard an
diesem Befehle nachzukommen. Zuerst muß er sich ein
Pferd für die Reise in seinem Kloster zu Maaſtricht be=
ſorgen; dann, als dies getan ist, kommt er bei seinem
leidenden Zuſtand nicht recht vom Flecke; von Valen=
ciennes aus geht es mit dem Reiten schon gar nicht mehr
und er entſchließt sich — ungeachtet der Weiſung der
Kaiſerin — ſtatt nach Compiègne nach Gent zu Schiffe
zu fahren. In jammervollen Tönen schrieb er damals —
es war um Mitte April des Jahres 830 — an die Kai=
ſerin Judith, „ſeine frömmſte Herrin", einen Ent=
ſchuldigungsbrief und ſchilderte ihr hier alle ſeine
Beſchwerden: wie er nach ſeiner Abreise von Aachen von
ſo großem körperlichen Ungemach befallen worden ſei, daß
er von Maaſtricht aus erſt am zehnten Tage Valenciennes
noch knapp erreichen konnte; hier machen ihm die Nieren=
und Milzſchmerzen, die ihn plagen, eine Weiterreise zu
Pferde unmöglich. So bittet er denn die Kaiſerin ſtatt
ſeine Reise fortſetzen zu müſſen, zu Schiffe nach Gent
fahren zu dürfen; da will er dann auf dem Krankenbette
liegen, bis ihm Gott neue Kräfte zur Weiterreise gegeben
habe; ſobald es geht, will er ſich dann wieder aufs Pferd
ſetzen und zum Kaiſer oder zur Kaiſerin reiten, wie man
ihm ſolches befehlen würde. Für jetzt aber möge Judith
ſein Fernbleiben beim Kaiſer, wenn ſie zu ihm komme, ent=
ſchuldigen. Und Einhard fügt dem bei: „Gott iſt mein
Zeuge dafür, daß ich kein unwahres Wort bezüglich meiner

Krankheit geschrieben habe." Ja manches habe er noch
gar nicht geoffenbart, Übel, die noch viel schwerer seien,
und über welche man sich bloß mit einem ganz Vertrauten
aussprechen könne. — Am Schlusse aber kommt die Versicherung, die Kaiserin könne sich bei Gott ein ganz besonderes Verdienst erwerben, wenn sie ihm die Erlaubnis
erwirke zum Dienst seiner Heiligen nach Seligenstadt zu
ziehen, sobald er hierzu imstande sei; von Gent aus könne
er zu Schiffe in fünfzehn Tagen dorthin kommen.

Auch dem Kaiser selbst suchte Einhard
wenige Tage später, als er dann wirklich in Gent angekommen war, in jammervollen Tönen seinen Zustand
zu schildern und von ihm die Erlaubnis zu erlangen
nach Seligenstadt zum Dienste seiner Heiligen ziehen zu
dürfen. In seiner, diplomatischer Weise suchte er auch
in diesen Zeilen den Kaiser für die Erfüllung seines
Wunsches ihn, statt ihn zu sich zum Hofdienst zu entbieten, zum Dienst St. Marzellins und St. Peters zu
entlassen, zu gewinnen: „Ich glaube, daß jene hl. Märtyrer für Euch bei Gott als Mittler auftreten müßten,
falls Ihr Euch dazu entschließt den Dienst für sie Euerem
Dienste voranzustellen." Seine Person, so meinte Einhard, könne „an keiner anderen Stätte unseres Reichs für
Euch größeren Nutzen schaffen als dort (in Seligenstadt),
falls Ihr mir dazu behilflich sein wollt." — In einem
anderen Schreiben, das Einhard damals an einen
kaiserlichen Hofbeamten richtete, bittet er gleichfalls, beim Kaiser sein Fernbleiben vom Hofe zu entschuldigen. Nicht ohne Absicht und Berechnung stellt er sein
Verhalten dem Handeln anderer Leute gegenüber, welche
die Möglichkeit gehabt hätten zum Kaiser zu kommen.
„Ich wäre gekommen," so versichert er, „wenn ich gekonnt
hätte; und ich werde kommen, sobald ich kann; und ob fern
oder nah — ich werde ihm (dem Kaiser) treu sein."

Wie es scheint, haben jene Zeilen Einhards vollen
Erfolg gehabt: er erreichte durch die Vermittlung dieses
Hofbeamten, in dem wir den schon wiederholt erwähnten
Gerward zu sehen haben werden,[1]) die Erlaubnis zur
Rückkehr nach Seligenstadt; in einem von herzlichem
Dankgefühl beseelten Schreiben dankte Einhard später dem
genannten Hofwürdenträger für diese Vermittlung.[2])

Es ist das Verdienst Margarethe Bondois' in
ihrem Buche über Einhards Translatio SS. Marcellini
et Petri mit wohltuendem Gerechtigkeitssinn die Haltung Einhards während jener politischen
Wirren ins richtige Licht gesetzt zu haben. Einhard hat
sich damals nichts weniger als den Ruhm eines Märtyrers
seiner Kaisertreue erworben; die Rolle, die er in jenen
Wirren spielte, war nicht gerade ruhmvoll, ja sie konnte
recht zweideutig erscheinen und hat denn auch bis in unsere Tage Anlaß zu heftigen Vorwürfen gegenüber seinem
Charakter gegeben. In Wahrheit ist aber Einhard doch
nicht zum bewußten, freiwilligen Verräter an seinem alten
kaiserlichen Herrn geworden, hat ihn nicht gleich anderen
schnöde verkauft. Zwar hatte auch er so vieles an den
bisherigen Zuständen auszusetzen. Aber Einhard war
doch ein viel zu guter Menschenkenner um, durch diese
Kritik verleitet, sich darüber täuschen zu lassen, daß jene
Geister, welche die Revolution eingefädelt hatten, wenigstens teilweise sich dabei von sehr selbstsüchtigen Beweggründen hatten leiten lassen. Und auch der offene Bund
des ältesten Kaisersohnes mit den Empörern war ihm
sicher im innersten Herzen ein widerliches Schauspiel. —

---

[1]) S. darüber, daß der Adressat von Brief Nr. 14 (bei Hampe
in den Mon. Germ. SS. Ep. V 117) dieselbe Persönlichkeit wie
der von Nr. 18 (ebd. 119) sein dürfte, Buchner, Einhard als
Künstler 47 ff. — Vgl. auch oben S. 275 A. 1.
[2]) Eben in dem erwähnten Brief Nr. 18.

Lothar war, wie gesagt, aus Italien gekommen und nach Compiègne gezogen, um hier, dem Namen nach zum Mitregenten seines Vaters bestimmt, in Wahrheit und seinem tatsächlichen Einflusse nach aber an dessen Stelle gesetzt zu werden. Einhards Ermahnungen an Lothar, seine beredten Warnungen vor Übertretung des vierten Gebotes waren in die Winde verhallt! Der junge Kaiser aber hatte es gewiß nicht vergessen, daß der lästige Alte erst jüngst noch es sich herausgenommen hatte ihn daran zu erinnern, daß nach alttestamentlichem Gesetze ein ungehorsamer Sohn gesteinigt werden sollte! Die L a g e E i n h a r d s war so recht peinlich geworden. Was konnte er jetzt für seinen alten, machtlos gewordenen Kaiser noch tun? Sollte er, der schwache, alte Mann, sich zu dessen Beschützer aufspielen gegenüber dem eigenen Sohne Ludwigs, dem nunmehr aller Herzen sich zuzuwenden schienen? Damit hätte er nur seine eigene Stellung unhaltbar gemacht, hätte den Besitz seiner Lehen, an denen ihm doch so viel gelegen war, vor allem sein geliebtes Seligenstadt, schwer gefährdet. So hat denn E i n h a r d ohne viel Bedenken seine F a h n e n a c h d e m W i n d e, der jetzt wehte, g e d r e h t: als er erkannte, daß Lothar tatsächlich in den Besitz der Macht gekommen war, zögerte er nicht sich „auf den Boden der gegebenen Verhältnisse" zu stellen und an einen der Umgebung des jungen Herrschers angehörigen Bischof, mit dem Einhard gut befreundet war, in den ergebensten Ausdrücken gegenüber Lothar zu schreiben. In hochtönenden Worten gab er in diesem Brief, der wohl schon bald nach dem Reichstag von Compiègne (Mai 830) verfaßt ist, seiner Freude darüber Ausdruck, daß, wie er gehört habe, — „mein glorreichster und von Gott behüteter und immer zu behütender Herr Kaiser Hlothar" aus Italien gesund und heil angekommen sei und mit ihm auch der Adressat des Briefes; es sei nun seine Bitte und sein Wunsch, so schreibt Einhard, daß ihm der junge Kaiser rasch die Erlaubnis geben möchte an seinen Hof zu eilen, wo Einhard dann auch dem geschätzten Adressaten des Briefes zu begegnen hofft. Bis dahin empfiehlt er seine „Wenigkeit" seinem bischöflichen Freunde und durch diesen auch der Gnade des Kaisers; er vergißt dabei — sein Gewissen war hinsichtlich seiner bisherigen Stellung zu Lothar eben doch nicht so ganz unbeschwert! — die Bitte nicht, es möchte der Adressat sich von keinem Menschen dazu verleiten lassen über ihn etwas schlimmes zu denken. Bei Gott und seinen Heiligen Marzellin und Peter schwört Einhard vielmehr, daß er die Liebe und Ergebenheit, von der er seine Seele gegenüber seinem Freunde entflammt wisse, mit Worten gar nicht schildern könne. Jetzt hören wir auch gar nichts mehr von Krankheit! Einhard ist jetzt ganz Feuer und Flamme für den neuen Herrscher — oder, wohl richtiger, er tut so, als ob er es sei!

Das Geschick des Diplomaten, nicht die Überzeugungstreue des Märtyrers hat also Einhard in jenen Tagen der Revolution betätigt. Im Herzen aber wahrte er doch wohl auch damals seinem alten Herrscher die Treue;[1]) ja es ist m. E. durchaus wahrscheinlich, daß er auch jetzt redlich daran arbeitete die Versöhnung zwischen Vater und Sohn, zugleich die Wiedereinsetzung des ersteren in seine vollen Herrscherrechte herbeizuführen. Nur durch dieses diplomatische Lavieren brachte Einhard es zuwege, daß er trotz allen Wechsels der politischen Lage in jenen Jahren doch stets seinen Einfluß bei der jeweils herrschenden Partei behielt; gerade dies aber schien den Zeitgenossen besonders

---

[1]) Anderer Auffassung ist Hampe im Neuen Archiv XXI 620, der meint, daß Einhard auch mit seiner Neigung auf der Seite Lothars stand.

bewunderns= und staunenswert an dem Lebensschicksal
Einhards zu sein: noch ein größeres Wunder, so sagt
Walahfrid Strabo, als in dem außerordentlichen Einfluß
Einhards bei König Karl müsse man darin erblicken, daß
er auch unter Kaiser Ludwig, als das fränkische Staats=
wesen unter verschiedenartigen und vielfältigen Wirren
hin= und herschwankte, über alle Fährnisse hinweggekom=
men sei.

Schon bald nach jener im Mai 830 abgehaltenen
Reichsversammlung zu Compiègne vollzog sich indes ein
Umschwung in der Stimmung des Volkes und der
Großen zugunsten des alten Herrschers; die
neuen Herren, welche durch den Umsturz zur Leitung des
Reiches gekommen waren, schienen nicht besser zu schalten
als die bisherige Regierung. Die beiden jüngeren Brü=
der Lothars, Pippin, der Beherrscher Aquitaniens, und
Ludwig der Deutsche, der Gebieter über den östlichen Teil
des Frankenreiches, die anfangs die Empörung gegen den
Vater mitgemacht hatten, waren nicht gesonnen die
Früchte der Revolution dem ältesten Bruder allein in den
Schoß fallen zu lassen. Ein Mönch namens Guntbald
war für den alten Kaiser tätig. Namentlich in den ost=
fränkischen Gebieten hatte dieser starken Anhang. Man
suchte daher seitens der Gegner Lothars den allgemeinen
Reichstag, der nun zur Klärung der wirren Verhältnisse
abgehalten werden sollte, nicht nach Ostfranken, sondern
in die westfränkischen Gebiete, in denen sich ja auch der
Herd der Empörung befunden hatte, zu verlegen. Ohne
Erfolg! Kaiser Ludwig wußte es durchzusetzen, daß jener
Reichstag in Nimwegen stattfand. In den ersten Oktober=
tagen 830 wurde er abgehalten. Die Anhänger des alten
Kaisers hatten sich hier sehr zahlreich eingefunden; die
Angehörigen der ostfränkischen Stämme sicherten seiner
Sache das Übergewicht gegenüber Lothar. Der Kaiser

geht schließlich vom Nimweger Tage als voller Sieger
hervor; die Empörer, auch den ehemaligen Erzkaplan
Hilduin, trifft strenge Strafe.

Kurz vor dem Zusammentritt dieses Reichstages
schrieb Einhard an einen ihm bekannten Großen in der
Umgebung Lothars[1]) einen Brief mit der Anfrage, wo
und wann der damals in Aussicht stehende Reichstag statt-
finden werde, ferner, ob Lothar nach Italien zurückkehren
oder bei seinem Vater im Frankenreiche verbleiben wolle.
Es war Einhard sehr viel daran gelegen auf diese beiden
Fragen Auskunft zu erhalten; denn von ihrer Beantwortung glaubte er sein weiteres Verhalten abhängig machen
zu müssen, sofern es ihm, wie er schreibt, vergönnt sein
sollte in ersprießlicher Weise in diese Dinge einzugreifen.

Nach dem Inhalt dieser Zeilen zu schließen scheint
E i n h a r d bei der Entwicklung der politischen Verhältnisse in jenen Tagen offenbar beabsichtigt zu haben seinen
Einfluß wieder geltend zu machen. Wir können kaum
darüber im Zweifel sein, daß er dies im Sinne einer
V e r m i t t l u n g z w i s c h e n L u d w i g u n d L o t h a r
zu tun gedachte. Und wenn auf jenem Tag zu Nimwegen
der letztere ungeachtet der Abmahnungen seiner Partei-
gänger sich dazu entschloß sich mit seinem Vater zu ver-
söhnen, wenn der alte Kaiser darauf seinen Sohn nur
mit leisem Vorwurf über seine bisherige Haltung in Güte
bei sich aufnahm und schließlich, den Sohn an der Hand
führend, vor das Volk trat und so die Aussöhnung in der
kaiserlichen Familie durch die Tat der Gesamtheit vor
Augen führte, so mag dies alles zum guten Teil von Einhard inszeniert gewesen und als eine Frucht seiner Ver-

---

[1]) Es ist ein gewisser «Dominus sanctus ac merito venera-
bilis E.» — vielleicht, wie mir scheint, der ehemalige kaiserliche
Kanzler Elisachar, vielleicht dieselbe Persönlichkeit wie der Adressat
des oben S. 378 erwähnten Schreibens.

söhnungspolitik aufzufassen sein, über die sich gewiß nie=
mand mehr gefreut hat als Einhard selber.

Die Ruhe im Frankenreiche, die mit Ludwigs Wie=
dergewinn der ausschließlichen Regierungsgewalt auf dem
Nimweger Tage zunächst eintrat, war nicht von Dauer.
Das Jahr 833 brachte den Verrat auf dem Rotfelde bei
Kolmar, dem traurig=berühmten „Lügenfelde"; die förm=
liche Entthronung des alten Kaisers, sein
Ausschluß aus der Kirche, die Teilung des Frankenreiches,
die Kirchenbuße, der sich Ludwig d. Fr. in der Abtei des
hl. Medardus zu Soissons unterziehen mußte, folgten.
Die Vorgänge im öffentlichen Leben mit dem gehäuften
Maß von Lüge und Schein, das sie in sich trugen, mußten
einen anständigen Charakter mit Schmerz und Ekel er=
füllen. In einem Schreiben, das Einhard in diesen
Tagen an einen ihm bekannten Priester richtete und in
welchem er diesem Eburo empfahl[1]), zeigte er sich völlig
konsterniert über die „mutatio rerum", die jüngst im
Frankenreiche eingetreten war: „sie hat uns," so sagt er,
„so in Verwirrung gesetzt, daß wir gar nicht wüßten, was
zu tun unsere Pflicht ist, wenn wir nicht nach Josaphats
— des biblischen Königs — Worten unseren Blick auf
den Herrn richteten und gemäß Philos[2]) Äußerung Gottes
Hilfe anflehen könnten, wenn eine Hilfe von Menschen=
hand fern ist." — Durch die Teilung des Reiches unter
die Söhne Ludwigs, wie sie 833 vorgenommen wurde,
war auch eine große Rechtsunsicherheit in den Besitzver=
hältnissen eingetreten. Einhards Abteien lagen
meist im Mittelreiche Lothars, den er nun als seinen
Herrscher anzusehen hatte und dem er jetzt den Treueid
leistete; auch Geschenke wollte er Lothar und dessen Ge=

---

[1]) Vgl. oben S. 160.
[2]) Ich weiß nicht, ob damit der zur Zeit Christi lebende
jüdische Philosoph und Theosoph von Alexandrien gemeint ist.

mahlin durch einen seiner Presbyter und durch seinen
Biztum (in Gent) überbracht wissen, sobald Lothar von
Orville nach Compiègne zurückgekehrt sei. — Aber auch
zu den Gebieten des jüngeren Bruders, Ludwigs
des Deutschen, gehörten einzelne Besitzungen Ein=
hards. Nun sollte aber nach den schon bei der Reichs=
teilung von 806 getroffenen und dann 817 wie auch jetzt
(833) wiederholten Bestimmungen jeber Lehensträger
nur in einem Teilreiche Lehn haben, wie er auch nur
Vasall eines Herrn sein sollte. Das gab Anlaß zu
manchen Verwirrungen. Diese Rechtsunsicherheit, die so
Platz gegriffen hatte, veranschaulicht nichts besser als die
Tatsache, daß Einhard zunächst gar nicht wußte, zu wel=
chem Reiche die Gebiete, in denen seine einzelnen Be=
sitzungen lagen, gehörten; einer seiner Briefe an Ludwig
den Deutschen wirft hierauf ein bezeichnendes Licht; zu=
erst hatte es geheißen, so sagt Einhard, daß der Reichs=
teil, in welchem er selber sich aufhielt und wo er ein kleines
Lehn — wahrscheinlich wird es sich hierbei um Fritzlar
handeln — besaß, zum Reiche Lothars gehöre. Dann
aber stellte sich heraus, daß jenes Lehn zum Reiche Lud=
wigs gehöre; nun bat Einhard den ostfränkischen Herr=
scher, ihm jenes Lehn so lange zu belassen, bis er von
Lothar die Erlaubnis erhalten hätte zu Ludwig zu gehen
und sich ihm als Herrn zu kommendieren.

Die Entwicklung der politischen Verhältnisse war
noch immer im Fluß; sie war nicht so rasch abgeschlossen,
wie es sich kurzsichtige Menschen vorstellen mochten. Schon
regte sich die erste Unzufriedenheit mit Lothars Regiment.
Auf die Revolution gegen Ludwig folgte jetzt eine immer
weitere Schichten ergreifende Erhebung gegen seinen
ältesten Sohn; Pippin und Ludwig der Deutsche neigten
sich mehr und mehr wieder dem unglücklichen Vater zu.
Lothar fühlte den Boden seiner Macht unter seinen Fü=

ßen schwanken — die **Wiedereinsetzung des
entthronten Herrschers** war nur mehr eine
Frage der Zeit.

Aus der Ferne nur hatte Einhard diesem kaleidoskop-
artigen Wechsel der politischen Szenerie zugesehen. Das
Herz mochte sich ihm zusammenkrampfen, wenn er so die
Entwicklung, die er selber miterlebt hatte, überdachte und
sah, wie dasselbe Reich, das kaum eine Generation vorher mächtig dagestanden und als Hort christlicher Sitte
und staatlicher Macht erschienen war, nun zur Schau-
bühne unwürdigster Vorgänge geworden war, auf der
alles drunter und drüber ging. Das Gefühl der Eitelkeit
und Vergänglichkeit alles Irdischen packte Einhard in diesen Zeiten wohl mächtiger als je zuvor. Nichts von der
Politik mehr zu wissen, in deren Fäden er ehedem nicht
ungern und auch nicht ungeschickt eingegriffen hatte, war
jetzt sein sehnlicher Wunsch. Er könne leider von den
Dingen keine Auskunft geben, die der Trierer Erzbischof
Hetti von ihm hatte erfahren wollen, so schreibt er an
diesen einmal, „weil fast nichts von da (vom Hofe) zu
unserer Kenntnis zu gelangen pflegt; und auch wir sind
gar nicht so neugierig hinsichtlich dieser Vorgänge, von
deren Kenntnis wir keinen Nutzen und wenig Freude
schöpfen." Und doch drängte es ihn wieder mit einem,
von dem er wußte, daß er seine Anschauungen und Ge-
sinnungen teile, seine Gedanken und den Schmerz über
den Zerfall von Karls Erbe auszutauschen. In einem
Schreiben an einen Freund kommt diese Stimmung Einhards deutlich zum Ausdruck: „ich bitte dich — so meint
er —, über die Lage der Dinge am Hofe mir nichts zu
schreiben; denn von den dortigen Vorgängen kann nichts
mein Ohr erfreuen. Über dich und die andern Freunde
von mir — wenn anders mir noch ein Freund außer dir
verblieben ist — wollte ich gern hören, wo ihr seid und

was ihr treibt." Wie's denn mit der Gesundheit des
Adreſſaten ſtehe, frägt Einhard, und wo man ſich einmal
perſönlich treffen könne. „Denn oft ſchon· habe ich ge=
wünſcht· dich zu ſehen und mit dir zu ſprechen, aber noch
niemals ſehnlicher als jetzt, weil ich noch nie dringlicher
das Bedürfnis gefühlt habe mich mit einem Freunde·—·-
über die Lebenshaltung zu unterreden und zu beſprechen;
das aber tue ich mit niemandem lieber als mit dir, weil
ich zu keines andern Treue größeres Vertrauen habe."

Mehr als hohle Höflichkeitsphraſen ſind dieſe
Worte; leider wiſſen wir nicht, wer dieſer H e r z e n s =
f r e u n d E i n h a r d s war; denn in der Überlieferung
auch dieſes Briefes iſt, wie bei den meiſten andern
Stücken der Korreſpondenz Einhards, der Name des Emp=
fängers nur durch ſeinen Anfangsbuchſtaben — ein F. —
angedeutet; nicht ohne Grund kann man dabei an Fridugis
denken, der längere Jahre hindurch Kanzler Ludwigs d. Fr.
und Abt von St. Martin in Tours, ein Altersgenoſſe
Einhards und gleich ihm ein Schüler Alkuins war; einen
der wenigen Jugendfreunde, die noch aus einer glücliche=
ren Zeit in die traurigen Wirren der dreißiger Jahre
herüberreichten und die ihm treu und lieb geblieben waren,
durfte Einhard vermutlich in Fridugis ſehen.

———

Einhards Lebensabend, sein Tod und sein Grab.

Fern vom Hofe, in Seligenstadt, hat Einhard seit jenen turbulenten Vorgängen im Reiche in der Regel gelebt. Als Kaiser Ludwig schon im Jahre 834 wieder in die Kirche aufgenommen und neuerdings in die Herr=schaft eingesetzt worden war, kehrten zunächst ruhigere Tage für das Frankenreich und für seine Bewohner zurück. Die Seligenstädter Siedelung jedenfalls hatte während der nächsten Jahre unter den Strömungen der politischen Ver=hältnisse kaum zu leiden und Einhard dürfte jetzt hier die ruhigsten, beschaulichsten Jahre seines Lebens verbracht haben. Mit seinen geistlichen Mit=brüdern hielt er sich genau an die Gebote des Mönchs=lebens: zu nächtlicher Stunde pflegte er seine Lagerstätte zu verlassen und schritt dann mit seinen Genossen in die Klosterkirche, um hier das jeweilige Stundengebet zu ver=richten. Da konnte man dann die Seligenstädter Mönche, bekleidet mit ihrer Tunika, jenem charakteristischen langen Gewande aus Linnen oder Wolle mit den kurzen Ärmeln und mit einem aus Tierfellen oder aus langhaarigem Ge=webe angefertigten Kleidungsstücke, der Kukulle, die auch die Kopfbedeckung (Kapuze) bildete,[1] Nacht für Nacht auf den Gängen des Seligenstädter Klösterleins erscheinen und gleich Schatten zur Kirche eilen sehen. War hier dann

---

[1] S. J. Bühler, Klosterleben im deutschen Mittelalter S. 7.

das nächtliche Stundengebet verrichtet, so pflegte man noch etwas der Ruhe; hernach vereinigten sich die In= saffen des Seligenstädter Klosters neuerdings in ihrer Kirche, um der hl. Messe beizuwohnen. Untertags wur= den die weiteren kanonischen Stundengebete genau innegehalten; am Abend erscholl das Glöcklein wieder, um die Brüder zum abendlichen Gebete zu versammeln.

Zwischen diesen kirchlichen Andachten wurde auch das „labora!" mit nichten vergessen; die Wirtschafts= führung in Seligenstadt, die Bauten, welche hier zu er= richten waren, die Herstellung der gottesdienstlichen Ge= räte, die man brauchte, die Beschaffung der Kleidung und der Ernährung der Brüder — all dies erforderte Arbeitskräfte genug; und schon allein die L e i t u n g d i e s e r G e s c h ä f t e, die in den Händen Einhards lag, war keine Kleinigkeit. Die wachsende Bedeutung Seligenstadts als Wallfahrtsortes brachte immer neue Aufgaben und Pläne für Einhard und die Seinen. Bald schon ward die Kirche der Heiligen Marzellin und Petrus auch zum Zufluchtsort für manchen, der eine Schuld auf dem Gewissen hatte; da oblag es dann Einhard sich für diesen oder jenen Missetäter bei geistlichen und weltlichen Herren zu verwenden; seine Briefe geben reichliche Pro= ben hiervon.

Vor allem aber war es Einhard darum zu tun das I d e a l d e s M ö n c h s l e b e n s, welches ihm vor= schwebte, bei seinen Seligenstädter Brüdern möglichst ver= wirklicht zu sehen. In einem Brief, den er von der Ferne her an seinen Stellvertreter in Seligenstadt schrieb, rich= tete er an seine dortigen Genossen die Ermahnung, sie sollten ihres Gelübdes eingedenk sein und sich daran er= innern, wie sie sich dem Dienste des Herrn und seiner Heiligen ergeben hätten; eindringlich warnt er sie vor den Nachstellungen und Täuschungen des Teufels, des alten

Feindes der Erdenpilger; Gottes Lob legt er ihnen ebenso
wie fleißigen Kirchenbesuch ans Herz und bittet sie, sie
sollten einander ihre Beschwerden erleichtern. Gehorsam
und Liebe gegenüber dem Seligenstädter Propst wird den
Brüdern noch besonders eingeschärft; am Schlusse findet
sich die Weisung, daß diese Zeilen vor allen Brüdern ver=
lesen werden sollten.

Schade, daß der Wortlaut dieses Briefes nur ver=
stümmelt auf uns gekommen ist, und daß wir dadurch nicht
imstande sind im einzelnen die Gedanken und Bestrebun=
gen Einhards als Leiter des Seligenstädter Klosters zu
verfolgen.

Daneben kommt in der Tätigkeit auch des alten
E i n h a r d d e r G e l e h r t e, der Mann der Feder,
immer wieder zum Durchbruch.[1]) Es ist ja mehr als eine
bloße Phrase, wenn ein Zeitgenosse Einhards, Lupus,
der spätere Abt von Ferrières, am Schlusse eines Briefes
an ihn meint, er wolle Einhards Zeit mit seinem Ge=
schreibsel jetzt nicht mehr länger in Anspruch nehmen, da
er wisse, wie sehr dessen Stunden ausgefüllt seien auf der
einen Seite mit Angelegenheiten, welche durch die äußere
Wohlfahrt erfordert würden, auf der anderen Seite aber
auch mit der Beschäftigung mit den tiefsten und verbor=
gensten philosophischen Fragen. — In einem Raum des
Seligenstädter Klosters stehen wohlgeborgen die Bücher=
schätze Einhards; mancher ehrwürdige Pergamentband
mag darunter gestanden sein. Jedenfalls nannte Einhard
eine reiche B ü c h e r e i sein eigen; hatte man doch von
ihren Beständen ein Verzeichnis angelegt und dieses auch
nach auswärts gegeben. So war man beispielsweise im
Kloster Fulda davon unterrichtet, welche Bücher sich in der

---

[1]) Daß er jedoch mit den Annales Fuldenses nichts zu tun
hat, darf jetzt als ausgemacht gelten; s. S. Hellmann, Einhard,
Rudolf, Meginhard, im Hist. Jahrbuch XXXIV (1913) 49 ff.

Seligenſtädter Bibliothek befanden; und man wußte auch,
daß man keine Fehlbitte tat, wenn man an den menſchen=
freundlichen Beſitzer dieſer Bücherſchätze mit dem
Wunſche herantrat ſich dieſen oder jenen Band entleihen
zu dürfen. — Wie oft mag da Einhard ſelber in ſeinen
alten Tagen in ſeiner Seligenſtädter Kloſterzelle vor einem
alten Pergamentbande geſeſſen ſein und mit den Ver=
faſſern der Schriften, die hier überliefert waren, traute
Zwieſprache gehalten haben über Fragen und Probleme,
die er zu den höchſten im Menſchenleben rechnete. Die
Tage freilich, da er Sueton und Livius, Cäſar und Cicero
und die Verſe Virgils mit heißem Bemühen ſtudiert
hatte, ſind längſt verrauſcht. Um ſo eindringender beſchäf=
tigt ſich Einhard jetzt mit heiligen und frommen Büchern
und Schriften. Namentlich in den Geiſt der bibliſchen
Bücher ſcheint er ſich immer mehr verſenkt und vertieft
zu haben; man beachte nur, wieviele Bibelſtellen Einhard
in einer ſeiner Schriften, die der letzten Periode ſeines
Lebens angehört, in ſeinem Traktat über die Kreuzesver=
ehrung anführt. Auch Sätze aus Konzilienbeſchlüſſen, die
er gleichfalls rege ſtudiert zu haben ſcheint, werden hier
zitiert. Nicht zuletzt aber ſind es die Kirchenväter, die er
im Frieden von Seligenſtadt zur Hand nimmt und deren
Wortlaut und Lehren ihm gar viel zu geben vermögen;
denn wenn ihn ein Schickſalsſchlag getroffen hat, dann
greifen ſeine Hände zu den Werken eines hl. Cy=
prianus, des glorreichen Märtyrers und Kirchenlehrers,
oder zu den Schriften der berühmten Exegeten der Ver=
gangenheit, eines hl. Hieronymus und eines hl. Auguſti=
nus, des gefeierten Biſchofs von Hippo. In ſolchen
Büchern ſucht er Troſt und Erbauung in den verſchieden=
ſten Lagen ſeines Lebens.

Auch ſeine Feder ſtellt er mehr oder minder aus=
ſchließlich in den Dienſt ſeiner Frömmigkeit, vor allem in

den Dienst seiner Lieblingsheiligen Marzellin und Peter.
Vermutlich in der Stille von Seligenstadt schrieb Einhard
auch die einzelnen Teile seines umfangreichen Werkes über
die Translatio (Übertragung) dieser Heiligen; da
führte er sich selber noch einmal mit Behagen alle die
Einzelheiten vor die Seele, welche auf die Übertragung
jener beiden Heiligenleiber und damit auf das Ereignis,
in welchem der alte Einhard sicherlich den Höhepunkt seines Lebenslaufes zu sehen geneigt war, Bezug hatten.

In seiner Translatio SS. Marcellini et Petri hat Einhard, wie wir wissen, gewissermaßen Buch geführt über
die Wunder, die sich bei seinen verehrten Reliquien abspielten. Der Gelehrte und Künstler und Hofmann, der
gelegentlich sich auch auf dem schlüpfrigen Boden der Politik nicht ungeschickt bewegt hatte, ist jetzt zum kindlich-
frommen Gläubigen geworden, der sich kaum genug tun
kann mit der Erzählung der Wunder, die sich in seiner
Gründung zugetragen haben, mit der Schilderung der Hei-
lungen von Nervenkranken, von Blinden und Tauben
und Taubstummen, von gelähmten und verkrüppelten Personen, die zum Seligenstädter Kirchlein voll gläubigen
Vertrauens gezogen kamen, um die hier ruhenden Heiligen zu verehren und durch ihre Fürbitte Hilfe von Gott
in ihren Kümmernissen zu erlangen. Die Leiden und
das menschliche Elend, das hier Einhard alltäglich erblickt,
flößen ihm eine warme Liebe zu seinen bedrängten Mit-
menschen ein. Überall möchte er helfen; auch anderen
Stätten will er von seinem kostbaren Reliquienschatz geben; seine Klöster St. Bavo in Gent
und St. Servatius in Maastricht, aber auch die nicht in
seinem Besitze stehende Abtei des hl. Salvius in Valenciennes, erhalten Reliquienteile.[1]) Dem Erzbischof Hetti

---

[1]) Noch im Jahre 1623 hat man in St. Bavo das Reliquienkästchen aus Blei gefunden, welches jene Heiligenüberreste enthielt.

von Trier sendet er gleichfalls solche, da sie Hetti zur Ein-
weihung einer soeben erbauten Kirche — es handelt sich
dabei, wie Hampe[1]) gezeigt hat, um die Kirche in Vallen-
dar bei Koblenz, deren Nachfolgerin noch heute unter dem
Schutze der Heiligen Marzellin und Peter steht und
Überreste dieser Heiligen besitzt — erbeten hatte. — Auch
von den Wundern, die sich an den verschiedenen, von Einhard mit Reliquien beschenkten Stätten ereigneten, berichtet uns Einhard: der Abt des Klosters St. Salvius in
Valenciennes an der Schelde wußte ihm persönlich einen
Vorfall zu erzählen, der sich bei der Übertragung der Reliquien von Aachen nach Valenciennes abgespielt hatte:
als der Diakon, der die Reliquien dorthin überführte, mit
seinem Begleiter in dem Königsgut Visé angekommen
und hier abgestiegen ist, um die Pferde auf einer nächst
dem Orte gelegenen Wiese grasen zu lassen, da kommt in
hellem Zorne ein Bauer von Visé, der buckelig ist und zudem noch eine arg geschwollene Backe hat — volle zwei
Wochen schon hatte er keinen Bissen Nahrung mehr genießen können! —, seine eiserne Heugabel umgehängt, her-
zugelaufen und schreit den Diakon und seinen Begleiter
an, wie sie sich denn unterstehen könnten seine Wiese
abgrasen zu lassen. Der Diakon läßt sich nicht aus der
Ruhe bringen; er ist eben damit beschäftigt die Reliquien,
die er trägt, an der Spitze eines Stabes, den er in der
Wiese aufgestellt hat, aufzuhängen: ruhig meint er zu dem
erregten Bauern, es wäre für ihn besser, wenn er die hl.
Reliquien verehren und Gott bitten würde, der Allmächtige möchte ihn durch die Verdienste dieser Heiligen von
seinem Zahnweh befreien; die geschwollene Backe verrate
es ja, daß er starke Zahnschmerzen habe. — Der Bauer
wirft darauf seine Heugabel beiseite, kniet sich in der

---

[1]) Im Neuen Archiv XXI 629.

Tat vor den Reliquien auf die Erde und betet zu Gott.
Kurz darauf steht er heil und gesund auf: das Zahnweh
ist verflogen, die geschwollene Backe ist nicht minder weg
und — auch von seinem Höcker ist nichts mehr zu sehen.
.Natürlich läuft der Geheilte gleich ins Dorf und sagt sein
Erlebnis all seinen Nachbarn und Bekannten, um sie auf=
zufordern mit ihm den Herrn zu lobpreisen. Eine große
Menschenmenge strömt nun auf der Wiese zusammen;
der Diakon wird mit Bitten bestürmt, er solle doch hier in
Visé übernachten. Er muß sich schließlich auch wohl oder
übel hierzu verstehen; denn man läßt ihn einfach nicht
mehr weiter; man verbringt die Nacht unter frommen
Gebeten. Am Morgen, als der Diakon sich zum Aufbruch
rüstet, versammeln sich alle Leute und begleiten ihn so=
lange, bis andere Scharen, welche die Kunde von diesem
Wunder gleichfalls herbeigeführt hatte, als Geleit sich
einstellen.

Diese Geschichte erzählte eines schönen Tages Abt
Gregor von St. Salvius Einhard. Ja, er überreichte ihm
sogar auch ein eigenes Büchlein, in welchem alle Wunder,
die sich im Zusammenhange mit der Reliquienschenkung
Einhards abgespielt hatten, aufgezeichnet standen und zwar
mit genauer Angabe der Daten und der näheren Um=
stände.

Auch die anderen Klöster, denen Einhard
Reliquien überlassen hatte, reichten ihm ent=
sprechende Aufzeichnungen über die hier vorge=
kommenen Wunder ein; so St. Bavo in Gent und St.
Servatius in Maastricht; alle diese Berichte, die sicher
auf Einhards eigene Anregung hin angefertigt worden
waren, fügte Einhard in seine Translatio ein. —

Ist Einhards Translatio mehr aus praktischen Be=
dürfnissen hervorgegangen und daher auch in einem volks=
tümlichen Tone — wenn ich so sagen darf — geschrieben,

so hat eine andere Schrift Einhards, die gleichfalls seiner letzten Lebensperiode angehört und die er auch in Seligen= stadt verfaßt hat, weit mehr eine gelehrte Färbung; auch sie ist freilich eine Art von Gelegenheitsschrift, da sie Einhard zur Belehrung eines jungen Freundes und auf dessen besondere Bitte hin verfaßte. Eben dieser junge Freund Einhards — es war der schon erwähnte Lupus — hatte seine Ansicht über die Berechtigung der Kreuzesverehrung und damit über eine Frage, welche in jener Zeit offenbar viel diskutiert wurde — man erinnere sich nur der schon erwähnten scharfen Ablehnung der Kreuzesverehrung seitens des Claudius von Turin einerseits, sowie des i. J. 831 neu herausge= gebenen, von den Zeitgenossen hochgeschätzten Liber de laudibus s. crucis des Hrabanus Maurus anderseits —, erfahren wollen. Einhard glaubte nun zunächst seine Auf= fassung in einer kurzen Schrift unschwer formulieren zu können. Wie er aber einmal sich über den Gegenstand gemacht hatte, da erging es ihm so, wie es auch dem modernen Gelehrten und Forscher oft genug ergeht: das Problem, das er sich gestellt hatte, wuchs ihm unter der Hand mehr und mehr an Umfang und Tiefe. Aus dem anfänglich gedachten Thema stieg ein neues, umfassende= res und schwierigeres Problem über die Anbetung Gottes sowie über die Frage, um welche Dinge wir Gott bitten dürften, auf.[1])

---

¹) Das sagt Einhard selbst gleich am Beginn der fraglichen Abhandlung; sie ist in Form eines Schreibens an Lupus von Ferrières abgefaßt und in den Mon. Germ. Ep. V 146 ff. unter dem Titel „Quaestio de adoranda cruce" veröffentlicht; da aber nach Einhards eigenen Worten seine Schrift tatsächlich ein weiteres Problem umfaßte, als er es anfänglich geplant hatte, so scheint dieser Titel nicht den ganzen Umfang des Inhaltes auszudrücken; erst der zweite Teil des Traktates handelte „de adoranda cruce".

Ausgehend von Worten der Heiligen Schrift über das Gebet untersucht Einhard, was man unter „schlecht" beten verstehe und was man so beten, wie man beten müsse, heiße. Im zweiten Teile seines Traktates geht dann Einhard auf die Frage ein, die ihm eigentlich gestellt worden war, auf die Kreuzesverehrung. Er stellt hierbei als These den Satz auf, daß dem Kreuze Adoration zu zollen sei, und sucht nun diese Behauptung zu begründen, indem er einen scharfen Unterschied zwischen dem durch den Geist oder durch die Stimme oder auch durch beide gleichzeitig zum Ausdruck kommenden „orare", das nur einem Wesen, von dem man Hilfe erwarten könne, also vor allem Gott, dargebracht werden dürfe, und dem „adorare", das soviel als die Verehrung eines sichtbaren und gegenwärtigen Gegenstandes bedeute, wie sie etwa durch Verneigung des Hauptes, durch das Beugen oder das Niederwerfen des Körpers, durch Ausstrecken der Arme und der Hände oder auf eine andere Weise, die sich aber nur in der Haltung des Leibes äußere, bestehen könne. Diese Verehrung bringe man vielen Gegenständen dar, denen man keine Anbetung zollen könne und dürfe; sie werde, wie Einhard dies aus mehreren Stellen der Heiligen Schrift belegt, hier als „adoratio" bezeichnet. Verehrung dürfe man nicht bloß lebenden und fühlenden Wesen, wie z. B. Engeln und Menschen, sondern auch toten Geschöpfen, wie Tempeln, Heiligengräbern und Reliquien zollen. Dagegen dürfe man beten, d. h. soviel als bitten und anrufen, nur zu solchen Lebewesen, welche die Betenden und Bittenden auch erhören könnten. Durch reichliche Schriftstellen werden diese Gedankengänge belegt und der Sprachgebrauch von „adoratio" im Sinne von „veneratio" nachgewiesen. — Einhard kennt die Schwierigkeit recht wohl, welche der Sprachgebrauch der Bibel seiner Unterscheidung zwischen „adorare" und „orare" in

den Weg stellt; und er verschweigt diese Bedenken auch
nicht, sondern sucht sich ehrlich mit ihnen auseinanderzu-
setzen. Die Griechen, so legt er u. a. dar, unterscheiden
zwischen „oratio" und „adoratio" in der Art und Weise,
daß sie die erstere als „proséuchis" (πρόσευξις), die letztere aber als „proschinusis" (προσχύνησις) bezeichnen,
wobei die eine Handlung nur auf den Geist, die andere
auf den Körper Bezug nehme. Auch dies sucht Einhard
durch Stellen aus der Bibel zu belegen. Und nun folgt
schließlich der Nachweis, daß eine „adoratio" dem hl.
Kreuze zu leisten sei. Nach St. Hieronymus kam, so
heißt es, die hl. Paula nach Jerusalem und warf sich hier
„vor dem Kreuze, als ob sie an ihm den Herrn hängen
sähe", hin und verehrte es. „Wir mögen glauben," so
meint Einhard im Anschluß daran, „daß auch wir solches
tun sollen, daß wir uns nämlich vor dem Kreuze hinwer-
fen und den verehren, welcher daran gehangen hat, indem
wir ihn mit unseren inneren Augen anblicken. Auf solche
Weise wird auch das Kreuz, das zweifellos heilig ist,
sowohl eine gebührende Verehrung erhalten, wie auch
Gott in geziemender Weise verehrt wird, in dem und von
dem und durch den, wie St. Augustinus sagt, heilig ist,
was nur immer alles heilig ist, deshalb, weil er selbst es ge-
heiligt hat."

Außer jener Schrift über die Kreuzesverehrung scheint
Einhard in der Zurückgezogenheit Seligenstadts auch noch
andere theologische Schriften verfaßt zu
haben; so ein Buch über die Psalmen; wenigstens führt
ein altes Bücherverzeichnis, das der berühmten Abtei
Bobbio gehörte, auch einen „Libellus Einardi de psalmis"
auf; freilich ist es nicht ausgemacht, daß dieser als Autor
genannte „Einardus" mit unserem Einhard wirklich identisch ist;[1] eine innere Wahrscheinlichkeit dürfte aber hier-

---

[1] Hauck, Kirchengesch. Deutschlands II 3. und 4. Aufl. 184
A. 2 bezweifelt es.

für sprechen; denn der Gegenstand der fraglichen Abhand=
lung kommt dem Interessenkreise Einhards gewiß recht
nahe. Doch ist uns dieses Werk nicht überliefert; wenig=
stens ist es uns nicht bekannt; es ist indes nicht ausge=
schlossen, daß es noch einmal einem Forscher vergönnt ist
es in irgendeiner alten Handschrift zu finden, wie ja auch
Einhards Schrift über die Kreuzesverehrung erst vor ver=
hältnismäßig kurzer Zeit von Ernst Dümmler wieder ent=
deckt worden ist.

Im Bilde des menschenfreundlichen, gelehrten Grei=
ses tritt uns Einhard auch in seinem **Briefwechsel**
mit einem der bedeutendsten Köpfe des neunten Jahr=
hunderts, **mit** seinem jüngeren Zeitgenossen **Serva=
tus Lupus**, dem nachmaligen Abte von Ferrières
(842 bis nach 861), entgegen. Noch besitzen wir eine
Mehrzahl der zwischen Einhard und Lupus gewechselten
Briefe und in ihnen eine treffliche Quelle zur Gelehrten=
geschichte jener Tage. Als der junge Lupus seinen ersten
Brief an Einhard ungefähr Mitte der dreißiger Jahre
des 9. Jahrhunderts schrieb, da war er ein etwa in den
zwanziger Jahren stehender Jüngling, der, in dem zwischen
Sens und Orleans gelegenen Kloster Ferrières erzogen, um
830 von seinem Erzbischof Aldrich von Sens in das Kloster
Fulda zur weiteren Ausbildung gesandt worden war.[1]
Als Fuldaer Student also knüpfte **Lupus** seine **ersten
Beziehungen zu Einhard** an; noch hat er keinen
Namen in der wissenschaftlichen Welt, sondern ist nur
ein vorwärtsstrebender junger Mann. Manches hat er
in Fulda schon von Einhard, seinem berühmten Zeitge=
nossen, gehört und schon längst ist der Wunsch in seinem
jungen Herzen wach geworden mit diesem großen Mann

---

[1] Vgl. F. Sprotte, Biographie des Abtes Servatus Lupus
von Ferrières (Regensburg 1880) 15 ff

doch auch perſönlich bekannt zu werden. So greift er denn
eines ſchönen Tages zur Feder und ſchreibt an den
„teuerſten Herrn Einhard". Er ſchüttet ihm gewiſſer=
maßen ſein Herz aus und kündet Einhard, dem „begehr=
teſten der Menſchen", mit Worten jugendlichen Über=
ſchwanges, wie lange er gezögert habe an deſſen hervor=
ragende Perſönlichkeit zu ſchreiben; viele Bedenken hätten
dagegen geſprochen, vor allem die Erwägung, daß er, ſtatt
durch ſeine Zeiten, die Freundſchaft Einhards zu erringen,
einen Verſtoß bei ihm machen könnte, wenn er, dem ja
noch nicht einmal eine erſte Bekanntſchaft mit Einhard
vergönnt geweſen war, in voreiliger Weiſe und gegen
alles Herkommen Beziehungen zu ihm durch eine Gabe,
wie ſie ein Zeichen enger Vertrautheit ſei, eröffnen wollte.
Aber über dieſe Bedenken habe ihn ſchließlich das Ver=
trauen zu der Eigenart Einhards, zu ſeinem leicht zugäng=
lichen und beſcheidenen, einem Weiſen ſo ganz entſpre=
chenden Weſen hinweggeholfen. Genug weltliche Senten=
zen könnte er anführen über den Wert der Freundſchaft.
Aber wozu ſollte er dies Einhard gegenüber, der doch mit
all dem aufs beſte vertraut ſei! Er müßte unter dieſen
Umſtänden fürchten das Wort des Horatius von dem, der
da Holz in den Wald trägt, zu hören; und ſo weiſt er
bloß auf Gottes Gebot ſelbſt die Feinde zu lieben —
darin liegt ja die Hochſchätzung der Freundſchaft einge=
ſchloſſen! — hin und richtet daher an Einhard die Bitte
ſeine Zeilen gütig entgegenzunehmen und davon überzeugt
zu ſein, daß er nicht in unrechter Abſicht und auch nicht mit
dem Leichtſinn eines Jünglings an dieſen Briefwechſel
herangegangen ſei. Und dann erzählt ihm Lupus von ſich
ſelber, wie ihm ſchon als kleinem Jungen die Liebe zur
Wiſſenſchaft angebören geweſen ſei, wie ihm aber der
Mangel an Lehrern hinderlich geweſen ſei, wie die geiſti=
gen Beſtrebungen der Alten in Verfall gekommen waren.

— kurz all die Hemmungen, die dem Jünger der Wissen=
schaft in den Weg traten. Und ferner: so manchem der
Zeitgenossen galt die Wissenschaft als Aberglaube oder als
Müßiggang, und die Vorwürfe seien nicht gering, die
man den Zöglingen der Wissenschaft zu machen pflege.
Der junge Lupus freilich ist anderer Ansicht: „Mir scheint
es genug, daß die Weisheit um ihrer selbst willen erstrebt
wird." Um ihretwillen habe Lupus von seinem Metro=
politen Aldrich von Sens einen Lehrer der Grammatik
erhalten; von diesem habe er die Regeln dieser Wissen=
schaft erfahren. Aber ein Weiterschreiten von der Gram=
matik zur Rhetorik und zu den übrigen Disziplinen der
„Artes liberalès" gab es nur in der Theorie; tatsächlich soll=
ten diese Studien dem jungen Lupus nicht vergönnt sein;
mit Cicero aber beschäftigte er sich eingehend. Auf Grund
seiner Schriften habe er ersehen, welch starker Unterschied
zwischen diesen und den Veröffentlichungen seiner Zeit=
genossen bestand, die sich nur allzu sehr von der Erhaben=
heit eines Cicero und der anderen Klassiker entfernt
hätten, während doch auch die alten Kirchenväter die Vor=
züge des ciceronianischen Lateins nachgeahmt hätten. Bei
seinen literarischen Studien sei Lupus nun auch das Werk
Einhards in die Hände gefallen, in welchem dieser so herr=
lich — ohne Schmeichelei will Lupus das gesagt haben! —
die herrlichsten Taten Kaiser Karls berichte. Hier habe
er Schönheit der Gedanken und stilistische Vorzüge, wie er
ihnen bei den alten Klassikern schon begegnet war, wieder
vorgefunden, habe Satzgefüge gelesen, die nicht durch lang=
atmige Perioden schwerfällig und ungelenk geworden seien.
— Hatte Lupus schon bisher Einhard in Anbetracht des
Ruhmes, der ihn umstrahlte, persönlich kennen zu lernen
gewünscht, so kam zur Stärkung dieses Verlangens nun
noch der ganze Reiz der Karlsbiographie hinzu, den Lupus
jetzt auf sich hatte wirken lassen. War schon bisher Ein=

hard in den Augen des Lupus wegen seiner geistigen und sittlichen Vorzüge der gefeierte Mann gewesen, so glaubte nunmehr Lupus sich bei Einhard wegen seiner Liebe zu diesem und wegen seines Eifers für die Wissenschaft empfehlen zu dürfen. Er läßt jetzt von der Hoffnung nicht mehr ab die persönliche Bekanntschaft Einhards machen zu können. Er erwartet dies umso bestimmter, als er ja jetzt Gallien verlassen habe und in das rechtsrheinische Germanien gekommen und so Einhard räumlich näher ist. Von Aldrich ist er kürzlich zu Hraban von Fulda gesandt worden, um von ihm in die Heilige Schrift eingeführt zu werden. Jüngst nun, als er vernommen hatte, daß ein Bote Hrabans zu Einhard ginge, entschloß er sich dazu diesem einige dunkle Ausdrücke mitzugeben, die er von Einhard erklärt wissen möchte; dann aber habe er auch noch den Brief, den er da schreibt, an Einhard mitzusenden gewagt; wenn ihn Einhard gütig aufnehme, so solle ihm das das schönste Geschenk sein. — Aber Lupus Wünsche wachsen während des Schreibens: er möchte, nachdem er nun doch einmal die Schranken der Schüchternheit durchbrochen hat, auch Einhard bitten, er solle ihm einige Werke seiner Bibliothek nach Fulda schicken. Den „Liber de rhetorica" des Cicero[1]) braucht er; allerdings habe er ein Exemplar davon in seinem Besitz; aber ach! der Text desselben ist nur allzu verderbt; auch in Fulda hat er die Rhetorik Ciceros vorgefunden; und er hat dieses Exemplar mit dem seinen verglichen. Wie war er aber enttäuscht, als sich da herausstellte, daß die Handschrift, welche er für die bessere gehalten hatte, noch verderbter war! Neben der Rhetorik

---

[1]) Damit ist wohl das tatsächlich nicht ciceronianische Werk „Rhetorica ad Herennium" gemeint, das vom hl. Hieronymus dem Cicero zugeschrieben wird und das ja auch Lupus unmittelbar hernach erwähnt; oder sollte man an Ciceros „De inventione rhetorica" denken? S. Sprotte a. a. O. 148.

will er auch noch die drei Bücher Ciceros „de Oratore".
Daß Einhard das Gewünschte in seinem Besitz zu Se=
ligenstadt habe, schließt er daraus, daß er in einem Ver=
zeichnis der Bücher Einhards nach der Erwähnung der
Schrift an Herennius und nach einigen weiteren Werken
auch den Titel gelesen habe: „Ciceronis de Rhetorica".
Ferner will er einen Kommentar zu den Schriften Ciceros;
des weiteren die „Noctes Atticae" des A. Gellius. Auch
noch andere Bücher, die ihn interessieren würden, hat Lu=
pus in dem fraglichen Katalog der Seligenstädter Biblio=
thek Einhards verzeichnet gesehen; auch sie will er sich noch
einmal entleihen. Aber er ist bescheiden genug sie erst
dann erbitten zu wollen, wenn er mit den für jetzt ge=
wünschten Schriften zu Ende gekommen ist und sie wieder
zurückgegeben hat. Zum Schlusse des Schreibens wendet
sich der junge Lupus noch voll Vertrauen an Einhard:
dieser möchte doch seine Schüchternheit bannen; er möchte
ihn, der sich noch bemühe die bitteren Wurzeln der Wis=
senschaft zu erkunden, bereits mit angenehmen Früchten er=
freuen und ihn durch sein Wort zu weiterem Streben an=
spornen. Wenn ihm solches vergönnt sein würde, so ver=
sichert Lupus, so werde er bis zu seinem Tode dankbar sein.
Noch vieles habe er zwar auf dem Herzen. Aber angesichts
der Kostbarkeit von Einhards Zeit wolle er jetzt schließen.

Was wohl Einhard gedacht und empfunden haben
wird, als der Bote aus Fulda ihm dieses Schreiben über=
reicht hatte und er nun diese begeisterten, in jugendlichem
Überschwang geschriebenen Zeilen eines aufrichtigen Ver=
ehrers in seinen alten Händen hielt? Kamen doch diese
Zeilen noch dazu aus Kloster Fulda! Nicht ohne Rührung
wird der Greis da zurückgedacht haben an jene Tage, da
ihn selber noch die Mauern dieser Abtei umfriedet hatten,
da er im Kloster Fulda selber studiert und sich die Kennt=
nisse angeeignet hatte, die ihn zu dem berühmten Manne

gemacht hatten, als den ihn nun die Besten seines Volkes
bewunderten. Und auch nicht ganz ohne Stolz wird Ein=
hard die Worte — vielleicht mehr als einmal! — gelesen
haben, welche der Absender dieses Briefes über seine
Karlsbiographie geschrieben hatte: mit den geliebten Klaf=
sikern auf eine Stufe gestellt zu werden — das war doch
ein Lob, auf das auch Einhard bei aller Bescheidenheit
und Einfalt seines Herzens ein ganz klein wenig stolz ge=
wesen sein wird!

Mit dem Schreiber dieser Zeiten aber verband Ein=
hard hinfort eine warme Freundschaft. Wissenschaftliche
Fragen und Interessen waren ihre Grundlage wie ihr
Nährboden. Aber auch menschlich scheint sich der alte Mann
zu Seligenstadt und der jugendliche Klosterschüler von
Fulda immer näher getreten zu sein. Nicht zum wenigsten
trug hierzu wohl ein Besuch bei, den im Jahre 836
Lupus von Fulda aus seinem väterlichen Freunde im
nahen Seligenstadt machte. Der junge Gelehrte, der
im geistigen Leben der kommenden Zeit eine erste Größe
werden sollte, mag damals manches treffliche und gütige
Wort von den welken Lippen des Greises, in dessen Per=
son die Erinnerung an die auch kulturell hochbedeutsame
Periode Karls d. Gr. nachlebte, vernommen haben; und
er wird ihn auch in manchen Bedenken und Zweifeln, die
an ihn bei seinen gelehrten Studien herangetreten waren,
um seinen gereiften Rat gefragt haben; in einem Briefe,
den Lupus bald nach jener persönlichen Begegnung an
Einhard schrieb, nimmt er ausdrücklich auf dieses Zusam=
mensein mit dem Adressaten und auf die Fragen, welche er
diesem damals vorgelegt hatte, Bezug; nicht lange nach
jener Begegnung faßte Einhard zur Belehrung seines
jungen Freundes die Schrift über die Verehrung des hei=
ligen Kreuzes ab.

Was aber die Freundschaft der beiden Männer noch fester band und noch enger gestaltete, das waren die Tage des Unglücks und der Trauer, die bald nach jenem Besuch über Einhard hereinbrachen. Denn in dieser Zeit wurde ihm die Seele, mit der er lange Jahre aufs innigste verbunden gewesen war, durch den Tod entrissen: seine Imma. Auch nachdem seine Ehe mit ihr getrennt worden war, um den beiden Gatten die Möglichkeit zur klösterlichen Lebensführung zu geben, bedeutete Imma in Einhards Leben außerordentlich viel; zwar nicht mehr Gattin, aber doch Genossin seiner religiösen Bestrebungen und Schwester war sie ihm; als solche unterstützte sie all sein Tun und Mühen im aufblühenden Seligenstadt werktätig, bis sie aufs Krankenlager geworfen wurde. Einhard wollte die Hoffnung auf ihre Genesung nicht aufgeben. Seine Heiligen Marzellin und Peter, durch deren Fürbitte schon so viele Krankheiten geheilt worden waren — wie sollten sie Imma nicht helfen! Voll Vertrauen wandte sich Einhard an sie. Manche Stunde wird er da in seinem Seligenstädter Kirchlein vor dem Reliquienkästchen, das die Überreste seiner Lieblingsheiligen enthielt, gebetet und gefleht haben, es möchte ihm doch das Leid, das für ihn der Verlust Immas bedeutete, erspart bleiben. Aber Einhards Flehen blieb unerhört — ein Höherer rief die treue Gefährtin seines Lebens. Die Tage und Wochen, die nun nach dem Tode Immas für Einhard anbrachen, zeigen ihn uns als tiefgebeugten, ja gänzlich gebrochenen Greis. Sein Briefwechsel mit Lupus kündet uns auch davon.

Schon bald nach dem Hinscheiden Immas lief in Seligenstadt ein Beileidsschreiben des Lupus an Einhard, seinen „ersehntesten Lehrer" gerichtet, ein. Mehr als jemals, so versicherte darin der Absender, habe er jetzt in diesen schrecklichen Tagen den Wunsch Einhard persönlich nahe zu sein; wie gerne würde er an dessen

Schmerz teilnehmen und versuchen ihm sein Leid durch fromme Gespräche und Überlegungen etwas zu lindern. Er hoffe, daß Gott eine baldige Begegnung ermöglichen werde. Bis dahin aber fasse er sich kurz, um Einhard zu trösten und ihn zu mahnen den Schicksalsschlag mit Gelassenheit und Weisheit zu ertragen. „Denn Ihr dürft auch nicht diesem Ungemach erliegen," meint Lupus, „Ihr, die Ihr die Liebkosungen des Glückes stets mit Starkmut überwunden habt. Ruft also Gott an und entwickelt jetzt jene Kraft in der Geduld, zu der Ihr einen Euch gar teueren Menschen, der von einem ähnlichen Geschick betroffen ward, wahrscheinlich mahnen würdet!"

Doch nur wenig Trost konnten diese Zeilen Einhard bringen, wie wir aus seinem Antwortschreiben ersehen können. Wohl verkennt er den guten Willen des Schreibers nicht: den größten und sichersten Liebesbeweis, so heißt es am Schlusse dieses Briefes Einhards, den ihm in seiner Not Lupus habe geben können, habe er ihm allerdings geboten, indem er ihm, dem kranken und siechen Mann, helfend die Hand gereicht und ihn durch Mahnworte wieder aufzurichten gesucht habe, ihn, der in seinem Gemüt gar sehr niedergebeugt und durch Trauer bedrückt sei. Aber genützt haben diese guten Mahnungen des Lupus Einhard nicht viel. Denn alle Lebensfreude und aller Lebensmut ist ihm vor der Größe seines Schmerzes dahingeschwunden wie Schnee vor der Sonne: die Studien, die ehedem so geliebten, sind ihm jetzt gleichgültig geworden; und gleichgültig sind ihm auch alle Angelegenheiten, die ihn selber oder seine Freunde betreffen. So stark hat ihn sein Schmerzgefühl gefangen genommen, daß es ihm eben gar nicht möglich ist, sich davon loszureißen. — Einhards Zeilen machen es ersichtlich, wie er in seinem Schmerze geradezu wühlt. Nicht bloß der Tod Immas an sich ist es, der ihn aufs tiefste betrübt. Auch

das Versagen der Hilfe seiner Heiligen Marzellin und
Peter, auf das er doch so fest gebaut hatte, bedeutet für
ihn eine schwere Enttäuschung. Und alle die anderen Umstände: da waren es die verschiedenen Beileidsbezeugungen,
die Einhard über sich ergehen lassen mußte, und welche
seine Trauer nicht bloß nicht minderten, sondern seine
Herzenswunde sogar immer wieder neu aufrissen; andere
könnten ja leicht, wie Einhard nicht ohne einen leisen Vorwurf gegenüber Lupus selbst schreibt[1], ihm Gleichmut
auch im Unglück predigen, da sie doch selber nichts von dem
Schmerze dieses Unglücks verspürten; sie wollten Einhard
sogar noch Glück wünschen in einem Falle, da man doch
wirklich keine Spur von frohen und heiteren Umständen
aufzudecken vermöchte. Seinem ganzen Schmerze läßt
Einhard jetzt freien Lauf. Wer sollte da aber auch nicht
sich als den unseligsten und unglücklichsten betrachten, wenn
er wahrnimmt, daß der, in dem er seinen Schirmherr gesehen hatte, ihm abgeneigt und unerbittlich sei? Ob denn
Lupus nicht auch meine, daß das wahrhaftig für solch ein
armes Menschenkind ein Grund zum Seufzen, eine Quelle
der Tränen und ein Anlaß zu Trauer und Jammer, ja
selbst zum Abgrund der Verzweiflung sei? Auch Einhard
ist der Verzweiflung schon ganz nahe gewesen; da hat er,
gestützt auf die Hilfe der göttlichen Erbarmung, sich zur
Betrachtung dessen gewandt, was unsere Väter und die
großen Männer der Vergangenheit in ähnlichen Fällen
getan hätten. Gar hochachtbare Meister waren da an
seiner Seite: zu Cyprian habe er gegriffen und zu
Augustin und zu St. Hieronymus. Ihre Gedanken und
Mahnworte habe er nachgelesen und den Versuch gemacht
auf solche Weise sein Herz, sein schwer bedrücktes, zu er-

---

[1] Vielleicht ist es Absicht, wenn sich Einhard an dieser
Stelle dem Gedanken und z. T. auch dem Wortlaut nach an den
Brief des Lupus anschließt.

leichtern; dann habe er bei sich selbst Betrachtungen
darüber angestellt, in welchem Lichte er den Heimgang
Immas, seiner teuersten Lebensgefährtin, betrachten solle;
durch ihr Hinscheiden, so meint Einhard im Anschluß an
einen Gedanken Plinius', habe mehr ihre Sterblichkeit als
ihr Leben ein Ende genommen. Wohl habe er versucht,
nach Möglichkeit von sich selber zu verlangen, daß bei ihm
das, was in der Natur ein längerer Tag zu bewirken
pflege, mit Hilfe der Vernunft herbeigeführt werde: daß
nämlich die Wunde, welche in seinem Gemüte durch den
noch nicht erwarteten Tod seiner Gattin sich aufgetan
hatte, eine Narbe erhalte und durch das Heilmittel eines
absichtlich gepflegten Trostes zu heilen begänne; aber dem
stehe die Größe seiner Wunde entgegen; allerdings sei die
Lehre höchst heilsam, die er von den genannten Kirchen-
vätern, die ihm gleich höchst erfahrenen und milden Ärzten
erschienen seien, erhalten habe; aber die Wunde, die noch
blute, lasse keine so schnelle Heilung zu.

Wohl weiß Einhard, daß Lupus mit dieser seiner
Hingabe an den Schmerz wenig zufrieden sein und ihm
sagen werde, daß dieser Schmerz nicht so gar lange dauern
dürfe. — Als ob es in der Macht dessen, der den Schmerz
erleidet, stünde, das Ende des Leids zu bestimmen, dessen
Beginn er weder in seiner Gewalt gehabt noch voraus-
gewußt hätte! Und nun will Einhard seinem jungen
Freunde ein Ausmaß von der Größe und von der Länge
seines Schmerzes geben, ein Ausmaß, gewonnen an all
den Nachteilen, die er durch den Tod Immas erlitten
habe; er schildert ihm, wie sie ihm täglich und stündlich
abgehe, bei all seinem Tagewerke und all seinen Geschäften.
Da ist es erklärlich, daß immer wieder an seine Wunde
gerührt werde und daß dieselbe sich nicht schließen könne,
sondern immer von neuem aufbreche. Einhard ist der
Überzeugung, daß dieser Schmerz und seine Trauer um

Imma ihn nicht verlassen werde, solange ihn Gott in die=
sem Elend und in dieser Zeitlichkeit noch bleiben lassen
wolle; er hält diesen Schmerz aber für sein eigenes Heil
mehr für nützlich als für schädlich; denn dieser Schmerz lege
dem von Natur aus zu Freude und Fröhlichkeit sich hin=
neigenden Sinn gewissermaßen Zaum und Zügel an und
veranlasse das Herz, das die Muße und das Vergessen
des Alters zur Hoffnung und zur Liebe zu einem längeren
Leben geführt hatte, zur Erinnerung an den Tod; denn
wohl sähe er, daß ihm nicht mehr lange Zeit zum Leben
übrig bleibe. Wie lange das sei, das freilich wüßte er
nicht; das neugeborene Kind könne ja schon bald sterben
und der Greis noch lange leben! Weit besser scheine es
ihm nun zu sein die kurze Lebenszeit mit Leiden als mit
Freuden zu verbringen, da er jene Worte des Herrn bei
Matthäus 5, 5 wohl kennt, gemäß deren die, welche jetzt
weinen und klagen, glücklich und froh sein werden, während
anderseits jene unglücklich und elend sein werden, die ihre
Erdentage in ständiger und fortwährender Freude verleben.

Als Lupus diese Zeilen Einhards empfangen hatte,
meinte er ihrem Verfasser ein sehr umfangreiches T r o s t =
s c h r e i b e n senden zu sollen: wir glauben es Lupus, daß
die Zeilen Einhards ihm sehr zu Herzen gegangen waren,
und daß er traurig darüber war, daß Einhard so lange
Zeit nicht hinwegzukommen schien über sein Unglück. Wohl
weiß Lupus, daß die Trostworte von Freundesseite bisher
nichts zur Erleichterung des Schmerzes Einhards bei=
tragen konnten; diese Tröster haben sich ja nur allzu wenig
in Einhards Lage hineinversenkt; sonst hätten sie ihn nicht
auffordern können zum Heimgang Immas sich noch Glück
zu wünschen! Ein solches Beginnen kann, wie Lupus mit
altkluger Miene schreibt, nichts zum Troste beitragen.
Wenn auch er einiges Einhard zu sagen unternähme, so
geschähe das nicht aus jugendlichem Leichtsinn, ebenso=

wenig aus Vertrauen auf seinen eigenen Geist — der sei
ja nur gering! —, sondern bloß im Bewußtsein der großen
Liebe, die er zu Einhard in seinem Herzen trage. Auch
für Lupus bedeutet das Hinscheiden Immas, der vieledlen
Frau, die er wahrscheinlich bei seinem Seligenstadter Besuch kennen gelernt hatte und deren Gastfreundschaft er
wohl hatte genießen dürfen, ein tiefes Leid; die Zeilen
Einhards, die er erhalten, ließen vollends auch seinen
Schmerz in aller Bitterkeit wieder zum Durchbruch kommen. So hofft er darauf, daß ihm das vergönnt sein möge,
was anderen nicht beschieden war: ein weniges zum Troste
Einhards beizutragen. Er weiß ja, daß manchmal mit
einfachen Mitteln eine Heilung in Fällen erzielt werde,
da mit kostbaren und mit der größten Sorgfalt zubereiteten
Mitteln lange vergebens ein Erfolg erstrebt worden war.

Und nun geht Lupus in streng sachlicher, logischer
Weise auf die beiden Wurzeln von Einhards Schmerz, der
diesem selber allerdings ganz berechtigt vorkomme, ein:
einmal auf die Enttäuschung, welche Einhard durch die
Nichterhörung seiner Gebete zu seinen Heiligen erfahren
hatte; ferner auf die Beschwerden und Unannehmlichkeiten,
welche der Heimgang Immas für Einhards tägliche Lebensführung im Gefolge hatte, auf all die Alltagssorgen,
die ihm durch die Gemeinschaft mit Imma bisher leicht geworden waren, die aber nun doppelt schwer auf seinen
Nacken fielen. So könne er es wahrhaftig begreifen, daß
der Schicksalsschlag, der Einhard betroffen, nicht leicht genommen werden könne und daß er mit seiner Last ein
Menschenherz — nicht freilich das eines Weisen, der es
gelernt habe auch das Ungemach mit Gelassenheit zu ertragen — erdrücken könne.

Gewiß haben diese mitfühlenden und teilnahmsvollen
Worte, welche die Einleitung zu jenem Schreiben des
Lupus an Einhard bilden und durch welche Einhard die

Überzeugung bekommen mußte, daß sein junger Freund ein
Verständnis habe für die Größe seines Unglücks, nicht
weniger tröstend auf den Trauernden gewirkt als die hoch-
gelehrten, logischen Ausführungen, welche Lupus nun folgen läßt.

Lupus sucht nachzuweisen, daß es für Einhard und
Imma besser war, wenn diese ihrem Gatten im Tode vor-
ausging, als wenn Imma ihn überlebt hätte, daß also auch
Einhards Gebete in überirdischer Hinsicht Erhörung gefunden hätten, wenn sie auch nicht in Bezug auf Einhards
zeitliche Wünsche erfüllt worden seien. Auf manches
Schriftwort verweist bei diesen Ausführungen Lupus seinen
greisen Freund und hält ihm vor, wie wir doch im Gebete
des Herrn tagtäglich das „Fiat voluntas tua!" sprächen
und wie einstens der Erlöser zwar gesagt hätte: „Vater,
wenn es möglich ist, so gehe dieser Kelch an mir vorüber!",
wie er aber dem die Worte beigefügt habe: „Doch nicht
wie ich, sondern wie du willst!" —

Auch auf den zweiten Hauptgrund des Schmerzes
Einhards, auf die Lücke, welche in seinem Lebenslaufe
durch den Tod Immas entstanden sei, geht Lupus in aus-
führlichen Darlegungen ein; auch hier sucht er Einhards
Verlust in vollem Umfange nachzufühlen und ihn doch
durch fromme und weise Überlegungen und Erwägungen
zu trösten: seine ganze Zuflucht soll Einhard zu seinem
Gotte nehmen; auf den Herrn soll er alle seine Sorgen
werfen. Auf das Apostelwort (Phil. 4, 13) will er ihn
u. a. verwiesen haben: „Alles kann ich in dem, der mich
stärkt." — An guten Ratschlägen über die Plackereien und
Mühseligkeiten dieses Lebens hinwegzukommen läßt es
Lupus nicht fehlen. Für die ewige Ruhe seiner Imma soll
Einhard zu Gott beten, für sie, die nun nicht den Tod, sondern das Leben gewonnen habe; für sich selber aber solle
Einhard um Geduld und um Ausdauer und Fortschritt im

Guten unfern Herrgott bitten. Dann wird er umfo
rafcher Tröftung in feinem Herzen empfinden. Auch Lupus
felbft will gewiß fowohl für die teuere Verblichene wie auch
für den Hinterbliebenen zu Gott beten. Und er ift davon
überzeugt, daß fein Gebet Erhörung finden wird: nicht
zwar ob der eigenen Verdienfte des Lupus, wohl aber an-
gefichts der rührenden Befcheidenheit Einhards, der ohne
Rückficht auf feine eigene Bedeutung kein Bedenken trug
fo ernfte Dinge mit einer fo unbedeutenden Perfon wie
Lupus zu teilen.

Am Schluß des langen Schreibens, deffen Grund-
gedanken auch heute noch zu einer Beileidskundgebung
verwandt werden könnten, trug Lupus noch einige befondere Wünfche Einhard vor: das Büchlein über
die Verehrung des Kreuzes, das Einhard ihm gewidmet
habe und das Lupus als außerordentlich nützlich anfehe,
habe er in gebührender Weife entgegengenommen. Nur
möchte ihm Einhard auch über all die einzelnen Fragen,
die Lupus Einhard am Beginne ihres Verkehrs geftellt
hatte oder welche er ihm in diefem Jahre (bei feinem per-
fönlichen Befuche) zurückließ, Auffchluß erteilen. Diefe
Mühewaltung Einhards würde nicht allein für Lupus,
fondern auch noch für andere Leute von Nutzen fein!
Lupus ift ja für alles Einhard fo von Herzen dankbar, auch
für das, was er ihm wider fein Erwarten überfandt habe,
wie nicht minder für all die andern Lehren, die er von
ihm fchon früher erhalten hatte. — Und nun fchließlich
noch die Mitteilung, daß Lupus etwa Mitte Mai, wenn
anders er bis dahin am Leben bleibe, von Fulda in feine
weftfränkifche Heimat zurückkehren werde. In diefen
Tagen gedenke er dann auch, fo Gott will, wie er Einhard
ja auch fchon früher mündlich gefagt habe — diefer werde
fich deffen wohl noch erinnern —, zu Einhard nach Seligenftadt zu kommen und dafelbft einige Tage zu verbleiben;

er müffe ihm ja feine Bücher zurückgeben und wiffe fo man=
ches, was er von Einhard noch lernen möchte; auch freut
fich der junge Lupus fchon gar fehr darauf dann einige
Zeit mit Einhard in trautem Gefpräch verbringen zu
dürfen und aus feinem ehrbaren und charaktervollen Leben
gar vieles lernen zu können. — Daß er fchon jetzt feine
Rückreife antrete, wie folches Einhard zu Ohren gekommen
war, das beruhe auf einem mühigen Gefchwätz. Wenn
er aber wirklich fchon baldigft nach Haufe müßte, was er
aber gar nicht wünfche, fo werde er auch in diefem Falle
zweifellos zu Einhard eilen. Denn ihn befeelt ja eine
folche Liebe zu Einhard, daß er keinesfalls in feine Hei=
mat zurückkehren will, ohne bei Einhard vorzufprechen und
ohne feiner Heiligen Schutz aufzufuchen. Bis dahin
wünfcht Lupus feinem Einhard alles Gute, ihm, in dem er
feinen Vater fieht, der fich um ihn die größten Verdienfte
erworben hat.

Schon kurze Zeit nach der Abfaffung diefes Briefes
des Lupus hat Einhard ein Schreiben an Lupus
gefandt, das diefer wieder mit einem länge=
ren Briefe beantwortete.

Seinem Verfprechen getreu, fo verfichert er Einhard,
bete er befonders und tagtäglich zu Gott für die ewige
Ruhe der teueren Imma und für all das, was nach feiner
Anficht für Einhard felber von zeitlichem und ewigem
Nutzen fei. Seine Gebete werden nicht vergebens fein, fie
werden eine Erhörung finden, die — mit Rückficht auf die
Ungeduld des Bittenden — freilich fpät, im Hinblick auf
die Größe der Gerechtigkeit Gottes aber zeitig erwartet
werden dürfe. Einhard folle, fo befchwört ihn Lupus, jene
Stelle im 27. Kapitel des 21. Buches von Auguftins
„Gottesftaat" nachlefen; und er folle fehen, fo meint Lupus
wohl nicht ohne ein gewiffes Selbftgefühl, ob nicht diefer
ganz große Mann der Geifteswelt ähnlich über das näm=

liche Unglück geschrieben habe, wie er selber in seinen
früheren an Einhard gerichteten Zeilen; er fügt die Ver=
sicherung bei, daß er diese Ausführungen bei Augustin erst
jetzt zu Gesicht bekommen habe und daß er sich gar sehr
darüber verwundert habe, wie sie so sehr dem, was er ge=
schrieben habe, ähnelten.

Seine Rückkehr nach Hause und damit auch seinen
Besuch bei Einhard müsse Lupus, so teilt er seinem Gönner
mit, um einige Zeit verzögern. Markward, der Abt des
Klosters Prüm, mit dem Lupus verwandt war[1]) und der
sich um die Rückreise seines jungen Vetters annehmen
sollte, mußte als Gesandter nach Italien gehen, wollte
aber doch noch vor seinem Aufbruch dorthin Lupus als
einen ihm sehr nahe stehenden Menschen — so schreibt
Lupus wiederum kaum ohne eine leise Selbstgefälligkeit —
sprechen; Markward hatte deshalb seinen Verwandten
dazu bestimmt von Fulda an dem Einhard schon genann=
ten Tage — Mitte Mai — abzureisen und Seligenstadt
aufzusuchen. Nun wäre aber Abt Hrabanus von Fulda
zu dieser Zeit fern von seinem Kloster, da er nach seiner
Rückkehr vom Aachener Hof mit einer Gesandtschaft be=
traut worden sei, was er ursprünglich noch nicht habe vor=
aussehen können. Bis zum Feste des hl. Bonifatius
(5. Juni) aber müsse Hraban unbedingt wieder in Fulda
sein, es wäre denn, daß ein neuer kaiserlicher Befehl von
großer Wichtigkeit ihm wieder einen Strich durch seine
Pläne mache; drum sollte auch Lupus bis zur Rückkunft des
Hraban in Fulda bleiben. Da nun Markward nach seiner
Rückkehr an Lupus die Anfrage stellen ließ, wann dieser
am liebsten wieder in seine westfränkische Heimat reise, so
ließ Lupus die Bitte aussprechen, daß ihm am 4. Juni die
Reisepferde nach Fulda geschickt würden, damit er dann

---

[1]) Sprotte a. a. O. 12.

am 6. Juni von dort abreisen und zunächst Einhard besuchen könne; Markward hat dies auch gütigst zugesagt.
Einen bestimmten Tag, an dem er zu Einhard komme,
könne er nun freilich noch nicht nennen; aber in der
Woche, die mit dem 5. Juni beginne, wird er jedenfalls,
so Gott es will, kommen. Hoffentlich wird dann Lupus
seinen lieben Einhard in guter Stimmung, frei von aller
Beschwerde und Sorge, antreffen, auf daß es ihm sodann
vergönnt ist, manches Freundeswort mit Einhard, vor dem
er eine gar große Hochschätzung empfindet, auszutauschen;
aus dieser Unterhaltung mit Einhard hofft Lupus auch
manches für sich zu gewinnen und durch Einhards gereisten Verstand Lücken ausfüllen zu können, die er bei
sich selber und anderen wahrgenommen hat. Er will ja
nicht als Schmeichler erscheinen und deshalb möchte er
es gar nicht weiter ausführen, wieviel Erbauung, wieviel
Anregung und wieviel Hilfe er sich von all dem verspricht.
— Ein paar F r a g e n, die er auf dem Herzen hat, will
Lupus gleich jetzt dem lieben Einhard vortragen; dann
kann dieser sie sich einstweilen überlegen und umso leichter
ihm bei seinem persönlichen Besuch Auskunft geben. Und
nun zitiert er eine Reihe von Stellen, die für ihn vorläufig dunkel sind, Stellen aus der Schrift des Boëthius
„De arithmetica"; auch in die Zeitrechnung des Vikto-
rius, des berühmten Rechenmeisters aus Aquitanien im
fünften Jahrhundert, nach welchem die sog. Viktorinische
Periode ihren Namen hat,[1]) also in ein für die Berechnung des Osterfestes wichtiges chronologisches Werk, will
Lupus durch die Gelehrsamkeit Einhards eingeführt werden.

Neben diesen arithmetischen Dingen, welche Lupus
auf dem Herzen liegen, quälen ihn auch manche philologische
Bedenken und Zweifel; über die Kürze oder Länge dieser

---

[1]) S F Rühl, Chronologie des Mittelalters und der Neuzeit (Berlin 1897) 126 f.

oder jener Silbe möchte er sich fast den Kopf zerbrechen.
— Man muß all das im Briefe des Lupus selber nach=
lesen, um daraus zu ersehen, wie ernst und gründlich er
alle diese Probleme genommen hat. Darüber hinaus weiß
Lupus noch manch anderes, was er zu Einhard tragen
möchte. Doch will er diesem erst mündlich davon sprechen.
— In Worten, durch welche die Leidenschaft des jungen
Gelehrten hindurch zittert, beschwört Lupus den hochbe=
tagten Einhard angesichts der Liebe, welche dieser ihm
immerdar bezeigt hatte, er möchte sich doch dazu herbei=
lassen bei seinem bevorstehenden Besuch in Seligenstadt
das, was er notwendig brauche und was er von niemandem
sonst als von Einhard erfahren könne, aus den Tie=
fen seines Wissens hervorzuheben und es ihm aus Liebe
und Freundschaft dartun zu wollen; „auf daß — so sagt
Lupus — Ihr die Samenkörner Eueres Geistes auf mich
streuet und Ihr so die Frucht davon auf viele überträgt".

Doch war mit diesem Wunsche Lupus noch nicht zu
Ende gekommen; immer wieder fallen ihm neue Bitten und
Anliegen ein, die er bei Einhard vorbringen will: Wie
Lupus gehört hat, hat der königliche Schreiber Bertcaudus
eine Beschreibung des Maßes der sehr großen, alten Buch=
staben, der sog. Unzialen. Falls nun Bertcaudus gerade
bei Einhard in Seligenstadt sei, so möge dieser doch
jene Beschreibung — wir haben darunter offenbar ein
epigraphisches Alphabet uns vorzustellen[1]) — durch Bert=
caudus, wenn dieser an den Hof zurückgehen würde, ihm
übersenden; aber, wie Lupus beifügen zu sollen glaubt, in
einem sehr sorgfältigen, mit einem Siegel versehenen
Schreiben.

---

[1]) Vgl. W. Wattenbach, Das Schriftwesen im Mittelalter,
3. Aufl. (Leipzig 1896) 269; Traube, Untersuchungen zur Über=
lieferungsgesch röm Schriftsteller, in den Sitzungsberichten der
Münchener Akademie, Philof.=philol. und hist. Cl 1891 S. 428.

Den A. Gellius, den Lupus von Einhard entliehen
hat,[1]) hätte er ihm schon zurückgeschickt; aber der Abt des
Klosters, Hrabanus Maurus, hat das Buch zurückbehalten
und klagt darüber, daß in Fulda noch keine Abschrift davon
angefertigt worden sei. Hraban habe gesagt, fügt Lupus
bei, er werde schon an Einhard schreiben, daß er (Hraban)
das genannte Buch ihm (Lupus) „mit Gewalt entwunden
habe"! Der arme Lupus ist also ganz unschuldig daran,
wenn er seiner Rückgabepflicht noch immer nicht nach=
kommt; und er hat den besten Willen seine alten Bücher=
schulden bald zu begleichen: ganz gewiß werde er dieses
Buch wie auch all die anderen, deren er sich dank der
Liberalität Einhards erfreuen konnte, selber Einhard zu=
rückbringen, so Gott will. Schließlich kommt noch eine
Bitte: Einhard solle es sich nicht verdrießen lassen das im
Gesetze[2]) Dunkle und besonders die griechischen Namen,
sowie andere griechische Ausdrücke aus dem Virgilkommen=
tare des Servius[3]), wie Lupus all diese ihm unklaren
Einzelheiten zu Beginn seiner Freundschaft mit Einhard
diesem übersandt hätte, wenigstens jetzt ihm zu erklären.

Wir wissen leider nichts davon, wie Einhard diese
Zeilen seines Freundes, die mit ihren Bitten und Wün=
schen nicht gerade sehr bescheiden waren, aufnahm und ob
er seinem Drängen nachgab und sich an die Erklärung all
der Dinge machte, die Lupus von ihm wissen wollte.
Und wir wissen auch von dem Besuche nichts, der in jenem
Briefe in Aussicht genommen war. Dennoch, glaube ich,
gehört nicht allzu viel Phantasie dazu, um uns Bilder von
den Stunden, welche Einhard damals gemein=

---

[1]) S. oben S. 400.

[2]) Es ist damit jedenfalls das Gesetzbuch Esras, also ein Be=
standteil der Bibel, gemeint.

[3]) Servius Maurus Honoratus war ein gelehrter Kommen=
tator Virgils im 5. Jahrhundert.

fam mit dem wißbegierigen Freunde ver-
lebte, vor unfer geiftiges Auge zu führen: wie wird er feinem
Lupus, als diefer mit feiner Begleitung von Fulda her
geritten kam, doch ein herzliches „Salve, desiderantissime!"
entgegengerufen und ihn willkommen geheißen haben an
den Ufern des Mains, in feinem Seligenftädter Klöfter-
lein, das er fo wohnlich ausgeftaltet hatte in den letzten
Jahren und das ihm doch nun öde und verlaffen vorkam,
da ein lieber Schutzgeift, feine entfchlafene Imma, hier
fehlte! Und wie wird Einhard mit der ganzen Gaftlichkeit,
die feinem Wefen entfprach, feinen Freund im Refektorium des Klofters bewirtet und ihm zur Erquickung von
den Befchwerniffen der Reife manchen Becher voll köft-
lichen Rebenfaftes, der an den fonnigen Hängen des
Mains gewachfen war, vorgefetzt haben! Und dann mag
er ihn unter traulichem Zwiegefpräch in den Raum geführt haben, in dem feine geiftigen Freunde, die Werke
der Kirchenväter und der hl. Schriften des Alten und des
Neuen Bundes und manches Buch der alten Klaffiker auf-
geftellt waren; vermutlich nicht ohne Stolz wird er ihm
auch die eine oder andere Handfchrift, die man vielleicht
neu erworben hatte, feitdem Lupus zum letztenmal in Seligenftadt gewefen war, vorgewiefen haben. Einer der
erften Gänge, die Lupus an der Seite feines Mentors in
Seligenftadt unternahm, war aber gewiß der Befuch des
Gotteshaufes, in welchem die Schreine der hochverehrten
Heiligenleiber ftanden und in dem meift eine geheimnisvolle
Stille herrfchte, die nur vom Kniftern der Kerzen und hin
und wieder von dem Seufzer eines Beters, der hier Hilfe
fuchte in feiner Alltagsnot, unterbrochen ward. Wenn
aber die goldenen Strahlen der Frühlingsfonne in jenen
Junitagen des Jahres 836, da Lupus feinen väterlichen
Freund aufgefucht hatte, gar zu lockend durch die Fenfter
der Seligenftädter Kirche oder in die kleinen Zellen des

dortigen Klosters drangen, dann führte Einhard seinen
Gast wohl hinaus in den Klostergarten, wo man nicht bloß
mancherlei Nutzpflanzen, Salat und Rettiche und Peter-
silie, Gurken und Kürbisse und noch manch andere baute,
sondern wo das Auge auch durch einige Zierpflanzen, wie
etwa durch die eben in voller Blüte prangenden, süßduf-
tenden Rosen und die schneeigen Lilien, erfreut wurde.
Und so wandern in solchen Stunden Einhard und sein
Besuch aus Fulda durch den Seligenstädter Klostergarten,
wandern durch den dortigen Obstbaumgarten, dessen zahlreiche Apfel-, Birnen-, Pflaumen- und Kirschbäume ihr
Blütenmeer freilich schon verloren haben; manches gelehrte
und ernste Gespräch wird da zwischen den beiden Freunden, die so ungleich an Alter und Temperament waren,
so sehr sich aber in der Liebe zur Wissenschaft und Gelehrsamkeit glichen, geführt worden sein.

So ungefähr stelle ich mir den Verlauf der Tage vor,
da Einhard den jüngeren Lupus in Seligenstadt seinen
Gast nannte. Die Stunden, welche dieser mit dem Biographen Karls d. Gr. hier verlebte, werden dem künftigen
Abte von Ferrières trotz aller Erfolge und äußeren Ehren,
die ihm auf seinem weiteren Lebensweg noch beschieden
sein sollten, doch bis zu seinem Lebensende unvergeßlich
geblieben sein. Und auch Einhard wird sie nicht als nutz-
los vergeudet angesehen haben, wenn er vielleicht auch,
wenn Lupus ihn mit seinen Fragen nur so überschüttete
und in seiner stürmischen Art bald auf philosophische und
religiöse Dinge, bald auf philologische Kontroversen, dann
wieder auf arithmetische und graphologische Fragen und
noch auf viele andere Probleme zu sprechen kam, mit einem
resignierten Lächeln seinen feurigen jugendlichen Freund
betrachtet und in seinem Herzen ein „O vanitatum vani-
tas!"gesprochen haben mag.

Noch einen anderen Besuch durfte Einhard im Jahre

836 in Seligenstadt willkommen heißen: schon wenige Mo=
nate nach Immas Tod suchte nämlich sein Kaiser Seligen=
stadt auf. Es ist kaum zu verkennen, daß K a i s e r L u d =
w i g dem trauernden Einhard bei diesem B e s u c h sein
herzliches Mitgefühl zu jenem schweren Schicksalsschlage
aussprechen und ihm so ein Zeichen seiner Gnade kundtun
wollte. Manche Erinnerungen mögen damals die beiden
Altersgenossen miteinander ausgetauscht haben; sie wer=
den wohl geplaudert haben von den goldenen Tagen, da
sie beide als Jünglinge am Hofe Kaiser Karls verweilt,
die Brust geschwellt von Idealen, der eine in der stolzen
Hoffnung es dem großen Vater einstens gleichzutun, ein
machtvoller Herrscher zu werden gleich ihm; der andere
nicht minder stark auf seinen Stern vertrauend, gleichfalls
gewillt ein Herrscher zu werden — ein Herrscher im
Reiche der Wissenschaft und der Kunst. Beiden hatte
das Leben in mancher Hinsicht übel mitgespielt. Aber der
Glücklichere von ihnen war doch Einhard gewesen: der
Kaiser hatte das Erbe, das ihm von seinem Vater über=
kommen war, nicht erhalten können, hatte zusehen müssen,
wie vom stolzen Bau Kaiser Karls ein Stein nach
dem andern sich lockerte; seine eigene Hinterlassenschaft
an die Nachwelt war herzlich gering. Der Gelehrte und
Künstler aber, der da vor ihm stand, bescheiden und schüch=
tern wie schon immer, er hatte Schöpfungen aufzuweisen,
die nicht mit ihm ins Grab sinken sollten; der Samen, den
er ausgestreut hatte, sollte noch nach seinem Tode hundert=
fache Frucht tragen.

Als damals Kaiser Ludwig und Einhard von ein=
ander schieden, da wird wohl den beiden Männern der
Gedanke vor die Seele getreten sein, daß sie sich in diesem
Leben kaum mehr wiedersehen würden. Indes sollte Kaiser
Ludwig und sein alter Jugendgefährte auch in der Folge=
zeit wenigstens in schriftlichen Verkehr mit einander ver=

bleiben. Ein Komet, der im Jahre 837 erschien, ver=
anlaßte Einhard zu einer g u t a ch.t l i ch e n Ä u ß e r u n g
ü b e r d i e B e d e u t u n g u n b e k a n n t e r S t e r n=
b i l d e r. Ludwig selbst hatte vermutlich dieses Gutachten
seines gelehrten Jugendfreundes erbeten. Denn jener
Komet scheint das Interesse des Kaisers in höchstem Grade
erregt zu haben. Es war offenbar derselbe Komet,[1]) von
dem uns auch der Biograph Kaiser Ludwigs, der wegen
seiner astronomischen Kenntnisse in der Regel als „Astro=
nomus" bezeichnete Verfasser der Vita Hludowici[2]),
Kunde gibt und berichtet, daß dieser Komet in der Oster=
zeit — es handelt sich, wie aus einer anderen Quelle her=
vorgeht, um die Osterzeit_des Jahres 837 — 25 Tage
lang im Zeichen der Jungfrau, und zwar in dem Zipfel
zwischen Schlange und Rabe, beobachtet werden konnte.
Kaiser Ludwig hatte, wie gesagt, dem Erscheinen
dieses Sternes seine rege Aufmerksamkeit geschenkt und
sich bemüht den Sinn und die tiefere Bedeutung dieser
Himmelserscheinung zu ergründen. An einen seiner Um=
gebung angehörigen Geistlichen, den eben schon genannten

---

[1]) Über die Identität des von Einhard erwähnten Kometen
mit dem in der Vita Hludowici besprochenen wie auch mit dem
Sterne, der nach den Fuldaer Annalen vom 11. April 837 in
drei Nächten sichtbar war, s Kurze, Einhard 84 A. 3.

[2]) Wie ich feststellen zu können glaube, ist diese Vita Hludowici zwischen dem Vertrag von Saint=Benoit=fur=Loire (Juni
845) und der Krönung Karls d. K. zu Orleans (6. Juni 848)
und zwar kurz vor diesem Ereignis (vermutlich 847) von einem
Hofwürdenträger Pipins II. von Aquitanien als eine Art von
Fürstenspiegel für diesen jungen Herrscher geschrieben; der Ver=
fasser, welcher zu den vom westfränkischen König dem jungen
Pipin bestellten Räten gehörte, ist m. E. der Kanzler Pipins II.,
Hilduin, der später dann Erzkaplan Karls d. K. wurde und von
diesem eine Reihe von Abteien erhielt, so jedenfalls St. Germain
(bei Paris) und ebenso wohl auch St. Martin in Tours und
St. Medard in Soissons.

„Astronomus", wandte sich Ludwig zunächst. Aber der
„Astronom" suchte anfänglich durch belanglose Ausflüchte
um die Beantwortung der an ihn gerichteten Frage herum=
zukommen. Der Kaiser merkte dies wohl und äußerte, daß
man ihm einen Punkt verschweige: es heiße, daß ein solches
Zeichen ein Vorbote sei für einen bald eintretenden
Wechsel in der Regierung, also für den Tod des Herr=
schers. Der „Astronom" suchte daraufhin den Kaiser
durch den Hinweis auf das Prophetenwort, man dürfe
nicht vor Himmelszeichen in Furcht geraten, zu beruhigen.
Der Kaiser bemerkte, man solle allerdings vor nichts
anderem als vor dem Schöpfer von uns Menschen und
von den Sternen selber erschrecken; aber die Milde Gottes,
welche man nicht genug bewundern und lobpreisen könne,
habe sich gewürdigt den Menschen in seiner Sündhaftig=
keit durch solche Vorzeichen zu ermahnen. — Wie es
scheint, grübelte der Kaiser noch lange Zeit über den Ko=
meten und seine Bedeutung nach und wünschte auch die
Meinung dessen zu hören, von dem er mehr als von den
Höflingen seiner nächsten Umgebung erwarten mochte seine
wahre Ansicht zu vernehmen: von seinem alten Einhard.
So scheint denn eines Tages ein kaiserlicher Bote in
Seligenstadt angelangt zu sein und Einhard die Weisung
hinterbracht zu haben dem Kaiser über die Bedeutung dieses
Kometen klaren Wein einzuschenken.

Und Einhard hat solches auch getan: er gesteht, daß
es fast die einmütige, autoritative Auffassung der Alten
sei, daß das Auftreten eines neuen und ungewohnten
Sternes eher Unglück und Trauer als Freude und Glück
für die Menschenkinder bedeute. Nur in der Heiligen
Schrift lese man von einer Ausnahme, von der glückbrin=
genden Erscheinung eines neuen Sternes, jenes Sternes,
den die Weisen aus dem Chaldäerlande geschaut und aus
dessen strahlendem Glanze sie auf die Geburt des ewigen

27*

Königs geschlossen hätten. Der Stern aber, der jüngst er=
schienen sei, habe nach dem Berichte aller, die ihn geschaut
hätten, ein furchtbares und wenig erfreuliches Aussehen
gehabt und drohenden Feuerschein erstrahlen lassen. Das
sei ein Vorzeichen gewesen, welches denn auch, so meint
Einhard, ganz zu dem, was die Menschen verdient hätten,
gepaßt habe; es habe die Katastrophe angekündigt, deren
sich die Menschen schuldig gemacht hätten. Was tue es
denn da zur Sache, ob Gottes Zorn dem Menschenge=
schlechte durch einen Propheten oder durch einen Engel —
Einhard erinnert sich immer noch der Weissagung, welche
er vom Engel Gabriel acht Jahre vorher zu berichten ge=
wußt hatte[1]) — oder von einem Gestirne angekündigt
werde? Nur das e i n e tue not, daß man zur Erkenntnis
komme, es sei das Erscheinen des beobachteten Gestirns
nicht überflüssig, sondern für die Sterblichen eine Mah=
nung durch Buße und durch Anflehen von Gottes Barm=
herzigkeit die künftige Gefahr abzuwenden zu trachten.
Und nun verweist Einhard auf die Prophezeiung des Jo=
nas vom Untergange Ninives, dessen Bewohner sich zur
Buße bekehrt hätten und hierdurch vom Verderben ver=
schont worden seien; ebenso weist er auf den Propheten
Jeremias und auf Gottes Worte: Gott werde ein Volk,
das der Herr auszurotten beabsichtigt hatte, das aber sich
zu bekehren begonnen habe, nicht verderben. Daraus
schöpft Einhard das Vertrauen, daß Gott auch das frän=
kische Volk verschonen werde, wenn dieses mit seiner Buße
ernst machen wolle. Ja, Einhard glaubt bereits eine tröst=
liche Überlegung zur Hand zu haben: nicht lange vor der
Abfassung seines Schreibens, am 17. Juni 837, hatten die
Normannen den Franken eine blutige Niederlage beige=
bracht. — Hören wir näher davon!

---

[1]) S. oben S. 316 f., 370.

Die letzten Lebensjahre Einhards gehören bereits der
Zeit der beginnenden Normannennot an. Die
inneren Wirren, welche das Frankenreich namentlich seit
830 erschütterten, hatten die Lähmung der Wehrkraft des
Reiches gegen äußere Feinde zur unmittelbaren Folge
gehabt. Die normannischen Seeräuber begannen auf
ihren kleinen, schnellen Schiffen die Küsten der Nordsee
heimzusuchen. In Friesland waren sie 834 erschienen,
waren über Utrecht vorgedrungen und hatten den reichen
Stapelplatz Duurstede geplündert und teilweise verbrannt.
Bald dehnten sich die Raubzüge der Normannen weiter
gegen Süden bis zur Loiremündung aus. 836 wurde
Duurstede erneut heimgesucht, Antwerpen und der an der
Mündung der Maas gelegene Hafen Witla verwüstet.
Die Anstalten, welche man zur Verteidigung Frieslands
und der Nordseeküste traf, erwiesen sich als unzureichend.
Den Normannen glückte es die auf der Insel Walcheren
liegende fränkische Besatzung zu überfallen; ein Blutbad
unter den Franken wurde angerichtet, der Rest der frän=
kischen Besatzung geriet in Gefangenschaft; die Insel Wal=
cheren sowie Duurstede wurden gebrandschatzt und ge=
zwungen den Seeräubern Tribut zu bezahlen.

Von jener Katastrophe vom 17. Juni hat auch Ein=
hard gehört und gedenkt ihrer in jenem Gutachten für den
Kaiser, indem er den Wunsch ausspricht, es möchte durch
das Unglück, das jüngst, wie man sage, eine normannische
Flotte über Gebiete des fränkischen Reiches gebracht habe,
das Schlimme, das durch das Auftreten jenes schrecklichen
Gestirnes vorbedeutet worden sei, aufgewogen worden sein.
Doch müsse man, so bekennt er ehrlich, besorgen, daß
noch schwerere Strafe auf jenes Vorzeichen folgen möchte:
man müsse befürchten, daß die Franken, denen jenes vom
Meere heraufziehende Unwetter so heftig zugesetzt habe,
eine gar große und schlimme Vergeltung an sich und all
den Ihren erfahren.

So stiegen also mit der Normannennot am Lebens=
abend Einhards schwere Gewitterwolken auf. Noch schlim=
mer waren die zerfahrenen inneren Verhält=
nisse des Reiches, welche der Greis schauen sollte und
die ihn seines Lebensherbstes unmöglich froh werden
lassen konnten. Noch einmal mußte es Einhard erleben,
daß Zwist und Streit die Familie seines alten Kaisers
zerrütteten: das leidenschaftliche Streben Judiths ihrem
Sohne Karl ein territoriales Erbe, reicher als das seiner
Brüder, zu verschaffen, bildete den inneren Grund zu
neuen Zerwürfnissen zwischen Kaiser Ludwig und seinen
Söhnen aus erster Ehe; denn Ludwig hatte sich als willen=
loses Werkzeug den Plänen seiner zweiten Gemahlin hin=
gegeben. Noch im Winter des Jahres 837 wurden auf
einer Reichsversammlung zu Aachen dem jungen Karl weite
Gebiete des Frankenreiches zugesprochen. Nur wider=
willig gab der Bayernkönig Ludwig der Deutsche seine
Zustimmung hierzu; er schien eine Politik zu treiben, die
den Absichten des Kaisers sehr zuwiderlief. Das sollte
er büßen: seit jener Reichsteilung, welche i. J. 833 nach
dem Verrat auf dem Lügenfelde vorgenommen worden
war, besaß Ludwig d. D. außer den bayrischen Gebieten
auch die übrigen ostfränkischen, deutschen Länder: Ale=
mannien, das Elsaß, Sachsen, Thüringen und auch Fran=
ken; Einhards Seligenstädter Besitztum gehörte also zum
Herrschaftsgebiet Ludwigs. Freilich scheint Ludwig d. D.
in diesen Gebieten kaum eine wirkliche Herrschaft ausge=
übt zu haben; es war zunächst vielmehr bloß eine Anwart=
schaft auf den künftigen Besitz dieser Länder nach dem
Tode des Kaisers. Aber eben diese Anwartschaft machte
man ihm jetzt von kaiserlicher Seite strittig: der Kaiser ver=
langte die Rückgabe dieser „angemaßten" Gebiete auf bei=
den Seiten des Rheins. Als Ludwig d. D. sich weigerte
auf sie zu verzichten erklärte ihn ein Erlaß des Kaisers

ausdrücklich der elsässischen, alemannischen, sächsischen,
thüringischen und fränkischen Gebiete für verlustig; Lud=
wig war auf Bayern beschränkt. Aber er war entschlossen
seinen Anspruch auf die ostfränkischen Gebiete mit dem
Schwerte zu verteidigen. Am 29. November 838 war er
in Frankfurt eingerückt, gewillt seinem Vater den Rhein=
übergang zu verwehren. Nach längeren Operationen wurde
sein Heer zum Rückzug genötigt — dem Kaiser stand der
Weg nach dem östlichen Frankenreiche offen, Ludwig d. D.
mußte, von vielen seiner Anhänger verlassen, seine Sache
verloren geben. Im Mai 839 wurden zu Worms jene
Abmachungen zwischen dem Kaiser und seinem ältesten
Sohne Lothar getroffen, auf Grund deren fast das ganze
Reich zwischen Lothar und Karl d. K. aufgeteilt werden
sollte; Ludwig d. D. sollte nur Bayern verbleiben.

Nicht ohne Grund mußte man nach solchen Beschlüssen
von kaiserlicher Seite besorgen, daß der Bayernherrscher
seine bisherigen Ansprüche nur gezwungen aufgeben werde;
Ludwig d. D. wurde seitens seines Vaters verboten die
bayerische Grenze zu überschreiten. Der Kaiser traf bereits
Vorkehrungen für einen neuen Feldzug gegen Bayern.

Von all diesen Vorgängen war natürlich E i n h a r d
u n d s e i n e S e l i g e n s t ä d t e r G r ü n d u n g stark in
Mitleidenschaft gezogen. So sehr er sich auch im letzten
Jahrzehnt seines Lebens von der Politik zurückziehen
mochte — ganz konnte er ihr doch nicht fernbleiben. Im
Jahre 838 soll Einhard einer Versammlung zu Aachen bei=
gewohnt haben.[1] Vorausgesetzt, daß solches richtig ist,
war es damals vielleicht das letztemal, daß Einhard in der
alten Karlsstadt weilte, mit der ihn so viele Erinnerungen
verbanden; ernste Gedanken werden ihm da wohl vor die
Seele getreten sein, wenn er, der Greis, wieder das Mün=

----

[1] So Hampe im Neuen Archiv XXI 612.

ſter betrat und die Kunſtwerke beſah, die einſt ſeine eigene
Hand für den neuen „ſalomoniſchen Tempel" geſchaffen
hatte.

Einhards Name iſt auch verknüpft mit den kriegeriſchen
Operationen Kaiſer Ludwigs gegen ſeinen gleichnamigen
Sohn, von denen ich eben geſprochen habe. Wir be=
ſitzen noch einen Brief Einhards, der offenbar in jene
Zeit gehört und in welchem Einhard einem Grafen von
einem kaiſerlichen Befehle Kunde gibt, den Ludwig d. Fr.
ihm durch einen Jägersmann namens Dagolf hatte über=
mitteln laſſen: darnach ſollte ein anderer Graf die Grafen
des öſtlichen Frankenreiches namens Hatto, Poppo, Geb=
hard und mehrere andere Standesgenoſſen derſelben zu
einer Beratung entbieten; hier ſollte man ſich mit der
kritiſchen Lage in Bayern befaſſen und Vorkehrungen
treffen gegen allenfalls von hier ausgehende Überraſchun=
gen. Die genannten Herren waren der Anſicht, es ſollte
auch jener Graf, an den Einhard ſeine Zeilen damals
richtete, ſowie ein gewiſſer Atto zu der geplanten Be=
ſprechung beigezogen werden; auf ihr Erſuchen übermittelte
Einhard dieſen Wunſch und bat um Angabe eines Treff=
punktes.

Zweifellos b e w a h r t e Einhard bei dieſen neuen
Wirren innerhalb der karlingiſchen Familie d e m a l t e n
K a i ſ e r ſ e i n e T r e u e; dem Bayernherrſcher war dieſe
Haltung Einhards gewiß nicht unbekannt. Es iſt daher
auch leicht erklärlich, wenn Einhard es für geraten hielt
das Oſtfrankenreich zeitweiſe zu verlaſſen, ſo ſchwer ihm
auch das Scheiden von ſeinem Seligenſtadt werden mochte.
Wir beſitzen ein an den Vorſteher der Seligenſtädter
Kloſtergemeinde gerichtetes Schreiben Einhards, das dieſer
von der Ferne her — vielleicht vom Kloſter Blandigny,
wo er offenbar am 7. September 839 weilte — nach Se=
ligenſtadt geſandt hat: er teilt dem Adreſſaten mit, daß

er wohlbehalten und gesund sei und hofft ein gleiches von den Seligenstädter Brüdern; man möge in Seligenstadt nur recht für ihn beten, auf daß ihn Gott durch die Vermittlung der Heiligen Marzellin und Peter hier wieder gut eintreffen lasse.

In jener Zeit wurde das Frankenland selber zum Schauplatz des Streites zwischen Kaiser Ludwig und seinem gleichnamigen Sohn. Anfangs des Jahres 840 besetzte der letztere das rechtsrheinische Gebiet, auf das er einen Rechtsanspruch erheben zu können meinte. Der Kaiser kam in Eilmärschen gegen den aufrührerischen Sohn herangerückt; ehe er noch in den Mainlanden eintraf, ist Einhard am 14. März 840 gestorben. Über seine Krankheit und seinen Tod ist uns nichts bekannt. Sein heißer Wunsch, daß sein Leichnam bei seinen Lieblingsheiligen Marzellin und Peter bestattet würde, ging in Erfüllung; denn in Seligenstadt begrub man ihn; das dortige Benediktinerkloster barg seine und seiner Gemahlin Imma sterbliche Überreste. Fern vom Aachener Hofe, wo einst sein Ruhm erstrahlt hatte, in einem stillen Frankenstädtchen am Main, das durch ihn zu seiner späteren Bedeutung gekommen ist, schlummert Einhard der Auferstehung entgegen. Hrabanus Maurus hat ihm eine Grabschrift gedichtet, die Kunde davon gibt, welch hoher Wertschätzung sich Einhard bei seiner Mitwelt erfreute; mit der Bitte an Christus, dem hier Bestatteten gnädig zu sein und ihm das „regnum aeternum" zu verleihen, schließen die Verse.

An einem Maientag des Jahres 840 war es, als auf den Fluten des Mains ein stattliches Schiff an Seligenstadt vorüberzog; mainabwärts gegen Frankfurt ging seine Fahrt; an Bord dieses Schiffs befand sich ein frühgealterter, totkranker Mann: es war der Sohn des großen Karl,

Kaiser Ludwig d. Fr. Wie schon acht Jahre vorher[1])
kam er auch jetzt wieder von der Königspfalz zu Salz an
der fränkischen Saale her mainabwärts nach Frankfurt gefahren. Als er die Häuser und die Kirchen Seligenstadts
erblickte und sah, wie das neue Gotteshaus, das Einhard
noch an seinem Lebensabend mit großen Opfern zu bauen
unternommen hatte, bereits stattlich emporgewachsen war,
da mag dem müden Kaiser der Verlust gar schmerzlich zum
Bewußtsein gekommen sein, den auch für ihn Einhards
Tod bedeutete. Wir wissen es nicht, ob jenes kaiserliche
Schiff damals seine Fahrt unterbrochen hat und ob Ludwig d. Fr. ans Land gestiegen ist, um ein Stündchen in
Seligenstadt zu verweilen und das frische Grab daselbst
zu besuchen. Vermutlich hat es Kaiser Ludwig nicht getan;
denn er war, wie gesagt, ein totkranker Mann, den man
möglichst rasch nach Frankfurt und von hier nach kurzer
Rast auf die Rheininsel bei Ingelheim bringen wollte, um
ihn hier ruhig sterben zu lassen. Aber wenn auch der
Kaiser bei jener Mainfahrt nicht in Seligenstadt landete
und zu Einhards Grabstätte schritt — im Geiste weilte er
ganz gewiß bei dem treuen Diener, dessen emporblühende
Gründung dem kaiserlichen Schiffe und seinem Herrn
Grüße zuzuwinken schien von einem Toten, der hier schlief.

Gleich dem Grabe Karls d. Gr. zu Aachen wurde auch
Einhards letzte Ruhestätte wiederholt von der
wißbegierigen Nachwelt untersucht; zum letztenmal im
März 1872. Damals wurde der bisher in dem Chor der
Seligenstädter Kirche stehende Marmor=Sarkophag mit den
Überresten Einhards, Immas und einer gewissen Gisela in
einen Seitenbau des Gotteshauses, der zu einer Art von
Kapelle umgestaltet wurde, übertragen; hier befindet sich
der Sarkophag noch heute; durch den Abt Peter IV. von

---

[1]) S. oben S. 282 f.

Seligenstadt (1715—30) war er zum Erſatz eines alten, aus Stein gearbeiteten Sarges, der nach der Überlieferung die Gebeine der Stifter der Seligenſtädter Gründung ent= halten ſollte, in Flandern hergeſtellt worden. Am 21. Auguſt 1721 war dieſer ältere Sarg geöffnet worden; dreiviertel Jahre ſpäter, am 11. Mai 1722, hatte dann die Niederlegung jener Gebeine, die man dem alten Sarg entnommen hatte und die inzwiſchen in der Abtswohnung aufbewahrt worden waren, in den neuen Marmorſarkophag ſtattgefunden. Der alte Sarg wurde 1810 von Groß= herzog Ludwig I. von Heſſen den Grafen von Erbach ge= ſchenkt, in deren Schloß zu Erbach er bis heüte in der ſog. Begräbniskapelle ſteht. In dieſem Sarge fanden ſich die fraglichen Gebeine jedenfalls ſchon zu Beginn des 17. Jahrhunderts vor. Auf Veranlaſſung des Mainzer Erzbiſchofs Johann Schweikard von Kronenberg, der ſich aus Geſundheitsrückſichten von Oktober bis Mai 1607 in Seligenſtadt aufhielt, wurde damals der in der Mitte des Chores ſtehende Sarg mit den vermutlichen Gebeinen der Stifter Seligenſtadts geöffnet; noch beſitzen wir die Pergamentrolle, welche die 1607 vorgenommene Unter= ſuchung bezeugt. Bei der 1872 erfolgten Öffnung des neuen Marmorſarkophages fand man eine ſargähnliche Lade vor, welche durch eine Querleiſte in zwei Teile zer= legt war; in dem einen dieſer Teile fand man u. a. zwei Säckchen mit Gebeinen, welche als Überreſte Einhards und Immas gelten dürfen. Schon 1722 hatte man durch einen Arzt aus Hanau ein genaues Verzeichnis der vorgefunde= nen Gebeine anfertigen laſſen; bei der Erhebung im Jahre 1872 wurde an der Hand dieſes Verzeichniſſes von dem Seligenſtädter Kreisarzt das Vorhandenſein aller hier genannten Gebeine feſtgeſtellt; die als „óssa Einhardi" betrachteten Gebeine gehörten nach dem Urteil des erwähn= ten Kreisarztes einer männlichen Perſon von kleiner Ge=

ſtalt an; das erhaltene Schädelſtück zeigt, daß die fragliche
Perſon einen kleinen Kopf ſamt einer ſehr niedrigen
Stirne gehabt hatte. Die als Gebeine Immas anzuſehen-
den Überreſte ließen auf eine mittelgroße Frau mit einer
eblen Form der Schädelbildung ſchließen.

In der zweiten Hälfte der genannten Lade fand man
1872 auch die Gebeine einer jugendlichen weiblichen Perſon vor, auf die ſich ein Zettelchen bezieht, das in ſehr
alten Buchſtaben die Worte aufwies: „Ossa domine Gisle
pie memorie". — Wer dieſe Giſela wohl geweſen ſein
mag? Ob eine Tochter Einhards? Oder gar eine der
Töchter ſeines Kaiſers Karl, die in Seligenſtadt ihre Tage
vollendet hat?[1]) —

Es wäre eine intereſſante Studie zu verfolgen, welchen
W a n d e l die Perſönlichkeit E i n h a r d s, ſein C h a -
r a k t e r b i l d oder vielmehr die Vorſtellung, die man
ſich davon machte, i m L a u f d e r E n t w i c k e l u n g
erfuhr: wie bereits in der zweiten Hälfte des neunten
Jahrhunderts Einhard gleich der Geſtalt des großen Karl
von den Ranken der Sage erfaßt wurde, indem er dem
Mönch von St. Gallen als der gewaltige Künſtler, als
der treffliche Meiſter im Erzguß gilt, der durch ſeine Kunſt-
übung alle anderen Meiſter am Hofe Karls übertroffen
und deſſen ganzes Vertrauen gewonnen, es aber dann
durch einen Betrug, deſſen er ſich ſchuldig machte, ſchmäh-
lich enttäuſcht und auch die verdiente Strafe erlitten habe;[2])
wie im zehnten Jahrhundert bei dem Mönche Odilo von
St. Medard Einhard als „Eginhard mit dem Beinamen

---

[1]) S. O. Falk, Karl d. Gr. Tochter Gisla zu Seligenſtadt,
in den Forſchungen zur deutſchen Geſch. XV 656 ff., beſonders
aber zu all dem den Aufſatz über „Die Gebeine des Einhard,
der Imma und Gisla in der Kirche zu Seligenſtadt", im Katholik
LII = N. F. XXVII (1872) 555 ff.

[2]) S. Buchner, Einhard als Künſtler 117 f.

der Weise" erscheint, der in Karls Zeit gar berühmt ge=
wesen sei; und wie ein Mönch des Klosters Reichenau von
Kaiser Karls Absicht Einhard als seinen Gesandten in
ferne Länder zu senden sowie von Einhards Furcht vor
dem balkenlosen Meere zu plaudern weiß;[1]) wie ferner in
jener Translatio SS. Tiburtii, Marcellini et Petri Ein=
hard als Haushofmeister des Frankenkaisers auftritt, wäh=
rend er dann beim Lorscher Mönch zum „Erzkaplan" und
„Notar" des Kaisers verwandelt wird, dessen Liebe zur
Kaisertochter hinfort einen anziehenden Stoff zum Fabu=
lieren bietet. Aber auch vom „heiligen" Einhard, als der
Einhard in einem seiner Klöster verehrt wurde,[2]) wäre zu
berichten; und manches ließe sich davon sagen, wie im
Laufe der Folgezeit sich die wissenschaftliche Forschung mehr
und mehr für Einhard interessierte, namentlich seit in den
Tagen des Humanismus sein klassisches Werk von Her=
mann von Neuenahr durch den Buchdruck weiten Kreisen
zugänglich gemacht wurde;[3]) schon zuvor hatte der Humanist
Trithemius, der gelehrte Abt des Klosters Sponheim und
des Würzburger Schottenklosters, Einhards Name aufge=
nommen in die Reihe seiner „Illustrium virorum Ger=
maniae" und ihn hier als Karls d. Gr. Kanzler und spä=
teren Jünger des hl. Benedikt und als ersten Abt des Klo=
sters Seligenstadt geschildert, der in der weltlichen Literatur
eine hervorragende Bedeutung innegehabt habe. Seitdem
wird Einhard der gelehrten Welt immer ausschließlicher
zum berühmten Autor der Vita Karoli Magni. Aber auch
der Begründer Seligenstadts bleibt der Nachwelt unver=
gessen. Der Klosterarzt von Seligenstadt Friedrich
Christian Cregut hat in einem Gedicht Einhard verherr=
licht und er drängte auch Weindens seine - Forschungen

_____

[1]) S. oben S. 59.
[2]) S. oben S. 147.
[3]) S. oben S. 170.

über Einhard herauszugeben; so ist i. J. 1711 in Frank=
furt a. M. die schöne Einhard=Biographie Weinckens' mit
dem barocken Titel „Vir famosus super aethera notus
Eginhartus" erschienen. Im 19. Jahrhundert ist dann die
Einhard=Forschung unentwegt weiter vorangeschritten:
namentlich die vorzügliche Gesamtausgabe der Schriften
Einhards durch A. Teulet hat viel dazu beigetragen den
g a n z e n Einhard und die verschiedenen Seiten seines
Wirkens kennen zu lernen; aber immer war es doch vor
allem der Schriftsteller, der gelehrte Einhard, dem das
Interesse weiter Kreise galt. Erst allmählich wurde man
mehr und mehr auch auf die Bedeutung aufmerksam, welche
der Künstler in ihm beanspruchen darf. Worin aber diese
Bedeutung Einhards in der bildenden Kunst beruhte,
darüber ist man sich doch bis in unsere Tage im unklaren
geblieben; nunmehr dürfte der Nachweis erbracht sein, daß
sie vor allem auf dem Gebiete der Plastik und zwar im
Erzguß und im Kunstgewerbe zu suchen ist. Der Ehren=
titel eines Vaters und Begründers des mittelalterlichen
Erzgusses, ja der mittelalterlichen Plastik und des mittel=
alterlichen Kunstgewerbes überhaupt, darf Einhard zuer=
kannt werden, obgleich man bis heute vergeblich nach sei=
nem Namen in einer Geschichte der deutschen oder der
französischen Plastik und in Werken über die Entwicke=
lung des Kunstgewerbes, der Metallarbeit und des Erz=
gusses suchen wird.

Man sieht: es wäre eine recht interessante Aufgabe
den Wandel zu verfolgen, der in der Vorstellung, welche
sich die einzelnen Gelehrten und die einzelnen Jahrhun=
derte von Einhard machten, eingetreten ist. In den Rah=
men dieser Biographie fällt das natürlich nicht mehr her=
ein. Wenn wir hier den g e s c h i c h t l i c h e n Einhard
und sein C h a r a k t e r b i l d, wie es sich in den mehr
oder minder zufälligen Äußerungen seiner Zeitgenossen

und vor allem im Geiste seiner eigenen Schriften wider=
spiegelt, den Lesern dieses Buches lebendig machen konn=
ten, so ist damit der Zweck desselben erfüllt. Zugleich ist
mit diesem Charakterbild dann wohl auch dem Menschen
Einhard ein bescheidenes Denkmal gesetzt; denn die Per=
sönlichkeit des Menschen Einhard ist es, die uns auch den
Gelehrten, den Künstler, den Hofmann und den Ordens=
mann in so liebenswürdigem, sympathischem Lichte erschei=
nen läßt. Geistige Vorzüge paarten sich in ihm mit see=
lischen: fast alle zeitgenössischen Urteile über ihn rühmen
die Klugheit, die ihm eigen war. Doch nicht minder wer=
den auch seine sittlichen Eigenschaften, seine Rechtschaffen=
heit und seine Herzensgüte hervorgehoben. Im Geiste
klug, rechtschaffen im Handeln und beredt im Worte —
so hat Hrabanus Maurus uns das Bild von Einhards
Wesen gezeichnet. Und ein anderer Zeitgenosse Einhards,
der Hofdichter Ermoldus Nigellus, hat gleichfalls die
Geistesschärfe Einhards neben seiner Herzensgüte hervor=
gehoben; mag auch das Urteil eines Poeten, noch dazu
in einem höfischen Lobgedicht, nicht schwer in die Wag=
schale fallen, so spricht umso entschiedener für die Tatsäch=
lichkeit der Vorzüge Einhards das glänzende Bild, das
der ehrliche, nüchterne Sinn des Verfassers jenes Briefes
an Einhards Schüler Wulfin von Einhards Wesen gibt.[1]
Und als Einhards Leib schon in der Seligenstädter Gruft
ruhte, hat ein Biograph Ludwigs d. Fr. ihn als den klüg=
sten Mann seiner Zeit gerühmt, während ihn auch die
Chronik von Fontanelle als einen auf allen Gebieten ge=
lehrten Herrn bezeichnet. Aufrichtige Frömmigkeit und
Bescheidenheit waren ihm eigen. Es ist keine bloße
Schönrederei, wenn Lupus von Einhards „leicht zugäng=
licher und bescheidener und eines Weisen wahrhaft wür=
diger Sinnesart" spricht. Mochte Einhard auch von einer

---

[1] S. oben S. 86 ff.

nervösen Unruhe nicht frei sein und mochte er durch all die
kleinen und großen Sorgen des Alltags so manchmal aus
seinem seelischen Gleichgewicht gebracht werden — im
ganzen war er doch eine harmonisch veranlagte, geschlossene
Persönlichkeit, in deren Wesen gerade auch d i e Vorzüge
in Erscheinung traten, die uns seine Schriften so anziehend
machen: bei allem temperamentvollen Leben doch jene
große Klarheit und Reinheit, die ihnen innewohnt. Einhards Feder war — so hat ein vor wenigen Jahren ver-
storbener Gelehrter[1] geurteilt — unberührt von den
barocken Ansichten seiner Zeitgenossen über stilistische
Schönheit; er konnte Werke hervorbringen, welche sich von
den üblichen Verirrungen des Geschmackes fast ganz frei
hielten. Und: „Wie er schrieb, so war er. Er liebte überall das Hübsche, Zierliche." — Keine Kraftnatur gleich
seinem Kaiser Karl, welche die politische, staatliche Gestaltung eines Weltteils auf Jahrhunderte beeinflußte.
Aber doch eine starke, zähe Persönlichkeit, welche auf dem
Gebiete des geistigen Lebens, des kirchlichen sowohl wie
noch mehr des literarischen und künstlerischen Lebens, von
einschneidender Bedeutung sein sollte für die Folgezeit.

——◆——

---

[1] Hauck, Kirchengesch. Deutschlands II 3. u. 4. Aufl. 183.

Nachträge und Berichtigungen.

Zu S. 16 A 1: Vgl. nun auch M. Tangl, Kaiser Karls Leben von Einhard (Geschichtschreiber der deutschen Vorzeit; 2. Gesamtausgabe, Bd. -16), Leipzig 1920, S. VII.

Zu S. 37 Z. 4 v. u. lies: „Hilaische" statt „Hiliaische"

Zu S. 48 ff.: Vgl. zu Einhard und Imma auch H. Hoffmann, Karl der Große im Bilde der Geschichtsschreibung des frühen Mittelalters (Eberings Hist. Studien, 137. Heft. Berlin 1919) 152 ff; Tangl a. a. O. 54 ff.

Zu S. 78 Z. 8 v. u. lies: „Hrabanus" statt „Rhabanus".

Zu S. 86 ff.: Zum Brief an Vussin bzw. Vulfin f. nun auch Tangl a. a. O. 85 A. 3, der nunmehr gleichfalls — wie er mitteilt, unabhängig von den Darlegungen in meinem Buche „Einhard als Künstler" — zu dem Ergebnis gekommen ist, daß der Schreiber des Briefes nicht Einhard ist, sondern daß dieser unter dem „domnus E." zu verstehen ist. — Meine Identifizierung des Vussin mit Vulfin lehnt Tangl ab; daß die Anrede des Adressaten seitens des Schreibers „nate" eine nur geistige Schülerschaft ausschließe und zur Annahme einer wirklichen Sohnschaft zwinge, kann ich nicht mit Tangl annehmen.

Zu S. 101 Z. 6 v. o. lies: „Karl" statt „Karlmann".

Zu S. 137: Der Besitz des Klosters St. Cloud bei Paris seitens Einhards ist nach Hampe in den Mon. Germ. Ep. V 129 A. 2 doch recht unsicher.

Zu 169 ff.: Vgl. nun auch die Übersetzung der Vita Karoli von Tangl a. a. O., der sie zwischen 817 und 820 datiert (S. XX).

Zu S. 186 ff., besonders 198 ff.: Gegen die in meinem Buch über „Einhard als Künstler" versuchte Identifizierung des „Airardus" mit Einhard wendet sich Tangl a. a. O. 86 A. und ebenso Levison im N. A. XLIII (1921) 428 f.; dessen Beziehung der im Reichenauer Verbrüderungsbuch genannten „cella Sancti Dyonisii ubi confessor Christi Hilarus quiescit humatus" auf Salonnes im Metzer Sprengel ist aber jedenfalls irrig und es ist an der oben S. 195 gegebenen Beziehung auf St. Hilaire-le-Grand in Poitiers festzuhalten. — Auch daß Mabillon und Félibien von Doublet beeinflußt sein „können", wie Levison meint, ist nicht ganz richtig da sie tatsächlich von Doublet abhängig sind, wie der ihnen ge= meinsame Fehler, den ihre Wiedergabe der Inschrift gegenüber der Nachzeichnung Arnold van Buchels aufweist (s. Buchner, Einhard ,als Künstler 142), zeigt. — Dagegen sind die Hinweise Levisons auf das älteste erhaltene Totenbuch von St. Denis und das Verbrüderungsbuch der Reichenau — dieses ist von mir nun oben 194 ff. bereits berücksichtigt — allerdings sehr zu beachten und ich gebe gern zu, daß meine frühere Beziehung des Airardus auf Einhard keinesfalls gesichert ist. Um so mehr darf ich aber — zur Ergänzung meines Kritikers! — doch hier darauf hin= weisen, daß erst durch die in meinem erwähnten Buche erfolgte Heranziehung dieses Kunstwerkes und durch meine kritische Er= örterung über seine Entstehungszeit der Grund gelegt wurde zur zeitlichen Einreihung dieses sehr interessanten Werkes und zur Bekanntschaft mit seinem Meister „Airard".

Zu S. 235 (236) A 2: Gegen meine Datierung des „Formular= buches von St. Denis" wendet sich Levison neuerdings im N. A. XLIII (1921) 430 f.; er wirft mir vor allem vor die Sammlung nicht als Ganzes betrachtet zu haben und nicht „von den gesicher= ten Daten" der darin überlieferten Schriftstücke ausgegangen zu sein; denn er glaubt es früher erhärtet zu haben, daß vom Inhalt der Sammlung nichts über 802 hinausführe, sondern daß wesent= liche Umstände auf den damaligen Abt Fardulf von St. Denis als den Sammler hinwiesen. — Ich kann Levison schon von einem methodischen Gesichtspunkt aus nicht folgen: gerade die „Sammlung als Ganzes" ist ja die kontroverse Frage; sie kann nur durch vorurteilslose Untersuchung der einzelnen Briefe ge= fördert werden; es geht nicht an von der Voraussetzung aus= zugehen, daß sich kein Brief nachweisen lasse, der über 802 hinaus= rage und daß manches für die Datierung in diese Zeit spreche um dann von Schriftstücken, die mit dieser These nicht gut in Einklang stehen, bei dieser Untersuchung abzusehen; dieses Ver= fahren geht deshalb nicht an, weil ja eben jene Voraussetzung, selbst zum guten Teil nur auf der Untersuchung einzelner Briefe und den hierbei gewonnenen Ergebnissen beruht, über deren Stichhaltigkeit eben die Meinungen auseinander gehen können. Daher scheint es mir geboten zu sein zunächst alle einzelnen Briefe möglichst ohne Rücksicht auf die anderen Stücke zu prüfen und dann erst die Sammlung als Ganzes zu betrachten. Gerade aber auch auf Grund dieser Betrachtung der ganzen Sammlung und ihrer Zusammensetzung kam ich zu ihrer Datierung in jenen Jahre, da am Aachener Kaiserhofe Abt Hilduin von St. Denis als Erzkaplan und gleichzeitig mit ihm Abt Fridugis von St. Martin in Tours als Kanzler schlteten und sich durch diese persönlichen Verhältnisse der sachliche Inhalt der Sammlung, ihre Zusammensetzung aus drei Gruppen von Schriftstücken, vorzüglich erklären läßt; einmal aus Briefen, deren Absender oder Empfänger dem karlingischen Hofe unter Ludwig d. Fr angehörten oder nahe standen, ferner aus einer Reihe von Stücken, die sich auf St. Denis bezogen (vor allem vielen damals entstandenen Fiktionen für diese Abtei), endlich aus mehreren Tours betreffenden Schriftstücken. — Deshalb halte ich an der Ansetzung der Sammlung in die zwanziger Jahre des neunten Jahrhunderts fest, zudem für diese Zeit auch noch ein anderer Gesichtspunkt, auf den ich erst in den angekündigten Forschungen eingehe, den Ausschlag zu geben scheint.

Zu S. 275 A. 1: Meine Beziehung jenes „gloriosus comes atque optimas" auf Gerward lehnen Tangl a. a. O. 76 A. 1. und Levison im N. A. XLIII 430 ab.

Zu S. 284. Gegen die Annahme, daß Einhard in seinem Alter die Mönchsgelübde abgelegt habe, wendet sich Tangl a. a. O. 86 A. (vgl. ebb. S. IX f.), der die oben S. 284 A. 1 angeführte Briefstelle nicht im Sinne einer Lösung der Ehe auffaßt

Zu S. 348 A. 1: Auch Tangl a. a. O. S. XIV A. 2 datiert die „Translatio" ins Jahr 830.

Zu S. 374: Den Brief an Lothar beurteilt Tangl S. XVI wie schon vor ihm Hampe.

Register.

Lightning Source UK Ltd.
Milton Keynes UK
UKHW021817020119
334817UK00009B/500/P